W9-BZO-894

La madre Naturaleza

Letras Hispánicas

Emilia Pardo Bazán

La madre Naturaleza

Edición de Ignacio Javier López

CÁTEDRA
LETRAS HISPÁNICAS

Ilustración de cubierta:
Joaquín Vayreda, *Verano* (1877)

Juan Ignacio Luca de Tena, 15. 28027 Madrid
Depósito legal: M. 20.457-1999
I.S.B.N.: 84-376-1719-7
Printed in Spain
Impreso en Lavel, S. A.
Pol. Ind. Los Llanos, C/ Gran Canaria, 12
Humanes de Madrid (Madrid)

Índice

Introducción

Emilia Pardo Bazán.

VIDA

Doña Emilia Pardo Bazán nació en La Coruña el 16 de septiembre de 1851 en el seno de una familia adinerada. Fue hija de don José Pardo Bazán y Mosquera y de doña Amalia de la Rúa Figueroa y Somoza[1]. Su padre desempeñó cargos políticos, siendo elegido diputado por Carballido y recibiendo el título de Conde de Pardo Bazán por nombramiento papal en 1869. El rey Alfonso XIII revalidaría en 1908 dicho título nobiliario en favor de doña Emilia.

Todos los biógrafos de la ilustre autora gallega coinciden al afirmar que la vocación literaria se despierta pronto en ella. La autora misma insiste en este punto indicando, en los «Apuntes autobiográficos» que en 1886 pone al frente de la primera edición de *Los Pazos de Ulloa*, que a los nueve años «garrapateé mis primeros versos». Se trata de versos heroicos que arroja a las tropas españolas que, victoriosas en la campaña que contra Marruecos había dirigido O'Donnell, desembarcan en La Coruña en 1860.

La prosperidad económica de su familia le permite recibir una educación esmeradísima. A las posibilidades familiares se une el gran talento de la autora que se muestra siempre bien dispuesta al aprendizaje, renunciando a la pseudoformación habitual en las jóvenes del momento. Según confiesa, pide

[1] Sigue siendo fuente bibliográfica indispensable, para la biografía de la autora, el libro de Carmen Bravo Villasante, *Vida y obra de Emilia Pardo Bazán* (Madrid, Revista de Occidente, 1962), libro que se ha de complementar con el importante trabajo de Nelly Clèmessy, *Emilia Pardo Bazán como novelista* (Madrid, Fundación Universitaria Española, 1982), 2 vols.

que, en vez de las clases de piano, convencionales en la formación de las jóvenes de la clase alta española en el siglo XIX, le sea suministrado un profesor de latín. Lee con entusiasmo la *Biblia* y el *Quijote*; y muestra una prodigiosa disposición para aprender, así como una constante curiosidad intelectual. Años después, esa misma curiosidad le lleva a pedir a Francisco Giner de los Ríos, íntimo amigo de su familia, guía para sus estudios de filosofía; o a cartearse con Menéndez y Pelayo, a quien pide información bibliográfica cuando acomete un estudio de la poesía cristiana, y escribe ensayos sobre Dante, Milton y Chateaubriand; y, en fin, la avidez de conocerlo todo que le acerca al Naturalismo primero, llevándole a entrevistarse con Zola, Daudet, Huysmans, Rod y Maupassant, y la aleja del Naturalismo después cuando, decayendo ya esta corriente, empiezan a conocerse los grandes novelistas rusos, cuyas obras ella es la primera en reseñar para los lectores peninsulares.

Doña Emilia fue una gran conocedora de la literatura europea de su tiempo, y especialmente de la que se escribía en Francia. Tras los cursos elementales que siguió en su Galicia natal, realizó estudios en Madrid, en el Colegio Francés, donde asistió a clases dos años consecutivos. En dicha institución se familiarizó con la lengua francesa. El conocimiento de este idioma sería de extraordinaria importancia en su futuro, sobresaliendo la autora entre sus contemporáneos españoles —rivalizando con Valera y Clarín en este sentido— por su capacidad para estar al tanto de lo que se hace en el resto de Europa, lo cual, en la segunda mitad del XIX, significaba mayormente París y la literatura del país vecino.

En 1868, a los dieciséis años, contrae matrimonio con don José Quiroga y Pinal. En los «Apuntes autobiográficos» que pone al frente de *Los Pazos de Ulloa*, más arriba citados, la autora habla de este suceso con lo que parece notable despego, escribiendo: «Me vestí de largo, me casé y estalló la Revolución de septiembre.» El marido es un joven hidalgo provinciano, estudiante de medicina, de profundas convicciones ultraconservadoras, que exige a doña Emilia que comparta su ideario carlista. Esta unión, de la que nacerían tres hijos —Jaime (1876), Blanca (1878) y Carmen (1881)— dura quince años. El joven hidalgo gallego es incapaz de vivir en el centro mismo de la polémica que doña Emilia suscita con cada uno de sus escritos y, en 1883, tras el escándalo originado por la publicación de sus libros *(Un viaje de novios, La cuestión palpitante, La Tribuna),* los esposos acuerdan una discreta separación.

Doña Emilia viaja al extranjero por vez primera en 1869. Su padre, atemorizado por los desórdenes revolucionarios posteriores a la *Setembrina,* considera oportuno salir de España hasta que se normalice la situación política en el país. La familia viaja por Inglaterra, Francia, Austria —donde doña Emilia asiste, en 1872, a la Exposición Universal de Viena, y donde visita al príncipe Alfonso, futuro Alfonso XII, que por entonces realiza estudios en su exilio vienés— e Italia. Los Pardo Bazán no regresan a España hasta 1873.

Vuelve doña Emilia al extranjero en 1880, en septiembre, como indica en el conocidísimo prefacio a su segunda novela, *Un viaje de novios* (1881), prefacio que comienza precisamente: «En septiembre del pasado año 1880 me ordenó la ciencia médica beber las aguas de Vichy en sus mismos manantiales»[2]. Trae consigo, al volver a España, un conocimiento de primera mano del Naturalismo francés, doctrina que va a suscitar en nuestro país vivas polémicas entre adictos y contrarios, cuyas opiniones enfrentadas habrán de llenar las páginas de crítica literaria de los periódicos importantes durante más de media década.

Indica Clèmessy que la separación matrimonial proporciona a doña Emilia una enorme libertad. Reparte el año entre Madrid y Galicia. En la corte lleva una intensa vida mundana, y recibe en su salón a destacadas figuras de la política y de las artes y letras españolas y extranjeras. Durante sus estancias en Meirás, reanuda la vida apacible y sana del campo. Fruto de esta calma son sus grandes novelas, que van apareciendo con regularidad a lo largo de tres décadas; y sus magníficos cuentos, género este en el que será la maestra indiscutible entre los grandes autores españoles del XIX[3]. Escribe también su

---

[2] Emilia Pardo Bazán, *Un viaje de novios,* edición, introducción y notas de Mariano Baquero Goyanes (Barcelona, Labor, 1971), pág. 57.

[3] Contamos, por fin, con una edición completa a cargo de Juan Paredes Núñez: Emilia Pardo Bazán, *Cuentos completos* (La Coruña, Fundación Conde de Fenosa, 1990), 4 vols.

notable crítica literaria y se preocupa por la situación de la mujer y por la regeneración de ésta.

En la segunda mitad de la década de los ochenta, en las fechas en que escribe sus dos obras maestras, *Los Pazos de Ulloa* (1886) y *La madre Naturaleza* (1887), la autora estuvo sentimentalmente relacionada con Benito Pérez Galdós. Como testimonio de esta relación se conserva un epistolario amoroso que dio a conocer hace años Carmen Bravo Villasante[4]. Tendrá asimismo relaciones amorosas con Lázaro Galdiano. Por estas fechas lee a Dostoievski y, en 1887, da una serie de conferencias en el Ateneo sobre la Revolución y la novela en Rusia[5]. En ese mismo año vuelve al extranjero y visita Italia.

A comienzos de la nueva década, en 1891, funda el *Nuevo Teatro Crítico*, publicación que subvenciona con el dinero heredado de su padre y que edita hasta 1894[6]. Entre sus aventuras editoriales de este tiempo se encuentra también la «Biblioteca de la Mujer», que funda en 1892 con la intención de publicar trabajos orientados a la instrucción femenina. No obstante, esta empresa resulta económicamente inviable, fracasando poco después. De los últimos años del siglo data su amistad con Miguel de Unamuno y Vicente Blasco Ibáñez. Y en estos años, también, entabla amistad con Joaquín Vaamonde, el infortunado pintor gallego autor de los mejores retratos de la escritora. Vaamonde muere en 1900, y la autora novela su amistad con él en *La Quimera*, una de sus grandes novelas y en la que, habiendo superado el Naturalismo de sus obras anteriores, doña Emilia se acerca a las teorías del *fin de siècle* y del decadentismo[7].

---

[4] *Cartas a Galdós*, edición de Carmen Bravo Villasante (Madrid, Turner, 1975); *vid.*, además, Pedro Ortiz Armengol, *Vida de Galdós* (Barcelona, Crítica, 1995), págs. 442-449.

[5] Francisca González Arias, «La condesa, la revolución y la novela en Rusia», *Bulletin Hispanique*, 96 (1994), págs. 167-188.

[6] Francisco Blanco García, *La literatura en el siglo XIX* (Madrid, Sáenz de Jubera, 1910), vol. II, pág. 186; Geraldine Scanlon, «Gender and Journalism: Pardo Bazán's *Nuevo Teatro Crítico*», en L. Charnon-Deutsch *et al.* (eds.), *Culture and Gender in Nineteenth-Century Spain* (Oxford, Clarendon, 1995), págs. 230-249.

[7] Daniel S. Whitaker, *«La Quimera» de Pardo Bazán y la literatura finisecular* (Madrid, Pliegos, 1988); Yolanta Latorre, «*La Quimera*, una muestra de la no-

Benito Pérez Galdós.

José Lázaro Galdiano, h. 1895.

En la primera década del siglo XX, doña Emilia desempeña cargos culturales en el Ateneo, y en 1916 es nombrada catedrática de Literaturas Neolatinas en la Universidad Central de Madrid, pero abandona el cargo debido al desinterés de los estudiantes. La universidad española es todavía por estas fechas un feudo masculino, y los estudiantes no parecen muy dispuestos en aquel tiempo a atender clases dictadas por una mujer. Decepcionada por la incomprensión, dimite de su puesto al poco tiempo. Murió cinco años después, el día 2 de mayo de 1921, cuatro meses antes de haber cumplido los setenta años de edad. Trabajadora infatigable, movida de una curiosidad insaciable, estuvo escribiendo hasta el final. Días después de su muerte aparecen sus últimos escritos en la prensa: el artículo «El aprendiz de helenista», una evocación de don Juan Valera, que aparece en *ABC* (23 de mayo de 1921), y el cuento «El árbol rosa» que ve la luz en la revista *Raza española* en un número dedicado a su memoria.

La biografía de la autora inmediatamente da idea de un detalle de extraordinaria importancia en su caso: es una autora que escribe en un mundo en el que la literatura sigue siendo una actividad masculina. Por lo tanto, no resulta una simpleza decir de ella que fue una escritora siempre consciente de su género, de su identidad femenina. Nótese que se distingue de algunas famosas autoras que le antecedieron, como Fernán Caballero, George Sand o George Eliot, porque no escondió su nombre bajo una forma epicena ni lo disolvió en un pseudónimo masculino. Impuso su género y su genio a los lectores de su tiempo. Y no deja de ser sorprendente ver cómo éstos encuentran difícilmente explicable la realidad a que les enfrentaba esta escritora genial. En un texto, que sin duda ha de resultar sorprendente en más de un sentido para el lector de hoy, pero que refleja perfectamente el ambiente en que tuvo que moverse la autora, don Marcelino Menéndez y Pelayo trata de explicarse el entendimiento de doña Emilia, indican-

---

vela de artista en España», *Ínsula*, 595-596 (julio, 1996), págs. 3-4; Marisa Sotelo, «*La obra* de Emile Zola, modelo literario de *La Quimera*», en Antonio Vilanova *et al.* (eds.), *Actas del X Congreso Internacional de Hispanistas* (Barcelona, PPU, 1992), vol. II, págs. 1499-1813.

do que éste está «marcado hondamente con el tipo de su sexo». Acto seguido, sin embargo, tranquiliza Menéndez y Pelayo al lector señalando que esto no constituye «una aberración o una monstruosidad, sino una potencia bien ordenada y armónica»[8].

Lo que choca, en fin, dado el ambiente literario decimonónico, no es que la autora escriba, pues en la década de 1880, por ejemplo, hay otras mujeres escribiendo folletines y lo que entonces se considera, con marcado desdén, como «literatura femenina»; lo que sorprende es que escriba literatura seria, crítica erudita y novelas de indiscutible calidad. La imposición que la autora hace de su condición femenina y el lugar que, con pleno derecho, se ganó entre los escritores serios de su tiempo hicieron posible el camino de las autoras que la siguieron. Sin el empuje y el genio de doña Emilia, todo hubiera sido aún más difícil para éstas.

Obra

Como se dijo más arriba, la autora escribe poemas desde la adolescencia emprendiendo pronto notables trabajos de crítica literaria. El interés por la crítica, de hecho, perdura a lo largo de toda su vida. En 1876 es premiada por la ciudad de Orense por su estudio *El examen crítico de las obras del Padre Fray Benito Feijoo*. Y de 1877 a 1879 da a la prensa una serie de estudios sobre poetas medievales y renacentistas (Dante, Milton, Tasso).

De 1879 es asimismo su primera novela, escrita a imitación de los modelos de la picaresca española del Siglo de Oro, y titulada *Pascual López, autobiografía de un estudiante de medicina*. Es producto esta novela, según la autora misma confiesa, del respeto que le merecen los clásicos españoles: «Es tan grande mi respeto y amor por los modelos nacionales que quizá para mejor imitarlos y penetrarme de ellos he dado a *Pascual López*

[8] Marcelino Menéndez y Pelayo, *Estudios sobre la prosa del siglo XIX* (Madrid, CSIC, 1956), pág. 100.

un sabor arcaico que unos han alabado al extremo con benevolencia y otros han censurado, pero en mi modesta opinión, no está completamente fuera de lugar una obra que en nuestros días intenta en lo posible y en la medida que lo permite mi humilde talento, hacer revivir el sabroso y nunca tan ponderado género picaresco» (cit. por Clèmessy, *Pardo Bazán*, ed. cit., vol. I, pág. 218).

Pero la carrera literaria por la que doña Emilia habrá de ser conocida posteriormente comienza en realidad en 1880, año en que entra en contacto con el Naturalismo francés[9]. En el «Prefacio» a su segunda novela, *Un viaje de novios,* la autora detalla cómo se realizó este conocimiento: «En septiembre del pasado año 1880 me ordenó la ciencia médica beber las aguas de Vichy en sus mismos manantiales, y habiendo de atravesar, para tal objeto, toda España y toda Francia, pensé escribir en un cuaderno los sucesos de mi viaje, con ánimo de publicarlo después» («Prefacio» a *Un viaje de novios,* pág. 57). Pero, añade inmediatamente, enemiga de los libros de viaje, que le parecen áridos y excesivamente aburridos, se resuelve a novelar la experiencia «haciendo que los países por mí recorridos fuesen escenario del drama».

La novela va así precedida de un afamado prólogo en el que se detallan algunas importantes consideraciones sobre el género novelesco[10]. La novela ha dejado de ser, a juicio de la autora, «obra de mero entretenimiento, modo de engañar gratamente unas cuantas horas, ascendiendo a estudio social, psicológico, histórico, pero al cabo estudio» («Prefacio», pág. 58). Debido a ello, el novelista moderno se acerca a la novela con armas diferentes a las usadas por los autores del pasado. De modo que si antes eran imprescindibles las «galas de la fantasía», ahora son necesarias dos facultades nuevas, «la observación y el análisis» (pág. 58). Y el ingenio, principal fa-

---

[9] Nelly Clèmessy, «Introducción» (pág. 8), sugiere que doña Emilia tuvo su primer contacto con el Naturalismo francés en 1879, año en el que —según la hispanista francesa— la autora gallega leyó *L'Assommoir* de Zola.

[10] Sobre este y otros prólogos de Pardo Bazán, véase el importante trabajo de Cristina Patiño Eirín, «Aproximación a los prólogos de Emilia Pardo Bazán», *Boletín de la Biblioteca Menéndez y Pelayo,* 71 (1995), págs. 137-167.

cultad de las anteriores muestras del género, cede paso a la capacidad observadora del autor, el cual ha de atenerse estrictamente a la verdad sin recurrir a elementos novelescos, esto es, sin caer en excesos imaginativos: «la novela es traslado de la vida, y lo único que el autor pone en ella es su modo peculiar de ver las cosas reales: bien como dos personas, refiriendo un mismo suceso cierto, lo hacen con distintas palabras y estilo». La novela, finalmente, al tener por objeto la observación y el estudio de la verdad, adquiere la entidad estética que le había faltado durante el Romanticismo. Por ello, concluye doña Emilia: «Merced a este reconocimiento de los fueros de la verdad, el Realismo puede entrar, alta la frente, en el campo de la literatura» (pág. 59).

La autora se hace eco en este prólogo de las ideas que, desde 1870, habían ido imponiéndose en el ambiente literario español respecto a la importancia de la novela como género, y al valor que aquélla tiene para representar la realidad contemporánea. En la década anterior, González Serrano había definido la novela como «canon para la vida», y Manuel de la Revilla describió el género como «vivo retrato de la agitada y compleja conciencia contemporánea» que ha logrado «plantear los arduos problemas de toda especie que tan hondamente perturban la vida pública y privada de nuestra sociedad». Clarín, en suma, resumió atinadamente esta nueva importancia cuando en 1881 indicó que «es la novela el género que las letras escogen en nuestro tiempo para llevar al pensamiento general, a la cultura común, el germen fecundo de la vida contemporánea»[11].

Coincidía doña Emilia plenamente con estos planteamientos que señalaban el importante valor que había adquirido la novela; pero su prefacio viene a demostrar, además, que supo apreciar pronto el indudable valor analítico que la doctrina francesa había introducido en el género: la capacidad para «la

[11] *Vid.* Juan López Morillas, «La Revolución de septiembre y la novela española», *Revista de Occidente,* 23 (1968), pág. 100; Antonio Dorca, «Reformulando la poética de la novela española del XIX: el caso del relato de tesis», *Revista Hispánica Moderna,* 50, 2 (1997), pág. 273; Leopoldo Alas («Clarín»), *Solos de Clarín* (Madrid, Alianza, 1971), pág. 72.

observación paciente, minuciosa, exacta, que distingue a la moderna escuela francesa» (pág. 58). Esta conciencia del valor analítico con que cuenta el género vendría a completar las formas del realismo clásico español, y en concreto la picaresca, que ella misma había tratado de emular en *Pascual López,* su novela de 1879.

Pero, a pesar de su interés por Zola, la autora no acepta ciegamente la nueva doctrina. De hecho, al comparar ésta con el realismo clásico español, ya mencionado, expresa doña Emilia su censura por la orientación siempre negativa de la novela naturalista: «desapruebo como yerros artísticos la elección sistemática y preferente de asuntos repugnantes o desvergonzados, la prolijidad nimia, y a veces cansada, de las descripciones, y, más que todo, un defecto en que no sé si repararon los críticos: la perenne solemnidad y tristeza, el ceño siempre torvo, la carencia de notas festivas y de gracia y soltura en el estilo y en la idea. Para mí es Zola, con su inmenso talento, el más hipocondríaco de los escritores habidos y por haber» (pág. 59). Frente a este ceño siempre torvo, la autora vuelve sus ojos hacia la escuela clásica española: «¡Nuestro realismo, el que ríe y llora en la *Celestina* y el *Quijote,* en los cuadros de Velázquez y Goya, en la vena cómico-dramática de Tirso y Ramón de la Cruz!» Acto seguido lo llama «realismo indirecto» para subrayar inmediatamente las cualidades también ideales que contiene, producto de la mezcla armónica de observación de la realidad y labor imaginativa: «¡Realismo indirecto, inconsciente, y por eso mismo acabado y lleno de inspiración; no desdeñoso del idealismo, y gracias a ello, legítima y profundamente humano, ya que, como el hombre, reúne en sí materia y espíritu, tierra y cielo!» (pág. 60).

Resulta interesante observar que algunas de las críticas que en 1881 hacía doña Emilia, en el prefacio citado a *Un viaje de novios,* fueran repetidas varias décadas después por importantes autores españoles. Éste es el caso de Galdós, por ejemplo, quien en el prólogo que escribe a la segunda edición de *La Regenta,* de Clarín, publicado en 1902, dice expresamente que «el llamado Naturalismo nos era familiar a los españoles en el reino de la novela, pues los maestros de este arte lo practicaron con toda la libertad del mundo, y de ellos tomaron enseñanza los noveladores ingleses y franceses». Y, poco después, como haciéndose eco de las afirmaciones que doña Emilia efectuara dos décadas antes, Galdós añade: «el Naturalismo cambió de fisonomía en manos francesas: lo que perdió en gracia y donosura, lo ganó en fuerza analítica y en extensión, aplicándose a estados psicológicos que no encajan fácilmente en la forma picaresca»[12].

No obstante, en 1881 las opiniones de doña Emilia fueron censuradas por Clarín, quien consideró desacertados los juicios de aquélla respecto al humorismo de Zola. También se deja oír, aunque por las razones inversas, la queja de Menéndez y Pelayo, quien critica el interés de la autora por el Naturalismo. En el prólogo que pone al frente de una edición destinada a Iberoamérica de la biografía de San Francisco de Asís escrita por doña Emilia, Menéndez y Pelayo no tiene reparos en criticar el Naturalismo de la autora al decir lo siguiente:

> Yo y otros muchos seguimos creyendo que en la señora Pardo Bazán la poesía y el idealismo y la inspiración cristiana son lo natural y lo espontáneo, y que el Naturalismo es lo artificial, lo postizo y lo aprendido, y que por eso lo uno tiene vida, frescura e irresistible arranque, mientras lo otro parece lánguido y muerto como todo lo que se hace obedeciendo a una receta o fórmula que se toma de lo exterior y que no ha encarnado verdaderamente en el alma. Y he aquí la razón por que yo deseo que mi buena amiga nos dé muchos, muchos libros de historia pintoresca, por el estilo de este San Francisco, y pocas, muy pocas novelas naturalistas [...] de esas que, según dicen, le ponen a uno delante el espectáculo de la realidad, que suele ser muy aflictivo o muy trivial espectáculo.
>
> (Menéndez y Pelayo, *Estudios*, págs. 104-105)

El éxito de la novela de 1881 fue relativo. Clarín mezcla elogios y críticas en partes muy desiguales, apuntando brevemente las cualidades de la novela y extendiéndose después en

[12] Benito Pérez Galdós, «Prólogo» a Leopoldo Alas, *La Regenta*, edición, introducción y notas de Gonzalo Sobejano (Madrid, Castalia, 1981), vol. I, págs. 84-85.

las faltas. De *Pascual López,* la primera novela de la autora, procede cierto gusto por la expresión elegante y solemne, por el cliché arcaico y gastado, que hace también su aparición en *Un viaje de novios,* e incluso en obras posteriores. Clarín inicia sus críticas de la novela de 1881 centrando su atención en este aspecto de la obra: «Ciertos arcaísmos usa la señora Pardo Bazán, que roban espontaneidad y naturalidad al lenguaje. Y la construcción figurada de violento hipérbaton, que a veces emplea, da al estilo cierto tono de sonora elocuencia, que debe evitar todo novelista que quiere dejar a su obra sus atractivos propios y no sustituirlos con galas de dudoso gusto»[13]. Critica también Leopoldo Alas el uso de modelos románticos en la presentación del personaje protagonista, Ignacio Artegui, a quien el asturiano describe como ejemplo de «tipo fantástico, engendro de la imaginación de una mujer que sabe idealizar y que sabe sentir», pero que resulta censurable por ser «un carácter falso, borroso, que toca a veces el ridículo» (págs. 277-278). Y, por último, Alas nota cierta dispersión en el desarrollo de la acción principal en la novela de 1881, en particular en lo que se refiere a los pormenores descriptivos y a la excesiva atención prestada al balneario de Vichy, así como el interés minucioso que manifiesta la autora en la presentación de detalles triviales, lo cual no se aviene bien con el desarrollo de la acción principal de la novela.

El Naturalismo y la novela: la Generación de 1880

Las reservas expresadas por Clarín en su reseña de *Un viaje de novios* han de ser entendidas en el contexto del desarrollo general de la novela española en la década de 1880. Según esto, *Un viaje de novios* comienza a aparecer por entregas en el diario *La Época.* La primera de estas entregas es del 29 de noviembre de 1881. Dos números después, el 1 de diciembre de ese mismo año, ya aparece el anuncio de que la novela se pue-

[13] Sergio Beser (comp.), *Leopoldo Alas, teoría y crítica de la novela española* (Barcelona, Laia, 1972), pág. 275.

de comprar en un tomo, «elegantemente impreso»[14]. Es de suponer, por tanto, que su fecha de composición fuera anterior, habiéndose comenzado en 1880, durante el viaje al balneario francés, y estando terminada probablemente en el verano de 1881.

En 1881, también aparece *La desheredada* de Galdós. Clarín, como es sabido, reseña esta novela galdosiana[15], dando cuenta de su novedad de estilo, e indicando que es el primer ejemplo de Naturalismo en la novela española: en esta obra de Galdós ve el asturiano la fórmula a seguir en el desarrollo de la novela española[16]. De hecho, usando esta novela galdosiana como punto de referencia, Clarín escribe en 1881, poco antes de la aparición de *Un viaje de novios*, un importante ensayo sobre el estilo de la nueva novela en el que pide exactitud y concisión en el lenguaje narrativo. Se trata de un estilo en el que no tiene cabida la frase hecha. «Cuando se saben muchas palabras —dice Clarín— y se ha pensado reflexivamente en su significado, es posible llegar a la exactitud y a la concisión, que tanto sirven para dar al estilo elegancia, verdad, relieve, fuerza, sus principales y más sólidas bellezas»[17]. Respecto a las frases hechas, Clarín indica la necesidad de desterrarlas de la narración, poniéndolas en cambio en boca de los personajes. Cita el asturiano el ejemplo de Flaubert, quien tenía «un diccionario de lugares comunes y frases hechas para huir de ellas y en cambio ponerlas en boca de algunos perso-

[14] Citado por Mariano Baquero Goyanes, «Introducción» a Emilia Pardo Bazán, *Un viaje de novios*, pág. 10.

[15] Reseña recogida en Leopoldo Alas, *Galdós*, Madrid, Renacimiento, 1912; *vid.* también Leopoldo Alas, *Galdós, novelista*, edición, introducción y notas de Adolfo Sotelo (Barcelona, PPU, 1991), págs. 85-96.

[16] La opinión de Clarín fue compartida por otros críticos (José Ortega Munilla, Tomás Tuero, Luis Alfonso) que notaron debidamente la novedad galdosiana; *vid.* Ignacio Javier López, *Galdós y el arte de la prosa* (Barcelona, PPU, 1993), págs. 129-163.

[17] Este ensayo fue leído en 1881 con ocasión de un homenaje a Galdós organizado por los jóvenes escritores a raíz de la publicación de *La desheredada*. Apareció más tarde con el título «Del estilo en la novela» en la revista *Arte y letras* (1882); y puede leerse en la edición de Sergio Beser (comp.), *Leopoldo Alas. Teoría y crítica de la novela española* (Barcelona, Laia, 1972); la cita anterior es de la pág. 60.

najes» (pág. 55). La prescripción de Clarín ha de ser de vital importancia para el ulterior desarrollo de la novela española, pues, al hacer al personaje responsable de los excesos lingüísticos, se crea una distancia entre el autor y sus creaciones que ha de ser fundamental en la concepción de la nueva novela; y es esta distancia, en suma, la que se echa en falta en la presentación del Ignacio Artegui de *Un viaje de novios,* y lo que convierte a éste en personaje fantástico y borroso, para usar la terminología clariniana.

Debido a la importancia objetiva de *La desheredada,* de Galdós, la novedad de *Un viaje de novios* quedaba eclipsada en el movimiento progresivo de la novela española, en especial por lo que se refiere al desarrollo del estilo. Consciente de ello, la autora modifica su forma de narrar y en el prólogo a la novela que sigue, *La Tribuna,* aparecida en 1883, doña Emilia invoca el ejemplo del Galdós de *La desheredada* al justificar «la licencia que me tomo de hacer hablar a mis personajes como realmente se habla en la región de donde los saqué»[18]. Y añade la autora un comentario adicional de extraordinaria importancia al concluir que «Pérez Galdós, admitiendo en su *Desheredada* el lenguaje de los barrios bajos», ha señalado «rumbos de los cuales no es permitido apartarse ya» (pág. 59).

En el prólogo a *La Tribuna* invoca la autora gallega el magisterio de Galdós. Otros autores contemporáneos suyos y, como ella, miembros de una nueva generación de novelistas, harán lo mismo. Ya lo vimos en el caso de Clarín, y en términos parecidos se expresa José Ortega Munilla al referirse a «la generación literaria que tiene por jefe a Galdós»[19]. En este sentido, se indica habitualmente que doña Emilia pertenece a la generación literaria que aparece tras la revolución de 1868, y se suele bautizar a dicha generación en virtud de este hecho his-

---

[18] Emilia Pardo Bazán, *La Tribuna,* edición, introducción y notas de Benito Varela Jácome (Madrid, Cátedra, 1981), pág. 59.

[19] Citado por Walter Pattison, *El Naturalismo español. Historia externa de un movimiento literario* (Madrid, Gredos, 1965), pág. 110; en el prólogo que pone a la segunda edición de sus *Relaciones contemporáneas* (Madrid, Calpe, 1911), Ortega Munilla reitera esta vinculación con Galdós, escribiendo: «cuando el maestro Galdós creó la novela española, encontré en él lo que yo buscaba inútilmente: orientación y guía» (pág. 7).

tórico como Generación del 68. Con ello, se mezclan autores que comienzan a publicar inmediatamente tras la revolución de Septiembre, y otros autores que tardan aún diez años más en producir sus primeras obras. Preciso es corregir este error. La Generación de 1868 incluye los nombres de Galdós, Alarcón, Pereda y Valera. La novela que escribe esta generación está marcada, inicialmente al menos, por la novela de tesis. Es lo que López Morillas describe como ese «agrio regusto de alegato o pendencia» que caracteriza a la novela entre 1870 y 1880[20]. Son éstos los años de *Doña Perfecta*, *Gloria* y *La familia de León Roch* de Galdós; *El escándalo* y *El Niño de la Bola* de Alarcón; y *Don Gonzalo González de la Gonzalera* y *De tal palo, tal astilla* de Pereda. Incluso *Pepita Jiménez*, que está claramente al margen de la novela de tesis, será leída como ejemplo de novela progresiva o conservadora, según la orientación o las preferencias ideológicas del lector[21].

La publicación de *La desheredada* en 1881 viene a marcar un cambio de rumbo, cambio que experimenta inicialmente la Generación del 68 desde dentro: Galdós, el escritor más joven y, al mismo tiempo, el mejor novelista de este grupo, es el timón de este cambio de estilo, y con su novela de 1881 comienza sus *novelas españolas contemporáneas*[22]; Alarcón, por el contrario, trata de persistir en la novela de tesis con *La Pródiga* (1882), abandonando la escritura de nuevas novelas tras el fracaso de su intento[23]; Valera no escribe novelas en la década

---

[20] Juan López Morillas, «La revolución de Septiembre», pág. 221.

[21] En el prólogo que escribió en 1886 para la edición publicada en Nueva York por la editorial Appleton, el mismo Valera da cuenta de las interpretaciones oportunistas que se hicieron de su obra maestra desde perspectivas ideológicas divergentes; *vid. Pepita Jiménez*, edición de Adolfo Sotelo (Barcelona, PPU, 1989), págs. 280-281.

[22] *Vid.* Ignacio Javier López, «Las *novelas españolas contemporáneas*», en Víctor García de la Concha (ed.), *Historia de la literatura española;* Leonardo Romero Tobar (coord.), *Siglo XIX, 2* (Madrid, Espasa-Calpe, 1998), págs. 533-582.

[23] Me he ocupado de esto en diversos trabajos, y a ellos remito al lector interesado: Ignacio Javier López, «Alta comedia, realismo y novela en Alarcón», *Anales de Literatura Española*, 4 (1985), págs. 197-215; «Humor y decoro en *El capitán Veneno* de Pedro Antonio de Alarcón», *Boletín de la Real Academia Española*, 234 (1985), págs. 213-236; *Realismo y ficción* (Barcelona, PPU, 1989), páginas 175-215; y «Alarcón y la guerra del silencio», *Ínsula*, 535 (1991), págs. 20-21.

de 1880, y habrá de manifestarse contra el tipo de novela naturalista que se impone en el sistema literario, y que él considera tan ajena a sus intereses[24]; y Pereda, en fin, será considerado naturalista, «a pesar suyo».

El cambio de estilo, descrito entre los miembros del 68, coincide con la aparición de una nueva generación, cuyas novelas van a llenar la década de 1880 a 1890. Clarín y Pardo Bazán son sus dos figuras principales. Palacio Valdés, Ortega Munilla, Jacinto Octavio Picón, José Zahonero, el padre Coloma, Eduardo López Bago, Silverio Lanza y Alejandro Sawa son otros nombres de este grupo. Todos ellos tienen conciencia de estar haciendo algo diferente de los maestros del 68, una novedad que se percibe incluso en la definición de la novela como género. Desaparecen los subtítulos *pintura* o *retrato del natural*, herederos del universo estético romántico, dejando paso al concepto novelesco *estudio del natural*. Esto es, de un costumbrismo latente dominado por la nota cromática o del entendimiento de la novela por su afinidad con la pintura, se pasa a las anatomías naturalistas y, más tarde, al entendimiento de la novela como un experimento social. De *estudio* habla doña Emilia en el prefacio antes citado a *Un viaje de novios;* «la novela, hoy, empieza a dejar de ser libro ameno, y empieza a convertirse en libro útil», dice Ortega Munilla[25]; en el mismo orden encontramos los documentos *médico sociales* de López Bago. Además de un nuevo concepto de la novela, se impone la visión del género como algo contemporáneo: se trata de las *novelas españolas contemporáneas* de Galdós y de las *relaciones contemporáneas* de Ortega Munilla. En virtud de este cambio es preciso entender esa nueva orientación que doña Emilia Pardo Bazán expresa en el prólogo susodicho a *La Tribuna*.

La nueva generación, que en la década de 1880 rige los destinos de la novela española, tiene como epónimo a un miembro de la generación anterior: se trata, como hemos visto, de

---

[24] *Vid.* Luis López Jiménez, *El Naturalismo y España: Valera frente a Zola* (Madrid, Alhambra, 1977).

[25] Citado por Pattison, *El Naturalismo,* pág. 106.

Doña Emilia Pardo Bazán en la década de 1880.

Galdós. Y comparte una doctrina que les llega de Francia: el Naturalismo. *La cuestión palpitante,* obra publicada por doña Emilia en los años 1882 y 1883, supone la más importante exposición de dicha doctrina literaria en España en el siglo XIX, independientemente de algunas notas esporádicas aparecidas en la prensa española desde 1879, debidas a Charles Bigot, Felipe Benicio Navarro, Ortega Munilla y José Zahonero, y aparte de algunas reseñas de Clarín o del prefacio ya citado a *Un viaje de novios*[26].

Carente del ánimo combativo de otros compañeros de generación, doña Emilia acepta el Naturalismo francés siempre que, como ya había anticipado en el prefacio a *Un viaje de novios,* no se oponga a la tradición española, de la que desea rescatar el humorismo; y siempre que no haya conflicto entre la nueva doctrina y la ideología cristiana de la autora; de hecho, en el prólogo a la novela de 1881, la autora marca las distancias con Zola, destacando su aprecio por el realismo nacional, esto es, por un «realismo indirecto» que no desdeñe el idealismo, capaz por tanto de combinar «materia y espíritu, tierra y cielo» («Prefacio» a *Un viaje de novios,* pág. 60). Aciertan, por tanto, quienes han indicado que doña Emilia Pardo Bazán se coloca a sí misma ideológicamente dentro de la tradición nacional, pero su criterio es lo suficientemente ancho como para aceptar la influencia de la escuela de Médan en todo lo que no se oponga a la mencionada tradición y a sus creencias religiosas[27]. Frente al determinismo propuesto por Zola, la autora española rescata el principio del libre albedrío cristiano, ilustrando este interés mediante una referencia a San Agustín al señalar que: «Sólo la caída de una naturaleza originariamente pura y libre puede dar la clave de esta mezcla de nobles aspiraciones y bajos instintos, de necesidades intelectuales y apetitos sensuales, de este combate que todos los moralistas, todos los psicólogos, todos los artistas se han complacido en sorprender, ana-

---

[26] *Vid.* Gifford Davis, «The Critical Reception of Naturalism in Spain before *La cuestión palpitante*», *Hispanic Review,* 22 (1945).

[27] Fernando J. Barroso, *El Naturalismo en la Pardo Bazán* (Madrid, Playor, 1973), pág. 24.

lizar y retratar»[28]; este comentario, como veremos, es de singular importancia para entender *La madre Naturaleza*, novela que, según ha señalado uno de su más inteligentes críticos, ofrece «una meditación sobre el mito de la caída del hombre»[29].

Estamos, en fin, ante lo que la crítica viene conociendo como Naturalismo espiritualista o Naturalismo cristiano de doña Emilia. Me apresuro a reconocer que estos términos son inexactos o, mejor aún, son términos con un valor puramente convencional, usados simplemente debido a las ventajas pedagógicas que ofrecen; pero no cabe duda, también, de que apuntan a una característica esencial del estilo de la autora: aun a riesgo de generalizar en exceso, puede decirse que de la lucha de los dos principios señalados, el determinismo científico y el libre albedrío cristiano, y del enfrentamiento de fuerzas que conlleva en la oposición entre materia y espíritu, surge lo mejor de la novelística pardobazaniana. Sus obras se enfrentan a los problemas del hombre moderno del XIX, y presentan ese dilema entre los testimonios de la ciencia y las revelaciones del espíritu o, en otro orden, el choque entre la identidad y las tradiciones erosionadas por el progreso y la disolución de las costumbres sociales. Surgen, de este enfrentamiento, sus grandes obras: la visión del proletariado y los problemas de la revolución y el republicanismo en *La Tribuna* (1883); la primera visión del campo y el mundo de la Restauración en *El cisne de Vilamorta* (1885); que se sigue con una visión del caciquismo en *Los Pazos de Ulloa* (1886); el idilio antirromántico en *La madre Naturaleza* (1887); teniendo como contrapartida una nueva visión del ambiente ciudadano en *Insolación* (1888) y *Morriña* (1889); concluyendo, tras la definitiva superación del Naturalismo, con las novelas espiritualistas que comprenden la última «manera» de la autora, representada en las novelas *Una cristiana* (1890) y *La prueba* (1890).

---

[28] Emilia Pardo Bazán, *La cuestión palpitante*, en *Obras completas* (Madrid, Aguilar, 1973), vol. III, pág. 578.

[29] Maurice Hemingway, «La obra novelística de Emilia Pardo Bazán», en Víctor García de la Concha (ed.), *Historia de la literatura española* (Madrid, Espasa-Calpe, 1998), vol. 9; Leonardo Romero Tobar (coord.), *Siglo XIX, 2*, página 669.

Emilia Pardo Bazán y la consolidación del Naturalismo en España

En 1886, Clarín escribe una reseña en la que llama la atención del público lector de novelas sobre una importante novedad editorial en el mercado literario español. Se trata de la creación de una nueva colección que, con el nombre «Novelistas Españoles Contemporáneos», había comenzado a publicar en Barcelona el editor Daniel Cortezo, y cuyo primer título es *Los Pazos de Ulloa* de doña Emilia Pardo Bazán[30]. Supone esta colección, a juicio de Clarín, el reconocimiento editorial del triunfo de la corriente naturalista, cuyas primeras muestras en el campo de la novela habían comenzado a aparecer unos seis años antes, aproximadamente desde 1880. Atrás quedaban ya, por tanto, las ediciones baratas de Alfonso de Carlos Hierro, o los volúmenes publicados por las imprentas de Flórez y de la Administración Central, primeros impresores que se habían arriesgado a imprimir la crítica literaria nueva (por ejemplo, el volumen de estudios *La literatura en 1881,* que publican Clarín y Palacio Valdés en 1882 a imitación de lo que hacían en Francia los hermanos Goncourt), así como las muestras de novela que, recibiendo nuevo aliento del Naturalismo, habían renovado el género en España.

Cortezo llevaba años publicando a los naturalistas franceses, y en 1876 editó una hermosísima traducción de *La Obra* de Zola; pero el número de autores españoles editados hasta la fecha era exiguo. La nueva colección suponía que las novelas de la corriente literaria naturalista escritas por autores españoles habían dejado de ser consideradas por los editores como un riesgo financiero. Significaba además que, si bien había aún una tendencia radical y escandalosa dentro de dicha corriente (representada por Eduardo López Bago, por

---

[30] La reseña fue publicada inicialmente en tres entregas en el periódico *La Opinión* los días 7, 18 y 30 de diciembre de 1886; y más tarde se recogió en el volumen *Nueva campaña;* cito por la edición reciente de Antonio Vilanova, *Nueva campaña* (Barcelona, Lumen, 1990), págs. 219-234.

ejemplo), la orientación más sólida de la misma ya no suscitaba las furibundas polémicas, habituales en la primera mitad de la década, ni arremetían contra cada nuevo título las opiniones de lectores y críticos escandalizados[31]. Para 1886 han aparecido ya las primeras *novelas españolas contemporáneas* de Galdós, quien está publicando en esas fechas *Fortunata y Jacinta* (1886-1887); y ha aparecido también *La Regenta* (1884-1885), editada precisamente por el mismo Cortezo, aunque en una colección diferente. De modo que los editores serios e importantes han decidido finalmente prestar atención a los autores españoles. Clarín, dando cuenta de este cambio de actitud entre los editores, escribe en la reseña antedicha que: «La casa de Cortezo quiere publicar, en tomos que no sean de lujo, pero sí decentes, de papel bueno e impresión esmerada, las novelas que vayan escribiendo los "mejores novelistas españoles"» (*Nueva campaña*, pág. 219). Que la colección se inicie con un nuevo título de la autora gallega supone, sin duda, el reconocimiento editorial a la labor literaria de doña Emilia. Por lo que se refiere a la novela española, la edición en papel «decente» de *Los Pazos de Ulloa* en la nueva colección de Cortezo supone, siempre según Clarín, una forma de comenzar la empresa editorial «con pie derecho» (pág. 221).

Un año después de la publicación de *Los Pazos de Ulloa*, en 1887, aparece en la misma colección *La madre Naturaleza*, novela que se edita en dos volúmenes. Según lo dicho en los párrafos anteriores, aparece esta nueva novela en una colección que goza de indudable prestigio desde el principio: es voluntad de los editores hacer asequibles al público obras escritas por las mejores plumas españolas del día. Esta nueva novela de doña Emilia se subtitula, además, *2.ª parte de Los Pazos de Ulloa*. No es difícil suponer, por consiguiente, que el éxito de la primera novela se extendiera fácilmente a su continuación de 1887. Respecto a dicho éxito, Clarín, aunque notaba algunas reservas en la amplitud de la realidad descrita en *Los Pazos*, consideraba esta reserva justificada, pues se trata de

[31] Walter Pattison ha estudiado estas polémicas, que ocupan a los críticos durante toda la primera mitad de la década de los 80; véase *El Naturalismo español*.

una limitación que es producto del decoro de una mujer española «que no quiere dejar, no ya de serlo, sino de parecerlo». De modo que en ningún momento escatima Clarín los elogios para la gran autora gallega. Por el contrario, habla de «la mujer de gran talento, de suma habilidad [...] a la gran curiosa, a la sabia y erudita, a la dueña del idioma, a la maestra del estilo, a la dama de aptitudes universales [...] la dama que pinta, la dama que tiene correspondencia con medio mundo literario, la dama que viaja, la dama que examina *bibelots* en un bazar y pergaminos en una biblioteca, la crítica insigne, la novelista graciosa, discreta y perspicaz y con cien colores en la pluma»; y, concluyendo por expresar su entusiasmo por la nueva novela, escribe Clarín: «veo mil maravillas en un microcosmos» (*Nueva campaña*, págs. 230-231).

Lo anterior nos permite delimitar la cronología y el desarrollo del Naturalismo en España, delimitación importante —como hemos de ver— para el correcto entendimiento de la significación de *La madre Naturaleza*[32].

Preciso es considerar, en principio, un período preliminar que va de 1876 a 1880, y que corresponde a las primeras referencias a la corriente francesa. Este período se inicia con un artículo de Charles Bigot (*Revista Contemporánea*, 1876), al que seguirán otros de Manuel de la Revilla (*Revista de España*, junio de 1879) y José Zahonero (recogidos estos últimos en el volumen *Zig zag*, 1881). Comprende este período preliminar, asimismo, los primeros experimentos con técnica naturalista a cargo de José Ortega Munilla (*Lucio Tréllez*, 1879; *El tren directo*, 1880; *Don Juan Solo*, 1880)[33] y la traducción de *L'Assommoir* de Zola, en 1879, debida a Miguel de Toro[34].

---

[32] Sobre este tema, véanse Walter T. Pattison, *El Naturalismo español*, ed. cit.; y, del mismo, «Naturalism and the Spanish Novel», en VV.AA., *The Literature of the Western World* (Londres, Aldus Books, 1972), vol. V, cap. 9, páginas 299-315 (versión española en Francisco Rico, *Historia y crítica de la literatura española*, Barcelona, Crítica, 1982, vol. 5; Iris M. Zavala, *Romanticismo y Realismo*, págs. 421-428).

[33] Ruth Schmidt, *Ortega Munilla y sus novelas* (Madrid, Revista de Occidente, 1973), págs. 94-142.

[34] Emilio Zola, *L'Assommoir (La taberna)*, versión castellana de Miguel de Toro y Gómez (Madrid, Imprenta de A. Flórez, 1879), 2 vols.

La publicación de *La desheredada* en 1881 cierra esa primera etapa preliminar, e inicia el desarrollo de la novela naturalista en un segundo período que culmina con la publicación de la segunda parte de *La Regenta* (1885). En estos años, Galdós publica *El amigo Manso* (1882), *El doctor Centeno* (1883), *Tormento* y *La de Bringas* (1884), y *Lo prohibido* (1885), novela en la que el autor empieza a manifestar cierto descontento con la escuela naturalista. Se publican también las primeras novelas de la Generación del 80: mencioné ya el caso de *La Regenta*, aparecida en dos partes en 1884 y 1885, y que hay que considerar como el momento culminante de esta tendencia en España; con anterioridad habían ido apareciendo *Un viaje de novios* (1881), *La Tribuna* (1883) y *El cisne de Vilamorta* (1885) de Pardo Bazán, que publica también, en 1882, *La cuestión palpitante; El señorito Octavio* (1881), *Marta y María* (1883) y *El idilio de un enfermo* (1884) de Palacio Valdés; *Lázaro* (1882), *La hijastra del amor* (1884) y *Juan Vulgar* (1885) de Jacinto Octavio Picón; *La cigarra* (1879), *Lucio Tréllez* (1879), *El tren directo* (1880), *El fondo del tonel* (1881), *Panza-al-trote* (1883) y *Cleopatra Pérez* (1884) de José Ortega Munilla; y, en fin, comienza a publicarse la tetralogía de Eduardo López Bago con *La prostituta* (1884), que habrá de continuarse en 1885 con *La Pálida*, *La Querida* y *La Buscona*[35].

A este período corresponde también un detalle importante, menos conocido, y que hay que describir como la batalla legal en torno al Naturalismo. En 1884, Raimundo Fernández Villaverde, gobernador civil de Madrid, inicia un proceso contra Eduardo López Bago, acusándolo de inmoralidad, ordenando que los ejemplares de *La prostituta* sean retirados de las librerías de Madrid. El autor refiere este episodio en el apéndice a *La Pálida*, donde escribe: «Los románticos pasaban muy malas noches. Hubo gran revolución, y me aseguraron que la autoridad iba a intervenir en el asunto; cundió la alarma en las librerías, y con efecto, cuando yo seguía negan-

[35] Eduardo López Bago había publicado con anterioridad dos novelas: *Los amores* (Sevilla, s. p., 1876) y *El periodista* (Madrid, Fernando Fe, 1884); pero su etapa de escritor representante del naturalismo radical comienza con la ya mencionada *La prostituta* (Madrid, Imp. de Juan Muñoz y Cía., [1884]).

do la posiblidad de que tal cosa sucediera, el Gobernador, por conducto de sus delegados, mandó retirar de la venta los ejemplares, e hizo la denuncia a los tribunales de justicia»[36]. El autor gana el pleito en 1885, lo cual supone el triunfo definitivo de la libertad de prensa y, por lo mismo, la capacidad de los escritores naturalistas para tratar todos los temas con entera libertad. Coincide este triunfo con la victoria del Naturalismo como tendencia dominante entre los escritores: desde 1881, Ortega Munilla y Luis Alfonso habían polemizado en la prensa (el primero desde *Los Lunes* de *El Imparcial;* el segundo desde *La Época),* pero en 1884 Ortega Munilla considera que la polémica resulta ya ociosa debido a que todos los escritores que publican novelas en esos momentos han aceptado el Naturalismo.

Entre 1885, fecha en que se publica la segunda parte de *La Regenta,* y 1886 o 1887, cuando se publican *Los Pazos de Ulloa* y *La madre Naturaleza,* van a aparecer las mejores novelas de la tendencia naturalista en España. Como he indicado más arriba, la nueva colección de Cortezo en que se publican las novelas de Pardo Bazán indica que la corriente goza ya del interés de los editores, quienes no consideran arriesgado publicar novelas naturalistas. Pero en estos años observamos, en contrapartida, los primeros indicios de que la corriente ha dejado de convencer a los mismos escritores. Significativo es el caso de Galdós, que manifiesta cierto cansancio con el Naturalismo mientras escribe *Lo prohibido* (1885)[37], obra que ha sido calificada como la muestra más radical del naturalismo galdosiano. Él mismo habrá de sugerir un modo de superar esta tendencia con su obra maestra, *Fortunata y Jacinta,* publi-

---

[36] Eduardo López Bago, *La Pálida* (Madrid, Administración, [1884-1885]), pág. 256.

[37] Descontento que don Benito manifiesta en su correspondencia con Pereda y Clarín. En carta a este último, con fecha 5 de mayo de 1885, Galdós manifiesta serias dudas sobre el valor del Naturalismo que impone una moralidad «gruesa que salta a la vista hasta de los más ciegos. Por eso —continúa Galdós— le he tomado tirria a este libro, pues no me gusta que la moral de una obra sea de las que están al alcance de todas las retinas» (publicada en *La Voz de Asturias,* agosto, 1978); *vid.,* además, Stephen Gilman, *Galdós y el arte de la novela europea* (Madrid, Taurus, 1985), págs. 135-152.

cada en cuatro partes entre 1886 y 1887; el capítulo VI de la tercera parte de dicha novela, paradójicamente titulado «Naturalismo espiritual», es comúnmente señalado como el primer indicio textual de la insatisfacción galdosiana con la corriente naturalista.

Este cansancio con el Naturalismo se percibe asimismo en otros autores, y éste es el caso de *La madre Naturaleza;* esta novela, que fue considerada en el momento de su aparición como uno de los ejemplos más ortodoxos del Naturalismo en España, contiene de hecho notables modificaciones de las prescripciones zolaescas por lo que se refiere a la morfología de la novela. En un nivel obvio cabe destacar las ironías de la autora respecto a los métodos naturalistas: en el capítulo V encontramos un comentario de pasada que hace burla de la tendencia habitual o del excesivo interés de los naturalistas por acumular detalles; vigilando a don Gabriel, Trampeta trata de imaginar quién pueda ser éste, y añade el narrador: «Con más atención que ningún novelista de los que se precian de describir con pelos y señales; con más escama que un agente de policía que sigue una pista, dedicóse a estudiar e interpretar a su modo los actos de su compañero de viaje, a fin de rastrear algo» *(La madre Naturaleza,* cap. V). Como digo, la situación que se describe en este episodio y la actitud del personaje Trampeta son vistos cómicamente, lo cual redunda en la crítica a los modelos del Naturalismo que la autora había aceptado desde la publicación de *Un viaje de novios.*

Más importantes son las transgresiones al credo naturalista que afectan a la morfología de la novela. En concreto, en su *Les Romanciers Naturalistes,* Zola había proscrito todo derroche imaginativo y toda casualidad que rompiera con la lógica argumental; en la nueva novela, dice Zola, la lógica exige que ya no se redima a la víctima, que ya no huya el personaje por pasadizos secretos, y que ya no aparezcan en el último momento los papeles que han de reivindicar la inocencia puesta en duda o que sirvan para proyectar ilógicamente el argumento[38]. No se ha notado, sin embargo, que estas prescripciones

---

[38] Émile Zola, *Les Romanciers Naturalistes,* en *Oeuvres completes* (París, François Brenouard, 1927), vol. 44, pág. 108.

son expresamente transgredidas en *La madre Naturaleza:* al final del largo, e importantísimo, capítulo VIII en el que don Gabriel toma la decisión de ir en busca de su sobrina para casarse con ella, en pago del amor sentido por su difunta hermana Nucha, aparecen de hecho estos papeles proscritos por el teórico de Médan, y el episodio entero tiene claras reminiscencias románticas que, por lo mismo, resultan ajenas al credo o a los métodos naturalistas. He aquí dicho episodio:

> Así que la bujía quedó colocada sobre la cómoda de su padre, fijáronse los ojos de Gabriel en el antiguo mueble, muy distinto de los que hoy se construyen. La cubierta hacía declive, y recordaba Gabriel que al abrirse formaba un escritorio, descubriendo una especie de templete con columnas, y múltiples cajoncitos adornados de raros herrajes, que ocultaban *secretos*. ¡Secretos! De niño, esta palabra le infundía curiosidad rabiosa y una especie de terror. ¡Secretos! Sonrióse, sacó del bolsillo un llavero, probó varias llavecicas. Una servía. Cayó la cubierta, y los dedos impacientes de Gabriel empezaron a escudriñar los famosos *secretos* de la cómoda, cual si en ellos se encerrase algún escondido tesoro. Los buenos de los secretos no tenían mucho de tales, y cualquier ratero, por torpe que fuese, lograría como Gabriel hacer girar sobre su base las dos columnas del templete, y poner patente el hueco que existía detrás. Calle..., pues había algo allí. Rollos de dinero. Los deshizo: eran moneditas de premio, Carlos terceros y cuartos, guardados sin duda por su padre para evitarles la ignominia de la refundición. Y allá, en el fondo, muy en el fondo, un papel amarillento ya por las dobleces, atado con una sedita negra. Maquinalmente lo cogió, lo abrió, rompió la sedita. Cayó una sortija de oro con perlas menudas, y vio Gabriel, cuyo corazón literalmente brincaba contra la carne del pecho, que el papel era una carta, escrita con tinta ya descolorida, y letra no muy suelta. Sus ojos, vidriados por un velo de humedad, leyeron casi de una ojeada: «Querido papá, felicito a usted los días; sabe Dios quién vivirá el año que viene; hágame el favor, si me empeoro, de darle a mi hermano Gabriel la sortijita adjunta, y que mucho me acuerdo de él y le quiero; que si yo llego a faltar, ahí queda mi niña. Usted y él no dejarán de mirar por ella: moriré tranquila confiando en eso...» —Una lágrima, una verdadera lágrima, redonda y rápida en su curso, se precipitó sobre la firma— «Su amante hija, Marcelina Pardo.»

El comandante apoyó el papel contra los ojos al esconder la cara en las manos, y se reclinó en la cómoda, vencido por uno de esos terremotos del corazón que modifican las actitudes y las elevan a la altura trágica sin que lo advirtamos nosotros mismos. Pasados quince minutos, alzó la frente, con una firme resolución y una promesa.

La misma que repetía ahora a la majestuosa noche.

(*La madre Naturaleza*, cap. VIII)

La cita es extensa, pero sirve para dar cuenta de una insatisfacción sentida ya en esta novela por la Condesa respecto al credo naturalista que ha defendido y practicado hasta ese momento. El templete, el espacio escondido, la nota de su hermana que parece llegar al personaje como un mensaje de ultratumba, todos estos detalles, en fin, tienen un aire gótico o, si se prefiere, claramente romántico, que no concuerda bien con la lógica narrativa basada en una técnica puramente descriptiva según lo prescrito por el Naturalismo[39]. El texto, en suma, nos indica que la autora comienza a prescindir progresivamente de las doctrinas que habían imperado en la novela de su generación hasta ese momento, y que busca por tanto formas novelescas más eclécticas en las que recurren modelos anteriores.

Finalmente, el intento de superar el Naturalismo, que se observa ya, como hemos visto, en *La madre Naturaleza*, habrá de generalizarse entre los mejores novelistas españoles del momento. A partir de 1888, año en que aparece *Miau* de Galdós, es preciso considerar una etapa adicional en la que el Naturalismo se mezcla con otras tendencias, dejando paso a las formas del decadentismo y a las distintas tendencias que llenan el fin de siglo.

---

[39] Una indicación adicional de este distanciamiento del Naturalismo lo encontramos en las sugerencias que se hacen respecto a la maldición de la Sabia, o al mal de ojo de que son víctima los dos hermanos; sobre este tema, que aparece ya en *Los Pazos de Ulloa*, véase el estudio de Carlos Feal Deibe, «Naturalismo y antinaturalismo en *Los Pazos de Ulloa*», *Bulletin of Hispanic Studies*, 48, 4 (1971), págs. 314-327; *vid.*, además, Alfredo Rodríguez y Saúl Roll, «*Pepita Jiménez* y la creatividad de Pardo Bazán en *Insolación*», *Revista Hispánica Moderna*, 44 (1991), págs. 29-34.

Con todo, es preciso tener presente que las dudas que doña Emilia comienza a tener respecto al Naturalismo no impiden que haya en *La madre Naturaleza* ejemplos manifiestos de esta tendencia. Véase el siguiente texto:

> Era un pie de montañesa que se calza siempre y que tiene en las venas sangre patricia; no muy grande, algo encallecido por la planta, pero arqueado de empeine, con venillas azules, suave de talón y calcañar, redondo de tobillo, blanco de cutis, con los dedos rosados o más bien rojizos de la presión de la bota, y un poco montado el segundo sobre el gordo. El pie transpiraba, por haber andado mucho y aprisa.
>
> (*La madre Naturaleza,* cap. XX)

La minuciosa (y, probablemente, innecesaria) descripción del pie de Manuela tiene poco que ver con el desarrollo del argumento, resultando todavía del interés de los naturalistas por la acumulación de detalles externos. Esto es, la acción se remansa, y la autora describe en detalle un objeto siguiendo las imposiciones metodológicas del Naturalismo, según el cual la acción bien puede ser trivial, pero la acumulación de detalles supone exploración y análisis por parte del autor o autora. De ahí la atención al género y a la especie («Era un pie de montañesa»), la atención al medio y a las peculiaridades que éste impone («que se calza siempre»), elemento determinista que la autora mitiga con una atención protocolaria a la historia («que tiene en las venas sangre patricia»). Todo lo demás resulta filigrana estilística o retórica, exhibición por parte de la autora de su notable pericia descriptiva.

Unidad estructural de «La madre Naturaleza»

La continuidad entre *Los Pazos de Ulloa* y *La madre Naturaleza,* una continuidad que, como vimos, la autora misma propone en el subtítulo a la segunda de las obras citadas, resulta ante todo de la repetición de los personajes principales y, en concreto, viene dada por la repetición de quienes serán los protagonistas de la segunda: la pareja formada por Perucho y

Manuela. Dicha continuidad, además, está sustentada en claros rasgos de estilo, pues no cabe duda de que la novela de 1887 comienza simbólicamente aludiendo al desenlace de *Los Pazos*. Esta novela había terminado con una referencia a los dos personajes mencionados que, todavía niños, son descubiertos por Julián, el párroco. Se trata de «una pareja hechicera, iluminada por el sol que ya ascendía aproximándose a la mitad del cielo» *(Los Pazos de Ulloa,* cap. XXX). Y, quienes fueran comparados con ángeles y arcángeles al final de la novela anterior, adquieren nueva entidad simbólica en *La madre Naturaleza,* siendo presentados en el capítulo primero con claras reminiscencias del Génesis bíblico, buscando refugio bajo un árbol —«Bajo un árbol se refugió la pareja»— que es descrito como árbol protector y, más tarde, como «árbol patriarcal».

El escenario de la nueva novela permite al lector evocar mentalmente el final de la anterior. Al término de *Los Pazos de Ulloa,* la pareja formada por los dos niños aparece iluminada por el sol que, ascendente, se apresura a ocupar «la mitad del cielo». Comienza la segunda novela con una escena semejante: la pareja aparece en el primer capítulo igualmente bajo la plenitud del día, en un escenario iluminado por un sol que forma «círculos concéntricos trazados por un compás celestial con fuego del que abrasa a los serafines, fuego sin llamas, ascuas sin humo» *(La madre Naturaleza,* cap. I).

Hay asimismo continuidad cronológica entre las dos novelas. En el último capítulo de *Los Pazos,* el narrador describe la suspensión del tiempo en el pazo: «Diez años son una etapa, no sólo en la vida del individuo, sino en la de las naciones. Diez años comprenden un período de renovación; diez años rara vez corren en balde, y el que mira atrás suele sorprenderse del camino que se anda en una década. Mas así como hay personas, hay lugares para los cuales es insensible el paso de una décima parte del siglo. Ahí están los Pazos de Ulloa, que no me dejarán mentir. La gran huronera desafiando al tiempo, permanece tan sombría, tan adusta como siempre» *(Los Pazos de Ulloa,* cap. XXX). Frente a esta suspensión del tiempo en el escenario particular del pazo, la villa cercana de Cebre experimenta notables avances que, «rindiendo culto al progreso, ha atendido a las mejoras morales y materiales». En la vida del pueblo se registran los avatares de la vida política nacional y, frente a la reacción, representada por Barbacana, triunfa el cacique liberal, Trampeta: «los dos caciques aún continúan disputándose el mero y mixto imperio; mas ya parece seguro que Barbacana, representante de la reacción y la tradición, cede ante Trampeta, encarnación viviente de las ideas avanzadas y de la nueva edad» *(loc. cit.).*

Este nuevo orden es precisamente el que impera en *La madre Naturaleza,* pese a que la actualidad política, que es ocasionalmente aludida por algunos personajes (Trampeta, Juncal), no logra en ningún momento la importancia que había tenido en *Los Pazos de Ulloa,* donde las elecciones locales llegaron a alcanzar el centro de atención de la acción novelesca. Personaje principal de este ambiente sigue siendo el cacique político, Trampeta, que aparece en el capítulo V de la novela de 1887. En él, Trampeta resume para el recién llegado don Gabriel Pardo de la Lage (hermano de Nucha, la protagonista de *Los Pazos),* algunos de los hechos fundamentales de las elecciones susodichas, permitiendo al lector revivir mentalmente el ambiente y las peripecias de la novela anterior. Con Trampeta y don Gabriel, en la misma diligencia, viaja también el arcipreste de Loiro, terriblemente envejecido. Aludiendo Trampeta al viejo arcipreste, hace una confidencia a don Gabriel que permite conectar una vez más ambas novelas:

> Y vamos a ver: ¿dirá usted al verlo tan acabado, que este bendito Arcipreste fue *un remeje que te remejerás* de elecciones, que nos dejaba a todos tamañitos? Hoy no es ni su sombra. En sus tiempos era un demonio con sotana: no había quien se la empatase en toda la provincia. Cuentan que una vez dio un puntapié a la urna. Sin ir más lejos, allá cuando la Revolución, *la Gloriosa,* ¿usté me entiende?, que andaban los carlistas muy alterados, como usté me enseña, por poco entre ese condenado y otros de su laya me hacen perder una elección reñidísima, y me sacan avante al marqués de Ulloa contra el candidato del gobierno.
>
> *(La madre Naturaleza,* cap. V)

La vejez del arcipreste, en fin, da cuenta del indefectible paso del tiempo; recuérdese que al final de *Los Pazos* se indica que diez años «son una etapa [...] en la vida del individuo». No obstante, al estudiar los cambios que se operan de una novela a otra, David Henn habla de la continuidad esencial de los hechos, a pesar del aparente cambio de caciques, indicando que, en *La madre Naturaleza*, el cambio más notable es presentado de modo indirecto hasta el punto de resultar casi imperceptible. Se trata, según Henn, del deterioro en que se encuentra la parroquia de Ulloa, que aparece dilapidada y da la impresión de estar completamente abandonada por los vecinos, siendo poco a poco sumida en la tierra: «Apunta también simbólicamente un espíritu de cristiandad olvidado y solitario»[40]. Esta imagen del cambio, que fue una de las constantes en la novela del siglo XIX y cuyo origen es preciso buscar en *Notre Dame de Paris,* de Victor Hugo, tiene importantes implicaciones para el desarrollo de la tesis de la novela pues, como hemos de ver, don Julián —que cree firmemente en una religión que los demás no practican y parecen aceptar de un modo puramente protocolario— ha de rechazar las opiniones contemporizadoras con que don Gabriel, partícipe del espíritu del siglo, trata de excusar la caída de Manuela. De hecho, en el debate final entre los dos personajes, en el que se reproduce el contraste entre dos posiciones antagónicas, *La madre Naturaleza* parece recuperar el modelo de novela de tesis religiosa que había imperado en la década anterior.

Una semejanza adicional con *Los Pazos de Ulloa* es el escenario de la nueva novela. Al comienzo de *Los Pazos,* Julián, montado en un caballo, llega a la barbarie del pazo procedente de la civilización, representada por la ciudad de Santiago de Compostela. La poca pericia del capellán como jinete acentúa la visión de la Naturaleza como ámbito agreste y salvaje, según indica expresamente el narrador cuando dice: «Experimentaba el jinete indefinible malestar, disculpable en quien nacido y criado en un pueblo tranquilo y soñoliento,

[40] David Henn, *The Early Pardo Bazán. Theme and Narrative Techniques in the Novels of 1879-1889* (Liverpool, Francis Cairns, 1988), pág. 58.

se halla por vez primera frente a frente con la ruda y majestuosa soledad de la Naturaleza» *(Los Pazos de Ulloa,* cap. I).

Este mismo viaje a la barbarie rural es repetido por don Gabriel en *La madre Naturaleza,* quien, como Julián, llega al pazo desde Santiago de Compostela. Cierto que el viaje en el caso de este último se hace en diligencia, pero el personaje está sometido igualmente a toda clase de incomodidades, incluido el vuelco de la diligencia misma, todo lo cual sugiere una vez más la idea de que los personajes, al adentrarse en la Naturaleza, van dejando lejos la civilización. El contraste entre civilización y barbarie está bien expresado por Trampeta, el cacique político de Cebre quien, tratando de imaginar la posible relación de don Gabriel con el marqués de Ulloa, piensa para sí: «Dice que conoce al marqués. Será su amigo, y no querrá más chismes. Aunque don Pedro Moscoso, ¡qué ha de ser amigo de ninguna persona tan así, tan decente!» (cap. V). Las dos novelas, por último, se cierran de forma parecida, abandonando tanto don Julián como don Gabriel la rústica geografía del pazo, indicio de que la civilización es impotente para aminorar la decadencia del pazo (don Julián) o para mitigar o corregir los impulsos naturales (don Gabriel).

La cronología de las dos novelas es contigua. La acción de *Los Pazos,* como recuerda Trampeta en su conversación con don Gabriel, sucede en torno a 1868, cuando «la Revolución, *la Gloriosa»*. Pero la acción del último capítulo de *Los Pazos* es diez años posterior. Con ello, se acerca a la cronología de los sucesos de *La madre Naturaleza:* la segunda mitad de la década de 1880. En este sentido, aunque no hay referencias cronológicas precisas en esta novela, pues ocurre en un verano indeterminado, entendido éste simbólicamente como la estación en que la Naturaleza ofrece sus frutos, las alusiones a la realidad histórica permiten fechar la acción de la novela cerca del momento de su escritura y publicación. En el capítulo VIII, haciendo repaso mental de su vida, don Gabriel recuerda la mayor parte de los episodios históricos que median entre 1868, momento histórico al que corresponde la mayor parte de la acción de *Los Pazos de Ulloa,* y el tiempo presente en *La madre Naturaleza.* Estos episodios incluyen la revolución de septiembre de 1868, la disolución del arma de artillería, la guerra carlista de 1873, la reorganización del ejército por Castelar, el golpe de estado de Pavía (1874) y la Restauración (1875). Finalmente, en el capítulo XI, Juncal se pregunta «por el porvenir de la regencia y posible advenimiento de la república», alusión indirecta a la muerte de Alfonso XII, ocurrida el 25 de enero de 1885. Con esto, en fin, el tiempo histórico en el que tiene lugar la acción de la novela es posterior a 1885, correspondiendo por tanto, grosso modo, con el de su publicación, esto es, el año 1887.

Pese a la contigüidad histórica que existe entre las dos novelas, *La madre Naturaleza* tiene una rigurosa cronología interna, diferente del modelo seguido en *Los Pazos*. En efecto, la acción está encuadrada en los hechos históricos del XIX, aludidos con frecuencia, y siguiendo un período que va desde 1868 a 1885. Pero la acción concreta de la segunda novela se desarrolla en un período de tiempo mucho menor. Se trata de seis días, distribuidos de la siguiente manera: día primero (caps. I-X), con dos narraciones diferentes —la excursión de Perucho y Manuela (I-IV) y el viaje de la diligencia de Santiago a Cebre (V-VI) con el vuelco y la hospitalidad de Juncal (caps. VII-X)—; día segundo (caps. XI-XIV), en el que don Gabriel llega al pazo; día tercero (caps. XV-XVIII), excursión de don Gabriel y Manuela; día cuarto (caps. XIX-XXI), donde se narra la escapada de los dos hermanos (caps. XIX-XX) y la lectura del *Cantar de los cantares* por don Gabriel (caps. XXII-XXIII), visita éste el cementerio y descubre a la pareja enamorada comenzando así su disputa con Perucho (caps. XXIV-XXIX); día quinto (caps. XXX-XXXI), en que don Gabriel va a buscar a Juncal, refiriéndole los hechos del día anterior, con la escapada de Perucho; y día sexto (caps. XXXI-XXXVI), en que llega don Julián al pazo, Manuela se confiesa y don Gabriel abandona el pazo[41]. Esta rigurosa ordenación temporal de la historia, ceñida a un período de tiempo extremadamente breve, acrecienta, como digo, la idea de unidad de *La madre Naturaleza*.

[41] *Vid.* Marina Mayoral, «Prólogo» a Emilia Pardo Bazán, *Cuentos y novelas de la Tierra* (Santiago de Compostela, Sálvora [Biblioteca de Autores Gallegos], 1984), vol. II, págs. 151-153.

La Naturaleza y el hombre

Mencioné antes que la peripecia inicial (i.e., el viaje de Santiago a Cebre y, posteriormente, al pazo) es similar en ambas novelas. Pero si el viaje de Julián inicia *Los Pazos de Ulloa*, el viaje de Gabriel al mismo lugar, en *La madre Naturaleza*, se describe en el capítulo V. Antes, en los cuatro capítulos iniciales, la autora presenta a la pareja en el seno de «la madre naturaleza, a cuyos pechos se habían criado» (cap. I) los jóvenes protagonistas.

Los cuatro capítulos iniciales de *La madre Naturaleza* son el primer ejemplo de las importantes diferencias que separan esta novela de *Los Pazos de Ulloa*. En este sentido, a pesar de la continuidad entre ambas novelas, señalada en páginas anteriores, y a pesar asimismo de las semejanzas estructurales que acrecientan la impresión de estar ante partes de una historia familiar al lector, hay en *La madre Naturaleza* una clara unidad interna, estructural y temática, y esta novela puede ser leída independientemente de *Los Pazos*. Esta independencia resulta de una diferencia fundamental de tema entre las dos novelas: *Los Pazos de Ulloa* es el estudio de un proceso social —la decadencia de la nobleza corrompida y embrutecida—, mientras que *La madre Naturaleza* se ocupa de un proceso natural que está condenado por la sociedad: se trata del enfrentamiento entre naturaleza y cultura, expresado como la fuerza irresistible del amor que sienten dos seres que acaban sucumbiendo a los impulsos naturales, algo que no está permitido por la sociedad.

Por lo que se refiere a la morfología de la novela, un elemento que acrecienta la idea de unidad es la estructura enmarcada de la misma. En este sentido, Zola había indicado la preferencia de la novela naturalista por la estructura abierta: la novela reproduce la vida, por lo que ha de quedar sin cierre al final ya que, como indica Clarín en su reseña de *La desheredada* de Galdós, no es conveniente ponerle límites artificiales, teniendo que renunciar el autor a los «artificiosos nudos y desenlaces, que pueden mostrar ingenio [...] pero que no son esenciales, ni convenientes siquiera, en la obra que tiene por objeto representar con propiedad y exactitud el movimiento de los sucesos sociales»[42]. La crítica posterior ha seguido indicando que la novela que se impone con el Naturalismo no termina, sino que acaba con un final abierto[43]. No obstante, como indiqué al estudiar *La desheredada* de Galdós, la novela de este período aparece enmarcada por una serie de repeticiones que tienen la función de establecer el marco de la novela: la Isidora Rufete que, en *La desheredada* de Galdós, llega al manicomio de Leganés apretando contra su talle un lío de ropa, y la Isidora degradada del desenlace que aprieta contra su talle otro lío de ropa antes de abandonar la casa que comparte con su padrino, el patético don José Relimpio, y cometer su suicidio moral[44]. Obvio es también este sistema de repeticiones con el fin de establecer el marco del texto en *La Regenta:* al comienzo de la novela se menciona el «viento Sur, caliente y perezoso»; al final, se nos habla una vez más de «una tarde en que soplaba el viento Sur, perezoso y caliente» (*La Regenta,* ed. cit., vol. I, pág. 93; vol. II, pág. 532).

La estructura enmarcada tiene la función de llamar la atención del lector sobre los cambios que se han operado en la existencia de los protagonistas a causa de lo ocurrido en la novela; esta modificación resulta particularmente perceptible al tener presentes dos momentos idénticos y, en apariencia, insignificantes, pero que son resaltados mediante la repetición de una escena o una situación. En *La madre Naturaleza* el marco de la novela viene dado por las menciones de la tormenta que se aproxima. Comienza así la novela con la descripción de una tormenta, majestuosa visión del poder de la Naturaleza:

> Las nubes, amontonadas y de un gris amoratado, como de tinta desleída, fueron juntándose, juntándose, sin duda a cón-

---

[42] Leopoldo Alas, *Galdós novelista,* edición, introducción y notas de Adolfo Sotelo (Barcelona, PPU, 1991), págs. 94-95.

[43] Philippe Hammon, «Clausules», *Poétique,* 24 (1975), págs. 495-526.

[44] Ignacio Javier López, *Realismo y ficción: «La desheredada» de Galdós y la novela de su tiempo* (Barcelona, PPU, 1989), págs. 80-83, 144-147 y 170-174; véase, además, Beth W. Bauer, «Innovación y apertura: la novela del siglo XIX ante el problema del desenlace», *Hispanic Review,* 59, 2 (1991), págs. 187-203.

> clave, en las alturas del cielo, deliberando si se desharían o no en chubasco. Resueltas finalmente a lo primero, empezaron por soltar goterones anchos, gruesos, legítima lluvia de estío, que doblaba las puntas de las yerbas y resonaba estrepitosamente en los zarzales; luego se apresuraron a porfía, multiplicaron sus esfuerzos, se derritieron en rápidos y oblicuos hilos de agua, empapando la tierra, inundando los matorrales, sumergiendo la vegetación menuda, colándose como podían al través de la copa de los árboles para escurrir después tronco abajo, a manera de raudales de lágrimas por un semblante rugoso y moreno.
>
> (*La madre Naturaleza,* cap. I)

La novela termina repitiendo esta escena al apuntar la inminencia de la tormenta; entre estos dos textos se desenvuelve el drama de los personajes:

> Aquella tarde, el gran ardor de la canícula daba señales de aplacarse ya, y eran preludio y esperanza de frescura y acaso de agua las nubes redondas y los finos rabos de gallo que salpicaban caprichosamente el cielo. Una brisa fresca, vivaracha, que columpiaba partículas de humedad, hacía palpitar el follaje. A lo lejos chirriaban los carros cargados de mies, y las ranas y los grillos empezaban a elevar su sinfonía vespertina, saludando a la lluvia y al viento antes de que hiciesen su aparición triunfal y refrigerasen la tostada campiña. Todo era vida, vida indiferente, rítmica y serena.
>
> (*La madre Naturaleza,* cap. XXXVI)

La repetición, además, sirve para presentar las dos visiones de la Naturaleza que aparecen en la novela. Se trata del contraste entre la Naturaleza-madre que es enunciada al comienzo, y la Naturaleza impasible («madrastra» la llama uno de los personajes) del desenlace a que apunta, en el texto antes citado, la mención de «vida indiferente».

En los «Apuntes autobiográficos» que, inicialmente publicados al frente de la primera edición de *Los Pazos de Ulloa,* la autora habría de rehacer para su edición de *Obras completas,* confiesa que en *La madre Naturaleza* se deja llevar por su amor al campo gallego, dando «rienda a mi afición al campo, al terruño y al paisaje»[45]. Lo cierto, sin embargo, es que las visiones de la Naturaleza se integran perfectamente en el desarrollo del tema principal; doña Emilia ha superado ya definitivamente los excesos descriptivos que Clarín criticara en su reseña de *Un viaje de novios,* y en la novela de 1887, todas las descripciones son pertinentes para el desarrollo de la tesis principal de la novela.

La descripción de la tormenta al comienzo de la obra presenta la primera de dichas polaridades; se trata de la imagen de la Naturaleza-madre. En el primero de los textos citados no se habla de una lluvia destructora *(i.e.,* la Naturaleza desatada del mundo romántico), sino de un agua vivificadora que nutre todo lo creado. La lluvia vivifica; hay en la descripción de la misma energía, pero no violencia: el agua «dobla» las puntas de las yerbas para, más tarde, «empapar» la tierra y vivificar la vegetación menuda, esto es, hasta los últimos elementos de la cadena animal o vegetal. Los mismos personajes son producto de la Naturaleza, «a cuyos pechos» se han criado Perucho y Manuela; aquélla es madre de todo lo que existe, noción que viene subrayada al situar la acción de la novela en el verano, la estación en que la Naturaleza ofrece sus frutos y el período del año en que el hombre cosecha aquéllos. Pero este capítulo ya anticipa la tesis cristiana que inequívocamente formula don Julián al final de la novela: la Naturaleza está también regida por una ley más alta. En consonancia con ello, el final del capítulo, con la mención del arco iris, nos viene a indicar que este imperio de la Naturaleza-madre es posible gracias a un pacto del hombre con Dios, según el cual aquél acepta la ley divina (que prohíbe el incesto, por ejemplo) y rige a cambio de ello sobre todo lo creado.

Este primer capítulo sirve de preludio o resumen de las dos visiones alternativas que han de desarrollar los demás personajes en el resto de la novela; las hipótesis materialistas del comienzo han de contrastarse con las tesis religiosas de Julián en

45 Emilia Pardo Bazán, *Obras completas* (Madrid, Aguilar, 1947), vol. III, pág. 728.

el desenlace de la novela. El capítulo termina con la visión del arco iris que, descrito en términos expresamente religiosos como «pórtico del palacio celestial», viene a sugerir uno de los temas fundamentales de la novela en consonancia con el «Naturalismo cristiano» de doña Emilia. En resumidas cuentas, se trata en efecto de la visión de la Naturaleza como madre, pero su poder y, por extensión, los impulsos naturales han de ser moderados por la cultura, la enseñanza y la religión; como en el Génesis bíblico, donde el arco sella el pacto entre Noé y la divinidad después del diluvio, aquí el arco iris sirve para dar a entender la primacía del espíritu, pues la divinidad rige armónicamente los destinos de lo natural.

A partir del capítulo II, la novela presenta, por boca del algebrista, el señor Antón, la tesis materialista correspondiente al poder omnipotente de la Naturaleza. Un hombre vale más que los animales, nos dice el algebrista, pero puede menos que un buey; hombres y animales son seres de naturaleza idéntica o, como dice el algebrista, «no se diferencia el *verme* del hombre». En prueba de ello el señor Antón observa que las mismas artes que se usan para curar a los animales (por ejemplo, la vaca de la Sabia, cap. II) valen para curar a los seres humanos, como demuestra el episodio del capítulo XI, comentado por Juncal, en el que el algebrista compone con tablillas los huesos del mozo de la diligencia. La conclusión preliminar de estos capítulos iniciales, expresada por el algebrista, es que la Naturaleza, superior a nuestras fuerzas, lo puede todo, reduciéndolo todo a sí misma, rigiéndolo todo según sus propias leyes:

> —¡Hay que desengañarse, hay que desengañarse!— prosiguió el viejo moviendo la cabeza, que, al oscilar sobre el seco pescuezo, parecía una pasa pronta a desprenderse del rabo. Por muchas vueltas que se le dé, esta cosa grande, grande, grandísima (y reiteraba el ademán de abarcar todo el valle con los brazos), puede más que vusté, y que yo, y aquel, y que todos, ¡carraspiche! Yo me muero, verbo en gracia; bien, corriente, sí señor; ¿y después? La cosa grande se queda tan fresca. Yo me divertí mis carnes; pero de yo ya propiamente no soy nada; se crían repollos, y patatas, y ortigas, y toda *clas* de hortalizas..., ¿me entiende?
>
> (*La madre Naturaleza*, cap. IV)

Añádase a esto que, en la exposición de esta hipótesis, la Naturaleza es vista sin idealizaciones, como amiga y enemiga, con elementos positivos y negativos; aquélla rige un mundo en el que coexisten dos principios, habiendo vida y muerte, alegría y enfermedades. De ahí que los episodios en que el algebrista extirpa el tumor que le ha salido a la vaca de la señora Sabina complementen el momento en que se desarrolla la acción: esto es, el verano, la estación en que se recogen las cosechas y en la que la Naturaleza ofrece, fecunda, sus frutos.

La tesis del algebrista, desarrollada en los cuatro capítulos iniciales, es rebatida en los capítulos finales por don Julián, el párroco. No obstante, las indicaciones de que la autora no está de acuerdo con las tesis ofrecidas por el algebrista aparecen ya en los mismos cuatro primeros capítulos en los que, paradójicamente, se exponen las ideas materialistas de aquél. De hecho, es irónicamente el algebrista mismo quien inopinadamente viene a sustentar la tesis contraria; tras haber expuesto su idea de que los animales y los seres humanos comparten una misma naturaleza, el algebrista trata de convencer a la Sabia para que se deje extirpar el bocio que le afea la cara; negándose a ello, ésta responde: «Los animales... no tienen que ver con las personas; si no se cuidan y asisten, ni trabajan, ni dan leche» (cap. III). Con esto adquiere sentido el episodio anterior en que el algebrista ha sido llamado a casa de la Sabia con el fin de curar a una vaca; en suma, animales y seres humanos, en efecto, comparten una misma naturaleza, pero se distinguen gracias a la capacidad humana para el trabajo, la organización, etc.; así, pues, es el espíritu humano lo que diferencia al hombre de las bestias y lo que sitúa a aquél por encima de éstas. El verano, la estación en que tiene lugar la acción de la novela, adquiere de este modo un indudable valor simbólico: es, en efecto, la estación en que la Naturaleza ofrece generosa sus frutos; pero es también la estación en que el hombre cosecha el esfuerzo de su trabajo, algo que le distingue de los animales pues, como indica la Sabia al negarse a ser operada por el algebrista, aquéllos «si no se cuidan y asisten, ni trabajan» ni producen beneficio alguno.

La idea de la superioridad espiritual del ser humano sobre las bestias será desarrollada más tarde por don Julián, el párroco de Ulloa, que reaparece en esta obra procedente de *Los Pazos;* estructuralmente, sin embargo, no tiene la importancia que había tenido en la novela anterior, quedando aquí en un segundo plano que, sin embargo, no carece de importancia al corresponderle a él la defensa de la tesis de la autora. Su valor se deduce del contraste que es posible establecer al considerarlo frente a otros personajes: se diferencia del atador de Boán, siendo este último borracho y materialista; contrasta con los descreídos don Gabriel Pardo y Máximo Juncal; y, en fin, no se parece a otros clérigos, como el Arcipreste de Loiro, cuya obesidad extrema es objeto de chacota en el capítulo VI. En el caso del párroco de Ulloa, se nos indica que su cuerpo se ha borrado para, de este modo, acentuar la imagen de su espiritualidad, y al ser introducido en el capítulo XVIII, es descrito como «místico que apenas sentaba en la vida práctica la suela del zapato». Más tarde, en el capítulo XXVI, pasa, casi deslizándose, delante de don Gabriel como una sombra o un fantasma (de hecho, don Gabriel lo confunde inicialmente con un fantasma); al final del capítulo XXXII aparece el cura «flaco, sumido de carnes, encorvado, canoso, de ojos azules muy apagados, vestido con una sotanuela color ala de mosca»; y en el XXXIII se indica que el personaje se envuelve de «una especie de mística indiferencia por las cosas exteriores, que no es egoísmo porque no impide la continua disposición del ánimo al bien, sino que parece coraza que protege a un corazón excesivamente blando contra roces y heridas. La forma cristiana de la impasibilidad estoica».

Doña Emilia hace reaparecer a este personaje en *La madre Naturaleza* para rebatir la tesis inicial del algebrista; su presencia, sin embargo, fue desestimada por Osborne para quien el comportamiento de don Julián y, en concreto, su falta de indulgencia para con Manuela al final de la novela, es una actitud poco cristiana. Por ello, concluye Osborne, el clérigo pierde nuestra simpatía y su credibilidad[46]. No es este el lugar para debatir cuál sea una interpretación adecuada de ciertas actitudes religiosas, aunque en modo alguno parece claro que la in-

[46] Robert E. Osborne, *Emilia Pardo Bazán, su vida y sus obras* (México, Andrea, 1964), pág. 64.

dulgencia respecto a la «caída» de Manuela sea la única posición aceptable desde una perspectiva cristiana, como parece sugerir Osborne. Pero lo cierto es que su interpretación no parece aceptable ya que omite importantes nociones estructurales desarrolladas a lo largo de la novela; y es que, en efecto, sea cual sea la estimación que el lector particular pueda tener del comportamiento del clérigo, no cabe ninguna duda de que doña Emilia lo ha presentado en términos positivos. Frente a la falta de asidero moral de don Gabriel, don Julián viene a representar la firmeza en sus creencias cristianas, a pesar de la dura experiencia de su vida. En la novela se nos indica, de hecho, que ha sufrido castigo y persecución por lo sucedido en la novela anterior, pero que, libre de culpa, ha sido reintegrado a la parroquia de Ulloa.

La tesis de la novela: del «experimento» al Naturalismo cristiano

Como se indicó con anterioridad, el Naturalismo aporta un nuevo concepto de la novela, rechazando las formas narrativas herederas del Romanticismo. Considerando que las facultades principales del novelista son la observación y el análisis, la novela naturalista va a seguir modelos tomados de las ciencias naturales y sociales; de ahí que considere que la acción representada en la novela sigue el modelo de la ciencia experimental y es, por ello mismo, un experimento. En el caso de la novela que nos ocupa, el experimento consiste en observar cómo dos jóvenes, viviendo en plena Naturaleza, y desconocedores de los lazos familiares que les atan y que hacen imposible su unión, se han de dejar llevar por la fuerza arrolladora de los impulsos naturales, sucumbiendo al deseo sexual del mismo modo que lo hacen los demás animales. Lo describe expresamente don Gabriel en el capítulo XXV, al indicar que el drama de la novela resulta de haber puesto «a una pareja linda, salida apenas de la adolescencia, sola, sin protección, sin enseñanzas, vagando libremente, como Adán y Eva en los días paradisíacos, por el seno de una valle amenísimo, en la estación apasionada del año, entre flores que huelen bien y alfombras de mullida hierba capaces de tentar a un santo». Véase aquí, por tanto, un valor simbólico alternativo para el verano. Como vimos, es el momento en que el hombre, superior a los animales, recoge el producto o fruto de su esfuerzo; pero es asimismo «la estación apasionada del año», esto es, el momento en que los jóvenes, no sujetos a ley moral alguna, sucumben al impulso natural al igual que los animales.

Pero este experimento, tan cuidadosamente preparado, es rebatido por la autora, quien, por medio de don Julián, ha de apelar a una ley «más alta», la ley de Dios. La novela, de hecho, nos presenta diferentes variaciones del amor que respeta las leyes sociales resultando, por tanto, aceptables: el matrimonio de Juncal y su esposa Catalina, que comenzó en «enharinamiento ilícito», pero que ha recibido la sanción social tras la boda, llegando a ser ejemplo de vida feliz pues, comentando el punto de vista de don Gabriel, el narrador indica que «la señora de Juncal trataba bien a su marido y le hacía grata la vida» (*La madre Naturaleza,* cap. VII); lo mismo puede decirse —a pesar del desdén con que los trata doña Emilia— del matrimonio formado por Sabel y el Gallo; otro ejemplo sería el amor fraternal del huérfano Gabriel y su *mamita,* Nucha, en que ésta suple a la madre —«la *mamita* pálida» y «la hermana protectora» son los dos nombres que recibe en la novela— y, por tanto, remedia la rigidez o los «errores» de la Naturaleza impasible; y la fidelidad de Goros hacia don Julián, ejemplo de amor asexual basado en la mutua entrega material y espiritual; de él dice el narrador: «Si por hogar se entiende, no la asociación de seres humanos unidos por los lazos de la sangre o para la propagación y conservación de la especie, sino el techo bajo el cual viven en paz y en gracia de Dios y con cierta afectuosa comunicación de intereses y servicios, el cura de Ulloa había reconstruido con Goros el hogar que perdiera al fallecer su madre. Y en cierto modo, hasta donde puede aplicarse la frase a dos individuos del mismo sexo, Goros y él se completaban» (*La madre Naturaleza,* cap. XVIII). Todas estas formas del amor, en fin, vienen a contrastar con la entrega sexual libre de los dos hermanos. La conclusión a que doña Emilia nos quiere hacer llegar no es otra que la ya expuesta:

de regirnos exclusivamente por las leyes naturales, no nos diferenciaríamos de los animales. Por eso, mientras don Gabriel espera junto a Goros la llegada del párroco de Ulloa, puede contemplar esta ley diferente que es aplicable a los animales, cuando el fámulo del clérigo le enseña el cerdo que, en una relación incestuosa, está siendo criado como semental, y que ha sido apareado con su madre. El mismo Perucho, en fin, resume el rigor de esta ley que sólo se aplica al ser humano cuando, tras su pelea con don Gabriel, exclama: «Pues si no hubiese Dios, ¡lo que es a Manola..., soltar no la suelto!» *(La madre Naturaleza,* cap. XXVIII).

En resumidas cuentas, frente a la ley natural, la religión o, en un sentido más extenso (capaz de incluir la disciplina personal, la integridad de los valores morales propuestos por la sociedad en que viven los personajes, y el trabajo), frente a los impulsos animales están la cultura y la ley social. Esta conclusión es coherente con las ideas defendidas por la autora en *La cuestión palpitante,* donde, como vimos, había indicado que tan sólo la caída de una naturaleza originariamente pura y libre puede dar la clave de la mezcla de nobles aspiraciones y bajos instintos, de necesidades intelectuales y apetitos sensuales que caracterizan la existencia del ser humano, tema (o, como ella misma lo denomina, «combate») que todos los moralistas, todos los psicólogos, todos los artistas se han complacido en sorprender, analizar y retratar. Por consiguiente, la indicación final de don Gabriel, expresada en el último capítulo, según la cual quien gana es el dictado de la Naturaleza[47], no viene tanto a expresar la tesis de la novela, como a constatar el hecho de que aquélla sigue su curso, impasible al drama de los personajes que han quedado sujetos a las leyes enunciadas por don Julián. Pero, insisto, ya no se trata aquí de establecer la tesis de la novela; dicha tesis ha quedado establecida con anterioridad por don Julián. Lo que los episodios men-

[47] Cfr. «Cura de Ulloa, ni tú ni yo; tú un iluso y yo un necio. Quien nos vence a los dos es... el rey... ¡No, el tirano del mundo!»; y, más adelante: «Naturaleza, te llaman madre... Más bien deberían llamarte madrastra» *(La madre Naturaleza,* cap. XXXVI).

cionados, correspondientes al último capítulo, vienen a indicar es que la Naturaleza se rige por una ley diferente de la que ha de aplicarse al hombre; es un colofón que evoca el comienzo, estableciendo al mismo tiempo la polaridad opuesta al primer capítulo, la de la Naturaleza-impasible.

La posición de la autora respecto al tema de la novela ha suscitado interpretaciones divergentes entre los críticos, cuestionándose si la opinión de doña Emilia se expresa, o no, por boca de don Gabriel Pardo de la Lage. Nelly Clèmessy, a este respecto, ha mostrado atinadamente que don Gabriel no puede ser considerado como el portavoz o *alter ego* de la autora, sino que es su opinión precisamente, y en concreto su laxitud moral, la que doña Emilia quiere combatir, pues ésta, partidaria de un Naturalismo cristiano que acepte los descubrimientos de la ciencia sin sucumbir al determinismo, contrapone a la visión desengañada de don Gabriel la tesis del fervoroso capellán. En realidad, sirviéndose de don Gabriel Pardo, y oponiendo a éste la figura del párroco don Julián, la autora expone al mismo tiempo una tesis y una antítesis naturalistas.

Fundamental, en este sentido, es la posición de la autora respecto a don Gabriel Pardo. Éste, aunque su primera aparición se registra precisamente en *La madre Naturaleza,* reaparece en varias obras de esta época y es de hecho el desapego con que la autora lo presenta el indicio de la distancia con que han de leerse sus opiniones en la novela de 1887. Como indica Clèmessy, es bueno y sentimental, generoso, patriota y posee una mente hecha para el estudio. Posee, además, gracias a sus lecturas, una amplia cultura filosófica. «Pero por muy respetables que sean los móviles psicológicos del simpático personaje, no deja por ello doña Emilia de subrayar la falsedad de sus juicios» (Clèmessy, *Pardo Bazán,* vol. I, pág. 344). Como sustento de esta hipótesis, según la cual es preciso considerar con cierta distancia las opiniones de don Gabriel, Clèmessy cita otros textos de la misma época. Así, don Gabriel es descrito en *Insolación* como «Cumplido caballero, aunque un poquillo inocentón y, sobre todo muy estrafalario y bastante pernicioso en sus ideas». En *Morriña* es presentado como «amigo de generalidades pedantescas [que] se paga de malas razones por el afán de pretender explicarse todo». Y, aunque de un modo más ambiguo, también aparece en *La madre Naturaleza* con análoga perspectiva: en el capítulo XXXII, el personaje mismo reflexiona sobre su falta de sentido moral, resultado de su «afán de comprenderlo y explicarlo todo», afán que él mismo califica como «la calamidad de nuestro siglo».

La distancia necesaria para juzgar el desapego con que la autora trata el punto de vista de su personaje nos adentra también en el problema de los posibles modelos. En un estudio publicado en 1937, Donald F. Brown vinculaba esta novela de Pardo Bazán con la novela de Zola *La faute de l'abbé Mouret*. Se trataba en ambos casos, decía Brown, de dos visiones del Génesis y, al mismo tiempo, ambos autores, Zola y Pardo Bazán, trataban de demostrar la tesis naturalista de que dos seres de distinto sexo, viviendo sin sujeción moral o religiosa alguna en el seno de la naturaleza, tarde o temprano acabarían sucumbiendo a los deseos carnales[48]. Brown sustentaba esta hipótesis fundándose para ello en la opinión de don Gabriel mismo, antes citada, quien piensa que el drama de la novela resulta de haber puesto «a una pareja linda [...] sin enseñanzas, vagando libremente [...] por el seno de un valle amenísimo, en la estación apasionada del año» *(La madre Naturaleza,* cap. XXV).

Armand E. Singer refutó la hipótesis de Brown en un estudio que aún se lee con interés, sugiriendo en cambio la influencia del idilio romántico y, en concreto, la obra *Paul et Virginie* de Bernardin de Saint-Pierre. El idilio de Saint Pierre, que cuenta con abundantes traducciones españolas, estuvo de moda en toda Europa en la década de 1880, moda que ilustra el cuadro de Pierre Auguste Cot, titulado *La tormenta* o *Pablo y Virginia,* que hoy se conserva en el Museo Metropolitano de Nueva York, pintura que es reconocida como una de las más famosas en todo el siglo XIX.

La hipótesis fue más tarde ampliada por Mariano Baquero Goyanes quien, considerando la relación de la novela de Pardo Bazán con *Pablo y Virginia* y, por extensión, con las pasto-

---

[48] Donald Fowler Brown, «Two Naturalistic Versions of Genesis: Zola and Pardo Bazán», *Modern Language Notes,* 52, 4 (1937), págs. 243-248.

rales de Longo —por ejemplo, *Dafnis y Cloe*—, negó el naturalismo de la novela[49]. Así, dice Baquero que no puede hablarse de Naturalismo ni de observación directa en estos casos, reveladores de un intenso proceso de literaturización. Y continúa indicando que *La madre Naturaleza*, que en su tiempo pasó por ser la más escandalosa expresión del Naturalismo novelesco español[50], es uno de los más artificiosos y menos *naturalistas* relatos del siglo XIX. «Su dependencia de *Pablo y Virginia* resulta ya bastante significativa, sobre todo teniendo en cuenta que la novela francesa también se halla cargada de recuerdos artísticos, literarios» *(La novela naturalista*, pág. 75). Y, aún, dos páginas después, insiste en lo mismo: «El breve

[49] *Vid.*, A. E. Singer, «The Influence of *Paul et Virginie* on *La Madre Naturaleza*», *West Virginia Bulletin of Philological Studies*, 4 (1944), págs. 31-43; Mariano Baquero Goyanes, *La novela naturalista española*, edición póstuma a cargo de Nelly Clèmessy (Murcia, Secretariado de Publicaciones de la Universidad de Murcia, 1986), págs. 74-79; y N. Clèmessy, «El naturalismo católico de doña Emilia», en *Emilia Pardo Bazán como novelista*, ed. cit., vol. I, págs. 345-353. Un resumen de la hipótesis contraria, que entiende *La madre Naturaleza* como ejemplo de obra naturalista, puede verse en el prólogo citado de Marina Mayoral; *vid.* Emilia Pardo Bazán, *Cuentos y novelas de la Tierra*, vol. II, págs. 135-154. También Maurice Hemingway establece la vinculación con los modelos naturalistas, conectando esta obra con *La faute de l'abbé Mouret; vid. Emilia Pardo Bazán. The Making of a Novelist* (Londres, Cambridge UP, 1983) y, del mismo, «La obra novelística de Emilia Pardo Bazán», ed. cit., donde Hemingway indica que, en *La madre Naturaleza*, doña Emilia no nos da tanto una tesis naturalista, como una meditación sobre el mito de la caída del hombre; con esta novela, la autora establece un diálogo con *La faute de l'abbé Mouret* de Zola para concluir, disociándose de las simplistas generalizaciones características del positivismo zolesco, en algo tan complejo como el puesto del hombre dentro del orden natural. Perucho y Manuela —concluye Hemingway— son hijos de una naturaleza que los sostiene, pero que al mismo tiempo los lleva al borde del abismo; la conciencia moral de aquéllos indica su potencialidad divina; pero es también la causa de su sufrimiento, al echarlos del paraíso de la inconsciencia moral («La obra novelística», pág. 669). Nótese, sin embargo, que, pese a lo sugerido por Hemingway, no hay inconsciencia moral en la pareja: cuando éstos descubren que son hermanos, son perfectamente conscientes del abismo moral en que han caído, rompiendo con ello su unión; este hecho justifica la interpretación que yo he ofrecido anteriormente según la cual la tesis de la novela es puesta por la autora en boca de don Julián.

[50] Cfr. «*La madre Naturaleza* es una glorificación casi épica de los instintos primitivos»; A. González Blanco, *Historia de la novela en España desde el Romanticismo a nuestros días* (Madrid, Sáenz de Jubera, 1909), pág. 474.

Pierre Auguste Cot, *La tormenta* o *Pablo y Virginia* (1880).

cotejo de *La madre Naturaleza* con *Pablo y Virginia* nos revela la enorme carga literaria, convencional, artificiosa que soporta la novela española, y qué poco tiene que ver con el Naturalismo entendido como cruda captación de la vida, sin interposición de prejuicios literarios. Éstos existen en gran número en la obra de la Pardo Bazán, ya que, junto a la inspiración directa de *Pablo y Virginia*, hay que tener en cuenta otra indirecta, es decir, recibida a través del relato de Saint-Pierre. Me refiero al recuerdo de *Dafnis y Cloe* de Longo, obra popularizada en España por la traducción de don Juan Valera» (pág. 77). Finalmente, el Naturalismo que existe en la novela, indica Baquero Goyanes, es superficial: un sedimento de determinismo que ocasionalmente aparece en la narración.

La definición de *La madre Naturaleza* como idilio permite inscribir esta novela en una tradición que, en España, no escasea en el siglo XIX: *Pepita Jiménez* de Valera; *Marianela* y, en alguna medida, también *Doña Perfecta* de Galdós; *La Puchera, Sotileza* y, probablemente, *Peñas arriba* de Pereda; y, quizá, incluso, *La cigarra* y *Sor Lucila* de Ortega Munilla, entran dentro de esta orientación genérica o, al menos, comparten rasgos característicos del idilio. Cierto que en algunos casos, como *Marianela* o *Doña Perfecta*, se trata de un idilio trágico.

No obstante, la novedad de *La madre Naturaleza* consiste precisamente en su carácter de idilio antirromántico; en el hecho de que reaccione contra el idealismo romántico del que procede buena parte del ideario, y del escepticismo, de don Gabriel. Y es este antirromanticismo, además, lo que invalidaría, al menos en parte, la hipótesis de Baquero Goyanes; pues dicho antirromanticismo conecta esta novela de Pardo Bazán con el Naturalismo y es lo que, dicho sea de paso, hace coincidir en parte la novela de Pardo Bazán con la de Zola, antes mencionada. En ambos casos se proponen los autores la crítica de las exageraciones románticas o, para emplear un término que procede de Flaubert, se proponen la «anatomía» de dicho movimiento. Estudiando a Flaubert, Harry Levin indica que practicar «la anatomía de la imaginación de Emma es hacer sucintamente la recapitulación del mismo movimiento romántico, desde el idilio primitivo de *Pablo y Virginia*, pasando por el misticismo polícromo del *Genio del cristianismo* de Cha-

PABLO

Y

VIRGINIA.

POR

JACOBO BERNARDINO ENRIQUE
DE SAINT-PIERRE.

NUEVA EDICION

ADORNADA CON UNA LÁMINA FINA,

CON LICENCIA.

VALENCIA: POR ILDEFONSO MOMPIÈ.

1827.

Portada de una traducción española (1827) de *Pablo y Virginia.*

teaubriand, hasta las pasiones novelescas de George Sand y Balzac»[51]. Una «anatomía» similar se propone la autora gallega, y es tal intención la que permite conectar esta novela con el Naturalismo, a pesar de la indudable carga literaria, libresca, tan acertadamente apuntada por Baquero Goyanes en su estudio sobre doña Emilia.

Emilia Pardo Bazán, no obstante, se diferencia de los naturalistas franceses en el hecho de que no admite el determinismo como poder exclusivo. Como acertadamente indica Clèmessy, es en *La madre Naturaleza* donde la novelista plantea más claramente el problema de la condición humana y de la responsabilidad moral, «oponiendo la tesis cristiana del libre albedrío al punto de vista determinista». Esto no impide que existan coincidencias con Zola, en concreto debido a que ambos se separan del modelo bíblico: «la escritora gallega lleva a cabo una demostración idéntica a la del autor de *La faute de l'Abbé Mouret,* aunque ni uno ni otro adopten exactamente la conclusión del Génesis ya que, en una y otra novela, el paraíso perdido va unido a la separación de los amantes. En otro punto se manifiesta también la semejanza entre la obra de la Pardo Bazán y la de Zola: ambas obras difieren también de la versión bíblica en el hecho de que a las jóvenes parejas no se les prohibió comer del fruto. Son absolutamente inconscientes del pecado y, por lo tanto, víctimas de la tentadora naturaleza» (Clèmessy, vol. I, pág. 345).

No obstante, y ésta es la marca del Naturalismo cristiano de doña Emilia, frente al imperio todopoderoso de la Naturaleza, en la segunda novela don Julián invoca la cultura —y, en concreto, la religión— como potencia moderadora contra la naturaleza desordenada. A ello se refiere el siguiente diálogo entre don Gabriel y el cura, cuyo objeto es la culpa que cabe a Manuela tras su relación con Perucho:

> —Manuela se encuentra sinceramente arrepentida. La desventura, el golpe que ha recibido le han abierto mucho los ojos del alma. No desea más que expiar y llorar su culpa.

---

[51] Harry Levin, *The Gates of Horn* (versión española: *El realismo francés,* Barcelona, Laia, 1974), pág. 317.

> —¡Su culpa! —exclamó Gabriel, con acento de protesta. ¡Su culpa, pobre criatura abandonada, sin consejo, sin cariño de nadie! ¡Don Julián, don Julián! Ocasiones hay en que yo me condeno a mí mismo por mi detestable propensión a la indulgencia; porque creo que se me han roto todos los resortes morales; pero ahora, ¡quisiera tener en esta mano todo el perdón y todo el amor del mundo para derramarlo sobre la cabeza de mi sobrina! ¡Ella es inocente; otros, otros somos los culpables!
>
> —Otros —replicó con mansa firmeza el cura— son acaso más culpables que ella; pero ella tampoco es inocente, señor de Pardo. Ella lo comprende y lo reconoce, y desea, así que su padre se ponga bueno, retirarse a un convento de Santiago.

La naturaleza culpable de Manuela, aun en su ignorancia de que Perucho es su hermano, ha de redimirse con el espíritu, aquí enunciado como gracia divina y entendido como antídoto contra los excesos de aquélla. Así lo expresa don Julián en el capítulo XXXV de la novela:

> —Señor de Pardo —respondió el cura, que ya había recobrado su apacibilidad de costumbre—, lo que la naturaleza yerra, lo enmienda la gracia; y el advenimiento de Cristo y los méritos de su sangre preciosa fueron cabalmente para eso; para remediar la falta de nuestros primeros padres y sanar a la naturaleza enferma. La ley de naturaleza, aislada, sola, invóquenla las bestias: nosotros invocamos otra más alta. Para eso somos hombres, hijos de Dios y redimidos por él.

El espíritu ha de modificar la «naturaleza enferma». Esta tesis, abiertamente expuesta en los capítulos finales por el párroco, está sin embargo esbozada a todo lo largo de la novela. Según se dijo más arriba, los primeros capítulos permiten ver al hombre en su relación con la Naturaleza, y el personaje del algebrista en ellos sirve para desarrollar la tesis del predominio de aquélla. Pero la autora reacciona contra esta perspectiva, presentando una adecuación mayor de los personajes al medio. No se ve en esta novela una incapacidad de adecuación del ser a su entorno, como ocurría con don Julián en *Los Pazos*. Frente a la incapacidad del capellán, doña Emilia introduce aquí a Gabriel Pardo, un militar con amplia experiencia en la guerra que, aunque desconoce en concreto el campo gallego, no se deja arredrar por la Naturaleza: cuando Manuela le indica que se proteja del sol, pues no está acostumbrado y puede enfermarse, don Gabriel responde que él tiene gran experiencia en el campo debido a su actividad militar.

Cierto que, en algunas ocasiones en la novela, el ser se confunde con el animal, hasta llegar a convivir literalmente con él (por ejemplo, en la presentación de las casas de la Sabia y, más tarde, de la molinera, donde coexisten hombres y animales bajo el mismo techo), e incluso puede llegar a veces a la monstruosidad (como ocurre en el caso del bocio de la señora Sabina, la Sabia). Pero lo normal es que el hombre sea, como indica el mandato bíblico, maestro de la Naturaleza; el final del capítulo I, con la imagen del arco iris, vendría a sugerir este hecho. Constantemente ofrece doña Emilia indicaciones de este entendimiento. Como ejemplo de ello, véase el siguiente texto, correspondiente al final del capítulo IV. En él, un perro se lanza contra la pareja con fiereza. Pero se amansa súbitamente tras reconocer a Pedro y Manuela. Queda ilustrado de este modo el contraste entre la Naturaleza fiera y los logros de la civilización obtenidos por el hombre en su papel de rey de lo creado:

> Un perro, ladrando hostilmente, se abalanzó contra la pareja; mas al reconocerla, trocó los ladridos de cólera en delirantes aullidos de alegría, se echó al suelo, se revolcó, gimió, y por último, zarandeando la cola de un modo insensato, con la lengua fuera de las fauces, trotando sobre la seca hierba del sendero, y volviéndose a cada segundo, los precedió hasta los Pazos de Ulloa.
>
> (*La madre Naturaleza*, cap. IV)

No obstante, la oposición entre determinismo y libre albedrío no se da sin contrastes irónicos capaces de crear ambigüedad en la novela. El ejemplo más importante de esto lo tenemos en los capítulos correspondientes a la consumación del amor entre los dos hermanos. Perucho y Manuela, como dice muy bien don Julián, están obligados a dominar el impulso natural que les atrae fatalmente. Esto es lo que enseña la religión, como recuerda el párroco en su conversación con don Gabriel. No obstante, como descubre don Gabriel mismo, y como confirma Perucho en su diálogo amoroso con Manuela, ambos aprenden a leer con un texto bíblico de fuerte contenido erótico: se trata del *Cantar de los cantares* en versión castellana de Fray Luis. De hecho, como ha indicado Harry Kirby, la culminación del amor entre los dos hermanos, en los capítulos XIX a XXI de la novela, parece estar modelada en el texto bíblico. Y, para aumentar la ironía, mientras los hermanos sucumben a dicho impulso, don Gabriel lee el libro que contiene el texto bíblico citado, en el que los dos hermanos fueron aprendiendo las primeras letras, de lo cual han quedado anotaciones en los márgenes. Se trata, por tanto, de una ironía en la que queda invertido el papel de superación de los impulsos naturales sugerido por don Julián en su diálogo con don Gabriel, antes citado.

La sociedad rural: testimonio y colorido

Aparte del problema central de la relación entre Perucho y Manuela, hay en *La madre Naturaleza* una visión de la sociedad rural en la que a menudo sorprende el desdén con que doña Emilia vio la movilidad de las clases sociales tan característica del XIX. Es particularmente negativa su percepción de los arribistas sociales de los que tan fecundamente se ocupara Galdós, por ejemplo. En este sentido, tres son fundamentalmente las visiones del trabajador del campo ofrecidas por doña Emilia: la casa de la Sabia (cap. II), la casa del molinero (cap. XVII) y la descripción de la casa del Gallo, nuevo marido de la Sabel de *Los Pazos de Ulloa*.

En el episodio de la molinera, el lector no puede determinar si la autora se propone dar una nota de color local[52], o si realmente parece estar conmovida ante el pavoroso testimonio de miseria total de las clases desposeídas. De hecho, la molinera no parece tener otra función que la de contrastar

[52] Así lo sugiere, y no sin motivo, David Henn, *Pardo Bazán*, págs. 23-26.

con la Sabia; la generosidad de aquélla choca con la mezquindad de ésta que, según el algebrista, tiene una riqueza en ganado. En suma, es como si la Condesa despreciara a los segmentos de las clases bajas que, dada su acumulación de riqueza, pudieran poner en peligro el control social ejercido por las clases más pudientes.

El desdén de doña Emilia hacia las aspiraciones sociales y hacia los deseos de ascender socialmente de las clases desposeídas es notable, sin ambigüedades de ningún tipo, en la presentación del Gallo. Pardo Bazán expresa abiertamente su opinión de que las clases bajas son inhábiles para la educación y, en caso de ascender socialmente, son incapaces de despegarse la brutalidad que parece perseguirles como huella indeleble de su humilde origen. Esta opinión, que hoy nos resulta inadmisible, es característica del pensamiento conservador del XIX, reproduciendo el ideario del partido moderado, ideario que llegó a suscribir el mismo Cánovas, quien desconfiaba de la capacidad democrática del pueblo español debido a su profundo grado de incultura en la época; implica esta opinión, además, una visión estamental de la sociedad similar a la que expusiera Pereda al final de *Los hombres de pro*, donde el protagonista, objeto de las sátiras del narrador, afirma lo siguiente:

> El mal no está en que, por casualidad, salga de un mal tabernero un buen ministro, o un gran alcalde, o un perfecto modelo de hombres de sociedad; la desgracia de España, la del mundo actual, consiste en que quieran ser ministros todos los taberneros, y en que haya dado en llamarse verdadera cultura a la de una sociedad en que dan el tono los caldistas como yo[53].

Siendo esto así, y a pesar de estas limitaciones ideológicas obvias, tiene la novela hermosas descripciones, llenas de dinamismo, en las que está en núcleo el enfrentamiento de las clases sociales. En concreto, hay gran brío novelesco en la des-

[53] José M.ª de Pereda, *Los hombres de pro, Obras completas* (Madrid, Manuel Tello, 1899), vol. I, págs. 248-249.

cripción de Perucho arremetiendo contra la Sabia en casa de ésta, cuando le niega leche a Manuela. La imagen del bastardo de Ulloa atropellando dentro de la choza recuerda algunos episodios de *La guerra carlista* de Valle-Inclán, y evocan en el lector el Cara de Plata del otro gran autor gallego.

Finalmente, si el lector de hoy puede considerar cuestionables algunas ideas sociales de doña Emilia, quedará no obstante conmovido ante la belleza estilística de su prosa. Baquero Goyanes llamó la atención hace años sobre una peculiaridad del estilo de doña Emilia: su tendencia a la descripción detallista que fragua en un inventario o recuento de objetos que es un verdadero bodegón, «equivalente literario de lo que en pintura merece tal nombre» *(La novela naturalista,* pág. 185). Esta técnica, que la autora usa con notable destreza en gran número de ocasiones, se impone entre los naturalistas y es fácil rastrearla en autores posteriores, Blasco Ibáñez, Felipe Trigo, etc. Pero lo que hace particularmente notables estos bodegones de Pardo Bazán es la existencia siempre de una nota predominante de color, en ocasiones un simple destello, que irradia luz y da idea de movimiento a lo que de otro modo no sería más que naturaleza muerta. Así ocurre en el siguiente ejemplo:

> Seguíanla los pollos nuevos, amarillos como canarios, con sus listos ojillos de azabache, con sus corpezuelos que aún conservaban la forma del cascarón, columpiados sobre las patitas endebles. Detrás venía la gallina, una gallina pedreña, grave y cacareadora, honrada madre de familia, llena de dignidad. A la nidada seguía una horda confusa de volátiles: pollos flacos y belicosos, gallinas jóvenes muy púdicas y modestas, muy sumisas al hermosísimo bajá, al gallo rojizo con cresta de fuego y ojos de ágata derretida, que las custodiaba y les señalaba con un cacareo lleno de deferencia el sustento esparcido, sin dignarse probarlo. Don Gabriel se detuvo muy interesado por aquel cuadro de bodegón, que rebosaba alegría.
>
> *(La madre Naturaleza,* cap. X)

Es la imagen de color impresa en la cresta y en los ojos del gallo lo que añade movimiento a esta escena. En este sentido, hablando de la importancia de la nota de color en doña Emilia, Carmen Bravo Villasante ha indicado que la autora gallega contempla la vida a través de manchas de color, llegando en más de una ocasión a las ideas mediante el sensualismo colorista, actitud que si hoy nos parece usada y gastada, sirve en su tiempo para dar un nuevo impulso al arte literario (*Vida y obra*, pág. 117).

Por medio de este sensualismo colorista, doña Emilia revela su auténtico virtuosismo estilístico, ofreciendo al lector descripciones en las que se conjugan sus dotes de gran observadora con una magistral sabiduría lingüística. Ejemplos de ello serían su inventario de prendas campesinas —*el pañuelo de yerbas, el montecristo, la tuina,* etc.—; su conocimiento de los utensilios, desde el *mallo* o pértiga usado para desbaratar las espigas, al *fusique* con que inhala el rape el Arcipreste, o el *molinillo de alcohol* (más propiamente, de espíritu de vino) en que prepara su café el marqués de Ulloa; o los cambios y distintas modas en el mobiliario, notables al observar las piezas que introduce el Gallo en los Pazos; y, sobre todo, su inacabable conocimiento de la flora española, jamás igualado por sus contemporáneos; aparecen, así, en esta novela, *clemátidas, cabrifollos, biznagas, aliagas, agrostis, malvas* y un larguísimo etcétera que, superando el mero catálogo, aporta a la historia central de los dos hermanos un marco de indudable belleza pictórica que no deja de tener parecidos con lo que en pintura habían hecho los impresionistas.

En suma, se trabaja ya, mediante este sensualismo colorista, en la nota musical y cromática que decanta con el modernismo. El lector puede ver en esta novela, en las vigorosas imágenes de la siega, por ejemplo, las primeras muestras de esa combinación melódica de color y sonido. Ejemplo evidente de dicha nota de color y sonido es la aparición de los dos protagonistas por primera vez ante don Gabriel, en el capítulo XII de la novela: aparecen aquéllos subidos al carro de mies (que parece evocar el cuadro de El Bosco que se conserva en el Museo del Prado), y les sirven como trasfondo idílico, en un escenario lleno de colorido, el coro primitivo de las segadoras, cuyo *a-la-lás* se combina, como en una tonadilla, junto al chasquido o *paspalleo* de las codornices:

> Gabriel se entretenía contemplando el espectáculo de la era, que le parecía, acaso por la gran plenitud de su corazón y el rosado vapor en que sabía bañar las cosas su fantasía incurable, henchida de soberana quietud y paz. La puesta del sol era de las más espléndidas, y los últimos resplandores del astro inundaban de rubia claridad la cima de las medas, convertían en cinta de oro bruñido la atadura de los haces, daban toques clarísimos de esmeralda a la copa de los árboles, mientras las ramas bajas se oscurecían hasta llegar al completo negror. Se oían los últimos pitíos de los pájaros, dispuestos ya a recogerse, el canto ritmado del «¡pas-pa-llás!» en el barbecho, el arrullo de las tórtolas, que se dejaban caer por bandadas en los sembrados, en busca del rezago de granos y espigas que allí había derramado la hoz, y la lamentación interminable del carro cargado, tan áspera de cerca como melodiosa de lejos. A trechos se escuchaba también otra queja prolongadísima, pero humana, un «¡alalaaaá!» de segadoras, y todo ello formaba una especie de sinfonía —porque Gabriel no discernía bien los ruidos, ni podía decir cuáles salían de laringe de pájaro y cuáles de femenina garganta—, una sinfonía que inclinaba a la contemplación y en la cual sólo desafinaba la voz enronquecida del marqués de Ulloa.

La imagen pictórica, que la autora pudo tomar del cuadro *El carro de heno* de El Bosco; la visión campestre propia del idilio, y la técnica del bodegón aparecen conjugados en un episodio de soberbia belleza.

Las «lenguas» de doña Emilia

Como indiqué más arriba, en el prólogo a *La Tribuna* doña Emilia apunta su deseo de hacer hablar a los personajes de sus novelas como realmente se habla en el ambiente del que proceden. Aceptaba con ello el lenguaje de las distintas clases sociales, incluidas las clases desposeídas que hasta el momento habían carecido de representación apropiada en la literatura[54]. Se hacía eco, además, de las preocupaciones dominantes en la lengua literaria de los autores realistas, enfrentados al proble-

---

[54] *Vid.* Eric Auerbach, *Mímesis* (México, FCE, 1979), págs. 464-492.

ma de la representación de la lengua hablada; en el prólogo que Galdós escribe en 1882 para *El sabor de la tierruca,* de Pereda, apunta de hecho las enormes dificultades a que se enfrenta el novelista para liberar el lenguaje escrito de la retórica y de las convenciones de la prensa y la oratoria[55].

En otro lugar he explicado de qué modo este uso de la lengua literaria resulta de un proceso de asimilación de ésta a la lengua ordinaria[56]. La situación se complica en el caso de doña Emilia, pues sus novelas de ambiente gallego han de recoger una lengua diferente, como es el gallego, que es extraña para el hablante castellano, mientras que, por otro lado, tiene que acercarse al habla de sus personajes para obtener una representación adecuada de la realidad y del ambiente que busca representar. Todo esto mientras escribe una novela en castellano, que va dirigida a un lector nacional y que por tanto ha de ser entendida en Madrid, Zaragoza o Barcelona, pero que, a pesar de su versión castellana, ha de ofrecer al lector una impresión de naturalidad al abarcar el mundo y las hablas de sus personajes gallegos.

La «naturalidad» a que llega la autora en la representación del habla de sus personajes no pudo ser más artificial: se trata de una solución ecléctica, resultado de la combinación de distintas lenguas. Como ha indicado Rodrigo Varela Cabezas en un estudio reciente, la autora se limitó a elaborar una variedad lingüística ficticia, pero que resultase lo suficientemente próxima al gallego como para resultar verosímil a los lectores; creó así una síntesis entre algunos aspectos pintorescos del gallego, formas características del habla popular (tanto gallega como castellana) y elementos arcaicos (que eran frecuentes tanto en el gallego moderno como en el castellano antiguo)[57].

Esta lengua sintética explica algunos de los fenómenos lingüísticos que aparecen en la novela, donde además de pala-

---

[55] Benito Pérez Galdós, *Obras completas* (Madrid, Aguilar, 1975), vol. III, págs. 1203-1207.

[56] Ignacio Javier López, *Realismo y ficción,* págs. 95-129.

[57] Rodrigo Varela Cabezas, «Galeguismos en *La madre Naturaleza* de Emilia Pardo Bazán», *Cadernos de Lingua. Real Academia Galega,* 16 (1997), página 103.

bras auténticamente gallegas, encontramos combinaciones o híbridos castellano-gallegos de todo tipo, y donde ocasionalmente la sintaxis busca representar la «autenticidad» de los hablantes a pesar de alterar la sintaxis castellana. Siguiendo el catálogo ofrecido por Varela Cabezas («Galeguismos», ed. cit.), es posible describir las siguientes realizaciones en el estilo de la autora de *La madre Naturaleza:*

a) Uso de vulgarismos en el habla de los personajes: se trataría de la representación del habla de los personajes populares. Este uso tiene en ocasiones un valor cómico (p. ej., el uso de *líaco* en vez de *ilíaco* por el algebrista; el uso de *séneca* por *arsénico* en la burla que hace Juncal de la brutalidad de Sabel); en otras su valor es claramente representativo (p. ej., el uso de la metátesis *crebado* por *quebrado* que hace uno de los gañanes del pazo).

b) Uso de palabras gallegas puras: *treme, leito, verme, rufo.* Su valor puede ser puramente descriptivo de una realidad nueva para el lector o para don Gabriel que visita el campo gallego (p. ej., el uso de términos como *brona,* o la definición del perro según la variedad local como *perro de pajar);* pueden aparecer en el diálogo entre personajes (p. ej., la molinera refiriéndose a su pan como *bolla)* dando a éstos, no tanto un sabor local, como la autenticidad del ambiente.

c) Castellanización de palabras gallegas, ya sea vertiéndolas en su forma fonética castellana *(maja, majadores, cadriles),* ya sea usando palabras habituales en gallego que resultan arcaísmos en castellano *(pardal, rapaz).*

d) Uso de giros o expresiones gallegas puras *(maina mainita),* que en ocasiones aparecen vertidas al castellano *(poco y poco* [gall., pouco e pouco], *va buena* [gall., vai boa], *mi dicho mi hecho* [gall., meu dito, meu feito], *habemos de morir, en no las teniendo, Vilo, va en el molino*, etc.).

Sería ingenuo, y erróneo, considerar estas formas híbridas incorrecciones lingüísticas. Como en los casos mencionados más arriba respecto al uso de la flora gallega, el vestuario, etc., la autora busca de este modo una representación más adecuada del ambiente de la novela. Además, de modo similar a lo que ocurre con el sensualismo colorista y con la musicalidad, este artificio explora ya formas rítmicas de la prosa que habrán de desarrollarse a comienzos de siglo.

Esta edición

He seguido el texto de la primera edición, descrito más arriba: *La madre Naturaleza, segunda parte de «Los Pazos de Ulloa»*, Barcelona, Daniel Cortezo y Cía. Eds. («Novelistas españoles contemporáneos»), 1887, 2 vols. He modernizado la ortografía, en especial la puntuación totalmente anárquica del texto, característica de la época; al llevar a cabo esta modernización, he seguido el criterio habitual en la edición de textos del siglo XIX. También he corregido los casos de escritura errónea observables en la primera edición: por ejemplo, escribo siempre «hale» en vez de «ale», «ahechaduras» en vez de «aechaduras», etc. He unificado también los dobletes, del tipo «hierba»/«yerba», que se encuentran con frecuencia en doña Emilia, pero he respetado los solecismos que aparecen en boca de un personaje, así como todas las pronunciaciones vulgares, dialectales o procedentes de la lengua gallega, todas las cuales la autora reproduce deliberadamente como variantes de distintas «lenguas» *(vid.* Introducción).

He explicado en nota todos los usos lingüísticos peculiares. Para ello me he guiado por el reciente estudio de Rodrigo Varela Cabezas citado en la bibliografía, artículo este que se basa, y amplía, las conclusiones de Carlos Casares, «Galleguismos en *Los Pazos de Ulloa»*, en Marina Mayoral (ed.), *Estudios sobre «Los Pazos de Ulloa»* (Madrid, Cátedra, 1989), páginas 129-139.

Me es muy grato reconocer la deuda que he contraído con dos reconocidas estudiosas de la novela española del siglo XIX, la profesora Cristina Patiño Eirín (Universidade da Coruña), que amablemente me ha auxiliado con su inigualable conocimiento del gallego, y la profesora Isabel Román Gutiérrez (Universidad de Sevilla), que me apuntó en su momento algunos errores textuales que aparecían en una versión anterior; agradezco la colaboración de ambas, y la de Rodrigo Varela Cabezas, ya mencionado, por cuanto sus observaciones me han permitido depurar y mejorar la edición de este texto. A todos ellos, gracias. Ni que decir tiene que los errores que pudiera haber en la presente edición son de mi exclusiva responsabilidad.

Bibliografía

EDICIONES DE «LA MADRE NATURALEZA»

La madre Naturaleza, 2.ª parte de Los Pazos de Ulloa, por Emilia Pardo Bazán, Barcelona, Daniel Cortezo y Cía. Eds., 1887, 2 vols.

La madre Naturaleza, Obras completas, Madrid, Administración, 1892, vol. III; 2.ª ed., 1894; 3.ª ed., Prieto y Cía. Eds., 1910; 4.ª ed., Editorial Pueyo, [1928].

La madre Naturaleza, Buenos Aires, Emecé, 1944.

La madre Naturaleza, Obras completas, Madrid, Aguilar, 1947 y siguientes, vol. I.

La madre Naturaleza, Madrid, Alianza, 1966, y 11 ediciones más.

La madre Naturaleza, Madrid, Porrúa, 1972.

La madre Naturaleza, en E. P. B., *Cuentos y novelas de la tierra,* selección, introducción, prólogo y notas por Marina Mayoral, Santiago de Compostela, Sálvora, 1984, vol. II.

La madre Naturaleza, edición, introducción y notas de Ignacio Javier López, Madrid, Taurus, 1992.

BIBLIOGRAFÍAS

SCARI, Robert M., *Bibliografía descriptiva de estudios críticos sobre la obra de Emilia Pardo Bazán,* Valencia, Albatros-Hispanófila, 1982.

ESTUDIOS SOBRE «LA MADRE NATURALEZA»

BAQUERO GOYANES, Mariano, *Emilia Pardo Bazán,* Madrid, Publicaciones Españolas, 1971.

— *La novela naturalista española: Emilia Pardo Bazán* (edición póstuma a cargo de Nelly Clèmessy), Murcia, Secretariado de la Universidad de Murcia, 1986.

BARROSO, Fernando J., *Naturalismo en la Pardo Bazán,* Madrid, Playor, 1973.

BERRY-BRAVO, Judy, «Pardo Bazán's Use of Control as Narrative Device», *Letras Femeninas,* 18, 1-2 (1992), págs. 91-96.

BIEDER, Maryellen, «The Female Voice: Gender and Genre in *La madre Naturaleza*», *Anales galdosianos,* 22 (1987), págs. 103-116.

BLANCO GARCÍA, Francisco, *La literatura en el siglo XIX,* Madrid, Sáenz de Jubera, 1910, 3 vols.

BRAVO VILLASANTE, Carmen, *Cartas a Galdós,* Madrid, Turner, 1975.

— *Vida y obra de Emilia Pardo Bazán,* Madrid, Revista de Occidente, 1962.

BRETZ, Mary Lee, «Naturalismo y feminismo en Emilia Pardo Bazán», *Papeles de Son Armadans,* 87, 261 (diciembre, 1977), páginas 195-219.

BROWN, Donald Fowler, «Two Naturalistic Versions of Genesis: Zola and Pardo Bazán», *Modern Language Notes,* 52, 4 (1937), págs. 243-48.

— *The Catholic Naturalism of Pardo Bazán, University of North Carolina Studies in the Romance Languages and Literatures,* vol. 28, Chapel Hill, North Carolina Univ. Press, 1957.

BROWN, M., *La vida y las novelas de Emilia Pardo Bazán,* Madrid, s. e., 1940.

CLÈMESSY, Nelly, *Emilia Pardo Bazán, abogada de Europa en España,* Madrid, Fundación Universitaria Española, 1975.

— *Emilia Pardo Bazán como novelista,* Madrid, Fundación Universitaria Española, 1982, 2 vols.

— «Introducción» a Emilia Pardo Bazán, *Los Pazos de Ulloa,* Madrid, Espasa-Calpe, 1987, págs. 5-116.

— «De *Los Pazos de Ulloa* a *La Madre Naturaleza:* Don Julián y el tema del amor prohibido», en M. Mayoral (coord.), *Estudios sobre «Los Pazos de Ulloa»,* Madrid, Cátedra, 1989, págs. 51-59.

COOK, Teresa, *El feminismo en la novela de la Condesa de Pardo Bazán,* La Coruña, Diputación Provincial, 1976.

CRIADO Y DOMÍNGUEZ, J. P., *Literatas españolas del siglo XIX, apuntes bibliográficos,* Madrid, s. e., 1881.

DAVIS, Gifford, «The Critical Reception of Naturalism in Spain be-

fore *La cuestión palpitante*», *Hispanic Review*, 22 (1954), págs. 97-108.
— «Catholicism and Naturalism», *Modern Language Notes*, 90, 2 (1975), págs. 282-287.
DE COSTER, Cyrus C., «Humor in *Los Pazos de Ulloa* and *La madre Naturaleza*», en AA.VV., *Homenaje a Rodríguez Moñino*, Madrid, Castalia, 1966, vol. I, págs. 125-132.
DENDLE, Brian J., «The Racial Theories of Emilia Pardo Bazán», *Hispanic Review*, 38 (1970), págs. 17-31.
EBERENZ, Rolf, *Semiótica y morfología textual del cuento naturalista. Emilia Pardo Bazán, Leopoldo Alas («Clarín»), Vicente Blasco Ibáñez*, Madrid, Gredos, 1988.
EL SAFFAR, Ruth, «Mother Nature's Nature», *Anales galdosianos*, 22 (1987), págs. 91-102.
ENTRAMBASAGUAS, Joaquín de, «Emilia Pardo Bazán, estudio y bibliografía», *Las mejores novelas contemporáneas*, Barcelona, Planeta, 1958.
EOFF, Sherman, *El pensamiento moderno y la novela española*, Barcelona, Seix Barral, 1965.
ESCRIVÁ, A. M., «El conflicto masculino-femenino en *Los Pazos de Ulloa* y *La madre Naturaleza*», *Ariel*, 6 (1989), págs. 27-32.
GILES, Mary E., «Impressionist Techniques in Descriptions by Emilia Pardo Bazán», *Hispanic Review*, 30, 4 (1962), págs. 304-316.
— «Pardo Bazán's Two Styles», *Hispania*, 48 (1965), págs. 456-462.
— «Color Adjectives in Pardo Bazán's Novels», *Romance Notes*, 10 (1968-1969), págs. 54-58.
GOLDIN, David, «The Metaphor of Original Sin, a Key to Pardo Bazán's Catholic Naturalism», *Philological Quarterly*, 64, 1 (1985), págs. 37-49.
GÓMEZ DE BAQUERO, Eduardo, *El renacimiento de la novela en el siglo XIX*, Madrid, s. e., 1924.
GONZÁLEZ ARIAS, Francisca, «La Condesa, la novela y la revolución en Rusia», *Bulletin Hispanique*, 96 (1994), págs. 167-188.
GONZÁLEZ BLANCO, A., *Historia de la novela en España desde el Romanticismo hasta nuestros días*, Madrid, Sáenz de Jubera, 1909.
— *Juicio crítico sobre la condesa de Pardo Bazán, La novela corta*, IV, 286 (1921).
GONZÁLEZ LÓPEZ, Emilio, *Emilia Pardo Bazán, novelista de Galicia*, Nueva York, Hispanic Institute, 1944.

— «Doña Emilia Pardo Bazán y el Naturalismo español», *Sin Nombre,* 7, 3 (1976), págs. 62-67.

GONZÁLEZ MARTÍN, Pilar, *Aporías de una mujer. Emilia Pardo Bazán,* Madrid, Siglo XXI, 1988.

GOOCH, Anthony, «Análisis psico-somático de un personaje de *Los Pazos de Ulloa* y *La madre Naturaleza* de Emilia Pardo Bazán: Julián», en *En torno a Pemán,* Cádiz, Diputación Provincial, 1974, págs. 443-468.

GUILLÉN, Claudio, «Entre la distancia y la ironía: De *Los Pazos de Ulloa* a *Insolación»,* en Marina Mayoral (coord.), *Estudios sobre «Los Pazos de Ulloa»,* Madrid, Cátedra, 1989, págs. 103-127.

GULLÓN, Germán, *El narrador en la novela del siglo XIX,* Madrid, Taurus, 1976.

HEMINGWAY, Maurice, «Grace, Nature, Naturalism, and Pardo Bazán», *Forum for Modern Language Studies,* 16 (1980).

— *Emilia Pardo Bazán. The Making of a Novelist,* Londres, Cambridge Univ. Press, 1983.

— «Naturalism and Decadence in Zola's *La Faute de l'abbé Mouret* and Pardo Bazán's *La madre Naturaleza», Revue de Littérature Comparée,* 61, 1 (1987), págs. 31-46.

— «Máximo Juncal, representante de la ciencia humana: vacilaciones de doña Emilia», en M. Mayoral (coord.), *Estudios sobre «Los Pazos de Ulloa»,* Madrid, Cátedra, 1989, págs. 61-71.

— «Emilia Pardo Bazán: Narrative Strategies and the Critique of Naturalism», en Brian Nelson (ed.), *Naturalism in the European Novel,* Nueva York, Berg, 1992, págs. 135-150.

— «La obra novelística de Emilia Pardo Bazán», en V. García de la Concha (ed.), *Historia de la Literatura Española,* Madrid, Espasa, 1998, vol. 9: Leonardo Romero Tobar (ed.), *Siglo XIX,* 2, páginas 661-681.

HENN, David, *The Early Pardo Bazán: Theme and Narrative Technique in the Novels of 1879-1889,* Liverpool, Francis Cairns, 1988.

HILTON, Ronald, «Pardo Bazán's Analysis of the Social Structure of Spain», *Bulletin of Hispanic Studies,* 29, 113 (enero-marzo, 1952), págs. 1-15.

— «Emilia Pardo Bazán et le mouvement féministe en Espagne», *Bulletin Hispanique,* 54 (1952), págs. 153-164.

— «Doña Emilia Pardo Bazán and the Carlist Movement», *Modern Language Forum,* 37 (1952), págs. 101-108.

— «Doña Emilia Pardo Bazán, Neo-Catholicism and Christian Socialism», *The Americas,* 11 (1954), págs. 5-18.

KIRBY, Harry Lee Jr., «Pardo Bazán, Darwinism, and *La madre Naturaleza», Hispania,* 47, 4 (diciembre, 1964), págs. 733-737.

— «Pardo Bazán's Use of the *Cantar de los cantares* in *La madre Naturaleza», Hispania,* 61 (1978), págs. 905-911.

KNOX, Robert B., «Artistry and Balance in *La madre Naturaleza», Hispania,* 41, 1 (marzo, 1958), págs. 64-70.

LARSEN, Kevin S., «Virgilian Resonances in *La madre Naturaleza», Hispania,* 70, 1 (1987), págs. 16-21.

LEVY, Josette, «Emilia Pardo Bazán y el regionalismo gallego», *Boletín de la Academia Gallega,* 327-332 (1958).

LÓPEZ, Ignacio Javier, *Realismo y ficción,* Barcelona, PPU, 1989.

— *Galdós y el arte de la prosa,* Barcelona, PPU, 1993.

LÓPEZ, Mariano, «Puntualizaciones en torno al Naturalismo español», *Cuadernos americanos,* 37, 1 (enero-febrero, 1978), páginas 209-225.

— «Eclecticismo y evolución en la obra de Emilia Pardo Bazán», *Cuadernos americanos,* 234 (enero-febrero, 1981), págs. 47-63.

— «A propósito de *La madre Naturaleza* de Pardo Bazán», *Bulletin Hispanique,* 83 (1981), págs. 79-108.

MARTÍN, Elvira, *Tres mujeres gallegas del siglo XIX,* Buenos Aires, Aedos, 1977.

MENGE, Ulrich, *Die dialektische Struktur der Kurzgeschichten doña Emilia Pardo Bazán,* Hamburgo, s. p., 1967.

NELKEN, Margarita, *Las escritoras españolas,* Barcelona-Buenos Aires, Labor, 1930, págs. 220-226.

OLEZA, Juan, *La novela del XIX: del parto a la crisis de una ideología,* Valencia, Bello, 1976.

ORDÓÑEZ, Elizabeth, «Paradise Regained, Paradise Lost: Desire and Prohibition in *La madre Naturaleza», Hispanic Journal,* 8, 1 (1986), págs. 7-18.

OSBORNE, Robert E., «The Aesthetic Ideas of Emilia Pardo Bazán», *Modern Language Quarterly,* 21, 1 (marzo, 1950), págs. 98-104.

— *Emilia Pardo Bazán, su vida y sus obras,* México, Ediciones de Andrea, 1964.

PAREDES NÚÑEZ, Juan, *Los cuentos de Emilia Pardo Bazán,* Granada, Universidad, 1979.

PATTISON, Walter T., *El naturalismo español,* Madrid, Gredos, 1965.

— *Emilia Pardo Bazán,* Nueva York, Twayne, 1971.
PÉREZ GUTIÉRREZ, Francisco, *El problema religioso en la generación de 1868,* Madrid, Taurus, 1975.
QUIRK, Ronald J., «The Cebre Cycle: Emilia Pardo Bazán and Galician Reform», *The American Hispanist,* 2 (mayo, 1977), páginas 10-11.
REATI, Fernando, «Observación y observadores en dos novelas de Emilia Pardo Bazán», *España Contemporánea,* 1, 2 (1988), páginas 33-48.
RODRÍGUEZ, Alfred y VELÁZQUEZ, Socorro, «Incest in the Novels of Emilia Pardo Bazán», *Iris* (1990), págs. 89-97.
RUBIA BARCIA, J., «La Pardo Bazán y Unamuno», *Cuadernos Hispanoamericanos,* 112 (1960), págs. 240-263.
SÁNCHEZ, Alicia, «Emilia Pardo Bazán y el Naturalismo español», *La Palabra y el Hombre* (Xalapa, Universidad Veracruzana, México), 79 (1991), págs. 139-159.
SCANLON, Geraldine, «Gender and Journalism: Pardo Bazán's *Nuevo Teatro Crítico»,* en Lou Charnon-Deutsch *et al.* (eds.), *Culture and Gender in Nineteenth-Century Spain,* Oxford, Clarendon, 1995, págs. 230-249.
SCHIAVO, Leda, «Emilia Pardo Bazán y Francisco Giner de los Ríos», *Ínsula* (1975), págs. 1 y 14.
SHAW, Donald L., *Historia de la literatura española. El siglo XIX,* Barcelona, Ariel, 1973.
SINGER, Armand E., «The Influence of *Paul et Virginie* on *La madre Naturaleza», West Virginia Bulletin of Philological Studies,* 4 (1944), págs. 31-43.
TASENDE-GABOWSKI, Mercedes, «Otra vez a vueltas con el Naturalismo», *Hispania,* 74, 1 (1991), págs. 26-35.
THOMPSON, Currie Kerr, «The Use and Function of Dreaming in Four Novels by Emilia Pardo Bazán», *Hispania,* 59, 4 (diciembre, 1976), págs. 856-862.
TORRE, Guillermo de, «Emilia Pardo Bazán y la cuestión del Naturalismo», *Del 98 al Barroco,* Madrid, Gredos, 1969.
UREY, Diane, «Incest and Interpretation in *Los Pazos de Ulloa* and *La madre Naturaleza», Anales galdosianos,* 22 (1987), págs. 117-131.
VARELA CABEZAS, Rodrigo, «Galeguismos en *La madre Naturaleza,* de Emilia Pardo Bazán», *Cadernos de Lingua. Real Academia Galega,* 16 (1997), págs. 103-129.

VARELA JÁCOME, Benito, *Estructuras novelísticas de Emilia Pardo Bazán,* Anejo XXII de los *Cuadernos de Estudios Gallegos* (Santiago de Compostela, CSIC), 1973.
VÉZINET, F., «Mme. Pardo Bazán et l'inspiration française», en *Les maîtres du roman espagnol contemporain,* París, Librairie Hachette, 1907, págs. 205-231.
ZULUETA, Emilia de, *Historia de la crítica española contemporánea,* Madrid, Gredos, 1966.

La madre Naturaleza

I

Las nubes, amontonadas y de un gris amoratado, como de tinta desleída, fueron juntándose, juntándose, sin duda a cónclave, en las alturas del cielo, deliberando si se desharían o no se desharían en chubasco. Resueltas finalmente a lo primero, empezaron por soltar goterones anchos, gruesos, legítima lluvia de estío, que doblaba las puntas de las hierbas y resonaba estrepitosamente en los zarzales; luego se apresuraron a porfía, multiplicaron sus esfuerzos, se derritieron en rápidos y oblicuos hilos de agua, empapando la tierra, inundando los matorrales, sumergiendo la vegetación menuda, colándose como podían al través de la copa de los árboles para escurrir después tronco abajo, a manera de raudales de lágrimas por un semblante rugoso y moreno[1].

---

[1] Como se dijo en la introducción, la novela comienza con la descripción de una tormenta que simboliza la fuerza de la Naturaleza. No faltan en esta descripción las alusiones bíblicas al Diluvio y al Paraíso, muestra de las polaridades que han de aparecer en la novela y que en última instancia sirven para enfrentar la Naturaleza «madre» y la Naturaleza impasible o «madrastra». Al comienzo de la novela, la tormenta vendría a encarnar la primera de estas dos polaridades: la de la Naturaleza madre a cuyos pechos, como se dirá poco más adelante, se han criado los dos protagonistas. Nótese, así, que no se trata de una lluvia destructora; no estamos ante la tempestad romántica, esto es, ante la Naturaleza desatada, sino que se trata de un agua vivificadora. Hay aquí energía, pero no violencia. El agua «dobla» las puntas de las hierbas para, más tarde, «empapar» la tierra y regar la «vegetación menuda»: savia de la Naturaleza vivificándolo todo como en una imagen del Génesis. Esta visión positiva del comienzo choca con la imagen alternativa, la de Naturaleza impasible o «madrastra», que se menciona en el desenlace de la novela.

Bajo un árbol se refugió la pareja[2]. Era el árbol protector magnífico castaño, de majestuosa y vasta copa, abierta con pompa casi arquitectural sobre el ancha y firme columna del tronco, que parecía lanzarse arrogantemente hacia las desatadas nubes: árbol patriarcal, de esos que ven con indiferencia desdeñosa sucederse generaciones de chinches, pulgones, hormigas y larvas, y les dan cuna y sepulcro en los senos de su rajada corteza.

Al pronto fue útil el asilo: un verde paraguas de ramaje cobijaba los arrimados cuerpos de la pareja, guareciéndolos del agua terca y furiosa; y se reían de verla caer a distancia y de oír cómo fustigaba la cima del castaño, pero sin tocarles. Poco duró la inmunidad, y en breve comenzó la lluvia a correr por entre las ramas, filtrándose hasta el centro de la copa y buscando después su natural nivel. A un mismo tiempo sintió la niña un chorro en la nuca, y el mancebo[3] llevó la mano a

---

[2] Tras la mención de la lluvia, aparece el árbol. Se trata del árbol de la vida bajo el que encuentra refugio «la pareja», representación simbólica de la pareja original. Como el agua, que desciende del cielo a la tierra, también la descripción sigue aquí un orden descendente: partiendo de las nubes, en «las alturas del cielo», y, tras hablar de la pareja y el árbol, conectando este último cielo y tierra, el narrador pasa a ocuparse de los animales inferiores. Poco más tarde en el párrafo se habla de él como «árbol patriarcal», y es descrito como una realidad ajena al tiempo («árbol patriarcal, de esos que ven con indiferencia desdeñosa sucederse generaciones de chinches»). La metáfora del árbol «patriarcal» como imagen de un orden o tiempo natural, anterior a las imposiciones de la Historia y del hombre, alcanzó gran desarrollo en la imaginería conservadora y contrarrevolucionaria del XIX. Aquí, sin embargo, aunque mantiene la estructura de la imagen tradicional *(i.e.,* el árbol conectando cielo y tierra), carece del obvio contenido político que tuvo dicha metáfora en sus orígenes, apareciendo el árbol como «cuna y sepultura», esto es, como vida y muerte, los dos principios que rigen la Naturaleza.

[3] Forma arcaica o desusada para «joven». Abundan los arcaísmos en Pardo Bazán. Algunos, como se verá más adelante, son formas gallegas incorporadas al castellano. Otros, como ocurre en el caso presente, son formas arcaicas que la autora introduce en la narración por preferencia estilística; en este caso, pudo sentirse atraída por el vocablo con el fin de sugerir la belleza masculina clásica de Perucho. No obstante, desde muy pronto Clarín criticó duramente este y otros abusos del estilo de la autora; al reseñar *Un viaje de novios,* por ejemplo, el asturiano indica que usa Pardo Bazán de ciertos arcaísmos que roban espontaneidad y naturalidad al lenguaje; *vid.* L. Alas, *Teoría y crítica de la novela española,* edición, introducción y notas de Sergio Beser (Barcelona, Laia, 1972), pág. 275.

la cabeza, porque la ducha le regaba el pelo ensortijado y brillante. Ambos soltaron la carcajada, pues estaban en la edad en que se ríen lo mismo las contrariedades que las venturas.

—Se acabó —pronunció ella cuando todavía la risa le retozaba en los labios—. Nos vamos a poner como una sopa. Caladitos.

—El que se mete debajo de hoja dos veces se moja —respondió él sentenciosamente—. Larguémonos de aquí ahora mismo. Sé[4] sitios mejores.

—Y mientras llegamos, el agua nos entra por el pescuezo y nos sale por los pies.

—Anda, tontiña[5]. Remanga la falda y tapémonos la cabeza. Así, mujer, así. Verás qué cerquita está un escondrijo precioso.

Alzó ella el vestido de lana a cuadros, cubriendo también a su compañero y realizando el simpático y tierno grupo de Pablo y Virginia, que parece anticipado y atrevido símbolo del amor satisfecho[6]. Cada cual asió una orilla del traje, y al afron-

---

[4] *sé,* gall.: conozco.

[5] *tontiña,* gall.: tontuela, boba; el diminutivo se usa aquí, y frecuentemente a lo largo de la novela, con valor afectivo, invirtiendo por tanto el sentido habitual de los vocablos. Así ocurre más tarde con «babeco», por ejemplo *(vid.* nota 75). El procedimiento, que es habitual en la lengua coloquial, será usado también por Galdós, según ha estudiado Gonzalo Sobejano en el caso de *Tristana;* véase Gonzalo Sobejano, «Galdós y el vocabulario de los amantes», en *Forma literaria y sensibilidad social* (Madrid, Gredos, 1967).

[6] Se trata de la obra de Bernardin de Saint-Pierre, *Pablo y Virginia,* novela que actualiza el idilio clásico de Dafnis y Cloe en la novela del XIX, y que llegaría a influir en *Pepita Jiménez* como reconoce el mismo Valera. La relación entre la obra de Saint-Pierre y la de Pardo Bazán se menciona para poner en duda el Naturalismo de *La madre Naturaleza;* más que observación de la realidad, estaríamos aquí ante inspiración libresca. Baquero Goyanes indicó, de este modo, que el caso más conocido de inspiración y recuerdo literario en Pardo Bazán es el de la dependencia de *La madre Naturaleza* respecto a *Pablo y Virginia* de Saint-Pierre, insistiendo más tarde que hay escenas que parecen paráfrasis del modelo francés, y concluyendo que no puede hablarse de Naturalismo ni de observación directa en estos casos, reveladores en cambio de un intenso proceso de literaturización *(La novela naturalista española: Emilia Pardo Bazán,* ed. cit., págs. 73-75). Respecto a la escena inicial, añade Baquero que hasta la presentación de los dos jóvenes se hace de acuerdo con el modelo literario escogido, citando, como modelo de la escena anterior, el siguiente texto de *Pablo y Virginia:*

tar la lluvia, por instinto juntaron y cerraron bajo la barbilla la hendidura de la improvisada tienda, y sus rostros quedaron pegados el uno al otro, mejilla contra mejilla, confundiéndose el calor de su aliento y la cadencia de su respiración. Caminaban medio a ciegas, él encorvado, por ser más alto, rodeando con el brazo el talle de ella, y comunicando el impulso directivo, si bien el andar de los dos llevaba el mismo compás.

Poco distaba el famoso escondrijo. Sólo necesitaron para acertar con él bajar un ribazo, resbaladizo por la humedad, y lindante con la carretera. Coronaban el ribazo grandes peñascales, y en su fondo existía una cantera de pizarra, ahondada y explotada al construirse el camino real, y convertida en profunda cueva; excelente abrigo para ocasiones como la presente. Abandonada hacía tiempo por los trabajadores la cantera, volvía a enseñorearse de ella la vegetación[7], convirtiendo el hueco artificial en rústica y sombrosa gruta. En la cresta y

---

«Un día que bajaba desde la cima de una montaña, apercibió en los límites del jardín a Virginia que corría hacia la casa con la cabeza cubierta por una falda, levantada por detrás, para resguardarse de un chaparrón.

»Desde lejos creí que estaba sola, y al adelantarme hacia ella para ayudarla a andar vi que llevaba a Pablo del brazo, envuelto casi enteramente en la misma tela, riendo uno y otro por hallarse juntos y abrigados bajo un paraguas de su invención.»

Pudo influir directamente, además, el modelo clásico de Dafnis y Cloe, mencionado con anterioridad, pues en 1880 Valera publicó una traducción del texto griego, recogida en sus *Obras completas* con el título *Dafnis y Cloe. Las pastorales de Longo* (Madrid, Aguilar, 1968, 5.ª ed.), vol. I, págs. 835-891.

[7] La pareja se ve obligada a buscar refugio y, como si reprodujera metafóricamente la expulsión del Paraíso, entra en la cueva. En ésta, la descripción sigue descendiendo: de los animales a las plantas y, más tarde, a la vegetación semipalúdica. Podríamos decir que se mencionan los elementos de la evolución, pero de ella ha sido eliminado el tiempo que parece hallarse suspendido. La cueva, así, encierra una vegetación de invernáculo como una urna; poco después, encareciendo esta abstracción temporal, se menciona la vegetación antediluviana. Sobre el darwinismo en la autora, *vid.* Harry Lee Kirby Jr., «Pardo Bazán, Darwinism, and *La madre Naturaleza*», *Hispania*, 47, 4 (1964), páginas 733-737. No obstante, aquí se sugiere también la noción de Naturaleza todopoderosa e impasible que ha de desarrollarse después: la cantera, que es naturaleza modificada por el hombre, vuelve a ser dominada por la vegetación tras haber sido abandonada; algo similar se sugiere en el pazo: la biblioteca, que fuera ordenada por don Julián en *Los Pazos de Ulloa*, ha vuelto a ser devorada por la Naturaleza.

márgenes del ribazo crecía tupida maleza, y al desbordarse, estrechaba la entrada de la excavación: al exterior se enmarañaba una abundante cabellera de zarzales, madreselvas, cabrifollos y clemátidas[8]; dentro, en las anfractuosidades del muro lacerado por la piqueta, anidaban vencejos, estorninos y algún azor; los primeros salieron despavoridos, revoloteando, cuando entró la pareja. Siendo muy bajo el sitio, e impregnado del agua que recogía como una urna y del calor del sol que almacenaba en su recinto orientado al Mediodía, encerraba una vegetación de invernáculo, o más bien de época antediluviana, de capas carboníferas: escolopendras y helechos enormes brotaban lozanos, destacando sobre la sombría pizarra los penachos de pluma de sus vertebradas y recortadas hojas.

Aun cuando el escondrijo daba espacio bastante, la pareja no se desunió al acogerse allí, sino que, enlazada, se dirigió a lo más oscuro, sin detenerse hasta tropezar con la pared, contra la cual se reclinó en silencio, al abrigo de la remangada falda. Ni menos se desviaron sus rostros, tan cercanos, que él sentía el aletear de mariposa de los párpados de ella, y el cosquilleo de sus pestañas curvas. Dentro del camarín de tela, los envolvía suavemente el calor mutuo que se prestaban: las manos, al sujetar bajo la barbilla la orla del vestido, se entretejían, se fundían como si formasen parte de un mismo cuerpo[9]. Al fin el mancebo fue aflojando poco a poco el brazo y

---

[8] Como se dijo en la introducción, sorprende la sabiduría que exhibe la autora de la flora en general, y de la vegetación gallega en particular, hasta el punto que esta novela llega a ser por momentos una auténtica sinfonía de color; *cabrifollo,* gall.: madreselva *(vid.* Varela Cabezas, «Galeguismos», pág. 111 y nota); *clemátida:* planta medicinal.

[9] Ya en *Los Pazos de Ulloa* se había encarecido la unidad de la pareja formada por Perucho y Manuela; y con anterioridad se indicó también, al presentar a los dos personajes marchando al mismo compás. Al vincularlos con Pablo y Virginia, Pardo Bazán está también recordando indirectamente la imagen mítica de los gemelos de Leda, Cástor y Pólux. En un texto de su estudio crítico *Literatura francesa: El Romanticismo,* Pardo Bazán establece esta relación de los personajes de Saint-Pierre con dicha pareja mítica, llamando la atención sobre la unión de los personajes del idilio romántico. Dice la autora: «Modelo de belleza tomado directamente de la Naturaleza misma, es aquel encantador pasaje referente a la niñez de Pablo y Virginia, a aquella intimidad en la cuna que los predestina, por decirlo así. Todavía hoy se lee con delicia la comparación de los dos brotes de árbol, y encanta la miniatura de los dos niños desnudos,

la mano, y ella apartó cosa de media pulgada el rostro. La tela, deslizándose, cayó hacia atrás, y quedaron descubiertos, agitados y sin saber qué decirse. Llenaba la gruta el vaho poderoso de la robusta vegetación semipalúdica, y el sofocante ardor de un día canicular. Fuera, seguía cayendo con ímpetu la lluvia, que tendía ante los ojos de la pareja refugiada una cortina de turbio cristal, y ayudaba a convertir en cerrado gabinete el barranco donde con palpitante corazón esperaban niña y muchacho que cesase el aguacero.

No era la vez primera que se encontraban así, juntos y lejos de toda mirada humana, sin más compañía que la madre naturaleza, a cuyos pechos se habían criado. ¡En cuántas ocasiones, ya a la sombra del gallinero o del palomar que conserva la tibia atmósfera y el olor germinal de los nidos, ya en la soledad del hórreo[10], sobre el lecho movedizo de las espigas doradas, ya al borde de los setos, riéndose de la picadura de las espinas y del bigote cárdeno que pintan las moras, ya en el repuesto albergue de algún soto, o al pie de un vallado por donde serpeaban las lagartijas, habían pasado largas horas compartiendo el mendrugo de pan seco y duro ya a fuerza de andar en el bolsillo, las cerezas atadas en un pañuelo, las manzanas verdes; jugando a los mismos juegos, durmiendo la siesta sobre la misma paja! ¿Entonces, a qué venía semejante turbación al recogerse en la gruta?[11]. Nada se había mudado en torno suyo; ellos eran quienes, desde el comienzo de aquel verano, desde que él regresara[12] del instituto de Orense a la al-

---

que apenas pueden andar, cogiditos de la mano y por los brazos, como suele representarse la constelación de Géminis»; cit. por Baquero Goyanes, *Naturalismo,* ed. cit., págs. 74-75, nota 8.

[10] *hórreo:* granero o panera típico de Galicia y Asturias, que está elevado del suelo para prevenir que la humedad o los roedores lleguen al grano almacenado.

[11] Se menciona por primera vez el «experimento» que motiva la novela: si se pone a una pareja en el Paraíso, en la estación en que Naturaleza ofrece ópima sus frutos, ha de despertar en ellos al fin el instinto natural. Los personajes perciben este despertar natural, equiparable a la pérdida de la inocencia pues, como se dice poco después, hoy «parecía como si ambos temiesen, al hablarse, herirse».

[12] *regresara:* galleguismo por el pluscuamperfecto de indicativo, «había regresado».

dea para las vacaciones, se sentían inmutados, diferentes y medio tontos. La niña, tan corretona y traviesa de ordinario, tenía a deshora momentos de calma, deseos de ociosidad y reposo, lasitudes que la movían a sentarse en la linde de un campo o a apoyarse en un murallón, cuyo afelpado tapiz de musgo rascaba distraídamente con las uñas. A veces clavaba a hurtadillas los ojos en el lindo rostro de su compañero de infancia, como si no le hubiese visto nunca; y de repente los volvía a otra parte, o los bajaba al suelo. También él la miraba mucho más, pero fijamente, sin rebozo, con ardientes y escrutadoras pupilas, buscando en pago otra ojeada[13] semejante; y al paso que en ella crecía el instintivo recelo, en él sucedía a la intimidad siempre un tanto hostil y reñidora que cabe entre niños, al aire despótico que adoptan los mayores y los varones con las chiquillas, un rendimiento, una ternura, una galantería refinada, manifestada a su manera, pero de continuo. Ayer, aunque inseparables y encariñados hasta el extremo de no poder vivir sino juntos y de que les costase todos los inviernos una enfermedad la ausencia, cimentaban su amistad, más que las finezas, los pescozones, cachetes y mordiscos, las riñas y enfados, la superioridad cómica que se arrogaba él, y las malicias con que ella le burlaba. Hoy parecía como si ambos temiesen, al hablarse, herirse o suscitar alguna cuestión enojosa; no disputaban, no se peleaban nunca; el muchacho era siempre del parecer de la niña. Esta cortedad y recelo mutuo se advertía más cuando estaban a solas. Delante de gente se restablecía la confianza y corrían las bromas añejas.

Con todo eso no renunciaban a corretear juntos y sin compañía de nadie. A falta de testigos, les distraía y tranquilizaba la menor cosa: una flor, un fruto silvestre que recogían, una mosca verde que volaba rozando con la cara de la niña. Impremeditadamente se escudaban con la naturaleza, su protectora y cómplice.

En la gruta, lo que les sacó de su momentáneo embeleso, fue observar la vegetación viciosa y tropical del fondo. La

[13] *ojeada:* Rodrigo Varela («Galeguismos», pág. 107) considera este vocablo como castellanización del gallego *ollada* (de *ollar*, mirar).

niña, gran botánica por instinto, conocía todas las plantas y hierbas bonitas del país; pero jamás había encontrado, ni a la orilla de las fuentes, tan elegantes hojas péndulas[14], tan colosales y perfumados helechos, tanto pulular de insectos como en aquel lugar húmedo y caluroso. Parecía que la naturaleza se revelaba allí más potente y lasciva que nunca, ostentando sus fuerzas genesíacas con libre impudor. Olores almizclados revelaban la presencia de millares de hormigas; y tras la exuberancia del follaje, se divisaba la misteriosa y amenazadora forma de la araña, y se arrastraba la oruga negra, de peludo lomo. La niña los miraba, estremeciéndose cuando al apartar las hojas descubría algún secreto rito de la vida orgánica, el sacrificio de un moscón preso y agonizante en la red, el juego amoroso de dos insectos colgados de un tallo, la procesión de hormigones que acarreaban un cuerpo muerto[15].

Entre tanto llovía a más y mejor. Sin embargo, así que hubo pasado cosa de una hora, el chubasco se aplacó casi repentinamente, pareció que la gruta se llenaba de claridad, y una bocanada de fragancia húmeda la inundó: el tufo especial de la tierra refrigerada y el hálito de las flores, que respiran al salir del baño. También a los refugiados se les dilataron los pulmones, y a un mismo tiempo se lanzaron fuera del escondrijo, hacia la boca de la cueva.

Allí se pararon deslumbrados por inesperado espectáculo. La atmósfera, en su parte alta, estaba barrida de celajes, diáfana y serena: lucía el sol, y sobre el replegado ejército de nubes, se erguía vencedor, con inusitada limpidez y magnificencia, un soberbio arco iris, cuyo arranque surgía del monte del Pico Medelo[16], cogía en medio su alta cúspi-

---

[14] *hojas péndulas:* planta de hoja ancha y pesada, que pende del ramo.

[15] Primer indicio de la «andrómina» de que hablará más tarde el algebrista, cuando trate de describir los secretos de la Naturaleza, que se guía, por lo que se refiere al mundo vivo, por dos principios fundamentales, la vida y la muerte, aquí sugeridos por el rito amoroso y por la alimentación de la araña o de las hormigas, que implican la muerte de otros seres; en el capítulo IV se mencionan expresamente estos principios cuando, tras la plática con el *atador,* los protagonistas se encuentran sumidos en «ideas de muerte, de transformación y de amor».

[16] *Medelo:* Lugar de la provincia de Pontevedra, municipio de Lama, parroquia de Santiago de Caroz.

de, y venía a rematar, disfumándose, en las brumas del río Avieiro[17].

No era esbozo de arcada borrosa y próxima a desvanecerse, sino un semicírculo delineado con energía, semejante al pórtico de un palacio celestial, cuyo esmalte formaban los más bellos, intensos y puros colores que es dado sentir a la retina humana. El violado tenía la aterciopelada riqueza de una vestidura episcopal; el añil cegaba con su profunda vibración de zafiro; el azul ostentaba claridades de agua que refleja el hielo, frías limpideces de noche de luna; el verde se tornasolaba con el halagüeño matiz de la esmeralda, en que tan voluptuosamente se recrea la pupila; y el amarillo, anaranjado y rojo parecían Luz de Bengala[18] encendida en el firmamento, círculos concéntricos trazados por un compás celestial con fuego del que abrasa a los serafines, fuego sin llamas, ascuas, ni humo.

A la vista del hermoso meteoro, aproximóse la pareja, según la costumbre inveterada en los que se quieren, de expresarlo todo acercándose.

—¡El Arco de la Vieja![19] —exclamó en dialecto la niña, señalando con una mano al horizonte y cogiéndose con la otra a la ropa del muchacho.

—Nunca vi otro tan claro. Si parece pintado, así Dios me salve. Chica, ¡qué bonito!

---

[17] No he podido encontrar este río en los atlas gallegos. Hay un río Abión en la provincia de Orense, y un lugar con este nombre entre Puente Coldelas (Pontevedra) y la ciudad de Orense. Esto viene a corroborar la opinión de Marina Mayoral, quien indica que la acción de la novela «está situada [...] en los valles altos del Arenteiro, en los límites de Orense y Pontevedra», Pardo Bazán, *Cuentos y novelas de la tierra,* ed. cit., vol. II, pág. 397, n. 2. No obstante, a pesar de que la autora toma nombres de la toponimia gallega, resultaría erróneo buscar la ubicación de esta geografía en los mapas, y ceñirla a una realidad local, pues se trata de una realidad esencial, novelesca. A este respecto, en el prólogo escrito para *La Tribuna* (1882), doña Emilia dice lo siguiente: «Quien desee conocer el plano de Marineda, búsquelo en el atlas y planos privados donde se colecciona, no sólo el de Orbajosa, Villabermeja y Coteruco, sino en el de las ciudades de R***, de L*** y de X***, que abundan en las novelas románticas» (*La Tribuna,* ed. cit., pág. 57).

[18] *Luz de Bengala:* fuego artificial que despide luz muy viva de diversos colores.

[19] *Arco de la Vieja:* traducción del gallego *Arco da Vella,* arco iris.

—¡Mira, mira, mira! —chilló ella—. ¡El arco anda!

—¿Que anda? Tú estás loca... ¡Ay, pues anda y bien que anda!

El arco se trasladaba en efecto, con dulce e imponente lentitud, de manera teatral. Se vio un instante la cima del Pico recortada sobre el fondo de vivos esmaltes; luego, poco a poco, el arco dejó atrás la montaña y vino a coronar con su curva magnífica la profundidad del valle. Mas ya palidecían sus tintas espléndidas, y se borraban sus líneas brillantes, dejando como un vapor de colores, delicadísimo toque casi fundido ya con el firmamento, casi velado por la humareda de las nubecillas blancas, que vagaban y se deshacían también[20].

---

[20] Acabada la lluvia, aparece el arco iris sellando la bóveda celeste. Expresamente dicho arco ha sido descrito más arriba como «pórtico de un palacio celestial», de modo que sirve de indicio, antes que nada, del Naturalismo cristiano de doña Emilia: como en el Génesis, donde el arco sella el pacto entre Noé y la divinidad después del diluvio, aquí el arco iris da a entender la primacía del espíritu, pues la divinidad al fin vence y rige los destinos de lo natural. El arca de Noé será mencionada en el capítulo que sigue. Pero nótese, además, el primor con que Pardo Bazán se detiene en la descripción de la Naturaleza en este capítulo, y su destreza en la visión pictórica de la misma, en la que llega a dar cuenta de detalles verdaderamente admirables. El color, por ejemplo, tiene un matiz definido al comienzo: es «gris amoratado», precisándose aún más su tonalidad al indicarse que parece «tinta desleída». Se torna abstracto más tarde, viéndose la autora obligada a tratar de concretar dicho arco iris describiéndolo mediante bellas analogías: violado = vestidura episcopal; añil = zafiro; azul = noche de luna; verde = sensación de la esmeralda en la pupila; amarillo = fuego celeste. Finalmente, esta belleza pura, abstracta, se disipa, convirtiéndose en la memoria del color; al volatilizarse no es más que un «vapor de colores». Hablando del notable sentido que la Condesa tenía para el color, Carmen Bravo Villasante escribió: «la Pardo Bazán contempla la vida a través de manchas de color, y más de una vez llega a las ideas mediante el sensualismo colorista, que si hoy nos parece usada y gastada visión, en su tiempo remoza el arte como el impresionismo remozó y trastornó la pintura» (*Vida y obra de Emilia Pardo Bazán*, ed. cit., pág. 117).

II

A caminar por la carretera, fastidiosa de puro cómoda, prefirieron seguir atajos en cuyo conocimiento eran muy duchos, y aun cruzar los sembrados, desiertos a la sazón, pero donde, durante la noche entera y la madrugada, cuadrillas de mujeres habían estado segando el centeno; a las horas de calor no se siega, pues se desgrana la espiga madura[21]. No se daban mucha priesa[22]; al contrario, tácitamente estaban de acuerdo en no recogerse a techado hasta entrada la noche. Apenas comenzaba a caer la tarde. El campo, fresco y esponjado después de la tormenta y el riego de las nubes, oreado por suave vientecillo, convidaba a gozar de su hermosura: cada flor de trébol, cada manzanilla, cada cardo, se había

---

[21] No hay fechas en la narración. El tiempo viene marcado por las ocupaciones agrícolas y, concretamente, por la siega, de la que tan bellas y vigorosas descripciones dará doña Emilia a lo largo de toda la novela. Esto nos indica que estamos a finales de junio o en julio. Pero no debe olvidarse, sin embargo, que más que la cronología, importa el simbolismo de la estación: en concreto, estamos en la estación del año en que Naturaleza ofrece, fecunda, sus frutos. Esta visión simbólica —que en ocasiones se asemeja a los idilios pictóricos de François Millet— se conjuga en la narración con la nota de color y con el documento realista. De ahí la atención prestada a la actividad de los *majadores*, que aparecen deshaciendo las espigas de centeno a golpes de mayal para separar el grano. Como muy bien se dice en el texto, se siega en la amanecida con el fin de evitar que la espiga se desgrane en el sembrado, antes de llegar a la era; por el contrario, una vez que la mies ha sido acarreada hasta la era, se trilla durante las horas de más calor pues las altas temperaturas ayudan a desgranar la espiga madura.

[22] Nuevo ejemplo de arcaísmo (véase, *supra*, nota 3).

adornado el seno con un grueso brillante líquido; y grillos y cigarrones, seguros ya de que cesaba el diluvio, se atrevían a rebullirse en los barbechos, sintiendo con deleite la caricia del sol sobre sus zancas ya enjutas[23].

Vagaba la pareja sin rumbo cierto, cuando, casi debajo de sus cabezas, en un sendero que se despeñaba hacia el valle, divisaron una figura rara, que se movía despaciosamente. A un mismo tiempo la reconocieron ambos.

—¡El señor Antón, el *algebrista!*[24].

—¡El *atador* de Boán!

—¿Adónde irá?

—Aventuro algo bueno que a casa de la Sabia.

—¿Quién te lo dijo?

—Tiene la vaca más vieja muy malita.

—¿Vamos a ver?

—Corriente. Hay que bajar por las viñas; si no, es mucha la vuelta.

—Por las viñas. Hale.

—Dame la mano.

—¿Piensas que no sé bajar sola?

El descenso era casi vertical, y había que escalar paredones y tener cuidado de no desnucarse al sentar el pie sobre los guijarros; pero las cuatro piernas juveniles alcanzaron pronto al estafermo[25], que caminaba dibujando eses al tropezar en cualquier canto de la senda. Iba el señor Antón en mangas de camisa (por señas que la gastaba de estopa), chaqueta terciada al hombro, y un pitillo tras la oreja derecha. Los pantalones pardos lucían un remiendo triangular azul en el lugar por donde

---

[23] *enjuta:* se usa aquí con el sentido arcaico del participio pasado irregular de «enjugar»; *i.e.*, seca.

[24] *algebrista:* cirujano, curandero o componedor encargado principalmente de la compostura de huesos. La palabra *atador* que se usa acto seguido, nombra en castellano al segador que va a la zaga de una cuadrilla, y cuya función es atar las gavillas. Aquí, sin embargo, parece tener un valor diferente, propiamente gallego, de ahí que doña Emilia subraye el vocablo, y su significado se acerca al de *algebrista*, esto es, el que cura o compone (*i.e.*, «ata») los huesos. En el capítulo siguiente se usa también la forma *compostor*.

[25] *estafermo:* persona que está parada, como embobada y sin saber qué hacer; aquí sin embargo el sentido parece exigir un significado diferente, esto es, que el *atador* iba despacio por lo que la pareja le alcanzó sin dificultad.

más suelen gastarse, y otros dos, haciendo juego con el de las nalgas, en las perneras; de puro cortos, descubrían el hueso del tobillo, cubierto apenas de curtida y momificada piel, y los zapatos torcidos y contraídos como una boca que hace muecas. Fuera del bolsillo interior de la chaqueta asomaba un libro empastado en pergamino, cuyas esquinas habían roído los ratones y cuyas hojas atesoraban grasa suficiente para hacer el caldo una semana.

Al sentir ruido de gente, volvió el rostro, que lo tenía más arrugado que una pasa, más sequito que un sarmiento, y con todas las facciones inclinadas unas hacia otras, a manera de piedras de murallón que se derrumba: la nariz desplomada sobre la barba, ésta remontada hacia la boca, y las mejillas colgando en curtidos pellejos a ambos lados de la pronunciada nuez. En los pómulos parecía como si le hubiesen pintado con teja dos rosetas simétricas; los labios se le habían sumido; y de la abertura donde estuvieron partían innumerables rayitas y plieguecillos convergentes, remedando el varillaje de un paraguas. ¿Paraguas dijiste? No hay que omitir que bajo el codo izquierdo sujetaba el señor Antón uno colosal, de algodón colorado rabioso, con remates y contera de latón dorado; ni menos debe callarse que honraba su cabeza, por encima de un pañuelo de hierbas[26], un venerable y caduco sombrero de copa alta, de los más empingorotados y de los más apabullados también[27].

---

[26] Ejemplo del interés de la autora por la nota de color local: un «pañuelo de hierbas» es un pañuelo grande, con dibujos a cuadros o con alguna cenefa bordada; era prenda común entre los campesinos españoles. Pero nótese que no se trata aquí simplemente de «un pañuelo», sino que la autora acentúa la autenticidad de la prenda, de modo que lo que importa en este caso es precisamente ese detalle concreto en el que se conjugan la nota de color *(i.e.,* la prenda campesina) con la imagen visual *(i.e.,* el color habitual del pañuelo).

[27] Superando la mera referencia pintoresca o costumbrista, y más allá de la nota de color local que, por otro lado, nunca falta en doña Emilia, este personaje es introducido aquí para exponer la tesis de la Naturaleza. Además de en este capítulo, donde aparece junto a los protagonistas, está presente cuando llega don Gabriel (cap. XI), y vuelve a aparecer en el desenlace (cap. XXXI), una vez que el drama —que ha de afectar a la pareja formada por Perucho y Manuela— ya es conocido. Con esta forma de reaparecer es como si él estableciera el marco novelesco. Dentro de este marco, el señor Antón ex-

—Buenas tardes, señorito don Perucho y la compaña[28] —dijo el vejestorio al alcanzarle la pareja.

Era su voz opaca y aguardentosa, pero no tan cascada como pedían sus años.

—¿Adónde va, señor Antón? —preguntó la niña.

—Para servir a vustede, señorita Manolita, ahí a curar una vaca en casa de la señora María la Sabia.

—¿Qué le duele?

—Parece ser que le ha salido, dispensando vustedes, una *tumificación* muy atroz en los cadriles[29], con perdón, carraspo, aquí donde las personas humanas[30] tenemos el hueso llamado *líaco*.

---

pone su parecer de la unidad esencial de hombre y animal, y el imperio que sobre ambos tiene la madre Naturaleza. Definido como mascarón, estafermo y con cierto aire carnavalesco, el *atador* representa a cierto tipo de médico rural —el *algebrista*—, tipo real gallego que hubo de fascinar a doña Emilia. No en vano ésta era hija de su tiempo, y veía en la medicina un saber producto del experimento y la ciencia; pero se trataba también de un saber que chocaba con el arte tradicional de los *algebristas*. Doña Emilia, no obstante, vincula al *atador* de Boán con un saber experimental y tradicional a la vez, relacionándolo con la sabiduría popular y la ciencia anterior y, en concreto, con el *Teatro Crítico Universal*, del P. Feijoo, uno de cuyos volúmenes lee precisamente el señor Antón; para un estudio de este personaje, *vid.* D. Henn, *Early Pardo Bazán*, ed. cit., pág. 23. Florencio Pérez Bautista indica que los *algebristas* eran reconocidos en el XIX por su eminente capacidad práctica para componer y curar, en efecto, tanto a animales como a personas *(vid. Sociedad y medicina en la novela realista española*, Salamanca, Instituto de Historia de la Medicina, Universidad de Salamanca, 1974, pág. 119).

[28] *compaña*, gall.: compañía.

[29] *cadril*, vocablo gallego, castellanizado por la autora en su uso plural [gall., *cadrís]:* cuadril, anca, lomo.

[30] *personas humanas:* con este pleonasmo el señor Antón deja ver su materialismo en cuestión de medicina; la afirmación de «persona humana» contrasta con los otros entes animales de los que el hombre no se diferencia en nada «salvo el alma». Sobre este tema volverá una vez y otra el algebrista. Bajo todo ello late una visión materialista de la medicina y, al mismo tiempo, de la existencia. A este respecto, Baquero Goyanes escribía lo siguiente: «El que los médicos sean materialistas parece casi un tópico inevitable en las novelas de Emilia Pardo Bazán, vinculado a cierto ingenuo cientificismo y al contagio de la novela naturalista francesa» (M. Baquero Goyanes, editor de Emilia Pardo Bazán, *Un viaje de novios*, ed. cit., pág. 75, nota 4). En esta novela, sin embargo, su materialismo contrasta con el idealismo de D. Julián, el párroco, cuya hipótesis es expuesta en los capítulos finales.

—¿Un lobanillo?

—Propiamente hablando, sí, señorito, un lobanillo[31].

Rióse Perucho, pues le hacía gracia la facha del algebrista y su manía de aplicar a todo los cuatro términos de anatomía mal aprendidos en su libro ratonado. Moríase el vejete por dar explicaciones difusas acerca de los padecimientos de sus clientes, fuesen novillos, cerdos, canes o, como él decía, personas humanas, que a todos indistintamente les sabía reparar los desperfectos, con su ciencia heredada de encolar y recomponer la máquina animal. Ya llegaban al emparrado que sombreaba la casa de la Sabia.

Era una casuca baja y construida con piedras mal trabadas; adornábala principalmente un balcón o *solana* de madera, al cual nadie podía asomarse, por obstruirlo una barricada de enormes calabazas, de amarilla corteza, rameada de verde; en una esquina colgaban a secar ropas de recién nacido, y al través de ellas se abría paso una soberbia mata de claveles reventones, rojo coral, que florecía en una olla desportillada, con las raíces escapándose de la tierra negruzca que las mantenía. A la puerta de la casa, una mujer moza, de rostro curtido ya, desgranaba habas en una criba; a sus pies dos chiquillos de corta edad, con pelo casi blanco de puro rubio, se revolcaban por el suelo jugando con las vainas de las habas. Cuando vio asomar al algebrista y a los que él llamaba señoritos, levantóse la mujer con servilismo obsequioso, pegando un moquete a los chiquillos, sin duda con el fin de agasajar mejor a la visita; no contaban con él, y la misma sorpresa les impidió llorar.

La pareja entró. Tenía la casa piso de tierra; una escalera de madera conducía al sobrado o cuarto alto; y en el bajo se notaba una pintoresca mezcla de racionales e irracionales. El *lar*[32] y la chimenea con asientos de madera bajo su campana;

---

[31] Lo cómico de este diálogo resulta de la pedantería del algebrista quien, para hablar con Perucho y Manuela, usa las formas cultas —p. ej., tumificación— en vez de las populares —p. ej., lobanillo— sin llegar a dominar del todo el vocabulario científico, como demuestran sus frecuentes errores (p. ej., *líaco* por *ilíaco*, *cadril* por *cuadril*).

[32] *lar*, gall.: sitio de la lumbre en la cocina.

la artesa de guardar el pan; el horno de cocerlo; algunos taburetes con cuatro patas muy esparrancadas; la cuna de mimbres de una criatura y el *leito* o camarote de tablas en que dormía el matrimonio que la había engendrado, eran los muebles que pertenecían a la humanidad en aquel recinto. La animalidad invadía el resto. Al través de una división de tablones mal juntos pasaba el hálito caliente, el lento rumiar y los quejumbrosos mugidos del ganado; gallinas y pollos escarbaban el suelo y huían con señales de ridículo terror, renqueando, al acercárseles la gente; dos o tres palomas se paseaban, muy sacadas de buche y muy balanceadas de cuello, esperando a que cayese alguna migaja; un marrano sin cebar, magro y peludo aún como un jabalí, sopeteaba con el hocico, gruñendo sordamente, en una tartera de barro donde nadaban berzas en aguachirle; un perro de esa raza híbrida llamada en el país *de pajar*[33], completamente tendido en tierra, dormía; al respirar, se señalaba bajo su piel la armazón del costillaje, y de cuando en cuando, al posársele una mosca encima, un estremecimiento hacía ondular todos sus músculos, y sacudía, sin despertarse, una oreja. Por un ventanillo, abierto en el testero, entraban las avispas a comerse los gajos de cerezas maduras que andaban rodando sobre la artesa; y si fuese posible prestar oído a unas trotadas menudas que allá arriba resonaban, se comprendería que los ratones no andaban remisos en dar cuenta del poco maíz restante de la cosecha anterior, ni de cuanto encontraban al alcance de los dientes. En medio de esta especie de arca de Noé, reposaba inmóvil, sentada al pie de la artesa, con los naipes mugrientos al alcance de la mano, la vieja bruja de la Sabia[34].

---

33 *perro de pajar:* castellanización del gallego *can de palleiro.*

34 En estos dos párrafos contrastan dos visiones antagónicas de la Naturaleza: por un lado, la naturaleza idílica, simbolizada por el arca de Noé (recuérdese que en el capítulo anterior, entre referencias al Génesis bíblico, se ha mencionado el diluvio); por otro, la Naturaleza abrupta y monstruosa, representada por el rostro deforme de la Sabia en el párrafo siguiente. Con esto, pasamos de la urna natural del capítulo anterior, al ámbito doméstico, dirigido por el hombre; pronto se darán indicaciones del magisterio de éste sobre lo creado. De hecho, incluso en la descripción correspondiente al episodio que sigue, en la que se detalla cómo el algebrista ejercita su saber, y en la que hay

Era su figura realmente espantable. Habíale crecido el bocio enorme, hasta el punto de que se le viese apenas el verdadero rostro, abultando más la lustrosa y horrible segunda cara sin facciones, que le caía sobre el pecho, le subía hasta las orejas, y por lo hinchada y estirada contrastaba del modo más repulsivo con el resto del cuerpo de la vieja, que parecía hecho de raíces de árboles, y tenía de los árboles añosos la rugosidad y oscuridad de la corteza, los nudos, las verrugas. Al ver entrar al algebrista y *la compaña*, la bruja se enderezó y salió a recibirles, no sin echarse con sumo recato un pañuelo de algodón sobre los mechones de sus greñas blancas.

La moza, entre tanto, sacaba del establo a la paciente, una vaca amarilla, y picándola con la aguijada, la empujaba fuera de la casa, a sitio descubierto y claro. Cojeaba el infeliz animal, por culpa del gran tumor que tenía en el ijar derecho; sus ojos estaban profundamente tristes, como los de todo irracional o niño enfermo. El sol pareció reanimar algo a la vaca, y se le dilató el hocico respirando aire puro. Ya salía tras ella el atador, poniendo la mano a guisa de pantalla ante los ojos, para que no le estorbase el sol que declinaba.

—Hace falta quien *treme*[35] del animal —dijo, después de palpar aprisa el tumor—. Llama a tu hombre —añadió dirigiéndose a la moza.

Habiendo Perucho ofrecido su ayuda, convino el algebrista en que bastaría con él y con la moza para sujetar a la doliente, y ordenó que la señora María se encargase de preparar la bizma de pez hirviendo. Remangóse Perucho las mangas de chaqueta y camisa, y arrodillándose, asió con puño de hierro la pata del animal, asentándola y afirmándola en tierra a fin de que no cocease con el dolor. El brazo del mancebo era membrudo, atendida su edad, y la cuadratura de los músculos se diseñaba enérgicamente; sobre el cutis, fino como raso,

---

auténticos resabios naturalistas, el objeto es demostrar el magisterio del hombre sobre las bestias. La Sabia lo dirá poco después: el hombre cuida de sí y sabe también cuidar de los animales que son incapaces de hacerlo por sí mismos.

[35] *treme*, gall.: temple, sujete algo o a alguien para que no se mueva ni se caiga.

rojeaba a la luz moribunda del sol un vello denso y suave. Su compañera le miraba con disimulo y atención, como si viese por primera vez aquella cabeza cubierta de ensortijados bucles, aquellas perfectas facciones trigueñas y sonrosadas, aquel cogote juvenil y fuerte como testuz de novillo bermejo, aquellas espaldas fornidas donde la postura y el esfuerzo para mantener inmóvil la pata del animal hacían sobresalir el omoplato. De chiquita, la costumbre de ver a Pedro le impedía reparar su hermosura; ahora se le figuraba descubrirla en toda su riqueza de pormenores esculturales, cosa que la turbaba mucho y tenía bastante culpa de la cortedad y despego que mostraba al quedarse con él a solas. Se avergonzaba la niña de no ser tan linda como su amigo; de ser casi fea.

También se recogió el atador las mangas de estopa, y sacó de la faltriquera del pantalón una reluciente navaja de afeitar envuelta en un trapo. Agachóse bajo la paciente, y empuñando el instrumento, con brioso girar de muñeca y haciendo terrible fuerza en el pulgar, sajó casi en redondo el lobanillo. Bramó y resopló de dolor la vaca, intentando huir; pero estaba bien sujeta y el corte dado ya. Sin hacer caso de los mugidos angustiosos ni de las inútiles sacudidas de la bestia, el señor Antón comenzó a esgrimir la navaja casi de plano, desprendiendo la piel que cubría el tumor, y disecando[36] poco a poco, con certera diestra, sus raíces, como quien desprende de un peñasco los tientos de un adherido pólipo. De rato en rato empapaba con trapos la sangre que corría y le impedía ver. Cada raíz encubría otras más menudas, y la navaja seguía escrutando los ijares del animal, persiguiendo las últimas ramificaciones de la fea excrecencia. Ya casi la tenía desprendida, cuando la vaca, que parecía resignada con su suerte, dio de pronto un empuje desesperado y supremo, logró soltar las patas, derribó de una patada el sombrero de copa alta del algebrista y echó a correr furiosa. Ciega por el terror, fue a batir contra la muralla del emparrado, donde la alcanzó Perucho. La agarró del rabo primero, luego la cogió por los cuernos, y a remolque y a empujones y a puñadas la trajo otra vez a la

---

[36] *disecando:* aquí usado con el sentido de separar, «separando».

clínica. El señor Antón acusaba a la moza de no valer nada, de haber aflojado la pata; y Manuela, con los ojos brillantes y la sonrisa en los labios, se ofrecía a sustituir ventajosamente a la aldeana.

—¡Jesús, alabado sea Dios, qué valiente de señorita! —tartamudeó la Sabia, apareciendo en la puerta.

—Las que nos criamos en la montaña —murmuró la niña arrodillándose, y ciñendo con ambas manos, no muy blancas ni nada endebles, el corvejón del animal[37].

—No hay cosa como las montañesas —declaró dogmáticamente el atador, encasquetándose otra vez su abollada bomba, sin la cual, al parecer, no era dueño de todos los recursos de la ciencia quirúrgica.

—Remángate, Manola —aconsejó sin volver la cabeza Pedro—; si no vas a ponerte perdida.

Notando que él no la miraba, Manolita se remangó. Los chiquillos, rubios como el cerro, que presenciaban la operación absortos, con la pupila dilatada y chupándose el dedo índice, quisieron también cooperar al buen resultado, y vinie-

---

[37] En el «Prólogo» a *La Tribuna*, doña Emilia llama la atención sobre algunos rasgos de sus personajes que podrían resultar sorprendentes al lector. De ellos cabe destacar, precisamente, la ruptura con el decoro social y con la noción clásica de belleza. Para ello, confiesa la autora que sigue el ejemplo de Galdós quien, admitiendo en *La desheredada* el lenguaje de los barrios bajos, hace hablar a aquéllos como auténticamente se habla en la realidad; y sigue, asimismo, el modelo de Pereda, quien ha desterrado de la novela española las pastorcillas de égloga. Resultado de esto es la exhibición de cierta rudeza o aspereza premeditada en los personajes, exhibición que supone un rasgo de modernidad estética admirable. En este sentido, Eric Auerbach indicaba que a los naturalistas se debe, no el haber introducido en la novela al cuarto estado, pues las clases bajas ya aparecen ampliamente en la literatura de los períodos anteriores; sino, específicamente, el haberlo admitido como objeto estético serio *(Mímesis. La representación de la realidad en la literatura occidental*, México, FCE, 1979, pág. 469). Esta ampliación del cuadro de la realidad estética no es exclusiva de la novela, sino que es experimentada por todas las bellas artes: el escultor belga Constantin Meunier, al ocuparse del proletariado moderno, crea un nuevo héroe estético; y Rodin alcanza lo mismo en *Los ciudadanos de París;* y, en pintura, Daumier recrea pictóricamente el trabajo humano, superando el mero testimonio; similar es lo que hacen, en España, Mariano Benlliure, como ilustra su cuadro *La fragua* (Museo de Bellas Artes de Valencia), y Gonzalo Bilbao con su *Las cigarreras en la Fábrica de Tabacos de Sevilla* (Museo de Bellas Artes de Sevilla).

ron a poner cada uno una manita en los corvejones de la mártir. Poco duró el suplicio. El señor Antón, con su rapidez y maestría acostumbradas, arrojaba ya triunfalmente hacia el campo más próximo una masa sanguinolenta e informe, que era el núcleo del lobanillo y su aureola de raíces. Entre un furioso y desesperado bramido de la vaca al sentir la pez hirviendo que le abrasaba los tejidos, y un *¡carraspo!* del algebrista que se levantaba vencedor, se acabó la operación y la víctima fue de nuevo encerrada en el establo. Echáronle en el pesebre un brazado de fresca hierba, y a poco su hocico húmedo, del cual se desprendía un hilo de baba, rumiaba con fruición la dulce golosina.

III

Sin embargo, aún le quedaban al señor Antón deberes facultativos que llenar en aquella casa. Le presentaron un ternero que andaba malucho de desgano y rehusaba las cortezas de pan y la hierba más apetitosa. Le abrió la boca al punto, sacóle de través la lengua, y declaró que tenía *el piojo*[38]. Pidió los ingredientes de sal y ajo, que metió en una bolsita de lienzo; mojóla en vinagre, y frotó con ella los bordes de la lengua, para levantar las escamillas en que consistía el mal: sacó luego del bolsillo-estuche unas tijeras de costura, y cortó las escamas, dejando al choto en disposición de zamparse todos los prados comarcanos. Tras el ternero vino un buey, cojo de la mano derecha: el doctor reconoció que tenía *el pulgón* y que era preciso meterle entre la pezuña un puñado de pólvora amasada y prenderle fuego. El caso era que no se encontraba pólvora allí.

—Que vayan por ella a los Pazos —exclamó servicialmente Perucho.

—Mientras van y vuelven llega la noche, señorito —exclamó el atador—, y de aquí a Boán hay camino. Ya pasaré por aquí mañana o pasado lo más tarde, que me cumple[39] verle la yegua al señor Ángel. No hay duda, que no muere el buey por eso.

---

[38] *piojo:* del gallego *piollo,* las verrugas que aparecen en la lengua de las vacas.

[39] *cumple:* vocablo que castellaniza el gallego *cómpre*, *i.e.,* «es necesario», «es preciso».

Quedó aplazada la voladura del pulgón, pero no consintió la Sabia en que se partiese el algebrista sin *tomar un taco* y *echar un cloris*[40]. Limpiándose el copioso sudor con el pañuelo de hierbas, sentóse el señor Antón a la mesa, ante el zoquete de pan de centeno y el jarro de vino. Entabló conversación con el ama de casa, no habiendo querido los señoritos sentarse ni probar cosa alguna, porque les divertía más presenciar la cómica escena y oír, cruzando ojeadas y risas, la plática donosa que avivaban con sus preguntas. Estaba de buen humor el vejete, como siempre que terminaba felizmente una operación y se veía con el pichel de mosto delante. A las quejas de la Sabia, que se lamentaba de las enfermedades de los animales con tono de abuela cuando deplora achaques de sus nietos, respondía jocosamente el algebrista que, si no tuviese *una riqueza* en ganado, no se le pondría el ganado enfermo nunca.

—¿A que a mí no se me mueren las vacas? En no las teniendo, ¡catá![41].

La bruja respondía a tan atinada observación con otra muy filosófica y cristiana:

—Todos habemos de morir, si Dios quiere[42].

---

[40] *tomar un taco y echar un cloris:* tomar un trozo de pan y beber un trago de vino; la expresión vuelve a usarse en el capítulo XXXI, donde se explica su significado en castellano.

[41] El pronombre enclítico —«en no *las* teniendo»— reproduce la sintaxis habitual en gallego; *catá,* gall.: interjección admirativa.

[42] *habemos de morir,* se usa la forma del verbo «haber» habitual en gallego para el pretérito perfecto. Enuncia aquí la Sabia, mediante alusión, una *Danza de la muerte* sui generis según la cual todos hemos de morir, ricos y pobres. En el capítulo XXXI, Goros vuelve sobre el mismo tema: «Ni por ser rico, ni por ser señor, ni por poca edá, ni por sabiduría... Cuando llega la de pagar la gabela de las enfermedades y de las desgracias y de la muerte negra...» *(vid.,* además, nota 65). Estas repeticiones, como las reapariciones del algebrista *(vid.* nota 27), sirven para establecer el marco de la obra y nos obligan a tener en cuenta que los signos usados en la novela se subordinan a una noción de unidad constructiva; sobre la estructura enmarcada de la novela realista, véase Ignacio Javier López, «Representación y escritura diferente en *La desheredada* de Galdós», *Hispanic Review,* 56, 4 (1988), págs. 472-474. Por otra parte, nótese que anteriormente, estando los dos protagonistas refugiados en la cueva, ya se había indicado que la Naturaleza estaba sometida a ritos de vida y muerte; véase aquí, por tanto, una ampliación de dicho tema, más tarde desarrollado por el *algebrista,* en este mismo capítulo, cuando éste filosofa sobre «las enfermedades, la vejez y la muerte».

De tal respuesta tomó pie el algebrista para procurar insinuarse, hablando del bocio de la vieja, y comprometiéndose a extirpárselo con tanta prontitud como el tumor de la vaca, *fuera el alma*. Contó que precisamente acababa de realizar la misma operación en un labrador rico de Gondás. De cuatro o cinco tajos de navaja *¡zis, zas!* —y al decir *zis, zas* pasaba el dedo por delante del cuello deforme de la Sabia— le había sajado el bocio perfectísimamente, plantándole, para atajar la *morragia*, un emplasto donde se misturaban trementina, diaquilón, confortativo, minio, litargirio, incienso, pez blanca, pez dorada y pez negra[43].

—Vamos, pez de todos los colores —dijo Perucho riendo.

—No haga burla, señorito, no haga burla. Pues emplasto fue aquel que apretó, apretó, apretó —y el algebrista cerraba y apretaba el puño con toda su fuerza— y a los quince días...

—¿Al campo santo?

—¡Quedó como si tal cosa, más contento que un cuco! ¡La sabiduría puede mucho, señorito!

La bruja no se resolvía a empecinarse[44]. Tantos años con aquello, y al fin *iba durando;* luego no era cosa de muerte. Los animales..., no tiene que ver con las personas: si no se cuidan y se asisten, ni trabajan, ni dan leche, ni... En vista de que allí no necesitaban médico las *personas humanas,* el algebrista, después de dejar temblando el jarro, sacó el pitillo que llevaba tras la oreja, encendiólo en las brasas del *lar,* se terció la

---

[43] He aquí la receta de una «bizma» como la antes usada por el atador. Ésta está compuesta de trementina (resina de pino), diaquilón (ungüento usado en farmacia para suavizar los tumores), confortativo (tranquilizante), minio y litargirio (dos nombres para el óxido de plomo), incienso y, por último, pez (agua con trementina, siendo la «pez blanca» seca, y la «pez negra», una variante destilada de la anterior). Es probable que no se trate de una receta auténtica, y que doña Emilia dé una descripción de distintos remedios y materiales usados por los componedores, receta que tiene en este caso el atractivo de servir de indicio a un saber arcano.

[44] *empecinar:* untar de pez; aquí quiere decir dejarse curar mediante un emplasto de pez como el descrito en la nota anterior. Acto seguido se expresa una vez más, en esta ocasión por boca de la Sabia, la tesis central de la novela: el hombre que, a diferencia de los animales, puede atender de sí mismo, es superior a todo lo creado, siendo capaz de cuidar y asistir también a los demás animales; *vid., supra,* nota 42.

chaqueta, y con andar más que nunca dificultoso, tomó el camino del valle.

Acompañóle la pareja, divertida con su charla. Era el señor Antón uno de esos personajes típicos, manifestación viviente, en una comarca, de los remotos orígenes y misteriosas afinidades étnicas de la raza que la habita. En el país se contaban muchos que ejercían la profesión de *algebristas,* componiendo con singular destreza canillas rotas y húmeros desvencijados, reduciendo luxaciones y extirpando sarcomas, merced a no sé qué ciencia infusa o tradición comunicada hereditariamente, o recogida de labios de algún *compostor*[45] viejo a quien el mozo había *tomado los moldes;* pero ninguno tan acreditado y consultado en todas partes como el *atador de Boán,* que tenía fama de poner la ceniza en la frente a los médicos de Orense y Santiago, habiendo persona que vino expresamente desde Madrid, cuando todavía se viajaba en diligencia, a que el señor Antón le curase una fractura. No desvanecían al vejete las glorias científicas; pero sí le daban pretexto a descuidar la labranza de sus tierras y entregarse a sabrosa vagancia cotidiana por riscos y breñas. Con su chaquetón al hombro en el verano, su montecristo de pardomonte[46] en invierno, y siempre el pitillo tras la oreja, la chistera calada sobre el pañuelo, el paraguas colorado bajo el brazo y el libro grasiento en la faltriquera, recorría haciendo eses los senderos del país, sintiendo en la cabeza y en la sangre la doble efervescencia del aire puro y vivo de la montaña y de la libación de mosto o aguardiente hecha a los dioses lares de cada enfermo. La atmósfera candente, el cierzo glacial, las claras mañanas primaverales, las templadas noches, la borrasca, la bonanza, le tenían seco y oreado como un fruto de cuelga, como esas manzanas tabardillas[47] cuya piel se arruga y contrae y adoba más que el mejor pergamino; y también, lo mismo que en ellas, la pulpa se concentraba guardando toda su virtud y sa-

---

[45] *compostor,* gall.: componedor de huesos.

[46] *montecristo de pardomonte:* capa de paño ordinario.

[47] *tabardilla,* gall.: «tabardilho», pintado; llámase así, además, a una variedad de manzana, muy apreciada por su sabor.

bor. No había viejo mejor conservado, más templado y *rufo*[48] que el señor Antón: asegurábanlo las mozas trocando maliciosos guiños, y lo confirmaban los mozos haciendo con la mano alzada y el pulgar inclinado hacia la boca el ademán del que se atiza un buen traguete. Nunca se le encontraba que no estuviese bajo la alegre influencia del jarro, o del sol, que tenía la virtud de hacerle fermentar en las venas la reserva de espíritus alcohólicos. Entonces se desataba su locuacidad, y le gustaba sobre todo platicar con los curas o con los aldeanos viejos y duchos, en quienes, a falta de instrucción, la experiencia de una larga vida ha desarrollado cierta inteligencia práctica, haciéndoles depositarios del caudal del saber popular, ancho cauce de arena donde a trechos brilla alguna partícula de oro o algún diamante en bruto. El señor Antón tenía su filosofía allá a su modo, mitad bebida en tres o cuatro librotes viejos, en tomos descabalados de Feijoo, en el *Desiderio* y *Electo,* mitad inspirada por el espectáculo y la sugestión incesante de la madre naturaleza, de árboles y estrellas, ríos y nubes. En su cráneo estrecho y prolongado, verdadero cráneo céltico, bullían a veces viejas ideas cosmogónicas, bocetos confusos de panteísmo y restos de cultos y creencias ancestrales. Por lo cual, al meterse en honduras, solía decir muchos y muy peregrinos despropósitos, mezclados con dictámenes y sentencias que sorprendían al verlos salir de aquella boca plegada como la jareta de un bolsón, envueltas en vaho aguardentoso y subrayadas por la risa de polichinela que establecía inmediata comunicación entre su nariz y su barba.

Encontrándolo más alumbrado que de costumbre, moríase Perucho por tirarle de la lengua, y le seguía, llevando el dedo meñique enganchado en el de Manuela y columpiando el brazo a compás, por hábito inveterado de contacto cariñoso.

Chupaba el señor Antón su apestoso papelito, sumiendo la boca de tal manera que, más que con los labios, parecía aspirar el humo con la laringe. Al mismo tiempo iba filosofando sobre las enfermedades, la vejez y la muerte.

---

[48] *rufo,* gall.: persona de edad que aún se mantiene ágil y sana.

—Mire, señorito, que esto de estar enfermo (aquí un traspiés), le tiene su aquel[49], ¡carraspo! Lee uno en libros, a lo mejor, que el hombre es, como quien dice, un gusano, y viene la soberbia, y replica: «No, gusano, no, que yo tengooó (ahuecó la voz enfáticamente), ¡lo que no tiene un gusanoooó!» Pero llega la enfermedad, *maina mainita*[50] (y remedaba los movimientos del que se acerca muy cautelosamente a otro), y ya no se diferencia el *verme*[51] del hombre, ¡carraspo! Porque díganme: ¿uso yo una navaja para *estripar,* con perdón, las *tumificaciones* de las vacas y otra para las personas humanas? No señor, que uso la misma, que aquí la llevo en el bolsillo (y se golpeaba con fuerza el pecho). El emplasto o la cataplasma, ¿se misturan de otro modo? ¡No señoóoor! Y en vista de ello...

—¿Resulta, señor Antón, que a usted no le parece diferente un buey de un cristiano? ¿Eh? ¿Usted y yo valemos tanto como un jumento?

—No sea tan *materialista,* señorito, ¡carraspo! Son poquitos los que se hacen cargo de estas cosas *perfundas*[52]. ¡Hay que abrir el ojo! ¿Tiene ahí un misto?[53]. Se me apaga el condenado del pitillo. Estimando la molestia. Vamos al decir de que la gente como usted y como yo, y las bestias, dispensando vustedes, padecen de los mismos males, y en la botica no hay diferencias de remedios, y la vida se les viene y se les va del mismo modo, y todos pasan su tiempo de chiquillos, porque los perritos pequeños lloran y enredan como las criaturas, y luego a las personas humanas les llega la de andar tras de las mozas, y andan que *tolean*[54], y también los perros se escapan de casa para perseguir a las perras, con perdón, y las buscan, y

---

[49] Según indica Varela Cabezas, la construcción sintáctica «*le* tiene su aquel» sigue el modelo de lo que en gallego se denomina pronombre de solidaridad, que no es imprescindible, «onde *le* traduciríase ó galego como *lle,* forma cortés para dirixirse ó interlocutor» («Galeguismos», pág. 116).

[50] *maina mainita,* gall.: poquito a poco.

[51] *verme,* gall.: gusano.

[52] *perfundas:* metátesis de «profundas».

[53] *misto:* fósforo.

[54] *tolear,* gall.: portarse de manera irreflexiva.

riñen por causa de ellas, y las obsequian como los señoritos a las señoritas... ¡Carraspoó!

Al llegar a este punto el discurso del atador, Pedro soltó los dedos de Manuela para reír a carcajadas, y la montañesa le acompañó, sofocando la risa en la boca con la punta del pañuelo.

—Pero eso ya se sabe, señor Antón. ¡Vaya unas noticias que da! ¡Fresquitas!

—Poco y poco, poco y poco[55]... (se ignora si el algebrista lo decía pensando en que el camino tenía muchas piedras y él más vino en el estómago, o siguiendo la ilación de su tesis trascendental). Vamos a la *custión*. Digo, señorito, y no miento: un hombre *valerá*, estamos conformes, más que los animales; pero poder... Vaya, poder, no puede más que un buey; y cuando le llega la de cerrar el ojo, aunque sepa más que el rey Salimón, lo cierra, y abur[56]. ¿Lo cierra o no, señorito?

—Según y conforme. También los hay que se quedan con él muy abierto —murmuró Pedro para hacer rabiar al atador.

—Demasiado nos entendemos —articuló éste escupiendo, por el sitio en que algún día tuvo los colmillos, un chorro de saliva negruzca, cuya proyección cortó limpiándose el agujero de la boca con el dorso de la mano—. Señorito, escuche y perdone. ¡A lo que me da que pensar, carraspo! Esto del nacer, y del morir, y del enfermarse, y del comer, y del beber, ¡atención! (hizo aquí una ese más arqueada que ninguna), es un... un... un aquel que puede más que los animales y los hombres juntos, a modo de una *endrómena*[57] muy grande, muy graaaande...

El algebrista tendía la mano y la giraba en derredor, señalando con amplio ademán circular la profundidad del valle de Ulloa, el anfiteatro de montañas que lo cierra, el río que espumaba cautivo en la hoz, todo lo cual se dominaba desde el sendero alto y escarpado. Pedro y Manuela, que habían vuel-

---

[55] *poco y poco,* castellanización del gallego *pouco e pouco* (poco a poco).

[56] *abur,* del vascuence: adiós.

[57] *endrómena,* es decir, andrómina (i.e., «enredo»), palabra con la que el atador se refiere a la ley recóndita de la Naturaleza que él mismo expone en estos capítulos.

to a enganchar los dedos por instinto, miraban hacia donde apuntaba el viejo, tratando de comprender la idea rebozada en báquicos vapores que desde el cerebro del señor Antón descendía trabajosamente hasta su lengua.

—Tan grande —añadía extendiendo ya los dos brazos para mejor expresar la inmensidad— que me parece a mí, señorito, con perdón, que es tan grande como el mundo. ¡Más aún, carraspo!

—¿Más que el mundo? ¡Quieto, vino, quieto! —exclamó Pedro, significando que por boca del algebrista hablaba la borrachera.

—Más aún, sí señor. ¿De qué se pasma? Desmasiado nos entendemos. Un hombre ha leído algo... ¿Tiene otro misto? Disimule[58].

—Ahí va la caja. ¿Con que se ha leído mucho?

Una sonrisa orgullosa dilató los plieguecillos de la consabida jareta.

—El saber, como dijo el otro, no ocupa lugar. No se burle, señorito, no se burle. Demasiado tendrá usted leído lo que llaman el Treato... el Trato...

—¿Alguna comedia?

—¡Comedia! Lo compuso un fraile, hablando con respeto; un fraile de esta tierra, con más sabiduría que todos los de España y del mundo entero juntos. Pues allí dice, ¡sí, señorito!, que las estrellas del cielo son como nosotros, ¡con perdón!, como este universo mundo de acá, y que también allí nacen, y mueren, y comen, y andan atrás de las muchachas[59].

---

[58] *Disimule*, gall.: disculpe; en castellano es forma arcaica.

[59] Se trata del *Teatro Crítico Universal*, del P. Fray Benito Jerónimo de Feijoo. Pronto en su carrera literaria demuestra doña Emilia interés por el fraile orensano. En 1876 publica *El examen crítico de las obras del P. Fr. Benito Feijoo*. Y, años después, en 1891, tratando de emular la labor de crítica del fraile, funda su *Nuevo Teatro Crítico*. El texto al que hace referencia el señor Antón corresponde al Discurso VII del volumen VIII, titulado «Corruptibilidad de los cielos», en el que se lee: «Mas por razón puramente física no hallo repugnancia alguna en que en los Astros se engendren, y vivan hombres, brutos, y plantas. Por hombres entiendo aquí criaturas intelectuales, compuestas de cuerpo, y espíritu como el hombre, sin meterme en determinar, si serían de distinta especie ínfima, o de la misma que nosotros. Debe suponerse, que así hombres, como brutos, y plantas, deben ser de muy distinto temperamento del de las

Al llegar aquí guiñó picarescamente el albegrista el ojo izquierdo a la bóveda celeste, y como si obedeciese a un conjuro, el hermoso lucero de Venus comenzó a rielar con dulce brillo en el sereno espacio[60].

—¡Hay que desengañarse, hay que desengañarse! —prosiguió el viejo moviendo la cabeza, que, al oscilar sobre el seco pescuezo, parecía una pasa pronta a desprenderse del rabo. Por muchas vueltas que se le dé, esta cosa grande, grande, grandísima (y reiteraba el ademán de abarcar todo el valle con los brazos), puede más que vusté, y que yo, y aquel, y que todos, ¡carraspiche! Yo me muero, verbo en gracia; bien, corriente, sí señor; ¿y después? La cosa grande se queda tan fresca. Yo me divertí mis carnes; pero de yo ya propiamente no soy nada; se crían repollos, y patatas, y ortigas, y toda *clas* de hortalizas, ¿me entiende?[61].

—¿También de mi cuerpo se han de criar repollos? —preguntó Manolita.

---

mismas clases de vivientes, que hay en la tierra. No hay motivo para pensar, que el Planeta, que más analogía tiene con el Globo Terráqueo, no se distingue de él bastantemente; y a proporción de la mayor, o menor diversidad de los Astros, respecto de nuestro Globo, es preciso que los habitadores de ellos sean en temperamento, y cualidades más, o menos diversos de los que hay acá. Pongo por ejemplo. Según lo que arriba dijimos de la analogía del Planeta Marte con el Globo Terráqueo, acaso pudieran habitar aquel Planeta vivientes no muy diversos de los nuestros. Los que hayan de habitar la Luna, la cual carece de atmósfera sensible, ya es preciso que se diferencien más; y si queremos extendernos a hacer habitables el Sol, y las Estrellas fijas, es consiguiente, que sea mucho más diverso el temperamento de sus habitadores»; Fray Benito Jerónimo Feijoo y Montenegro, *Obras escogidas,* edición de Agustín Millares Carlo, Biblioteca de Autores Españoles, 143 (Madrid, Atlas, 1961), págs. 71b-72a.

[60] Mediante la referencia a Venus se apunta aquí la fuerza universal del amor. En el capítulo XXXII, en el diálogo entre don Gabriel y Goros, vuelve a aparecer este tema, introducido por la figura de una paloma calzuda, que sirve de contrapunto a la imagen del incesto sancionado por la sociedad: «Mientras Gabriel consideraba a aquel Edipo de la raza porcuna, un gracioso animal vino a enredársele entre los pies: era una paloma calzuda, moñuda, de cuello tornasolado donde reverberaban los más lindos colores; giraba arrullando, y su ronquera era honda, triste y voluptuosa a la vez.»

[61] Desaparece de la 2.ª edición todo el giro popular de la expresión; la nueva redacción gana en claridad lo que pierde en color y fuerza expresiva; 2.ª ed.: «Yo me divertí; de mis carnes se crían repollos, y patatas, toda *clas* de hortaliza; pero ya propiamente no soy nada..., ¿me entiende?»

—Y, ¡juy juy! —relinchó el algebrista, trompicándose en una piedra por culpa del arrechucho de galantería que le entró—. Del cuerpo de las señoritas buenas mozas se criará espliego, rositas de Mayo...

Adoptando de nuevo su gravedad filosófica, añadió:

—Pero no se ponga hueca. Le es igual, igualito. ¿Qué más tiene volverse chirivía[62] o malva de olor?[63], ¡carrás...! Quiérese decir que las estrellas del cielo, y las tierras, y el *maínzo*[64], y el cuerpo de vusté, y el mío, y el del Papa, con perdón, y el espliego, y los repollos, y las vacas, y los gatos, es todito lo mismo, disimulando vusté, y no hay que andar escoge de aquí y escoge de allí. Todo lo mismo señorita, todo lo mismísimo. ¡La cosa grande![65].

Al llegar aquí de su perorata le besó un canto en la espinilla, y llevóse la mano a la pierna, exhalando un *¡ay!* doliente; pero al punto mismo, después de refregarse la parte dolorida y tirar con rabia del cigarro, que se apagaba de vez, volvió a su tema, balbuciendo con lengua todavía más estropajosa:

—La co... la cosa grande... se ríe de todo, sí, señor, de todo... Allá anda, carraspo... haciendo la burla a quien nace... y a quien muere... y a los que buscamos las mo... mozas... de rumbo... ¡juy! La cosa... g... gran... no nació en jamás[66]... ni se ha de morir... Buena gana tiene... A cada a... ño... está... más... fres... frescachona... ¡juy! vivan las rap... rapazas... Arde, cigarro, arde, condenado, si quieres, que... te... par... to...!

—Echemos por las viñas, Manola —dijo Pedro a su com-

---

62 *chirivía*: planta umbelífera, de tallo acanalado como el apio y flores amarillas.

63 *malva de olor*, gall.: hiedra terrestre.

64 *maínzo*, gall.: maíz, choclo.

65 Se expone aquí la versión «materialista» de la *Danza de la muerte* que enunció con anterioridad la Sabia y que, como se dijo, habrá de enunciar Goros en los capítulos finales. A la hora de morir, todos pagan, ricos y pobres, dice el sacristán; igualmente, una vez muertos todos se integran en la Naturaleza o, dicho de otro modo, se convierten a «la cosa grande», según dice el *atador*.

66 *en jamás:* castellanización del gallego *endexamais*, jamás.

pañera—. El algebrista va hoy como un templo. Ya no se le sacan del cuerpo sino barbaridades.

—¿Y si tropieza y cae al río?

—¡Qué disparate! Estaría muerto ya un millón de veces, mujer, si fuese capaz de caerse. Anda así toda la santa vida.

IV

Libres ya del atador, tomaron un sendero más practicable que, por entre tierras labradías y viñedos, conducía al gran castañar del solariego caserón de Ulloa. Aunque la luna, en cuarto creciente, dibujaba ya sobre el cielo verdoso una fina segur[67], todavía la claridad del crepúsculo permitía registrar bien el paisaje; pero al ir entrando bajo la tenebrosa bóveda formada por el ramaje de los castaños, se encontró la pareja envuelta en la oscuridad, y en no sé qué de pavoroso y sagrado, y fresco y solemne, como el ambiente de una iglesia. El suelo estaba seco y mullido, como suele estar en verano el de los bosques, y el pie lo hollaba con placer. No se oía más ruido que el rumor de las hojas, melodioso como una música distante de la cual apenas se percibe el acompañamiento. Instintivamente, Pedro y Manuela se aproximaron el uno al otro, y sus dedos se engancharon con más fuerza; pero el sentimiento que ahora los unía no era el mismo que allá en la gruta, sino una especie de comunión de los espíritus, simultáneamente agitados, sin que ellos mismos lo comprendiesen, por las ideas de muerte, de transformación y de amor, removidas en la grosera plática del vejete borracho.

---

[67] Uso de una metáfora visual, mediante la cual el cuarto de la luna es comparado con la forma de la hoja de una hoz. Este procedimiento metafórico, de base realista, se generalizará en el primer tercio del siglo XX, con las vanguardias. Añadiendo humor, Gómez de la Serna se basará en este tipo de imágenes visuales para crear sus greguerías.

—¡Perucho! —murmuró ella alzando el rostro para mirar el de su compañero, que en aquella sombra veía pálido y sin contornos.

—¿Qué quieres? —contestó él sacudiéndole el brazo.

—¿Qué me dices de todo eso? ¡Cuántas bobadas echó por aquella boca el señor Antón!

—Está peneque, y chocho además.

—¿Me volveré yo rosa? ¿Malvita de olor?

—No tienes que volverte. Ya Dios te dio rosa y clavel y cuantas flores hay.

—No empieces a meterte conmigo. ¡Que me enfado! ¿Y eso que dice de una cosa muy grande, que está en el cielo, y en la tierra, y en todos los sitios?

—Muchos ratos también se me pone a mí aquí —murmuró Pedro deteniéndose y señalando a la frente— que hay una cosa muy grande, ¡y tan grande! Mayor que el cielo. ¿Sabes dónde, Manola? ¿A que no lo aciertas?

—¿Yo qué sé? ¿Soy bruja o echo las cartas como la Sabia?

El mancebo le tomó la mano, y la paseó por su pecho, hasta colocarla allí, donde, sin estar situado el corazón, se percibe mejor su diástole y sístole.

—¡Aquí, aquí, aquí! —repitió con ardiente voz, oprimiendo como para deshacerle la mano morena y fuerte de la muchacha, que se reía, tratando de soltarse.

—Majadero, brutiño, que me lastimas.

La soltó y ella siguió andando delante en silencio. De cuando en cuando se percibía entre las hojas el corretear de una liebre, o resonaba el último gorjeo de un ave. A lo lejos arrullaban roncamente las tórtolas, bien alimentadas aquellos días con los granos caídos en los surcos del centeno. También se escuchaba, dominando la sinfonía con sordina del follaje, el gemido de los carros que volvían cargados de haces de mies a las eras[68].

---

[68] Una vez más la autora insiste en el tema central de la novela: vida, representada por el vaivén apresurado de los animales en el bosque; amor, simbólicamente sugerido por el arrullo de las tórtolas; y fecundidad, como sugieren los carros repletos de mies camino de las eras. Esta parte del ciclo natural se completa con la muerte, varias veces enunciada con anterioridad, tanto por el narrador como por la exposición de creencias del algebrista.

—Manola, no corras tanto —exclamó Pedro con voz tan angustiada como si la chica se le escapase—. ¡Ave María, mujer! Parece que te van persiguiendo los canes. ¿Tienes miedo?

—No sé a qué he de tener miedo.

—Pues entonces, anda a modo, mujer. ¿Qué diversión se nos pierde en los Pazos? ¡Mira que es bonita! Padrino estará fumando un cigarro en el balcón, o viendo cómo arreglan las *medas*[69]; mamá por allí, dando vueltas en la cocina; papá en la era, eso de fijo. Las chiquillas ya dormirán, ¡va buena que dormirán![70]. Oye, chica, la mano.

Trabáronse como antes por los dedos meñiques y continuaron andando no muy despacio. El bosque se hacía más intrincado y oscuro, y a veces un obstáculo, seto de maleza o valla de renuevos de árboles, les obligaba a soltarse de los dedos, a levantar mucho el pie y tentar con la mano. Tropezó Manola en el cepo de un castaño cortado, y sin poderlo evitar cayó de rodillas. Pedro se lanzó a sostenerla, pero ella se levantaba ya soltando la carcajada.

—¡Vaya una montañesa, que tropieza en cualquier cosa como las señoritas del pueblo! Por el afán de correr. Bien empleado.

—Pero si no se ve miaja. Rabio por salir pronto de aquí.

—Para irte a la cama, ¿eh? ¿Para dejarme solito?

—Podías dar un repaso a los libros, haragán.

—Mujer, ¡para cochinos tres meses que tiene uno de vacaciones! Yo antes pasaba contigo todo el año, ¿no te acuerdas? Siempre, siempre andábamos juntos. ¡Qué vida tan buena! Y bien aprendíamos reunidos, más de lo que aprendo ahora en clase. ¡Apenas tenemos leído libros de la estantería! ¿Te acuerdas cuando te enseñé las letras por uno que tiene estampas?

—Pero de la mitad nos quedábamos a oscuras. De muchos

---

[69] *meda*, gall.: almiar, gavillas amontonadas.

[70] *va buena*, castellanización del gallego *¡vai boa!*, expresión que se refiere a algo que pasó hace tiempo: «¡va buena que dormirán!» equivale, por tanto, a «¡hace ya tiempo que estarán durmiendo!».

sólo mirábamos las estampitas, aquellos monigotes tan descarados[71].

—Bueno, el caso es que estábamos más contentos, ¿eh? Yo al menos. ¿Y tú?

Calló la niña montañesa, tal vez porque un haz de arbustos nuevos y un alto zarzal le cerraban el paso. Tuvieron que retroceder y buscar entre los castaños la senda perdida.

—¿No me contestas? ¿Vas enfadada conmigo?

—No hay humor de hablar mientras esté uno en estas negruras.

—Y después que salgamos al camino de la era, ¿me das palabra de que rodearemos por los sembrados?

—Sí, hombre, sí.

—¿Manola?

—¿Quéee?

Deslizábase a la sazón la pareja por un estrecho pasadizo de troncos de castaño, que apenas daba espacio a una persona de frente. La oscuridad disminuía; acercábanse a la linde del bosque. La niña alzó los ojos, vio la cara de su compañero y acompañó la interrogación de fingido mal humor con una sonrisa, y entonces él se inclinó, le echó las manos a la cabeza, y con una mezcla de expansión fraternal y vehemencia apasionada, apretóle la frente entre las palmas, acariciándole y revolviéndole el cabello con los dedos, al mismo tiempo que balbucía:

—¿Me quieres, eh? ¿Me quieres?

—Sí, sí —tartamudeaba ella casi sin aliento, deliciosamente turbada por la violencia de la presión.

—¿Como antes?, ¿como allá cuando éramos pequeñitos?, ¿eh? ¿Como si yo viviese aquí?

—¡Ay!, me ahogas, me arrancas pelo —murmuró Manola, exhalando estas quejas con el mismo tono que diría «Apriétame, ahógame más».

---

[71] Pronto aparece la ironía: si, como mantiene la tesis de la novela, los impulsos naturales han de ser dominados mediante la cultura (algo a lo que aluden las anteriores palabras de Perucho, y a su estancia en el instituto en Orense), la moral y la religión, resulta irónico que los dos protagonistas hayan aprendido a leer en un libro de erótica amorosa, el *Cantar de los cantares*, ilustrado con «monigotes descarados».

No obstante, Pedro la soltó, contentándose con guiarla de la mano hasta que salieron completamente del bosque y en vez de árboles distinguieron frente a sí el *carrerito*[72] que llevaba en derechura a la era de los Pazos. Pero el mancebo torció a la izquierda, y Manola le siguió. Iban orillando un sembrado de trigo, que en aquel país abundan menos y se siegan más tarde que los de centeno. Si a la luz del sol un trigal es cosa linda por su frescura de égloga, por los tonos pastoriles de sus espigas, amapolas, cardos y acianos[73], de noche gana en aromas lo que pierde en colores, y parece perfumado colchón tendido bajo un dosel de seda bordado de astros. Convida a tomar asiento el florido ribazo alfombrado de manzanillas, cuya vaga blancura se destaca sobre la franja de hierba; y allá detrás se oye el susurro casi imperceptible de los tallos que van y vienen como las ondas de una laguna.

Dejóse caer Manola en el ribazo, sentándose y recogiendo las faldas, y Pedro se echó enfrente de ella, boca abajo, descansando el rostro en la mano derecha. Así permanecieron dos o tres minutos, sin pronunciar palabra.

—Debe de ser muy tarde —articuló la muchacha agarrando algunos tallos de trigo y empuñándolos para sacudir las espigas junto a la cara de Pedro.

—Silencio. ¿No te da gusto tomar el fresco, *chuchiña*?[74]. Esta tarde no se paraba con el calor. ¿O tienes sed?

—No —contestó lacónicamente.

Transcurrió un momento, durante el cual Manola se entretuvo en arrancar una por una flores de manzanilla, y juntarlas en el hueco de la mano. Al fin la impacientó el obediente mutismo de su compañero.

—¿Qué haces, babeco?[75].

—Te estoy mirando.

---

[72] *carrerito,* gall.: sendero

[73] *aciano:* flor silvestre de color azul.

[74] *chuchiña,* gall.: diminutivo afectivo que Rodrigo Varela considera dependiente de *chucho* (juguete, beso) o de *chuchón, chuchona* (besucona) («Galeguismos», pág. 122).

[75] *babeco,* gall.: lo mismo que Babieca o estar en Babia, «tontorrón»; se usa con diminutivo en sentido afectivo *(vid., supra,* nota 5).

—¡Vaya una diversión!

—Ya se ve. Como a ti ahora te ha dado por no mirarme. Parece que te van a enfermar los ojos si me miras. Te has vuelto conmigo más brava que un tojo[76].

Ella, entre arisca y risueña, siguió arrancando las manzanillas silvestres. Un céfiro de los más blandos que jamás ha cantado poeta alguno, un soplo que parecía salir de labios de un niño dormido, pasando luego por los cálices de todas las madreselvas y las ramas de todas las mentas e hinojos, se divertía en halagarle la frente, inclinando después las delgadas aristas de la espiga madura. A pesar de sus fingidas asperezas, Manola sentía un gozo inexplicable, una alegría nerviosa que le hacía temblar las manos al recoger las manzanillas. Con todo el alborozo de una chiquilla saboreaba la impresión nueva de tener allí, rendido, humilde y suplicante, al turbulento compañero de infancia, el que siempre *podía más* que ella en juegos y retozos, al que en la asociación íntima y diaria de sus vidas representaba la fuerza, el vigor, la agilidad, la destreza y el mando. Al sentirse investida por primera vez de la regia prerrogativa femenina, al comprender claramente cómo y hasta dónde le tenía sujeta la voluntad su Pedro, se deleitaba en aparentar malhumor, en torcerle el gesto, en llevarle la contraria, en responderle secamente, en burlarse de él con cualquier motivo, encubriendo así la mezcla de miedo y dicha, el ímpetu de su sangre virginal, ardorosa y pura, que se agolpaba toda al corazón, y subía después zumbando a los oídos produciéndole deleitoso mareo, al oír la voz de Pedro, y sobre todo al detallar su belleza física. Justamente, mientras corría aquel tan halagüeño céfiro, Manuela se absorbía en la contemplación de su amigo, pero de reojo. La luminosa transparencia de la noche permitía ver los graciosos rizos del mancebo cayendo sobre su frente blanca y tersa como el mármol, y distinguir la lindeza de sus facciones y de sus azules ojos, que entonces parecían muy oscuros.

---

[76] *tojo:* arbusto de hojas espinosas y flores amarillas común en Galicia que puede alcanzar los dos metros de altura; empleado como término de comparación referido a una persona, tiene el sentido de persona seca o desabrida.

—¿Cómo me querrá tanto, siendo yo fea? —decía para sus adentros Manola; y de repente, cogiendo todas las manzanillas, se las arrojó al rostro.

—A casa, a casa enseguida, que son las tantas de la noche —murmuró arrodillándose, como si le costase trabajo incorporarse de una vez. Ya estaba allí Pedro para auxiliarla. Cuando eran chiquillos solía dejarla en el atolladero por algún tiempo hasta que pidiese misericordia, y reírse descaradamente de sus apuros. Ahora no se atrevería a hacerla rabiar: él era el esclavo.

Volvieron a tomar el sendero. A poco se encontraron en la era, vasto redondel cercado por una parte de estrecha muralla y de manzanos gibosos. Por la otra, sobre el cielo estrellado, se destacaba la cruz del hórreo, y más arriba subían las ramas inmóviles de una higuera. Alrededor, las *medas* o altos montículos de mies remedaban las tiendas de un campamento o la ranchería de una india. Ya no había allí nadie: por el suelo quedaban todavía esparcidos algunos haces de la cosecha del día.

Un perro, ladrando hostilmente, se abalanzó contra la pareja; mas al reconocerla, trocó los ladridos de cólera en delirantes aullidos de alegría, se echó al suelo, se revolcó, gimió, y por último, zarandeando la cola de un modo insensato, con la lengua fuera de las fauces, trotando sobre la seca hierba del sendero, y volviéndose a cada segundo, los precedió hasta los Pazos de Ulloa[77].

---

[77] Como se dijo en la introducción, este episodio viene a resumir la tesis central de la novela, anticipada antes por la Sabia: el animal fieramente se arroja contra ellos, mas, al reconocer a sus amos, se amansa, dando a entender el magisterio del hombre sobre lo creado.

V[78]

Subía la diligencia de Santiago el repecho que hay antes de llegar a la villa de Cebre. Era la hora de mayor calor, las tres de la tarde. La persona de más duras entrañas se compadecería de los viajeros encerrados en aquel cajón, donde si toda incomodidad tiene su asiento[79], el que lo paga suele contentarse con la mitad de uno.

Venía atestado el coche, que era de los más angostos, desvencijados, duros y fementidos[80]. En el interior, hombro contra hombro del vecino del lado, e incrustadas las piernas en las del frontero, se acomodaban cinco estudiantes de carrera mayor[81] en vacaciones, una moza chata, portadora de un ces-

---

[78] La acción de este capítulo es simultánea de la referida en los cuatro precedentes. Con la introducción del personaje de don Gabriel el interés de la novela se amplía y divide al mismo tiempo: por un lado, la relación «natural» entre Perucho y Manuela, cuyo escenario ha sido el campo gallego; por otro, la sanción «social», representada por el matrimonio que viene a proponer don Gabriel, quien llega al mundo del pazo desde un centro urbano.

[79] Doña Emilia hace un juego de palabras basado en un texto procedente del prólogo de Cervantes a la primera parte del *Quijote:* «Y así, ¿qué podrá engendrar el estéril y mal cultivado ingenio mío sino la historia de un hijo seco, avellanado, antojadizo y lleno de pensamientos varios y nunca imaginados de otro alguno, bien como quien se engendró en una cárcel, *donde toda incomodidad tiene su asiento* y donde todo triste ruido hace su habitación?» (ed. de J. B. Avalle-Arce, Madrid, Alhambra, 1979, vol. I, pág. 55; cursiva mía).

[80] Arcaísmo para «falso» o «traicionero», vocablo procedente asimismo con toda probabilidad del *Quijote,* aquí usado con el propósito cómico de describir hiperbólicamente la diligencia.

[81] *estudiantes de carrera mayor:* estudiantes universitarios en los centros estatales.

to de quesos, el notario de Cebre, y la mujer de un empleado de Orense, con el apéndice de un niño de brazo. La atmósfera del interior era sol, sol disuelto en polvo, sol blanquecino, crudo, implacable, centuplicado por la oscura refracción de los puercos vidrios, que ningún viajero osaba bajar, por temor de ahogarse entre la polvareda. La respiración se dificultaba: gotas de sudor rezumaban de los semblantes, y moscas y tábanos —cuyo fastidioso enjambre había elegido allí domicilio— se agolpaban en los pescuezos y labios, chupándolas. No había modo de espantar a tan impertinentes bichos, porque ni nadie podía revolverse, ni ellos, enconados por el ambiente de fuego, soltaban la presa a dos tirones. Al desabrido cosquilleo del polvo en las fosas nasales se unía el punzante mal olor de los quesos, y aun sobresalía el desapacible tufo del correaje y el vaho nauseabundo tan peculiar a las diligencias como el olor del carbón de piedra a los vapores. A despecho de todas estas molestias y otras muchas propias de semejante lugar, los estudiantes no perdían ripio, y armaban tal algazara y chacota, secundándolos el notario, que sus[82] dichos, más picantes que el aguijón de los tábanos, habían parado como un tomate las orejas de la moza, la cual apretaba su cesta de quesos lo mismo que si fuese el más perfumado ramillete del mundo. La mujer del empleado, aunque nada iba con ella, creíase obligada por sus deberes de buena esposa y madre de familia a suspirar a cada minuto levantando los ojos al cielo, mientras abanicaba con un periódico al dormido vástago.

No disfrutaban mayor desahogo los de la berlina. De ordinario era ésta el sitio de preferencia; pero aquel día una especial circunstancia lo había convertido en el más incómodo. Al salir de Santiago muy de madrugada, los dos pasajeros que ya ocupaban las esquinas de la berlina entrevieron con terror, a la dudosa luz del amanecer, otro pasajero de dimensiones anormales, que se aproximaba a la portezuela, sin duda con ánimo de subir y apoderarse del tercer asiento. Al pronto no distinguieron sino un bulto oscuro, gigantesco, que exhalaba una especie de gruñido, y se les ocurrió si sería algún animalazo extraño;

[82] *que sus:* ultracorrección de «cuyos».

pero oyeron al mayoral —viejo terne conocido por el *Navarro,* aunque era, según frase del país, más gallego que las vacas— exclamar, en el tono flamenco y desenfadado que la gente de tralla cree indispensable requisito de su oficio, y con la mitad del labio, pues el otro medio sujetaba una venenosa tagarnina:

—¡Maldita sea mi suerte! ¿Cura a bordo? Vuelco tenemos.

Casi al mismo tiempo el pasajero de la esquina izquierda, vivaracho, pequeño y moreno, tocó en el codo al de la derecha, que era alto, y le dijo a media voz:

—Es el Arcipreste de Loiro[83]. Veremos cómo se amaña[84] para pasar al medio. Nosotros no soltamos nuestro rincón. ¡Se prepara buen sainete!

Miróle el otro viajero y encogióse de hombros, sin responder palabra. Entre el mayoral y el zagal procuraban izar la humanidad del Arcipreste hasta las alturas de la berlina: empresa harto difícil, pues requería que el enorme vejestorio pusiese un pie en el cubo de la rueda, luego otro en el aro, y luego le empujasen y embutiesen dentro por la estrecha abertura de la portezuela. El viajero pequeño reía a socapa, calculando el fracaso probable de la tentativa, por estar ocupado el rincón. Grande fue su sorpresa al ver que el viajero alto llevaba la mano a su gorra de viaje, indicando un saludo; y en seguida se corría hacia el asiento del centro, para dejar paso franco; y

---

[83] Al final de *Los Pazos de Ulloa,* el narrador da a entender que el tiempo ha quedado suspendido, y todos los cambios traídos al pazo por don Julián, al comienzo de la novela, son una vez más devorados en la vorágine de salvajismo y decadencia que se cierne sobre el pazo: «Mas así como hay personas, hay lugares para los cuales es insensible el paso de una décima parte del siglo. Ahí están los pazos de Ulloa, que no me dejarán mentir. La gran huronera, desafiando al tiempo, permanece tan sombría, tan adusta como siempre. Ninguna innovación útil o bella se nota en su moblaje, en su huerto, en sus tierras de cultivo» *(Los Pazos de Ulloa,* cap. XXX). Sin embargo, a pesar de que el tiempo no transcurre para el pazo, que experimenta una lenta erosión, sí pasa para las personas. El indicio más importante de este hecho, en *La madre Naturaleza,* lo encontramos al ver reaparecer personajes de *Los Pazos de Ulloa,* como éste, vencidos ya por los años.

[84] *amañar,* gall.: arreglar, tanto en el sentido de reparar algo como en el sentido de «apañárselas»; con este mismo significado vuelve a aparecer más tarde en este mismo capítulo: «y cuando el marqués estaba cerca de triunfar, no sé cómo judas lo amañó»; con el sentido de «reparar» ha de aparecer asimismo en otra ocasión: «si les hiciesen caso, estaría siempre el carpintero amañándoles algo».

después, viendo que ni aun así conseguían introducir al obeso y octogenario Arcipreste, alargaba sus enguantadas manos y tiraba de él con fuerza hacia el interior, logrando por fin que atravesase la portezuela y se desplomase en el asiento del rincón, haciendo retemblar con su peso la berlina y llenándola toda con su desmesurada corpulencia, al paso que refunfuñaba un «Felices días nos dé Dios».

De soslayo —porque después de entrar el Arcipreste nadie podía rebullirse y todos se encontraban estrictamente encajados, prensados como sardina en banasta— el viajero chico insinuó a su compañero:

—¡Pero hombre, que se ha fastidiado usted! Ahora tiene usted que aguantarse en el medio todo el viaje. ¡Ha sido usted un tonto! El entremés era dejarle, a ver qué hacía.

Enarcó las cejas el viajero de los guantes, dudando si mandar a paseo a aquel cernícalo[85] o darle una lección. Al fin se volvió, como pudo, y dijo bajando la voz:

—Es un viejo y un sacerdote.

El viajero pequeño le miró con curiosidad, arrugando el gesto, y procurando discernir mejor, a la pálida luz del amanecer, las trazas del enguantado caballero. Parecíale hombre ya maduro, bien barbado, descolorido de rostro, alto de estatura, no muy entrado en carnes —sin ser lo que se llama flaco— y vestido de un modo especialmente decoroso y correcto[86], por lo cual el observador pensó:

---

[85] *cernícalo:* ave de rapiña, pero también, figuradamente, y ese es el sentido que tiene aquí, hombre ignorante y rudo.

[86] A lo largo del capítulo el lector ve al personaje a través de los ojos de Trampeta, cuyas exploraciones van contrapunteadas por los comentarios del narrador. Hasta que se impone el Naturalismo en la novela española, es el narrador omnisciente quien se ocupa de las descripciones que preceden a la introducción de los personajes; con el Naturalismo, sin embargo, se va desarrollando la técnica del testigo dentro de la narración. Uno de los primeros ejemplos de esta técnica lo tenemos en la segunda parte de *La desheredada* (1881), de Galdós, donde el narrador se funda en los informes proporcionados por los personajes, don José de Relimpio, Augusto Miquis, etc. Esta técnica es de fundamental importancia ya en *La de Bringas* (1884) y en *Fortunata y Jacinta*, novela ésta que comienza precisamente con *testimonios* o «noticias» de otros: «Las noticias más remotas que tengo de la persona que lleva este nombre...»; Benito Pérez Galdós, *Fortunata y Jacinta,* ed. de Francisco Caudet (Madrid, Cátedra, 1983), vol. I, pág. 97.

—Éste me huele a título o diputado de los conservadores. ¿Quién será, demonios, que no lo he visto nunca? —y después de reflexionar breves instantes—. De fijo —decidió— es algún forastero que va a la finca del marqués de las Cruces o a la del de San Rafael. Claro. Allí todo el mundo se come los santos y les hace el *salamelé*[87] a los curas. Pues el marqués de las Cruces no es, que a ese bien le conozco. El de San Rafael, menos, ¡ojalá! Nos haría reventar de risa con sus dichos, señor más ocurrente y más natural. ¿Será alguno de los maridos de las sobrinas? ¡Ca!, vendría la señora también con él. Pero, ¿quién rayos será?

Ya no tuvo punto de reposo el activo y bullidor cerebro del viajero chico, a quien no en vano daban amigos y adversarios (de las dos cosas tenía cosecha, a fuer de temible cacique) el sobrenombre significativo de *Trampeta*, queriendo expresar la fertilidad en expedientes y enredos que le distinguía. Toda la potencia escrutadora del intelecto trampetil se aplicó a despejar la incógnita del misterioso viajero que cedía el asiento del rincón a los curas[88]. Con más atención que ningún novelista

---

[87] *salamelé:* puede tratarse de zalema o referirse, por el contrario, a algún baile o representación de la época. El nombre podría derivarse de la voz de saludo árabe, *Al-sallah mujalaiqum*, voz que en el Magreb se pronuncia *'l-salehmalec'm*. De originarse en dicho saludo, que en árabe conlleva una reverencia, tendría sentido que Trampeta diga que todos hacen el *salamelé* —o sea, la reverencia— a los curas. Todo esto, sin embargo, es hipotético y se basa en el hecho de que el Magreb y el mundo árabe se pusieron de moda en Europa tras las invasiones colonialistas del norte de África. Pereda menciona en *Sotileza* una representación de nombre muy parecido: «Una hora después Madruga bailaba el *Cucuyé* con Ligo y, un poco más tarde, a instancias del anfitrión, su piloto, provisto de un cuchillo y una servilleta retorcida, cantaba y representaba el *Sama-la-culé* (precisamente por representar esto tan a la perfección se le había puesto el mote que llevaba), haciéndole el coro y ayudándole en la escena todos los demás»; José M.ª de Pereda, *Sotileza* (cap. VII).

[88] Durante años fue costumbre de los varones ceder el asiento en los lugares públicos o en los vehículos a las damas y a los curas, según mandaban las normativas de cortesía; esta costumbre va desapareciendo a lo largo del siglo XIX, y a partir de la revolución liberal de 1868 se convierte en un resabio de la sociedad anterior o en un comportamiento social que servía de indicio de un credo político antiliberal. Puesto que el personaje ha cedido el rincón al Arcipreste, según él mismo dice por ser aquél viejo y sacerdote, Trampeta sospecha que se trata de alguien de ideología conservadora, por tanto, relacionado con aquellos que, en sus palabras, pasan el día comiéndose los santos y haciendo reverencias a los curas.

de los que se precian de describir con pelos y señales[89]; con más escama que un agente de policía que sigue una pista, dedicóse a estudiar e interpretar a su modo los actos de su compañero de viaje, a fin de rastrear algo. Después de que arrancó la diligencia, el viajero no había hecho sino bajar un cristal, el que le tocaba enfrente, con ánimo sin duda de mirar el paisaje; pero al convencerse de que no se veían por allí sino los hierros del pescante y los pies zapatudos del mayoral, volvió a subirlo, y se recostó en el respaldo, resignadamente, no sin lanzar una ojeada, de tiempo en tiempo, hacia las ventanillas. Transcurrido un cuarto de hora, cuando ya habían perdido de vista el pueblo, sacó una petaca fina, y abriéndola, la ofreció a ambos compañeros sin hablar, pero con ademán cortés. Trampeta alargó sus dedos peludos y cortos y cogió un cigarrillo diciendo:

—Se estima.

El Arcipreste entreabrió un ojo (iba como aletargado, resoplando y con la cabeza temblona) y dijo que no con las cejas; al mismo tiempo deslizó la incierta mano, que de puro gruesa parecía hidrópica, bajo el balandrán, y exhibió una tabaquera de forma prehistórica, un gran *fusique*[90] de plata, que arrimó a la nariz, sorbiendo con notoria complacencia el rapé.

—No toma sino polvo. Está más viejo que la Bula. Yo no sé cómo no ha reventado ya —exclamó Trampeta, sin cuidarse de bajar la voz; por lo cual el otro viajero le amonestó algo severamente:

---

[89] Hay aquí, sin duda, autoironía, indicio de que la autora está superando una técnica descriptiva que antes había usado con auténtica fruición. Los autores naturalistas, incluida doña Emilia, eran criticados por la minuciosa descripción de hechos banales; Menéndez y Pelayo critica a los autores de novelas modernas, «de esas que, según dicen, le ponen a uno delante el espectáculo de la realidad, que suele ser muy aflictivo o muy trivial espectáculo» *(Estudios sobre la prosa del XIX,* ed. cit., pág. 105); Luis Alfonso, al reseñar *La desheredada* de Galdós, hace lo mismo al notar la «prolija abundancia de pormenores afiligranados» *(La Época. Hoja literaria del lunes,* 7-XI-1881, pág. 1); y el mismo Clarín objeta la atención excesiva que, en *Un viaje de novios,* concede la autora al balneario de Vichy.

[90] *fusique:* pomo en el que se guarda el rapé, o tabaco en polvo, con agujeros para sorber dicho polvo por la nariz.

—Mire usted que este señor puede oír lo que usted dice de él.

—¡Ca! Más sordo que una tapia —gritó Trampeta, como para probar su aserto—. Aunque le dispare un cañón junto a la oreja, ni esto. Siempre fue algo *teniente*[91]; pero ahora, ¡María Santísima! La sordera, como usted me enseña, es un mal que crece mucho con los años. Y vamos a ver: ¿dirá usted al verlo tan acabado, que este bendito Arcipreste fue *un remeje que te remejerás*[92] de elecciones, que nos dejaba a todos tamañitos? Hoy no es ni su sombra. En sus tiempos era un demonio con sotana: no había quien se la empatase en toda la provincia. Cuentan que una vez dio un puntapié a la urna. Sin ir más lejos, allá cuando la Revolución, *la Gloriosa*[93], ¿usté me

---

[91] *algo teniente:* familiarmente, algo sordo.

[92] *remejer,* castellanización del gallego *remexer:* cambiar de sitio cosas que estaban ordenadas, dejándolas alteradas y en desorden; fue *un remeje que te remejerás:* fue un intrigante.

[93] También llamada *la Setembrina,* se trata de la revolución liberal que había de desembocar, tras cinco años de vaivenes, en la I República española y, tras el fracaso de ésta, en la Restauración. El 28 de septiembre de 1868, las fuerzas revolucionarias del general Serrano pasan el Puente de Alcolea y se enfrentan con las fuerzas leales a Isabel II, comandadas por el general Manuel Pavía y Lacy, marqués de Novaliches, quien cae herido en la refriega, rindiéndose sus tropas. Este hecho precipita la revolución liberal en la que colaboran Ruiz Zorrilla, Sagasta, Prim y el vicealmirante Topete, sublevando este último a la armada en Cádiz. Isabel II, que se hallaba de vacaciones en San Sebastián, cruza la frontera y marcha al exilio. El 3 de octubre Prim entra triunfal en Barcelona; el día 7 llega a Madrid, y el 8 se forma el gobierno provisional revolucionario en el que colaborarían moderados y progresistas. En 1869, Serrano es elegido regente y Prim jefe de gobierno, siendo así la figura principal de este período. En 1870, el consejo de gobierno ofrece la corona al príncipe alemán Leopoldo Hohenzollern-Simmeringen. Esta decisión causa el disgusto de Francia, y habrá de ser origen de la guerra franco-prusiana de 1870. Rechazada la candidatura del príncipe Hohenzollern, los diputados eligen rey al duque de Aosta, protegido de Bismarck y candidato propuesto por Prim. Este general será asesinado en Madrid pocos días después, víctima de un oscuro complot en el que parece haber estado implicado Alfonso de Orleans, cuñado de Isabel II y duque de Montpensier. El duque de Aosta llega a Cartagena el 2 de enero de 1871 y será coronado como rey, con el nombre de Amadeo I. Falto del apoyo de Prim, se ve obligado a abdicar en febrero de 1873, dejando paso a la I República que —con cuatro presidentes (Salmerón, Castelar, Figueras y Pi y Margall)— duraría un año. El 3 de enero de 1874, el general Manuel Pavía, gobernador militar de Madrid, invade el Congreso al mando de una com-

entiende?, que andaban los carlistas muy alterados, como usté me enseña, por poco entre ese condenado y otros de su laya me hacen perder una elección reñidísima, y me sacan avante al marqués de Ulloa contra el candidato del gobierno.

Al nombre del marqués de Ulloa, el viajero enguantado, que hasta entonces escuchaba como quien oye llover, y sin ocuparse más que del cigarrillo suave que fumaba, prestó atención y aun intentó volverse; pero esto no era factible, atendido que cada vez iban más apretados, porque el Arcipreste, reclinando la cabeza en la esquina, y cubriéndose la cara con un pañuelo blanco, adoptaba postura más comoda, y ocupaba todavía más sitio.

—¿Dice usted que las elecciones en que figuró el marqués de Ulloa?

—Sí señor, sí señor —repuso Trampeta, todo esponjado y contento de acertar con algo que interesaba al viajero y le hacía dar señales de vida—. Por cierto que después...

—El marqués de Ulloa —interrumpió el viajero— es don Pedro Moscoso, ¿verdad?

—El mismo que viste y calza. Por cierto que...

—¿El yerno del señor de la Lage?

No era sólo atención, era interés muy vivo lo que revelaba el semblante del enguantado, y no pudiendo volver el cuerpo, torcía la barba sobre el hombro, clavando en Trampeta sus ojos garzos y grandes, de párpado marchito y enrojecido, como suelen tenerlo las personas que leen mucho o viven aprisa.

—Ajá —articuló Trampeta afirmando con cabeza y manos y con todo el rebullicio de cuerpo que consentía la apretura—: ¡ajá! El mismito. ¿Al parecer usted lo conoce?

No contestó el de los guantes, pero dijo con las pupilas: «Siga usted.» Trampeta, aunque tan observador y ladino, no era capaz de darse un punto a la lengua cuando ésta le picaba.

---

pañía de la Guardia Civil. Comienza entonces la dictadura del general Serrano, duque de la Torre, que dura casi un año; la noche del 29 al 30 de diciembre, el general Martínez Campos se pronuncia en Sagunto (Valencia) en favor de la restauración de la monarquía en el nombre de Alfonso XII, quien llegaría a España en enero de 1875.

—¡Aquéllas fueron unas elecciones... de la mar salada! Quedó que contar de ellas en el país para veinte años. Y como además de los líos que hubo en ellas, vino después la muerte del mayordomo del marqués, que fue una cosa atroz.

A pesar de la sordera del Arcipreste, aquí bajó la voz Trampeta, y sus ojos vivos, ratoniles, se posaron oblicuamente en el clérigo. Éste roncaba ya, con ahogado resuello de apoplético. El cacique se tranquilizó y prosiguió:

—Lo despabilaron en un monte por mandato de los mismos suyos; ni visto ni oído. ¡Un balazo limpio, de esos que dejan sequito a un hombre!

—Ese mayordomo... —murmuró el de los guantes, fijando la vista en Trampeta, como si quisiera preguntarle algo; pero se contuvo y no prosiguió. Afortunadamente para él, Trampeta no era hombre de dejar cojo el cuento.

—Como usted me enseña, mi amigo, donde pasan ciertas cosas siempre hay misterios y demoniuras. ¿Usted conoce al marqués? Bueno: pues entonces ya sabe usted que vivía..., mal arreglado, o enredado, o embrutecido, como se quiera decir, con la hija de ese mayordomo que mataron, ¡y qué moza era, me valga Dios! Como unas flores. Pues cuando el marqués determinó de casarse con la hija del señor de la Lage...

El enguantado hizo un movimiento.

—¿También lo[94] conoció, eh? —preguntó Trampeta.

Dijo el viajero que sí con la cabeza, y el bueno del Secretario prosiguió:

—Pues, ¿usted me entiende? La boda del señorito no le hizo maldita la gracia al truchimán del mayordomo, que tenía más conchas que un galápago, y como no pudo vengarse de otro modo, fue y, ¿qué hizo? Preparó las elecciones muy preparaditas, y cuando el marqués estaba cerca de triunfar, no sé cómo judas lo amañó...

Aquí la mirada de Trampeta se hizo más oblicua y casi torva.

---

[94] *lo conoció:* así dicen las dos ediciones publicadas en vida de la autora; sin embargo, el sentido parece exigir *la,* referido a «la hija»; la referencia al «señor de la Lage» carece de sentido en este contexto.

—En fin, que vendió completamente a su amo, lo mismo que vende uno los cerdos en el mercado, con perdón: una jugarreta que le costó al señorito la diputación, ni más ni menos. Y como usted me enseña, al vengativo de Barbacana, que es más malo que la quina...

Pausa breve.

—¿Usted no sabrá quién es Barbacana? ¡Dios nos libre! Entonces era el tirano del país; uno de esos tiranones terribles, como usted me enseña. Ahora ya va de capa caída; los años le pesan; le tenemos metido el resuello en el cuerpo; ¡vaya si se lo tenemos! ¿Usted irá a Orense?, ¡pues pregúntele usted al gobernador qué apunte es Barbacana!

Al decir esto observaba Trampeta el rostro del enguantado, a ver si la referencia al gobernador le producía efecto. Viendo que no, pensó para su sayo: «No debe de ser diputado, ni cosa así.» Y añadió:

—En fin, que se cree..., ¿usted me entiende?, que fue Barbacana quien... (ademán muy expresivo de despabilar una luz con los dedos.)

—¿Dice usted que mataron a ese hombre, al mayordomo del marqués de Ulloa? —preguntó por fin el viajero de los guantes—. ¿Y dónde, y quién y por qué?

—¿Quién? Un satélite de Barbacana, un facineroso malhechor relajado que se llama el Tuerto. Así que Barbacana tiene una rachita[95], ya anda él muy campante por el país, metiendo miedos a todo dios. ¡Uno de tantos escándalos! Pero ahora les hemos de atar corto de vez. ¿Dónde? En un monte, propiedad del marqués, por el día y por el sol. ¿Por qué? Pues como dije, en venganza de que le hizo al marqués perder las elecciones.

—Y la hija de ese hombre, ¿qué ha sido de ella? —interrogó el viajero, acariciándose la barba con la enguantada mano, para simular indiferencia que no sentía.

—Ese es otro cantar. ¿Usted ya sabrá que el marqués enviudó de allí a poco?

---

[95] La primera edición dice, por error tipográfico, «un arachita»; la segunda corrige la lectura a «una rachita», o sea, así que Barbacana tiene una racha de buena suerte, es decir, un momento de fortuna, por lo general breve.

Una tristeza, una angustia profunda se grabó en el rostro del viajero. Si Trampeta le mirase, ahora sí que vería la alteración de sus facciones. Pero Trampeta a la sazón encendía dificultosamente el cigarro.

—Enviudó, porque la señorita *se puso tisis*[96]. Parece que le dio muy mala vida por causa de la raída de la moza, y que andaba San Benito de Palermo[97]. Ella era poquita cosa; de poco estuche. Pss...

Aumentó la turbación del viajero al decir esto Trampeta, y la revelaron visibles señales. Sus ojos, que tenían más de pensativos que de brillantes, chispearon un momento; funció el entrecejo, y por su frente despejada corrieron una tras otra, como olas, tres o cuatro arrugas bastante profundas. Respiró tan fuerte y hondo, que Trampeta, volviéndose, le miró con mayor curiosidad aún.

—Parece que la historia le toca a este señor de cerca. Tate. Hay que ver lo que se habla. ¡Me caso! No se me quita el vicio de ser parlanchín.

Había amanecido del todo, disipándose la niebla; el sol doraba ya con alegre reflejo las cimas de los árboles, las aguas de los manantialillos que brincaban del monte a la carretera, los cristales de las casitas que de trecho en trecho se asomaban curiosas, con su cerca, sus dos manzanos, su emparrado de vid, su *meda* de centeno junto al hórreo. A aquella hora, en que el calor no hostigaba todavía a jacos ni a viajeros, y la tierra despertaba impregnada de rocío nocturno, y el sol se bebía la ligera *brétema*[98], no molestaría ir en la berlina, a no ser por los ronquidos del Arcipreste, más hondos y atronadores cada vez, por su estorboso volumen, por las blasfemias del mayoral, por el olor desagradable del forro del coche. La claridad diurna alumbraba las facciones del viajero de los guantes, descubriendo en su barba corrida, bien recortada y no muy recia, unos cuantos hilos de plata; en su dentadura una mella; en

[96] *se puso tisis:* enfermó de tuberculosis.

[97] Según Marina Mayoral, la expresión «andar San Benito de Palermo por medio» alude a la forma como el marqués maltrata a Nucha al final de la novela anterior; ed. cit., vol. II, pág. 426, nota 16.

[98] *brétema,* gall.: frescor húmedo resultante de la evaporación del rocío.

sus sienes lo ralo del pelo; en sus mejillas, de piel fina y coloración mate, la azul señal de algunos granos de pólvora incrustados bajo el cutis. A un lado y a otro de la nariz, los quevedos[99] de acero que solía gastar le habían labrado una especie de surco, rojo o amoratado. Su mirada, intensa, dulce, miope, tenía esa concentración propia de las personas muy inteligentes, bien avenidas con los libros, inclinadas a la reflexión y aun al ensueño.

El cacique, en guardia contra las preguntas que se le pudiesen dirigir, esperaba; pero pasó un rato, y el viajero nada dijo: suspiró como quien desahoga el pecho, y limpió con el pañuelo los quevedos, cerrándolos cuidadosamente para no romperlos. Trampeta le atisbaba receloso.

—¡Borrico de mí! —pensó—. Dice que conoce al marqués. Será su amigo, y no querrá más chismes. Aunque don Pedro Moscoso, ¡qué ha de ser amigo de ninguna persona tan así..., tan decente!

Ocupábase el viajero, después de bajarse con dificultad, en sacar de un cestito de paja un frasco blanco, forrado también de paja hasta el gollete, con reluciente tapadera de metal[100].

—¿Gusta usted un trago de vermut? —dijo al cacique.

—No señor. Se aprecia. Llevo anís estrellado y buen aguardiente, que es lo mejor para el flato estando en ayunas. Pero ya maté el gusano antes de salir.

Bebió el enguantado por un vaso oblongo, recogió todo, y desabrochando mal como pudo las correas de su manta de

---

[99] *quevedos:* gafas de lentes redondas con que suele aparecer representado Quevedo en sus retratos. Durante mucho tiempo fueron considerados como un aditamento poco atractivo, lo cual puede sugerir cierta fealdad en don Gabriel, pero también puede ser indicio de edad, empezando a registrar el maduro personaje los estragos del tiempo, como indican además su pelo canoso y la mella en la dentadura; recuérdese que Nucha fue descrita como feúcha y algo bizca; también Manuela piensa que ella es fea. Pero la indicación de edad en don Gabriel viene a sugerir que nunca es percibido como un candidato serio para Manuela debido a la enorme diferencia de años que hay entre ellos.

[100] Aunque no se ha hecho indicación de que la diligencia se haya detenido, hemos de entender que hay un alto en el viaje, que aprovecha el viajero para reposar. Poco después se indica que la diligencia sigue su marcha con «paso de procesión».

viaje, tomó de dentro un libro, amarillo, con las hojas sin cortar. Abrió como unas veinte o treinta sirviéndose de un cortaplumas, mirando a Trampeta como en espera de que terminaría la crónica chismográfica tan brillantemente comenzada. Vacilaba y deseaba hablar. Se decidió por fin.

—La hija del mayordomo... —articuló.

¡Qué tentación tan fuerte para el cacique! Más fuerte que su virtud. Ya no pudo contenerse.

—Pues así que murió la señora, todo el mundo pensó que el marqués se casaba con ella, porque la muchacha tenía un chiquillo, y al marqués le había dado por tomarle un cariño atroz, de repente, así como a la hija verdadera, la que tuvo de su señora, no le hacía apenas caso. Y por cuanto salimos con que la moza apareció muy prendada y en tratos con un tal Ángel, el gaitero de Naya, un buen mozo también, y jurando y perjurando que el chiquillo era hijo del gaitero dichoso. No hubo fuerzas humanas que la disuadiesen: que me caso, que me caso, y va y se casa con su querido, y el marqués, por no apartarse del chiquillo, los deja seguir de criados en casa, al frente de la labranza, y le da carrera al muchacho, y me lo trae hecho un señorito. Y unos dicen que si esto, que si aquello, que si lo otro, que si lo de más allá. Las lenguas, como usted me enseña, no hay quien las ate, ¿eh?, y usted, un suponer, no va a ponerle un tapón en la boca a todos.

Al llegar aquí Trampeta, el viajero frunció las cejas otra vez. Después de dudar un instante, dijo reposada y cortésmente:

—Con permiso de usted.

Y tomando a sus pies, de entre el lío de la manta, un libro, se puso a leer sosegadamente, aprovechando el paso de procesión con que la diligencia subía, ¡a la cumbre, a la cumbre!

Túvose Trampeta por chasqueado. Los indicios de curiosidad e interés del viajero prometían plática larga y tendida, de esas que de repente, en un coche de línea, convierten en amigos íntimos a los dos indiferentes que un cuarto de hora antes dormitaban hombro contra hombro. Y héteme aquí que ahora el compañero se ponía a leer sin hacerle más caso. Echó una mirada sesga al libro, por si algo rastreaba: nuevo desengaño. El libro estaba en un idioma que Trampeta no conocía ni aun para servirlo.

¿Hay hablador curioso que se resigne a no chistar, dejando en paz a los que huyen de él refugiándose en un libro? Mil pretextos encontró Trampeta para distraer a su vecino y llamarle la atención. Ya le enseñaba un punto de vista, ya le nombraba un sitio, ya le bosquejaba en pocas palabras y muchos guiños de inteligencia la historia del dueño de alguna quinta. Fuese por cortesía o porque le agradase, el enguantado atendía gustoso. Cerraba el libro metiendo el dedo índice por entre dos páginas para no perder la señal, y escuchaba, inclinando la cabeza, las indicaciones topográficas y chismográficas del cacique.

Habrían andado cosa de tres horas, y ya el sol, el polvo y los tábanos comenzaban a crucificar a los viajeros, cuando Trampeta tiró repentinamente de la manga al enguantado.

—A bajarse tocan —le advirtió muy solícito como quien presta un servicio notable.

—¿Decía usted? —exclamó el viajero sorprendido.

—¿No va a la finca del marqués de las Cruces? Pues aquél es el soto. ¡Mayoral! ¡Para, mayoráaal!

—No, señor. Si no voy allí.

—¡Ah! Pensé. Ha de dispensar.

La misma escena se repitió poco más adelante, en el empalme del camino que conduce a la soberbia quinta del marqués de San Rafael. Trampeta bien quisiera preguntar al enguantado —«¿Adónde judas va entonces?»— pero con toda su petulante grosería de cacique mimado por personajes muy conspicuos, dueño y señor feudal de un mediano trozo de territorio gallego, y por contera y remate, mal criado y zafio desde sus años juveniles, supo, a fuer de listo, notar en el semblante, modales y trazas del viajero misterioso cierto *no sé qué* sumamente difícil de describir, combinación de firmeza, de resolución y de superioridad, que sin violencia rechazaba la excesiva curiosidad dejándola burlada.

VI

Uno de los deleites más sibaríticos para el feroz egoísmo humano es ver —desde una pradería fresca, toda empapada en agua, toda salpicada de amarillos ranunclos y delicadas gramíneas, a la sombra de un grupo de álamos y un seto de mimbrales, regalado el oído con el suave murmurio del cañaveral, el argentino cántico del riachuelo y las piadas ternezas que se cruzan entre jilgueros, pardales[101] y mirlos— cómo vence la cuesta de la carretera próxima, a paso de tortuga, el armatoste de la diligencia[102]. Hace el pensamiento un paralelo (fuente de epicúreos goces, sazonados por el espectáculo del martirio ajeno), entre aquella fastidiosa angostura y esta dulce libertad; aquellos malos olores y estas auras embalsamadas; aquel ambiente irrespirable y esta atmósfera clara y vibrante de átomos

---

[101] *pardal*, gall.: gorrión.

[102] La descripción del «armatoste de la diligencia» en términos que recuerdan a la silla de posta de Larra, en contraste con el prado ameno desde el que la observa Juncal, y el tono de hipérbole jocosa de todo el episodio, ilustra una importante característica del realismo consistente en lograr animación mediante exageración y caricatura. Las polaridades —sordidez e incomodidad de la diligencia frente a la apacible sensación de la naturaleza— contribuyen a dar la idea de movimiento susodicha, que el lector percibe desde el punto de vista de Juncal, quien observa «el martirio ajeno». La diligencia, llena de incomodidades, viene a repetir aquí el esquema de *Los Pazos de Ulloa* donde don Julián llegaba de la civilización —Santiago de Compostela— a la barbarie del pazo; en *La madre Naturaleza,* Gabriel Pardo repite este viaje, pero es capaz de sobrevivir a las incomodidades y accidentes del viaje, a diferencia de don Julián quien, según se dice al comienzo de *Los Pazos de Ulloa,* demostraba «escasa maestría hípica» (cap. I).

de sol; aquel impertinente contacto forzoso y esta soledad amable y reparadora; aquel desapacible estrépito de ruedas y cristales y estos gorjeos de aves y manso ruido de viento; y por último, aquel riesgo próximo y esta seguridad deliciosa en el seno de una naturaleza amiga, risueña y penetrada de bondad.

No todos razonan y analizan esta impresión con lucidez, pero apenas hay quien no la sienta y saboree. Bien la definía y paladeaba el médico de Cebre, Máximo Juncal, entretenido en *echar* un cigarro, tumbado boca arriba en un pradillo de los más amenos que puede soñar la imaginación. El médico vestía tuina[103] de dril y calzaba zapatos de becerro; ni cuello[104] ni corbata tenía; su camisa de dormir, desabotonada, no tapaba unas clavículas duras y salientes como pechuga de gallo viejo ya desplumado; en sus manos afianzaba el último número de *El Motín*[105], donde acababa de leer las picardigüelas de un *curiana*[106] allá en Navalcarnero, enviadas al periódico por un corresponsal rígidamente virtuoso, que escribía «lleno de indignación»[107].

---

[103] *tuina:* chaquetón largo y holgado.

[104] *cuello:* se refiere al cuello rígido, postizo, que se añadía a las camisas.

[105] Periódico del liberalismo radical, de tendencia anticlerical y antimonárquica, fundado en 1883 por el anarquista José Nakens; era semanal y se publicó durante cuarenta y cinco años. El cura agustino Francisco Blanco García, de ideario ultraconservador, lo menciona alarmado como ejemplo de la persistencia del libre examen tras la Restauración. Dice el agustino: «A par de la blasfemia culta de las aulas universitarias y de otros centros docentes, cunden en las hojas de *Las Dominicales, El Motín* y su numerosa descendencia los gritos de guerra sin cuartel contra la Religión.» E, inmediatamente, el agustino describe escandalizado el contenido del periódico como: «Calumniar al clero, hacer la apología del puñal y de la matanza de los frailes, embrutecer al pueblo y a los lectores semiilustrados, y despertar en ellos instintos de ferocidad salvaje constituyen el propósito de aquellas publicaciones que, a ciencia y paciencia del Gobierno, se exhiben y pregonan en las calles»; Francisco García Blanco, *La literatura española en el siglo XIX* (Madrid, Sáenz de Jubera, 1910), vol. II, pág. 321.

[106] *curiana:* cucaracha, aquí empleada para referirse, mediante paronomasia, a «cura».

[107] Si el capítulo empezaba con un tono de exageración hiperbólica, se continúa con una visión en ocasiones cómica —p. ej., la imagen monumental del Arcipreste de Loiro—, a veces humorística de los personajes, como ocurre en la presentación de las ideas radicales de Juncal. Éste es lector de *El Motín,* pe-

Desde que por la carretera, bastante más elevada que el prado, vio Juncal asomar la nube de polvo que anuncia la proximidad de un coche de línea, interrumpió la para él sabrosísima lectura de los sueltos clerófobos, y alzando la cabeza, entre chupada y chupada, púsose a considerar atentamente las trazas del gran mamotreto. Oyó el repiqueteo de los cascabeles y campanillas, tan regocijado cuando el tiro trota, como melancólico cuando va a paso de caracol. Vio luego aparecer el macho delantero, y a sus lomos el flaco zagal, vestido de lienzo azul, con gorra de pelo encasquetada hasta la nuca, aletargado completamente bajo la influencia de un sol de brasa. Manteníase sin caer del caballo merced a un milagro de equilibrio y a la costumbre de andar así, pero lo cierto es que dormía. Dormía también el mayoral; sólo que ese ya roncaba cínicamente, espatarrado en el pescante, con la bota casi desangrada bajo el sobaco, el mango de la tralla escurriéndosele de la mano, los carrillos echando lumbre y colgándole de los labios un hilo de baba vinosa. Y dormitarían los caballos del tiro, si se lo permitiesen los encarnizados y fieros tábanos y las pelmas de las moscas, infatigables en lancetarles la piel. Los infelices jacos se estremecían, coceaban, sacudían las orejas con frenesí, se mosqueaban con el rabo, y solían arrancar al trote, creyendo huir de la tortura.

—Bueno va —pensó en alto el médico, riéndose sin pizca de compasión—. El tiro campa por su respeto. ¡Y apenas va cargado el coche! No entiendo cómo no vuelca todos los días.

---

riódico cuyo único cometido, por lo que se desprende de la lectura, es la actividad puramente infantil de zaherir al clero a base de inventar asonancias de las palabras «cura» o «sacerdote». Estas bromas de colegial afectan a este personaje, que es presentado de un modo bastante simple, sin lograr la fuerza y la belleza que tienen otros en la novela. Temáticamente viene a complementar la imagen del *algebrista:* si éste es el «médico» popular, Juncal será el científico. La perspectiva revolucionaria de Juncal, y su cientificismo, contrastan con la mansedumbre y la espiritualidad del párroco de Ulloa del mismo modo que el *algebrista* contrasta con Goros. Sobre Juncal, *vid.* el estudio de Maurice Hemingway, «Máximo Juncal, representante de la ciencia humana: Vacilaciones de doña Emilia», en Marina Mayoral (coord.), *Estudios sobre «Los Pazos de Ulloa»* (Madrid, Cátedra, 1989), págs. 61-71.

En efecto, desde lejos era el aspecto de la diligencia sumamente alarmante. La base de la caja parecía angostísima en relación con la cúspide, que la formaba una inmensa baca o imperial agobiada con cuádruple peso del que razonablemente admitía. Por todas partes emergían de la polvorienta cubierta enormes baúles, cajones descomunales, fardos de colchones, grupos de sillas, pues la mujer del empleado trasladaba su ajuar enterito. Del cupé, que también iba atestado de gente, sobresalían cestos con gallinas, y más líos, y más rebujos, y más maletas, y otra tanda de cajones. No se comprendía, al ver la penosa oscilación de la desproporcionada cabeza del carruaje sobre las endebles ruedas, que ya no se hubiese roto un eje, o que la mole no se rindiese a su propia pesadumbre. Algo que entrevió Juncal al través de los cristales de la berlina, completó su malicioso regocijo.

—Y para más, ¡dentro va el Arcipreste de Loiro! Diez o doce arrobas de suplemento. Lo que es hoy.

Al pensar esto el médico, llegaba el tiro a la revuelta de un puentecillo tendido sobre un riachuelo de mezquino caudal —el mismo que corriendo entre mimbrales y alisos regaba la pradería. Era la revuelta asaz rápida; el tiro, entregado a su propio impulso, la tomó muy en corto. Juncal se incorporó, soltando un terno. No tuvo tiempo a más, porque en un santiamén, sin saberse cómo, toda la balumba de coche y caballos se revolvió, se enredó, se hizo un ovillo, y al sentir el peso del carruaje, que se inclinaba con crujido espantoso, encrespáronse los caballos, relinchando de ira y susto, irguióse la lanza por cima del pretil del puente, y el macho delantero, con el zagal encima, y tras él un caballo de cortas[108], salieron despedidos con ímpetu, haciendo *¡plaf!* en mitad del riachuelo, lo mismo que ranas. Avínole bien a la diligencia, que la misma fuerza del empuje rompió cuerdas y tirantes, impidiéndola precipitarse con el resto del tiro desde una altura no extraordinaria, pero suficiente para hacerla añicos. Su peso descomunal la sujetó, volcada al borde del puente y recostada en él.

---

108 *caballo de cortas:* o sea, *caballo de cuartas,* expresión con que se designa al animal que va de guía del tiro.

Dicen personas expertas en esta clase de lances, que ni los testigos oculares, ni las víctimas, son capaces de referir puntualmente las peripecias que se suceden en un abrir y cerrar de ojos, ni menos recordar de qué manera, guiado por el instinto de conservación, se pone en salvo cada quisque.

Yacía tumbado el coche; el mayoral había despertado rodando del pescante al suelo y abriéndose la cabeza, y sin duda por la descalabradura se le refrescó y disipó la mona, pues ágil ya y despabilado, se emperraba en aquietar y desenredar el tiro, metiéndose entre las bestias con intrepidez salvaje, lidiando cuerpo a cuerpo, a coces y puñadas, con mulas y machos, sin diferenciarse de ellos más que en las espantosas blasfemias que escupía. En ventanillas y portezuelas fueron asomando cabezas, brazos, hombros, hasta pies, pugnando por romper su cautiverio. Surgieron dos estudiantes, tiraron por la moza, y la sacaron a rastra; y como se empeñase en recoger sus quesos, vociferaron y la desviaron a empellones. La empleada salió pálida como la cera, apretando silenciosamente al niño que lloraba sin consuelo; luego el notario, echando venablos; y por la portezuela de la berlina, poco menos amarillo que la empleada, saltó Trampeta con una mano sangrando de la cortadura de un cristal. Los del cupé, gente aldeana, descendían aturdidos de sorpresa. En el mismo instante llegaba Juncal, a todo correr, al pie de la diligencia volcada.

—¿Qué es eso, hombre?, ¿qué es eso? —preguntó a Trampeta.

—Ya lo ve, Máximo. Hoy nacimos todos —respondió el cacique sin poder hablar del susto—. Míreme aquí, *hom*[109], si tengo cortada la vena...

—Qué vena ni qué caracoles. Acudir a los que quedan dentro, hombre. ¿Queda alguien?, a ver...

Con ayuda de los estudiantes, tenía ya el mayoral casi apaciguado el tiro, y sólo le faltaba reducir a una mula que, habiéndose cogido la cabeza entre dos correas, a fuerza de patear se empeñaba en ahorcarse. El médico miró hacia el fon-

[109] *hom:* apócope de «hombre» que parece seguir la forma dialectal; en la segunda edición se sustituye por la forma en castellano.

do de la berlina. Salía de allí un ahogado y entrecortado ronquido, tan hondo como el registro más grave de un órgano; y el médico vio a un viajero de buenas trazas metido en la ardua faena de mover la masa gigante del señor Arcipreste, y empujarla hacia la portezuela. Momentos antes Máximo Juncal se sentía animado de los más siniestros propósitos contra la Iglesia en general y el clero diocesano en particular; pero la vista del lastimoso cuadro le ablandó las entrañas, que más que dañadas tenía curtidas por la hiel de un temperamento bilioso[110], y sin hacer caso de la herida de Trampeta, que éste liaba con el pañuelo, acudió en auxilio del viajero enguantado, a quien veía de espaldas, llamando al notario para refuerzo.

—Empújelo usted hacia acá. Yo tiraré por la pierna. ¡Eh!, señor escriba, aguante usted aquí; coja este pie; así, quietos; ya pasó un muslo. ¡Arráncate nabo! ¡Ey, que me hundo, que me hundo! ¡Apuntáleme, escriba de los demonios!

Salió en vilo, sostenida por los puños de Juncal y los fuertes brazos del notario, la mole del desventurado Arcipreste, que dormido durante la catástrofe, no comprendía lo que pasaba, y se veía con sus compañeros de viaje encima, y una astilla de la destrozada caja hincándosele en un costado. Tal fue su estupor, que se le cortó el habla, y sólo exhalaba sordos ronquidos de agonía. Apareció hecho una lástima, con el rostro amoratado y congestionado, en desorden los venerables cabellos blancos, la cabeza y manos no ya temblonas, sino perláticas, y el balandrán roto. Juncal torció el gesto, y falló para sí:

---

[110] Dentro de la simplificada tipología decimonónica, que en algunos momentos fue creída con el fervor y el respeto que se tiene ante una ciencia, el temperamento bilioso era aplicado a las personas delgadas y de color pálido a las que el predominio de la hiel producía, supuestamente, cierta frialdad en la forma de ser y de comportarse frente al apasionamiento nervioso de los arquetipos románticos. El contrate entre uno y otro tipo aparece en la presentación de Leandro Henares, de *Don Juan Solo,* de Ortega Munilla; hablando de él el narrador escribe: «bilioso de temperamento, aunque con disfraz de nervioso, que ocultaba bajo la máscara fulgurante de su rostro una frialdad infinita»; José Ortega Munilla, *Don Juan Solo* (Madrid, A. de Carlos Hierro, 1880), págs. 53-54.

—A sus años, esto echa a un hombre a la sepultura.

El caritativo viajero salió a su vez; tiempo era ya. De la brega tenía destrozados los guantes y descompuesto el traje; con los esfuerzos, se le había coloreado la tez y animado el rostro, quitándole, como suele decirse, diez años de encima, o mejor dicho revelando su verdadera edad, más alrededor de los treinta y pico que de los cuarenta. Aproximósele Juncal muy solícito, y al fijar los ojos en él, se echó atrás admirado.

—Usted dispense —pronunció—. ¡Soy capaz de aventurar algo bueno a que es usted de la familia de la difunta señora de Ulloa, doña Marcelina Pardo!

El viajero se sorprendió también.

—Su hermano para servir a usted —contestó—. ¿Tanto me parezco?

—Facción por facción, no señor: pero el aire, es una cosa, como dicen aquí, escupida[111]. Conque es usted...

—Gabriel Pardo de la Lage, para lo que usted guste mandar. ¿No cree usted que ahora convendría...?

—Lo que conviene es que todos los pasajeros se vengan a Cebre, y allí se curarán los heridos, y los asustados tomarán un trago y un bocado para tranquilizarse. Al mayoral y al zagal les mandaremos gente que ayude a enderezar el coche, y a llevar los caballos a la cuadra, que falta les hace también. A bien que en Cebre ya de todas las maneras tenían que mudar tiro. Hay herrero que empalme la lanza rota, y carpintero que eche un remiendo a la caja. El coche no ha sufrido grandes desperfectos. Fue más el ruido que las nueces. El que tenga que curar algo, a mi casa enseguidita. ¿Usted ha salido ileso, señor de Pardo?

—Noto un dolor en este codo. Alguna rozadura.

—Veremos. Usted no se va a la posada, que se viene a mi choza. Espero en Dios que podrá usted seguir el viaje.

—Mi propósito era bajarme en Cebre. Y en efecto me he bajado, sólo más aprisa de lo que pensé.

---

[111] Es frecuente en Galicia la expresión «é cuspidinha a sua mai» [es imagen escupida de su madre], expresión local que usa Juncal en castellano; *escupida*, del gallego *é cuspida*, persona muy parecida a otra.

Sonrióse al decir esto, y Juncal le encontró «templado» y simpático. La caravana se puso en marcha: los estudiantes, de los cuales sólo uno tenía un chichón en la frente, iban locuaces y jaraneros, metiendo a barato[112] el percance; la moza, antecogiendo su cestilla de quesos, que al fin había logrado rescatar; la mujer del empleado cargada con su rorro, que se abría a puros llantos, sin que la madre le diese más consuelo que decirle «Calla que se lo hemos de contar a papá, a papaíto»; Trampeta con la mano liada, seguro ya de no desangrarse y nuevamente cebada la curiosidad al saber que el enguantado viajero era el propio cuñado del marqués de Ulloa; el notario de Cebre, tan arrimadito a la moza chata como la moza a sus quesos; y el Arcipreste, cogido del brazo de Juncal, flaqueándole las piernas, temblándole el cuerpo todo, gimiendo y resoplando.

---

[112] *meter a barato:* confundir algo, metiendo bulla y dando grandes voces.

VII

Los que no tenían casa ni amigos en Cebre hubieron de dar con sus molidos cuerpos en el mesón que allí toma nombre de fonda; el Arcipreste fue a pedir hospitalidad a su correligionario el cacique Barbacana; y al viajero de los guantes, o sea don Gabriel Pardo, se lo llevó consigo el médico, sin permitir que se cobijase bajo otro techo sino el suyo, porque desde el primer instante le había *entrado* el cuñado del marqués, y cuenta que no simpatizaba fácilmente con las personas el bueno de Juncal.

Agasajó a su huésped lo mejor que pudo y supo, diciéndole a cada rato que su *señora* estaba ausente, pero volvería dentro de un ratito, y entonces se sentarían a *hacer penitencia*. A pesar de las ideas avanzadísimas de Juncal, que con la revolución[113] se habían acentuado aún más en sentido anticlerical y biliosamente demagógico, guardóse bien de informar a don Gabriel de que la susodicha *señora*, nombre con que se llenaba la boca, había sido una panadera de las famosas del pueblo de Cebre: cierto que la de más almidonadas enaguas, limpias medias, rollizos mofletes y alegres y *churrusqueiros*[114] ojos que tenía el país. Por sus muchos pecados, tropezó Juncal en aquel dulce escollo desde su llegada a Cebre, y al fin, después de unos cuantos años de enharinamiento ilícito, un día se

---

[113] Se trata, una vez más, de *la Setembrina* o *Gloriosa*, la Revolución de 1868 (*vid., supra*, nota 93).

[114] *churrusqueiros*, gall.: agradables, simpáticos.

fue, como el resto de los mortales, a pedir al párroco la sanción de lo comenzado sin su venia. Y justo es añadir que a su mujer, tan jovial y sencilla ahora como antes, se le daba un ardite de la posición social, y solía decir a menudo:

—Cuando yo llevaba el pan a casa de don Fulano, o de don Zutano...

Hasta por un resto de afición a las cosas del oficio, había persuadido a su esposo a que adquiriese y explotase un molino, poco distante del prado en que el médico presenció el vuelco de la diligencia. Mientras el marido leía o descansaba, la buena de *Catuxa*, que así llamaba todo Cebre a la señora de don Máximo, era dichosa ayudando al molinero a cobrar las maquilas, midiendo el grano, regateando la molienda a sus antiguas colegas, charlando con ellas a pretexto del negocio, y viviendo perpetuamente en la atmósfera de fino polvillo vegetal a que sus poros estaban hechos.

Envuelta venía aún en flor de harina cuando entró en la salita donde la esperaban Máximo y Gabriel; traía los brazos remangados y el pelo gris como si se lo hubiesen recorrido con la borla impregnada de polvos de arroz, lo cual hacía más brillantes sus ojos, más límpido el sano carmín de sus trigueñas mejillas[115]. Saludó sin cortedad, con expansiva lisura, y don Gabriel por su parte empezó a tratarla con tan reverente cor-

---

[115] En nota anterior se indicó ya la importancia que tiene el color para doña Emilia, quien, según Bravo Villasante, «llega a las ideas mediante el sensualismo colorista» *(Vida y obra de Emilia Pardo Bazán,* ed. cit., pág. 117). Nótese, a este respecto, que este personaje es aquí descrito literalmente envuelto en color, «viviendo perpetuamente en la atmósfera de fino polvillo vegetal», «Envuelta [...] en flor de harina», «el pelo gris como si se lo hubiesen recorrido con la borla». Continúa, más tarde, este rasgo dominante del color en la visión de este personaje, y Catuxa aparece «de mandil blanco» y ofrece a don Gabriel su pañuelo «carmesí con lista negra». David Henn *(Early Pardo Bazán,* ed. cit., págs. 23-26) ha señalado que se nota cierta insensibilidad en la visión que doña Emilia tiene de las clases más humildes. Hay, incluso, desdén hacia las pretensiones de éstas de subir socialmente. No ocurre lo mismo al ocuparse de las clases medias: la escritora presenta el hogar del médico Juncal y Catuxa, la molinera, como modelo de vida apacible, siendo su matrimonio lo más cercano a la felicidad y al bienestar que presenta doña Emilia en esta novela.

tesía como a la más encopetada ricahembra; pero en breve comprendió que la complacería mudando de tono, y hablóle con llaneza festiva, sin renunciar por eso a mostrarse deferente y cortés. Ambos matices los notó Juncal, que no tenía pelo de tonto, y creció su inclinación hacia el viajero, que le parecía ahora tan discreto como caritativo antes.

Comieron en una ancha sala con pocos muebles; Catuxa cerró casi del todo las maderas de las ventanas, por las cuales se colaba una delgada cinta de luz, y ofreció a cada convidado una rama de nogal con mucho follaje, para que mientras comían no se descuidasen en espantar las moscas. No hizo ascos a la comida don Gabriel, y alabó como se merecían algunos platos muy gustosos, los pollitos tiernos aderezados con guisantes, las sutiles mantequillas trabajadas en figura de espantable culebrón, con ojos de azabache y una flor de borraja hincada de trecho en trecho en el escamoso lomo. Tales primores gastronómicos revelaron a don Gabriel que la señora de Juncal trataba bien a su marido y le hacía grata la vida: así era en efecto, moral y físicamente, y por humillante que parezca esta confusión de fuerzas tan distintas, el genio apacible y las mantequillas suaves de Catuxa influían a partes iguales en sosegar la bilis del médico.

Mientras duró el festín, Juncal y su huésped hablaron mucho del lance del vuelco, del escándalo de que menudeasen tanto, de que en no multando a las empresas, éstas hacían su gusto, riéndose de quejas de viajeros y piernas rotas. Informóse don Gabriel de los antecedentes de su curioso compañero de viaje, y al referirle Juncal algunas de sus caciquescas hazañas, se rio recordando la indignación con que Trampeta condenaba en Barbacana otras muy parecidas. A los postres, notó el médico que su huésped parecía molestado, aunque haciendo esfuerzos para disimularlo.

—¿Usted no se encuentra bien?

—No es nada. Parece como si este brazo se me hubiese resentido un poco; me cuesta trabajo moverlo. No se apure usted ahora. Cuando nos levantemos de la mesa tendrá la bondad de reconocérmelo, a ver qué ha sido.

Quería Juncal verificarlo al punto, mas el huésped afirmó que no valía la pena de darse prisa, y el médico en persona preparó el café con una maquinilla de espíritu de vino[116], mientras Catuxa subía de la bodega una botella de ron muy añejo, guarnecida de telarañas. Tal regalo fue, como suele decirse, pedir el goloso para el deseoso; porque si bien don Gabriel no se negó a gustar el rancio néctar, el caso es que Juncal le hizo la razón con tanta eficacia, que se bebió de él casi la mitad. Siempre había sido Juncal, aun en tiempos en que no se le caía de la boca la higiene, grande amigo del licor de la Jamaica; pero desde que se unió en santo vínculo a Catuxa, la ignorante panadera le obligó a practicar lo que predicaba, cerrando bajo siete llaves el ron y dándoselo por alquitara[117], o en ocasiones muy singulares, como la presente.

Alzados los manteles, retiráronse Juncal y don Gabriel al despacho del primero, donde había estantes de libros profesionales, una cabeza desollada y asquerosísima, con un ojo cerrado y otro abierto, que representaba el *sistema venoso,* estuches y carteras de lancetas y bisturíes, y no pocos números de *El Motín* y *Las Dominicales*[118] rodando por sillas, pupitre y suelo. Despojóse don Gabriel de su americana de paño gris a cuadros; desabrochó el gemelo de su camisa y la levantó para mostrar el brazo lastimado. Lo palpó Juncal, se lo hizo mover, y observó concienzudamente, por las manifestaciones del dolor, de qué índole y en qué punto residía la lesión. Dos o tres veces notó en el semblante del viajero indicios de que reprimía un *¡Ay!* Con seriedad e interés le dijo:

—No repare usted en quejarse. Estamos a saber qué le duele, y cuánto y cómo.

---

[116] *espíritu de vino:* alcohol mezclado con menos de la mitad de su peso en agua.

[117] *dar por alquitara:* dar gota a gota, poco a poco, con escasez.

[118] Dos periódicos del liberalismo radical; para *El Motín, vid., supra,* nota 105. *Las Dominicales del Libre Pensamiento* fue fundado en Madrid, en 1883, por Ramón Chíes y Fernando Lozano Montes, ambos del Partido Republicano Liberal; se consideró afín a la masonería *(vid.* M. Mayoral, *op. cit.,* vol. II, páginas 431, n. 19 y 438, n. 21). De ellos obtiene Juncal sus motes para el clero. Para la crítica reaccionaria, representada por el cura agustino Francisco García Blanco, estos periódicos ilustraban la pervivencia del espíritu revolucionario del 68 en el mundo de la Restauración.

—Si he de ser franco —respondió sonriendo don Gabriel— me escuece unas miajas. Se conoce que al tratar de mover a aquel buen señor de Arcipreste, todo el peso de su cuerpo y del mío juntos cargó sobre este brazo, que hacía fuerza en la delantera de la berlina. Será una dislocación del hueso.

—No, señor; creo que no tiene usted nada más que un tendón relajado, aunque el pronóstico de esta clase de lesiones es muy aventurado siempre, y se lleva uno cada chasco, que da la hora. Si usted fuese un labriego...

—¿Qué sucedería?

—Se lo voy a decir a usted con toda franqueza, por lo mismo que estoy hablando con una persona que me parece altamente ilustrada.

—Por Dios...

—No, no, mire usted que tengo buena nariz, y ciertas cosas se conocen en el olor. Pues lo que haría si usted fuese uno de esos que andan arando, sería llamar a un *atador* o *algebrista,* de los infinitos que hay por aquí.

—¿Curanderos?

—Componedores; son al curandero lo que al médico el cirujano operador. Justamente aquí cerca tenemos uno, el más famoso diez leguas en contorno, que hace milagros. Cuando yo llegué de la Universidad, llegué lleno de fantasía, y me enfadaba si me decían que los algebristas pueden reducir una fractura sin dejar cojo o manco al paciente; después me fui convenciendo de que la naturaleza, así como es madre, es maestra del hombre[119], y que el instinto y la práctica obran maravillas. Con cuatro emplastos y cocimientos, y sobre todo con la destreza manual, que esa raya en admirable...

Decía todo esto Juncal mientras aplicaba compresas empapadas en árnica y vendaba el brazo de don Gabriel.

---

[119] Una vez más volvemos a la hipótesis central de la novela, expresándose aquí un punto de vista materialista complementario del expuesto por el atador de Boán: la naturaleza es madre y maestra. Esta visión contrasta con la expresada por don Gabriel en la última frase de la novela.

—Creo —respondió el paciente— que usted habla así por lo mismo que domina su arte y no teme competencias. No todos los médicos pensarán como usted en ese punto.

—Pensar, tal vez, pero no quieren confesarlo; hasta los hay que persiguen de muerte a los algebristas. Los más encarnizados aun no son los médicos, sino los veterinarios, porque los atadores curan indistintamente a hombres y animales, no reconociendo esta división artificial creada por nuestro orgullo. ¿Eh?

El médico miró a don Gabriel como reclamando su aquiescencia a este rasgo de osadía científica. Don Gabriel sonrió. Se había terminado la cura, y bajaba la manga para vestirse otra vez.

—Y decir —murmuraba el médico ayudándole a pasar un brazo por una manga— que se ha llevado usted ese barquinazo por meterse a redentor de un hipopótamo de cura, ¡de un parroquidermo![120]. Suerte tuvo en dar con usted. Yo lo dejo allí en escabeche para toda su vida.

Esto lo insinuaba Juncal con la secreta esperanza de provocar al viajero a espontanearse en política, para saber cómo pensaba y tener el gusto de discutir; pero se llevó chasco, pues don Gabriel no se dio por aludido, contentándose con hacer un leve ademán, que podía significar: «Usted y cualquiera persona regular obraría como yo.»

—Ahora —ordenó Máximo— procure usted no hacer con ese brazo movimiento alguno, pues estas lesiones las cura la paciencia. Quietud, y más quietud.

—¡Qué diablura! —exclamó don Gabriel incorporándose—. El caso es que para montar a caballo, tendré sin remedio que usar de él. Porque es el izquierdo.

—¡Bah! Las caballerías de aquí lo mismo se rigen con la derecha que con la zurda. Mejor dicho, con ninguna de las dos. Ellas hacen lo que les da la real gana, y salen disparadas así

[120] Juncal usa frecuentes expresiones para ridiculizar al clero, todas ellas formadas mediante la haplología o combinación de un término clerical y el nombre de un animal o de una especie de animales. Así, de párroco y paquidermo resulta «parroquidermo»; de clérigo y rinoceronte, «clericeronte», etc.

que ven una hembra, y muerden, y bailan el vals, y otros excesos. ¿Adónde quería usted ir? Si no es indiscreción.

—De ninguna manera. Tengo que ir a la rectoral de Ulloa, y después a los Pazos, a casa de... mi cuñado.

En el rostro del médico se pintó un segundo la irresolución, el temor de *sobrar* o *faltar* que tanto acucia a los que llevan mucho tiempo de vida campestre, sin trato que pueda llamarse social. Al fin se determinó, y dijo con cordialidad suma:

—Don Gabriel, no me creerá tal vez, pero desde que le vi me ha inspirado simpatía; vamos, yo soy así; soy muy raro; hay gentes que no me llenan nunca, y usted me llenó *in continenti*[121]. Estoy con usted ya como si le hubiese tratado toda la vida. No le pondero. Soy franco, y lo que ofrezco lo ofrezco de corazón. Hoy es muy tarde ya para ir a donde usted quiera; ni tampoco conviene que mueva el brazo, al menos en las primeras veinticuatro horas. Ya que está en mi pobre choza, tenga la dignación de quedarse en ella. Sábanas lavadas y cena limpia no le han de faltar. Mañana por la fresca, después que descanse, le doy mi yegüecita, que la gobernará con la punta de un dedo, cojo otra hacanea, y le acompaño hasta la rectoral de Ulloa..., ¡o hasta el cabo del mundo, si se precisa!

No era don Gabriel hombre capaz de contestar con mil y tantos cumplimientos a una improvisación semejante. Tomó la diestra del médico, la apretó, y dijo con sencillez afectuosa:

—Aquí me quedo, amigo Juncal. Y crea usted que doy por bien empleado el percance.

Sintió Juncal que se ponía colorado de placer. Para disimular la emoción, echó a correr hacia la puerta, gritando:

—¡Catalina! ¡Catalina! ¡Esposa! ¡Catalina!

Presentóse la lozana panadera, de mandil blanco lo mismo que en sus buenos tiempos, con el pelo alborotado y una sonrisa complaciente en su bermeja y apetecible boca.

---

[121] *in continenti:* forma italiana, incontinente, sin medida; Juncal dice que le cayó muy bien, sin reparos.

—Prepararás la cama en el cuarto del armario grande. Don Gabriel nos hace el favor de se quedar[122] esta noche.

La sonrisa del ama de casa fue al oírlo más alegre todavía; sus ojos chispearon, y pronunció con el acento gutural y cantarín de las muchachas de Cebre:

—De hoy en un año vuelva a quedarse, señor, y que sea con salú.

—*Tray*[123] un pañuelo de seda, mujer —murmuró su esposo—. Hay que hacerle un sostén para el brazo malo.

Con prontitud y no sin gracia se quitó *Catuxa* el que llevaba a la garganta, que era carmesí con lista negra, y ella misma lo ató al cuello del forastero, diciendo mimosamente, con suavidad del todo galiciana:

—¿Queda así a *gustiño*, señor?

Don Gabriel agradeció sonriendo. El diminutivo, el calor de la seda que había estado en contacto con la piel de la arrogante moza, le produjeron el efecto de una caricia del país natal, a donde volvía por vez primera después de una ausencia muy prolongada.

---

[122] Ejemplo del magnífico oído que tenía doña Emilia para la constitución realista de los diálogos. Juncal, que usa un castellano impecable para hablar con don Gabriel, varía la sintaxis para adecuarse a las formas habituales en gallego —donde el pronombre enclítico precede al infinitivo— para hablar con su esposa, que es gallega.

[123] *Tray,* gall.: trae; es también forma popular en el norte y nordeste de España para el imperativo de segunda persona.

VIII

El cuarto que dio Juncal a su huésped era en la planta baja, cerca del comedor, y tenía puertecilla de salida a una especie de patio o corral, donde por el día escarbaba media docena de gallinas a la sombra de un emparrado. Don Gabriel, al retirarse después de una cena no menos regalada que la comida, sintió deseo de respirar el aire fresco de la noche; apagó la vela, y alzando el pestillo se encontró en el corral. Sentóse en el banco de piedra entoldado por la parra, y encendiendo un papelito[124] y recostándose en la pared, tibia aún del sol de todo el día, empezó a mirar a la oscuridad. La cual era completa, intensísima, sin que la disipase estrella alguna; una de esas noches como boca de lobo, en que le parece a uno más infinito el espacio, más alto e inaccesible el cielo, y la tierra menos real, pues al perder sus apariencias sensibles, sus variadísimas formas y colores, diríase que se funde y desvanece, sin que en ella quede existente más que nuestra imaginación soñadora.

En aquellas remotas y negras profundidades nada vio al pronto don Gabriel, pero al poco rato, fuese merced a los generosos espíritus del añejo ron de Juncal, o a que era para don Gabriel uno de esos momentos en que hace crisis la vida del hombre[125], y éste se da cuenta exacta de que entra en un ca-

---

[124] *encendiendo un papelito:* encendiendo un cigarrillo previamente liado con papel de fumar.

[125] Este capítulo, el más largo de la novela, se basa en recuerdos de don Gabriel. Estos recuerdos nos dan el pasado de este personaje inserto en la historia del momento —revolución del 68; disolución del arma de artillería (1872);

mino nuevo y el porvenir va a ser muy diferente del pasado, comenzó a alzarse del oscuro telón de fondo una especie de niebla mental, una nube confusa, blanquecina primero, rojiza después, y en ella se delinearon y perfilaron cada vez con mayor claridad escenas de su existencia.

Primero se vio niño, en un gran caserón de un pueblo triste, pero no en brazos de su madre, pues no recordaba haberla conocido jamás, sino en los de otra niña casi tan chica como él[126]. Aquella niña era pálida; tenía los ojos grandes y negros, y algo bizcos; solía estar malucha; pero, sana o enferma, no se apartaba una línea de él. Acordábase de que le llamaba *mamita*, y la hacía rabiar y desquerer con sus travesuras. Un recuerdo sobre todo estaba fijo en su mente. Además de la niña pálida, vivían en el caserón otras niñas sonrosadas, enredadoras y alegres, que le trataban con menos blandura, y aun le cascaban las liendres con el menor pretexto. Un día, podría tener entonces Gabriel cinco años, se le había ocurrido entrar en el cuarto de la mayor de sus hermanas, Rita, la cual poseía un canario domesticado que cantaba a maravilla y a quien llamaban *el Músico*. Gabriel se moría por el canario,

---

guerra carlista (junio de 1873); reorganización del ejército por Castelar; golpe de estado del general Pavía que pone fin a la I República (3 de enero de 1874) y, finalmente, la Restauración de la monarquía borbónica. La novela «se aleja» aparentemente del hilo narrativo para explicar el «cómo», esto es, las razones del acontecer. En este sentido, Germán Gullón indica: «Las digresiones imaginativas predominantes en la novela de los cincuenta se ven sobreseídas en favor de un progreso novelístico donde la acción, además de una suma de porqués, supone la exploración de una multiplicidad de cómos. De cómo la vida se vuelve sobre sí misma, en ese salto que llamamos el azar o el destino, asignándonos una situación social y un estatus económico, o nos dota de una herencia que nos confiere la complexión física»; *La novela del XIX: Estudio sobre su evolución formal* (Amsterdam, Rodopi, 1990), págs. 90-91. Por lo que respecta a la «crisis» en la vida del personaje, Stephen Gilman ha indicado de qué modo los personajes de las novelas del siglo XIX viven su vida como aventura a partir de una crisis que les lleva a desvivir sus vidas o a meterse en vidas ajenas; *vid.* S. Gilman, *La novela según Cervantes* (México, FCE, 1989), págs. 38-48.

[126] Además de explicar los «cómos» de la acción, según se dijo en la nota anterior, los datos referidos en este capítulo sirven para conectar la cronología individual de los personajes con los hechos de *Los Pazos de Ulloa*. Nucha, personaje de la novela anterior, adquiere en este capítulo cierta importancia estructural. Su recuerdo espolea la imaginación de don Gabriel, quien decide ir a los Pazos a «rescatar» a su sobrina.

y soñaba siempre con imitar a Rita: sacarlo de la jaula, montarlo en el dedo, darle azúcar, y que se pusiese a redoblar y trinar allí. ¡Era tan gracioso cuando meneaba la cabecita a derecha e izquierda, cuando se sacudía erizando las plumas de oro! Para lograr su deseo, aprovechaba[127] la ocasión de un domingo por la mañana; todo el mundo estaba en misa; momento decisivo y supremo. Escurríase al cuarto de su hermana, y divisaba la jaulita de alambre azul balanceándose ante la vidriera, con su hoja de lechuga entre los hierros, y el pájaro que saltaba de la varilla central, descendía al comedero a triturar un grano de alpiste, y vuelta a la varilla. Contempló ansiosamente el lindo avechucho. ¿Cómo llegarle? Ocurriósele una idea luminosa. Poner una silla sobre la cómoda de su hermana. Mi dicho, mi hecho. Colocarla más o menos trabajosamente, trepar, encaramarse, echar mano al garfio que sujetaba la jaula, todo se hizo en un verbo. Sólo que la silla, mal afianzada, no conservó el equilibrio al inclinarse Gabriel, y, ¡oh dolor!, cuando ya tenía en sus manos el deseado *músico,* ¡pataplín!, se fue de cabeza al suelo, jaula en mano, desde una regular altura. Recibió el golpe en la frente, y quedóse breves momentos aturdido. Al recobrar los espíritus se encontró con que tenía asida la jaula por la argolla. La jaula sí; pero, *¿el Músico?* Gabriel miró hacia todas partes, y al pronto nada vio, o por mejor decir, vio algo que le paralizó de terror: en una esquina, el gatazo de la casa, tendido en postura de esfinge que acecha, contemplaba inmóvil un punto de la estancia. Gabriel siguió la dirección de aquellas pupilas de esmeralda, y divisó al *Músico,* todo anhelante aún del golpe y del susto, hecho un ovillo entre los pliegues del cortinaje que cubría la vidriera. El niño perdió completamente la sangre fría, y loco de miedo, púsose a hacer lo más conveniente para el gato: sacudir la cortina y espantar al pajarillo. El aturdido *Músico* revoloteó un momento, dio contra los cristales de la ventana, y

[127] *aprovechaba:* más adecuado habría sido el uso del pluscuamperfecto en este contexto; es probable que la autora confundiera esta forma con el imperfecto de subjuntivo gallego que, efectivamente, equivale al pluscuamperfecto de indicativo castellano; lo mismo ocurre más tarde con las formas *escurríase* [se había escurrido], *divisaba* [había divisado].

dolorido y exánime, vino a caer sobre la almohada de la cama de Rita. ¡Horror!, el gato en acecho pega un brinco de tigre... ¡Adiós, música!

Gabriel, como Caín después de matar a su hermano, había corrido a esconderse al cuarto más oscuro de la casa, en que se guardaban baúles y trastos, y donde no tardó en descubrirle Rita al volver de misa y encontrarse con la jaula por tierra y algunas plumas amarillas, espeluznadas y sanguinolentas, revoloteando sobre su lecho.

—¡Pícaro, infame! Te he de desollar vivo, ¡muñeco del demonio! ¡Te he de estirar las orejas hasta que sangren!

Los oídos de Gabriel apenas pudieron recoger el sonido de estas ternezas, porque al mismo tiempo diez deditos recios y furiosos le tiraban con cuanta fuerza tenían de las orejas. Y luego pasaban a los carrillos, escribiendo allí los mandamientos, y después bajaban a parte que es ocioso nombrar, y se daban gusto con la mejor mano de azotaina que recuerdan los siglos; y en pos las uñas, por no quedar desairadas, se ejercitaron en pellizcar y retorcer la carne, ya hecha una amapola, hasta acardenalarla de veras, y en seguida, sin darle al culpable tiempo ni a gritar, le asieron de las muñecas, le llevaron arrastrando al desván, le metieron allí, echaron la llave. Al punto mismo se oyó en la puerta el altercado de dos vocecillas, y en pos la brega de dos cuerpos. Giró la llave otra vez, y la *mamita* pálida, la hermana protectora, entró anhelante, desgreñada y victoriosa, cogió en brazos a su niño, lo arrebató a su cuarto, lo curó, lo calmó, se lo comió a besos y a caricias.

¡Qué ojeriza le profesó desde aquel día Gabriel a la hermana mayor! ¡Cómo se acostumbró a envolverse en las faldas de la pequeña[128], hasta que fue adquiriendo su autonomía al de-

[128] Como se indicó en la introducción, la autora opone la fuerza del instinto natural al poder del espíritu para condenar la relación de los protagonistas, Perucho y Manuela. La relación de éstos contrasta con la de don Gabriel y su hermana: falto de madre, la hermana corre en auxilio del hermano y lo ampara, supliendo así las deficiencias de Naturaleza. Además, en esta novela don Gabriel quiere rescatar a su sobrina casándose con ella: le ofrece, por tanto, un amor sancionado socialmente, amparándole como su hermana había hecho con él anteriormente. Frente a dicho amor institucional, Perucho y Manuela reclaman el poder del amor natural.

sarrollársele el vigor masculino, con el cual, a los diez o doce años podía más él solo que lo que llamaba despreciativamente el gallinero de sus hermanas!

Se veía concurriendo al Instituto de segunda enseñanza, aprendiéndose por la noche de malísima gana la conferencia que había de dar al día siguiente, y merced a la fuerza y precisión con que se nos presentan ciertos recuerdos, en la negra inmensidad nocturna veía destacarse, como en el cristal de un claro espejo, al estudiantillo inclinado sobre el libro enfadoso, dando tormento con nerviosa mano a los mechones de pelo que le caían sobre la frente, o pintando soldados con fusil al hombro y barcos y todo género de monigotes sobre el margen de las páginas, mientras torturaba la memoria para incrustar en ella, por ejemplo, los pretéritos y supinos de la segunda conjugación, *moneo, mones, monere, monui, monitum*, «avisar», que los compañeros de clase se apuntaban unos a otros de esta manera: *mono, mona, monitos, monitas, micos*. Al recordar semejantes puerilidades, se sonreía don Gabriel. ¡Cuántas veces recordaba haberse levantado y llamado a su hermana!

—Nucha, tómame la lección, que me parece que ya la sé.

Luego una impresión imborrable: la marcha de Santiago, el ingreso en el colegio de artillería de Segovia, los días terribles de la *novatada*, la sujeción al *galonista*[129], el llanto de furor reconcentrado que le abrasó las pupilas cuando por primera vez tuvo que limpiarle y embetunarle las botas. Y siempre el recuerdo de su hermana, para la cual, más bien que para su padre, se hizo fotografiar apenas vistió, radiante de orgullo y alegría, el uniforme del cuerpo, y de la cual hablaba a sus primeros amigos de colegio con tal insistencia y exageración, que alguno de ellos, sin conocerla, se puso a escribirle cartitas amorosas que leía a Gabriel. Luego, la confusión abrumadora de los primeros estudios serios, de las matemáticas sublimes, de tanta abstrusidad como tenían que meterse en la divina chola para los exámenes. Ahora que Gabriel reflexionaba

[129] *galonista:* alumno distinguido de una academia militar que en ocasiones tiene cierto mando sobre el resto de los cadetes.

acerca de tales estudios y mentalmente pasaba lista a sus compañeros de academia, maravillábase pensando que de aquella hueste nutrida desde sus tiernos años con tanta trigonometría rectilínea, tanta álgebra y tanta geometría del espacio, no había salido ningún portentoso geómetra, ningún autor de obras profundas y serias, ni siquiera ningún estratégico consumado, y al contrario, por regla general, apenas se encontraba compañero suyo que al terminar la carrera se distinguiese por algún concepto, o rebasase del nivel de las inteligencias medianas. Mucho caviló sobre el caso don Gabriel, y vino a dar en que la balumba algebraica, el cálculo, las geometrías y trigonometrías se las aprendían los más de memoria y carretilla, a fuerza de machacar, para vomitarlas de corrido en los exámenes; que los alumnos salían a la pizarra como sale el prestidigitador al tablado, a hacer un juego de cubiletes en que no toma parte el entendimiento; y que esta material gimnasia de la memoria sin el desarrollo armonioso y correlativo de la razón, antes que provechosa era funesta, matando en germen las facultades naturales y apabullando la masa encefálica que venía a quedarse como un higo paso. Todo esto se le había ocurrido *a posteriori*[130]. En el colegio estaba lleno su corazón de esa buena fe absoluta de los primeros años de la vida, y ni soñaba en discutir las opiniones admitidas y las fórmulas consagradas: creía cuanto creían sus compañeros, viviendo persuadido como ellos de que ciertos profesores eran pozos de ciencia, aunque no se les conocía lo bastante, por encontrar-

[130] Resuenan aquí algunas de las preocupaciones esenciales de los reformadores y pedagogos del momento. En su ensayo «Condiciones del espíritu científico», recogido en el volumen *Estudios filosóficos y religiosos* (Madrid, Librería de Francisco Góngora, 1876), Francisco Giner de los Ríos, amigo y mentor de la autora gallega, había escrito lo siguiente: «Quien está atento sólo a recibir del indagador los teoremas que sus investigaciones dan por fruto, sin curarse de pedir y discutir los fundamentos de su verdad, hasta formar de ello por sí propio concienzudo juicio, podrá opinar, presentir, suponer; podrá a lo sumo, si sus afirmaciones descansan siquiera en pruebas generales más o menos remotas, adquirir fe racional en ellas, nunca propia y auténtica convicción. Será un órgano esencial para la comunicación de la Ciencia [...] un propagador, nunca un científico» (págs. 8-9).

se un tantico *guillados* del abuso de las matemáticas[131]. Con el pundonor innato que le obligaba en Santiago a repasar de noche la lección, Gabriel se aplicó a aprender todas aquellas diabluras del programa, y como su inteligencia era sensible y fresca su retentiva, adelantó, adelantó. Recordaba, no sin cierta lástima de sí mismo, que había hecho unos estudios brillantes. Le alabaron los profesores, despertósele la emulación, no perdió curso.

Sólo hubo una temporada, poco antes de salir a teniente, en que atrasó bastante, poniéndose a dos dedos de ser *perdigón*[132]. Fue al recibir la noticia de la muerte de su *mamita*, su hermana Nucha. Se la escribió su padre en persona, cosa que no ocurría sino en las ocasiones solemnes, pues el hidalgo de la Lage no se preciaba mucho de pendolista. Gabriel recordaba que en el primer momento sólo había sentido un asombro muy grande al ver que semejante desgracia no le producía más efecto. Con la carta abierta en la mano, miraba en torno suyo, pasando revista a todos los muebles del gran dormitorio artesonado, contando los hierros de las camas. Hasta recordaba haber acabado de abrocharse los botones de la levita de uniforme, faena interrumpida cuando llegó la carta fatal. Luego, de repente, daba dos o tres pasos vacilantes, sepultaba el rostro en la almohada de su lecho, y empezaba a llorar a gotitas menudas, rápidas, que se le metían entre el naciente bigote y de allí se le colaban a los labios, ¡con un sabor tan amargo!

¡Su pobre *mamita*! ¡Con qué vanidad le había él enviado su retrato; con qué orgullo había comprado, de sus economías,

---

[131] Durante la Restauración surge en España una tendencia profundamente nacionalista, e ideológicamente reaccionaria, que se caracteriza por su posición antimoderna y por su autocomplacencia en los logros de la ciencia española; representativo de este movimiento es Marcelino Menéndez Pelayo, quien ha de polemizar, con *La ciencia española*, con aquellos que apuntan lo poco desarrollado del pensamiento científico en el país. El resultado de esta polémica será la tendencia nacionalista a promocionar al rango de auténticos descubridores en materia científica a figuras oscuras o simplemente mediocres; *vid.* Raymond Carr, *Spain 1808-1975* (Oxford, Clarendon, 1982).

[132] *perdigón:* el que pierde en el juego, pero también alumno desatento y distraído.

una sortija de oro para regalársela en su boda! ¡Qué admiración gozosa, unida a unos asomos de infantiles celos, había sentido al saber que su hermana tenía una chiquilla! ¡Monada como ella! ¡Una chiquilla! Y ahora, fría, callada, apagados aquellos dulces y vagos ojos, metida en un ataúd, muerta, muerta, ¡muerta!

Bien seguro estaba de no haber querido probar bocado en dos días. ¡Cómo le mortificaban los consuelos de sus compañeros y amigotes! Eran bien intencionados, eso sí; pero indiscretos, inoportunos, fuera de sazón, como suelen ser los afectos en la zonza e ingrata edad de la adolescencia. Empeñábanse en divertirlo, en llevárselo al café, o a ver una compañía de zarzuela. ¡De zarzuela! Gabriel necesitaba un médico. A los ocho días se le declaraba una fiebre nerviosa, en la cual le contaron que había delirado con su *mamita*, diciendo que quería irse junto a ella, al cielo o al infierno, donde estuviese. Pronto convaleció, y quedó más fuerte y más hombre, como si aquella fiebre hubiera sido la solución de una crisis lenta de pubertad tardía, acaso retrasada por estudios prematuros. Salió a teniente, y recordaba el orgullo de los galones y el de un hermoso bigote castaño, ya poblado, que se propuso no afeitar nunca.

Pasó de la academia al siglo con la entidad moral que imprimen los colegios de carreras especiales, y señaladamente el de artillería: segunda naturaleza, de la cual sólo se desprenden, andando el tiempo, los que poseen gran espontaneidad o cierto instinto crítico, y que sobrevive aun en los que se retiran, aun en los mismos que reniegan de la carrera y manifiestan que les causa hondo hastío el uniforme. Volviendo atrás la vista, Gabriel se asombraba de ser aquel muchacho que salió del colegio tan artillero, tan imbuido de ciertas altaneras niñerías que se llaman *espíritu de cuerpo*, tan convencido de la inmensa superioridad del arma de artillería sobre todas las demás del ejército español y aun del mundo, y en particular tan arisco, tan dado a esa cosa particular que en el cuerpo llaman *la peña*, tendencia mixta de orgulloso retraimiento y de feroz insociabilidad, que en él llegaba al extremo de pasarse tres horas en la esquina de una calle de Segovia, atisbando el momento en que saliesen de su casa unas señoras a quienes su padre le ordenaba visitar, para cumplir con dejarles una tarjeta en la portería.

¡Y que apenas era él entonces reaccionario, como los demás individuos del noble cuerpo! Sentía un odio profundo hacia las ideas nuevas y la revolución, la cual justo es decir que se hallaba en su más desatentado y anárquico período. Lo que Gabriel no le perdonaba a *la Setembrina* maldecida era el haberle echado a perder su España, la España histórica condensada en su cabeza de estudiante asiduo y formal, una España épica y gloriosa, compuesta de grandes capitanes y monarcas invictos, cuyos bustos adornaban el Salón de los Reyes en el Alcázar. Gabriel se tenía por heredero directo de aquellos héroes acorazados, esgrimidores de tizona. Arrinconados el montante y la espada, la artillería era el arma de los tiempos modernos. ¡Qué de ilusiones y de fermentaciones locas producía en Gabriel el solo nombre de batalla! A la idea de barrer a cañonazos un reducto enemigo, le parecía no caberle el corazón en el pecho, y un frío sutil, el divino escalofrío del entusiasmo, le serpeaba por la espina dorsal. En esta disposición de ánimo le incorporaban a una batería montada y le enviaban a la guerra contra los carlistas en el Norte.

Quince días a lo sumo recordaba que duraron sus fantasías heroicas. No eran aquellas las marciales funciones que había soñado. Si en las rudas montañas de Vasconia no faltaban las fatigas propias de la vida militar, los fríos, los calores, el agua hasta el tobillo, la nieve hasta media pierna, las raciones malas y escasas, el dormir punto menos que en el suelo, la ropa hecha girones, cuanto constituye el poético aparato de la campaña, en cambio no veía Gabriel el elemento moral que vigoriza la fibra y calienta los cascos; no veía flotar la sagrada bandera de la patria contra el odiado pabellón extranjero. Aquellas aldeas en que entraba vencedor eran españolas; aquellas gentes a quienes combatía, españolas también. Se llamaban carlistas, y él amadeísta[133]: única diferencia. Por otra

---

[133] Se trata de la segunda guerra carlista. La elección de Amadeo I como rey de España, y el rechazo de éste por la alta aristocracia, dio alientos a los carlistas, generalizándose la sublevación en el País Vasco, Cataluña, el Maestrazgo y Levante. El 2 de mayo de 1872, el pretendiente Carlos cruzó la frontera.

parte la guerra, aunque civil, se hacía sin saña ni furor; en los intervalos en que no se disparaban tiros, los destacamentos enemigos, divididos sólo por el ancho de una trinchera, se insultaban festivamente, llamándose *carcas* y *guiris*[134]; también se prestaban pequeños servicios, pasándose *El Cuartel Real* y *El Imparcial*[135] de campo a campo; y en los frecuentes ratos de tregua, bajaban, se hablaban, se pedían fuego para el cigarro, y el teniente de artillería *guiri* fraternizaba muy gustoso con los oficiales *carcas*, tan buenos mozos y tan elegantes y marciales con sus guerreras orladas de astracán, a cuyo lado iz-

---

Pero el general Moriones derrotó a las fuerzas vascas en Oroquieta, y Serrano firmó una tregua con los cabecillas del norte, conocida como el Convenio de Amorebieta. A pesar de ello, no cesaron del todo las hostilidades: el cura Santa Cruz, en el norte, y Savalls (o Sa Valls) en Cataluña hicieron caso omiso de la tregua, continuando la guerra por su cuenta. Al instaurarse la República, los carlistas volvieron a las armas y la guerra se extendería hasta después de la Restauración de la monarquía borbónica en 1875. El general Primo de Rivera (tío del futuro dictador) dio el golpe definitivo al carlismo al tomar Estella, capital del pretendiente en el norte. Derrotado su ejército, y habiendo perdido el apoyo internacional para su causa, el pretendiente abandonó definitivamente España el 27 de febrero de 1876.

[134] *carca:* forma despectiva para «carlista», probablemente obtenida mediante apócope de «carcamal», es decir, persona decrépita y achacosa; también se usa la forma «carcunda», vocablo que Rodrigo Varela considera de origen gallego («Galeguismos», págs. 108 y 121); *guiri:* forma apocopada del vascuence *gristino*, o sea, «cristino», seguidor de la reina regente María Cristina, madre de Isabel II; el apodo se originó en la primera guerra carlista, durante la minoría de edad de la reina Isabel.

[135] Se trata de periódicos carlista y liberal, respectivamente. Doña Emilia, al dar cuenta de este intercambio de periódicos, que han de entenderse como vehículo de ideas, sugiere la falta de convicciones políticas firmes entre los contendientes. Doña Emilia, como más tarde Valle-Inclán, siente una atracción estética por el carlismo. Bradomín, en la *Sonata de invierno*, lo expresa así: «Yo hallé siempre más bella la majestad caída que sentada en el trono, y fui defensor de la tradición por estética» *(Sonatas*, ed. de Ramón J. Sender, Nueva York, Las Américas, 1961, pág. 237). De modo análogo, doña Emilia nos da aquí una descripción del carlismo en virtud de la apariencia de los oficiales «carcas» con sus trajes de batalla: «tan buenos mozos y tan elegantes y marciales con sus guerreras orladas de astracán, a cuyo lado izquierdo lucía el rojo corazón del *detente*, y sus boinas con borla de oro, gentilmente ladeadas». Cierto, sin embargo, que don José Pardo Bazán y Mosquera, padre de la autora, había tenido afinidades ideológicas con el carlismo.

quierdo lucía el rojo corazón del *detente*[136], y sus boinas con borla de oro, gentilmente ladeadas. A menudo hasta le sucedía a Gabriel dudar si el deber y la patria estaban del lado acá o del lado allá de la trinchera[137]. A pesar de las burlas con que sus compañeros acogían los *pepinillos* carlistas, en el campamento se contaban maravillas de la improvisada artillería de don Carlos, organizada en un decir Jesús, por un par de oficiales que habían ingresado en sus filas y algunos cabos y sargentos listos; cosa que inducía a Gabriel a pensar que no se necesitaban tantas matemáticas de colegio para santiguar al enemigo a cañonazos. Sí, Gabriel cumplía con su obligación; pero sin calor ni fe. Batirse, corriente, para eso vestía el uniforme; otra cosa que no se la pidieran. Un casco de metralla saltaba los sesos a su asistente, aragonés más cabal que el oro, a quien Gabriel profesaba entrañable cariño, y su muerte le causaba la impresión de haber presenciado un aleve asesinato, más bien que un episodio bélico.

Entre la oscuridad nocturna, Gabriel Pardo sonreía a la reminiscencia de un recelo que le apretó mucho por entonces. Al encontrarse tan frío en medio de las escaramuzas, al conocer que le hastiaban[138] la guerrilla y la tienda, recordó que se había interrogado a sí mismo con un miedo atroz... de tener miedo.

---

[136] *detente:* bordado con la imagen del Corazón de Jesús y la leyenda «Detente, bala» que los soldados carlistas llevaban prendido en la guerrera, a la altura del corazón.

[137] Estas dudas que la autora expresa sobre el lugar del deber en la guerra civil contra los carlistas son claro indicio de una postura política conservadora que se va a desarrollar durante la Restauración. Tras haber sido derrotados militarmente, los carlistas se aliaron con facciones del pensamiento moderado. Surge de este modo una actitud política que acepta el marco constitucional ideado por Cánovas, pero que propugna buena parte de los postulados ideológicos del carlismo. Su ideario aparece ocasionalmente en los escritores de pensamiento moderado, como ocurre en este texto de doña Emilia, o como había ocurrido con Alarcón; así, el marqués de los Tomillares, personaje de *El capitán Veneno,* ha de confesar a la heroína Angustias y a su madre que él comparte con ellas el ideario carlista; *vid.* Pedro Antonio de Alarcón, *El capitán Veneno, Obras completas* (Madrid, Fax, 1943), págs. 720 y 726.

[138] La primera edición, por error, dice «hastiaba»; uso la forma correcta, en plural, corregida en la segunda edición.

—¿Si seré un cobardón? ¿Si tendré la sangre blanca?

Al ver cómo le felicitaban unánimemente los jefes y los compañeros por su *serenidad*, comprendió que lo que padecía era atrofia del entusiasmo. Y así le cogió la disolución del cuerpo de artillería por decreto revolucionario[139]. Casi se alegró. Ya no tenía cariño al uniforme. Y, sin embargo, todavía el *espíritu de cuerpo* le dominaba. Le cruzó por las mientes irse al campo carlista, y no lo hizo, porque los compañeros habían determinado «aguardar, estar a ver venir»[140]. Se fue a Madrid, hospedándose en casa de unos parientes encumbrados, un título primo de su madre.

¡Cuántos recuerdos se le agolpaban! La noche oscura parecía poblarse de estrellas y constelaciones, de centelleos misteriosos. Gabriel sentía una impresión, frecuente en las perso-

---

[139] Los oficiales del cuerpo de artillería se negaron a servir en las provincias del norte bajo las órdenes del general Hidalgo, responsable éste del fusilamiento de los sargentos sublevados en el Cuartel de San Gil el 22 de junio de 1866, sublevación que anticipa *la Setembrina* del 68. En 1872 los oficiales de artillería presentaron en grupo su dimisión, que fue aceptada por el gobierno del ministro Ruiz Zorrilla quien, considerando esta medida una insubordinación, y temiendo el conservadurismo del cuerpo de artilleros, propuso al rey Amadeo que disolviera dicho cuerpo. Así ocurrió en 1873, siendo restaurado el cuerpo en 1874, por orden de Castelar. Nótese, no obstante, el error de la autora; el arma de artillería no fue disuelta por decreto revolucionario, sino por el monarca constitucional.

[140] La frase «estar a ver venir» alude a la estrategia de expectativa de Cánovas, la cual también se conoce con el nombre de «retraimiento». El golpe de estado de Pavía (enero de 1874) fue visto por los generales alfonsinos como una ocasión perdida para lograr el restablecimiento de la monarquía borbónica, e inmediatamente decidieron provocar una acción militar para proclamar rey a Alfonso XII. Cánovas se opuso tenazmente a los deseos golpistas de los militares, deseando que el hijo de Isabel II fuera proclamado rey sin derramamiento de sangre y por proclamación popular: «No quisiera —escribe Cánovas al respecto— que la monarquía constitucional sea debida a un golpe de fuerza [...] Aspiro a que el príncipe Alfonso sea proclamado Rey por unas cortes o por un plebiscito» (Antonio Fabié, *Cánovas,* pág. 69); y en otro lugar, añade: «Bastantes catástrofes ha producido a este noble país sostener causas injustas; para realizar el derecho no se necesita derramar sangre; basta saber esperar», Federico Díaz de Tejada, *Historia de la Restauración,* Madrid, 1879; *vid.*, además, Manuel Espadas Burgos, *Alfonso XII y los orígenes de la Restauración* (Madrid, CSIC, 1975), págs. 349-350.

nas a quienes la viveza de la fantasía[141] y de la sensibilidad hacen pasar, durante una existencia relativamente corta, por muchas y muy variadas fases psíquicas. Admirábase del cambio producido en él por aquellos meses de residencia en Madrid, y al mismo tiempo, se sorprendía *ahora* de lo que se había realizado en él *entonces,* y no creía ser la misma persona, sino evocar la historia de otro hombre. Él no fue ni pudo ser jamás el brillante y frívolo mancebo a quien tan especiales agasajos y tan lisonjera acogida dispensaron las damas de alto copete, que le obsequiaban por oficial del cuerpo hostil a la Revolución y por hidalgo provinciano, pero de vieja cepa, de veintitantos abriles y gallarda figura. ¡Cuán dulces bromas le habían sido disparadas entonces por risueños labios, recalcadas por el guiño semialtanero y semipicaresco de algunos flecheros ojos de rica hembra, a propósito de su afición a *la peña,* entonces erigida en sociedad reaccionaria, ojalatera[142] del alfonsismo! Gabriel en el fondo se sentía muy *peñasco,* igual que antes, y abominaba de saraos y visitas de cumplido, de andar poniéndose el frac y el ramito en el ojal, de saludos en la Castellana y bailes por todo lo fino[143]; pero el asunto es que iba,

[141] Primer aviso de la fuerza que tiene la fantasía en el personaje, tema que se desarrollará en el capítulo siguiente. Entre los autores de la época, el fantasear de los personajes tiene a menudo connotaciones negativas, independientemente de que el personaje novelesco, como ha indicado Germán Gullón, logre autonomía gracias al desarrollo de la «segunda vida», la imaginativa; *vid.* G. Gullón, *La novela como acto imaginativo* (Madrid, Taurus, 1983), págs. 93-98; *vid.,* además, nota 162.

[142] *ojalatero:* se aplica al que, en las contiendas civiles, desea el triunfo exclusivo de su partido.

[143] Como recuerda Galdós en varias de sus novelas —*La desheredada, Cánovas*—, la alta sociedad madrileña se paseaba por la Castellana de Madrid, y hacía en estos paseos exhibición de las mantillas tradicionales españolas, que habían desaparecido tiempo atrás del vestuario femenino, pero que fueron rescatadas con el fin de manifestarse contra el rey «extranjero», o sea, contra Amadeo I de Saboya. Sobre estas manifestaciones, refiere Tuñón de Lara lo siguiente: «Las casas aristocráticas, los Montijo, Alba, Bailén, Alcañices, Heredia Spínola, Torrecilla, Sexto..., cerraron sus puertas al nuevo rey. El día de la apertura solemne de Cortes, los balcones del muy aristocrático "Veloz Club" [...] no pusieron colgaduras, y la flor y nata de los retoños de la nobleza, asomada a sus balcones, permanecieron con la cabeza cubierta al paso de la comitiva regia. [...] Centro de esas conspiraciones eran los salones de la condesa

iba, iba, seguía yendo, arrastrado por una blanca mano cuya piel suave le causaba mareos deliciosos. Era una viuda, hermana de la mujer de su primo, en cuya casa vivía; hermosa hembra de treinta y tantos, dotada de ingenio, oro y blasones. Gabriel no había tenido sino aventuras de alojamiento o de días de salida en Segovia. Volvióse loco, y un día, con la mente y la sangre caldeadas, habló de bodas, para asegurar hasta el fin de la vida la dicha actual. Se le rieron blandamente, y como insistió, le pusieron de patitas fuera del paraíso. ¡Qué crujida[144], Dios! Gabriel, al pensar en ella, se admiraba de su juventud, de su sincera pasión y de sus románticos desvaríos. Lo de menos era no dormir, no comer, sufrir abrasadora calentura, beber y jugar para aturdirse. ¿Pues no se le ocurrió cierta mañana mirar con ojos foscos y extraviados un par de pistolas inglesas? ¡Aquello sí que tuvo gracia!, discurría hoy el hombre de pelo ralo acordándose de las fogosidades del teniente.

El caso es que con el desengaño amoroso se había vuelto más peñasco que nunca. Por entonces, apartado ya del gran mundo y de sus pompas y vanidades, sin que le quedase más rastro que los buenos modales adquiridos, ese baño delicadísimo que sobre la corteza brusca del tenientillo recién salido de la academia derrama el trato con damas y el ingreso familiar en círculos selectos —baño permanente cuando se recibe en la primera juventud— empezaron para Gabriel estudios libres que se impuso a sí propio. Convencido de que podía beber bastante alcohol sin emborracharse, y de que la embriaguez en él jamás era completa, dejándole siempre cierta lucidez dolorosa; de que el *fatal tapete verde* no le divertía, y de que las mujeres, no queriéndolas mucho, le eran casi indiferentes, se dio a la lectura por recurso, y en ella encontró la deseada distracción, y la convalecencia de aquella herida al pa-

---

de Montijo, cuya hija Eugenia, destronada en Francia, había regresado temporalmente a España. Refiriéndose a otro salón de la nobleza, el de los duques de Bailén, pudo decir Cánovas: "Gracias a ellas [las señoras] y en esta misma casa organicé contra Amadeo la conspiración de abstención que le obligó a abandonar el trono"»; Manuel Tuñón de Lara, *La España del siglo XIX* (Barcelona, Laia, 1975, 6.ª ed.), vol. I, págs. 292-293.

[144] *crujida:* ultracorrección por «crujía»; *pasar una crujía:* padecer males de alguna duración.

recer tan profunda, y que en realidad no pasaba de la epidermis.

Con los libros sí que se había emborrachado de veras. Eran obras de filosofía alemana, unas traducidas al francés, otras en pésimo y bárbaro castellano. Pero Gabriel, más reflexivo que artista, más sediento de doctrina que de placer, no se entretenía con la forma; íbase al fondo, a la médula. Las matemáticas del colegio le tenían divinamente preparado para las peliagudas ascensiones de la metafísica y las generosas quintaesencias de la ética. Eran sus actuales estudios lo que el riego a la planta tierna cuyas raíces penetran en terreno bien cultivado y removido ya. La inteligencia de Gabriel se abría, comprendiendo períodos enrevesados y diabólicos, y lisonjeaba su orgullo el que los demás afirmasen no poder entender semejante monserga. Sus nuevas aficiones le pusieron en contacto con muchos jóvenes, prosélitos de la entonces flamante y boyante escuela krausista[145]. Y resolvió que él era kantiano a puño cerrado, pero sin aplicar el método crítico del maestro, como entonces se decía, más que a las cosas de *la ciencia;* para las de *la vida* se agarró con dientes y uñas a la ética de Krause. No sólo renegó de las aventuras, los naipes y el absintio[146], sino que empezó a aquilatar con más que monjiles escrúpu-

---

[145] En 1843, Julián Sanz del Río viaja a Alemania con una comisión o beca de estudios. En este país entra en contacto con la filosofía de Friedrich Krause (1781-1831) que, a partir de 1844, propagará en España con la ayuda de un grupo selecto de intelectuales: Francisco Giner de los Ríos, Urbano González Serrano, Manuel de la Revilla, Gumersindo de Azcárate, Fernando y José de Castro, Tomás Romero de Castilla y el político Canalejas. Si Sanz del Río es el iniciador, a Giner corresponde el mérito de haber transformado lo que inicialmente era pura doctrina, convirtiéndola en un sistema docente que, tras sucesivas mutaciones, habría de inspirar la Institución Libre de Enseñanza. Sobre el krausismo, *vid.* el estudio, ya clásico, de Juan López Morillas, *El krausismo español* (Madrid, Fondo de Cultura Económica, 1980).

[146] He aquí una visión de la bohemia española. En la novela del XIX menudean estos jóvenes de buena familia entregados al juego: Leandro Henares en *Don Juan Solo,* de José Ortega Munilla; Joaquín Pez, en *La desheredada* de Galdós; Juanito Santa Cruz, en *Fortunata y Jacinta.* Ésta debe de ser, no obstante, una de las pocas ocasiones en que se menciona el absintio o la absintia, un licor venenoso hecho a base de ajenjo, u ojén, que aparece en la poesía francesa, en Verlaine y Baudelaire, por ejemplo; aparece también en las novelas del español Alejandro Sawa y, más tarde, en Rubén Darío y Valle-Inclán.

los la trascendencia y móvil de sus menores actos, a tener por grave delito el asistir a una corrida de toros o a un baile de máscaras. Ponía cuidado especial en que no saliese de sus labios ni siquiera una mentira oficiosa, en no defraudar a nadie, en vivir de tal manera que sus acciones fuesen claras como el agua, honradas y serias. ¡La seriedad sobre todo! Por las noches hacía examen de conciencia; por las mañanas elevaba, al despertarse, el pensamiento a Dios, ¡al Dios impersonal y sin entrañas! Reprimidos los impulsos y ardores juveniles por la especie de fiebre filosófica que le abrasaba dulcemente el cerebro, sentía en las iglesias, a donde asistía con frecuencia suma, impulsos místicos, ternuras inexplicables, ganas de llorar, y entonces se creía *íntimo con el ser.*

¿Cuánto había durado? ¿Cuánto? Las cosas políticas se encrespan; la demagogia y el cantonalismo[147] escupen fuego y sangre; los carlistas medran, pululan, brotan por todas partes con armamento y municiones; Castelar llama a los artilleros; Gabriel duda, recela, se alarma ante la perspectiva de verter sangre humana; por fin sus nuevas ideas liberales y una carta de su padre le deciden; va otra vez al Norte. Rodéanle sus antiguos amigos; en la maleta del teniente vienen sin duda la *Analítica,* la *Crítica del juicio,* la *Crítica de la razón pura,* la *Teoría de lo infinito*[148]; pero a la primer marcha forzada, a la primer bocanada de aire montañés, al primer encuentro, a la primer tertulia en la tien-

---

[147] Don Francisco Pi y Margall es nombrado presidente de la República española el 11 de junio de 1873. Durante su breve gobierno —dimitió el 18 de julio siguiente—, las Cortes decidieron que la constitución de la nueva república sería federal, y así lo expresaron en un proyecto de ley presentado a las Cortes el 17 de julio de 1873. Pero ya con anterioridad, a lo largo de todo el mes de junio de ese año, había habido insurrecciones cantonales, especialmente en Andalucía (Málaga, San Fernando, Sanlúcar de Barrameda, Sevilla) y Levante (es famoso el cantón de Cartagena, que se sublevaría con la flota de guerra al mando del general Juan Contreras), que motivaron la caída inmediata del gobierno de Pi y Margall.

[148] Se trata de escritos de Immanuel Kant (1724-1804): *Crítica de la razón pura (Kritik der reinen Vernunft,* 1781), *Crítica del Juicio (Kritik der Urtheilskraft,* 1790); Kant, sin embargo, no escribió ningún libro titulado específicamente *Analítica,* aunque sus *Críticas* están divididas en dos partes, la «analítica» y la «dialéctica». También se llama *Analítica* la primera parte de *Lecciones sobre el sistema de la Filosofía* (1828) de Krause, y puede que la referencia sea precisamente a este libro. La *Teoría de lo infinito* es obra de William Tiberghien (1819-1901), discípulo de Krause.

da de campaña, parécele que entre él y los maestros de su entendimiento se interpone una muralla, un velo oscuro, y que en su alma se derrumba, sin saber cómo, un edificio vasto. Y con el bienestar físico que producen el ejercicio y la actividad después de una vida contemplativa y sedentaria; y la reacción violenta, propia de los temperamentos nerviosos y los caracteres impresionables, a los pocos días el teniente no se acuerda de Kant, da al diablo los *Mandamientos de la humanidad*[149], y muy a gusto se deja arrastrar a las distracciones del compañerismo, a los lances de la campaña y los episodios de alojamiento. La guerra se hace ya con más empuje, en vista del desaliento y merma de las fuerzas carlistas: Gabriel bate el cobre[150] con fe, persuadido de que el orden y la libertad están en las negras entrañas de los cañones de su batería; fraterniza con bandidos contraguerrilleros, lee con afán los periódicos políticos, vive de acción y de lucha, y todas las mañanas se levanta determinado a salvar a España. España le había dado en cambio la efectividad de capitán. Mas el golpe de Estado de Pavía y luego la proclamación de don Alfonso[151], que tanto

[149] Libro de Sanz del Río inspirado en el *Taglebatt des Menschheitlebens* (1811) de Krause; según López Morillas, este libro encarnaba, para el lector corriente, «el verdadero sentido de la nueva filosofía, una especie de Tablas de la Ley que absolvían a quien se familiarizaba con ellas de toda la exploración ulterior de la doctrina krausista» *(Krausismo español*, ed. cit., pág. 82).

[150] *batir el cobre:* figuradamente, significa hacer algo con acaloramiento y empeño; sin embargo, aquí el sentido figurado se torna literal mediante silepsis porque Gabriel, en efecto, bate el cobre, o el hierro, de los cañones con fe en la causa.

[151] El general Manuel Pavía entró en el Congreso de los diputados el 3 de enero de 1874, al mando de una fuerza de la Guardia Civil, disolviendo las Cortes y dando así el golpe de gracia a la I República. Comienza entonces la dictadura de Serrano, duque de la Torre, quien se hace cargo del gobierno. A finales de diciembre, el 29, el general Arsenio Martínez Campos se pronuncia en Sagunto en favor de la vuelta de Alfonso XII, y el día de Nochevieja de ese año de 1874 Cánovas forma el primer gobierno en nombre de la monarquía restaurada. Alfonso XII, que residía en Sandhurst (Inglaterra), llega a Barcelona el 9 de enero de 1875; el 14 entra en Madrid. La estabilidad política, conseguida por el reconocimiento internacional de la nueva monarquía, da un fuerte impulso a las operaciones militares en el norte, y la guerra civil *—i.e.,* la guerra carlista— termina al vencer Martínez Campos en Cataluña y Primo de Rivera en el País Vasco. El 18 de marzo de 1874, el cabecilla Cabrera acata, en Londres, la soberanía de Alfonso XII como rey de España.

alegraron a todo el noble cuerpo, le cortaron las alas del espíritu a Gabriel Pardo, que era republicano teórico y andaba entonces vuelto tarumba por un orden de cosas muy recto y sensato, al modo sajón. Al otro día de recibir el grado de comandante, viendo la guerra próxima a su fin, desilusionado más que nunca y sin gusto para pelear, recordaba haber tomado el camino de la corte.

¡Qué vida tan sosa al principio la suya! Mal visto entre sus compañeros a causa de sus opiniones políticas; sin trato con sus antiguas relaciones; sin ánimos para volver a sepultarse en los libros de metafísica que eran hoy para él lo que la envoltura de la oruga cuando ya voló la mariposa, sintió de repente, convirtiendo[152] los ojos hacia sí mismo, que no le quedaba en lo más íntimo sino descreimiento y cansancio. ¿Quién o qué le había demostrado la inanidad de sus filosofías? Nadie[153]. La fe no se destruye con razones: es error imaginar que hay argucia que eche abajo un sentimiento. La fe es como el amor, bien lo advertía Gabriel.

¿Hay en el mundo del pensamiento algún asidero firme? —discurrió entonces. Casualmente empezaban las corrientes positivistas: hablábase de realidades científicas, de doctrinas basadas en hechos de experimentalismo. El comandante se propuso estudiar a fondo alguna ciencia, como se estudian las cosas para saberlas de verdad, y adquirir la suspirada certeza. Tenía un amigo, ex-profesor de geología en la Universidad, de donde le expulsara el decreto de Orovio[154]. Se puso bajo su

---

[152] *convertir:* aquí usado en el sentido de «volver».

[153] A partir de la segunda edición se añade el adverbio «nada» a la respuesta, para responder a las dos preguntas, «quién» y «qué», que se han hecho con anterioridad. Así, pues, se lee: «Nadie, nada», lectura probablemente más correcta que la de la primera edición.

[154] Entre las concesiones de Cánovas a las fuerzas más reaccionarias que apoyaron la vuelta de Alfonso XII, está la de otorgar la cartera de Educación *(i.e.,* el Ministerio de Fomento) al marqués de Orovio, de ideología cercana al carlismo más intransigente. Al llegar al poder, Orovio se propuso acabar con la libertad de cátedra que había sido la marca de identidad universitaria tras *la Setembrina;* y junto con dicha libertad, buscó acabar con el libre examen en las instituciones públicas. La libertad de pensamiento y de cátedra o, como se dice en la época, el «libre examen», habían sido celebrados como logros de la Revolución; en concreto, la «libertad de la ciencia y la independencia de su

dirección, y consagró seis horas diarias a trabajos de pormenor. Hacía unos cortes en las piedras y luego se desojaba mirándolos al microscopio. Se cansó a cosa de medio año. La certeza consabida, por las nubes. Encontraba relaciones lógicas y armoniosas entre lo creado, leyes impuestas a la materia por voluntad al parecer inteligente, dependencia y conexión en los fenómenos; pero el enigma seguía, el misterio no se disipaba, la sustancia no parecía, la cantidad de *incognoscible* era la misma siempre[155]. Gabriel tenía sobrada imaginación para

---

magisterio» son proclamadas como virtudes esenciales del periodo revolucionario por Fernando de Castro en el discurso de apertura del curso académico universitario de 1868 *[Discurso leído en la solemne apertura del curso académico de 1868 a 1869 por el rector y catedrático de la Universidad Central don Fernando de Castro,* en M. Tuñón de Lara (ed.), *Historia de España. Textos y documentos de Historia Moderna y Contemporánea. Siglos XVIII-XX.* Madrid, Labor, 1985, págs. 213]. Tras la anulación de la libertad de Cátedra por Orovio, Castelar dimitió de su cátedra de Historia de España en la Universidad de Madrid (19 de marzo de 1875), alegando que la libertad suprimida por decreto ministerial era indispensable para llevar a cabo una adecuada labor docente. Sobre el papel político de Orovio dice Tuñón de Lara: «El ministro exigió por decreto una declaración de fidelidad política del profesorado y el deber de éste de sujetarse a las normas gubernamentales en el contenido de sus explicaciones. Todos los profesores de avanzada elevaron su protesta contra semejante exigencia y a consecuencia de ello fueron separados de sus cátedras los profesores Giner de los Ríos, Azcárate, Salmerón, Calderón, García de Linares, Montalvo, etc. El gobierno llegó hasta encarcelar a Giner, Calderón y García de Linares. Otros muchos profesores abandonaron las cátedras en señal de protesta, entre ellos Castelar, Piernas Hurtado, Barnés, Moret, Figuerola. Entonces surgió contra el oscurantismo en la enseñanza, la Institución Libre de Enseñanza (29 de octubre de 1876)» *(La España del siglo XIX,* Barcelona, Laia, 1975, vol. II, pág. 36).

[155] El concepto de «incognoscible» aparece en el siglo XIX, usándose en la investigación metafísica, para nombrar los aspectos de la realidad que carecen de explicación científica; se usa con frecuencia al hablar del médico que puede curar el cuerpo, pero carece de ciencia para sanar el alma, esto es, carece de ciencia para enfrentarse a «lo incognoscible». Ideológicamente, su origen es manifiestamente conservador y se usa para sustentar un irracionalismo de indudable inspiración religiosa que logra expresión mediante metáforas. Así ocurre, por ejemplo, en *De tal palo, tal astilla,* de Pereda, donde al presentar al médico Peñarrubia, dice el narrador: «ingresó en la escuela de Medicina, adonde le llamaban sus aficiones, y no tardó en distinguirse entre todos sus camaradas de carrera por sus atrevimientos científicos, con más que puntas y ribetes de materialistas. Por entonces le asaltaron las mientes los recuerdos de aquellos poéticos relatos de su madre sobre la vida futura y los milagros de la fe, cosas tan opuestas a las verdades que el dedo de la ciencia le iba señalando

sujetarse a la severa disciplina científica sin esperanza ni objeto, y fueron disminuyendo sus visitas al laboratorio de su amigo. ¿Y no había otra razón? Pues, a decir verdad...

Muy aficionado a la música, Gabriel estaba abonado a una butaca del Real, tercer turno. Resplandecía el regio coliseo con la animación que le prestaba la buena sociedad ya completa y la restaurada monarquía[156]: y, más que teatro, parecía elegante salón cuajado de beldades. Al lado de Gabriel sentábanse un machucho brigadier de artillería y su joven esposa, deidad murciana, de árabes ojos, que a cada acorde de la música, o a cada nota de los amorosos dúos, se posaban en los del comandante, deteniéndose un poco más de lo necesario. El brigadier, fumador empedernido, no recelaba salir en los entreactos dejando a su esposa bajo la salvaguardia del subalterno. ¡Bendito señor, pensaba Gabriel, y cómo lo hizo Dios de confiado! A lo mejor el brigadier fue destinado a Filipinas, y partió llevándose a su cara mitad. Gabriel, medio loco, según su costumbre en casos tales, habló de pedir el traslado. La

---

en las páginas que devoraba con creciente avidez» *(Obras completas,* Madrid, Imprenta de Tello, 1901, vol. IV, *De tal palo, tal astilla,* cap. IV, pág. 69). Más tarde, el concepto entró a formar parte de un discurso científico y filosófico en el que se busca la síntesis entre cientificismo e irracionalismo cristiano, síntesis que encarna la obra de Spencer: «Positivismo y darwinismo van a tener su punto de encuentro y complementación en la filosofía de Herbert Spencer, que adquirirá en el último tercio del siglo XIX una gran difusión en España. Spencer había emprendido la tarea de superar las limitaciones metodológicas empiristas del positivismo por medio de una concepción científica sintética que englobase sus datos dispersos en una filosofía general del hombre y de la sociedad. Su noción de lo *Incognoscible* dejaba abierto, por otra parte, el camino a la experiencia religiosa y al sentimiento moral, a los que parecía despreciar el materialismo positivo», Diego Núñez Ruiz, *La mentalidad positiva en España: desarrollo y crisis* (Madrid, Júcar, 1975), págs. 71-72.

[156] En sus *Memorias,* el conde de Romanones da cuenta del desánimo de la aristocracia española durante los años de la República: «La alta sociedad madrileña, acostumbrada a enfrentarse con ánimo alegre ante las peores situaciones y los más graves infortunios, y que en los años del 69 al 70 abrían sus salones, celebrando en ellos brillantes fiestas, al finalizar el 72 se mostraba intranquila y no sentía ánimo para divertimentos», cit. por Tuñón de Lara, *Historia,* ed. cit., vol. I, pág. 316. Todo esto cambia, como indica doña Emilia, con la Restauración de 1875; la autora misma se entregó, con auténtico entusiasmo, a los saraos de la corte durante este período.

hermosa brigadiera se negó, afirmando que su marido ya tenía sospechas, que el viaje era celosa precaución, y que si se encontraba con el comandante llovido del cielo en Manila, habría la de Dios es Cristo. Y el enamorado la vio partir sin que nublase aquellos ojazos de terciopelo la humedad más leve. No, lo que es de esta vez, el comandante no hacía memoria de haber pensado en suicidios, pero cayó en misantropía amarga, rabiosa y prolongadísima que paró en un ataque de ictericia de los de padre y muy señor mío. Destinado a Barcelona, ¡qué temporada la que pasó en la Ciudad Condal! ¿Cómo es posible aburrirse tanto y quedar con vida? A enfrascarse otra vez en los libros: no de filosofía ya, sino de ciencia militar, estudiando las propiedades formidables de las materias explosivas que nuestro siglo refina y concentra a cada paso, lo mismo que si el objeto supremo de tanto adelanto, de tanto progreso, fuese una conflagración universal. A leerse cuanto encontró sobre el asunto en revistas alemanas e inglesas, encargando obras especiales, y escribiendo dos o tres artículos en que lo resumía y exponía con bastante claridad, publicados en los periódicos y que le valieron ser citado como una gloria del cuerpo. Por más señas que entonces fue cuando se le chamuscó la cara probando pólvora, y se le metieron unos cuantos granos en la mejilla. Ocurriósele la idea de gestionar que le diesen una comisión para el extranjero; lo consiguió, viajó por Francia, Alemania, Inglaterra, países que él creía cifra y compendio de la civilización posible. Al pronto, impresión pesimista: Francia era una gran tienda de modas, Alemania un vasto cuartel, Inglaterra un país de egoístas brutales y de hipócritas ñoños. Pero al regresar a España, al notar el dulce temblor que sólo las almas de cántaro pueden no sentir en el punto de hollar otra vez tierra patria, mudó de opinión sin saber por qué: echó de menos el oxigenado aire francés, y le pareció entrar en una casa venida a menos, en una comarca semisalvaje, donde era postiza y exótica y prestada la exigua cultura, los adelantos y la forma del vivir moderno, donde el tren corría más triste y lánguido, donde la gente echaba de sí tufo de grosería y miseria. Al acercarse a Madrid y atravesar los páramos que lo rodean, al subir por la cuesta de Areneros, al ver las calles estrechas, torcidas, mal empedradas, el desanimado comercio, al oír el canturrear de los ciegos y el pregón de la lotería, pensó encontrarse en uno de esos prehistóricos poblachones de Castilla, fosilizados desde el tiempo de los moros. ¡Madrid! Ése era Madrid, ésa era España, ¡la España santa de sus ensueños de adolescente![157].

Empezó a hablar, mejor dicho, a perorar donde quiera que encontraba auditorio, proponiendo una campaña activísima, especie de coalición de todos los elementos intelectuales del país, a fin de civilizarlo e impulsarlo hacia senderos donde no quería el muy remolón sentar el pie. Un día, en el Centro militar, al caer la tarde, Gabriel sorprendió un diálogo de sofá a butaca.

—¿Y el comandante Pardo? —preguntaba el sofá—. ¿Le ha visto usted desde que ha llegado de su excursión por tierras de extranjis?[158].

—Ayer me le encontré en la Carrera —respondía la butaca.

—¿Y qué cuenta? ¿Viene entusiasmado?

—¿Entusiasmado? Decidido a que crucen por doquier caminos y canales. Siempre dije yo que se guillaba; pero ahora, me ratifico. Sonámbulo. Chifladísimo.

—De remate —confirmó el sofá.

No hizo falta más para que el gran reformador entrase a cuentas consigo mismo.

—¿Será cierto, Gabriel? ¿Serás tú un chiflado, un badulaque que se mete a arreglar lo que no entiende, que todo lo in-

---

[157] No cabe duda de que doña Emilia expresa aquí, por mediación de don Gabriel, sentimientos personales que debieron de ser especialmente vivos a finales de la década de 1870, cuando la autora viaja por primera vez a Francia y regresa, como el personaje en esta novela, llena de celo apostólico y deseosa de colaborar en la regeneración del país. Entonces publica *Un viaje de novios* (1881) y, poco después, importantes trabajos sobre el Naturalismo, obras que le valieron la hostilidad de unos cuantos, y la incomprensión y la crítica de muchos. En la presentación de don Gabriel, sin embargo, podemos observar mayor distancia y una cierta ironía resignada. Una ironía que enuncia expresamente el personaje cuando, poco después, da cuenta del desengaño que es producto de los tiempos frívolos y superficiales que le han tocado vivir. «Yo no soy un chiflado», dirá el personaje, sino «víctima de mi época».

[158] *de extranjis:* habitualmente usado como hacer algo de tapadillo, ocultamente; aquí, sin embargo, se altera el sentido habitual, y se usa, por paronomasia, con el sentido de «extranjero».

tenta y de todo se cansa, y que se acerca ya a la madurez sin encontrar ancla donde amarrar el bajel de la vida? Soldadito de papel, ¿cuántos caballos te han matado ya? Pero, ¿es culpa tuya si esos caballos no los montas frescos, sino rendidos y exánimes? ¿Has pedido tú tantas gollerías? Verbigracia: ¿qué le pediste al amor? Sinceridad y firmeza. ¡Qué diantre!, tú ibas derecho al término de la pasión, que se sobrepone y debe sobreponerse a intereses mezquinos. ¿Y a la filosofía, a la ciencia? Certidumbre: una regla moral para seguirla, un Dios en quien creer, a quien elevar el alma. ¿Y al uniforme que vistes, y a la patria a quien sirves, y a las convicciones políticas que profesas? Un ideal a quien sacrificar todas las energías, todo el calor que te sobraba. ¡Vive Dios! Que a cada cosa le pedías tú lo justo, lo que puede y debe contener, y nada más. ¿Es culpa tuya si el amor es distracción frívola, la ciencia nombre pomposo que disfraza nuestra ignorancia trascendental y la política farsa más triste y vil que todas?

Al llegar a esta parte de sus recuerdos autobiográficos, alzó Gabriel la vista al cielo, como buscando huellas del poder augusto que rige nuestro destino terrestre. Y eso que él sabía que aquel gran espacio oscuro que le envolvía por todas partes no era más que el firmamento astronómico, con sus millares de millares de soles, de planetas, de mundos chicos y grandes[159].

¿Tendrán razón los que creen que andan las almas viajando por ahí? —pensaba, al acordarse de la muerte de su padre. Por cierto que no la había sentido con la misma fuerza que la de su hermana, porque Gabriel y don Manuel Pardo eran naturalezas que no simpatizaban: pertenecían a dos generaciones muy diversas, y en realidad no se entendían; con todo, vino el dolor natural y justo, pues siempre hace su oficio la sangre. Bastante abatido llegó Gabriel a Santiago. Y apenas hubo puesto el pie en el caserón solariego —ya suyo—, de los envejecidos muebles, de los cuadros cuyo asunto tenía clavado en la memoria, de las cortinas de apagado color, de los rin-

[159] Conecta aquí la narración, tras larga digresión, con los capítulos anteriores. Ya el algebrista había hablado de las estrellas del cielo —en el capítulo III, donde cita la autoridad de Feijoo— antes de pasar a hablar de los enigmas de la Naturaleza: la consabida andrómina.

cones familiares, se alzó radiante, amorosa, poetizada por la muerte y la distancia, la imagen, no de su padre, sino de su hermana Marcelina, la *mamita*, la única mujer que con desinteresado amor le había querido; y aquellas lágrimas que un día lloró el alumno, el mancebo colegial, subieron ahora más que a los párpados, al corazón de Gabriel, derramándose en benéfico rocío. Recorrió toda la casa: buscaba en ella no sé qué; tal vez un fantasma —¡el del tiempo pasado! El caserón estaba solitario, triste, sin otros moradores que una criada antigua, cuyas perezosas chancletas, así como el hálito de un cascado reloj de pared, era lo único que pugnaba con el alto silencio de los salones y corredores vacíos. Ninguna de las tres hermanas que tenía vivas Gabriel había acudido allí para acompañarle: todas estaban casadas, la menor mal, con un estudiante de medicina, hoy médico de un partido[160]; la otra con un hidalgo rico de la montaña; la mayor con un ingeniero andaluz, con quien residía en una provincia distante. Gabriel escudriñaba todas las habitaciones, tocaba con una especie de devoción y de pueril curiosidad los objetos que por allí andaban diseminados. En el que fue cuarto de su *mamita* encontró detrás del tocador horquillas, una caja de polvos, un alfiler grueso. Lo manoseó todo; probablemente sería *de ella.* Sobre la cabecera del difunto don Manuel campeaba un ramo de pensamientos trabajado en pelo negro, encerrado en un marco de madera oscura. Abajo decía en letrita cursiva y muy regarabateada: *Nucha a su querido papá.* Gabriel pegó los labios al cristal, besando religiosa y lentamente la reliquia. Después se dejó caer en una butaca que tenía los muelles rotos, vencidos del enorme peso de don Manuel Pardo de la Lage, y sus meditaciones tomaron un giro inusitado.

¿Cómo no se le habría ocurrido antes? ¿Por qué, hasta que circunstancias fortuitas le arrojaron al hogar viejo, no le cruzó por las mientes idea tan sencilla, perogrullada semejante? ¿Es posible que se pase un hombre la vida con la linterna de Dió-

---

[160] *partido:* territorio en que el médico tiene la obligación de tratar a los enfermos por un sueldo asignado.

genes en la mano[161], buscando sendas y probando derroteros, cuando la felicidad le está prevenida en el cumplimiento de la ley natural? La esposa, el hijo, la familia; arca santa donde se salva del diluvio toda fe; Jordán en que se regenera y purifica el alma.

Varias veces había notado don Gabriel la irresistible tendencia de su imaginación viva, ardorosa y plástica, a construir, con la vista de un objeto, sobre la base de una palabra, un poema entero, un sistema, una teoría vasta y universal, llegando siempre a las últimas y extremas consecuencias: propensión que le explicaba fácilmente los muchos desengaños sufridos y aquello que llamaba él *caérsele muertos los caballos*[162].

---

[161] Diógenes (siglo IV a.C.), principal representante de la secta de los cínicos, nació en Sinope (Mar Negro) y murió (hacia el 320 a. C.) en Corinto. Las anécdotas de su vida que nos han llegado son con toda probabilidad apócrifas, y en ellas Diógenes aparece desafiando las creencias convencionales, mezclando siempre gran hostilidad a la opinión comúnmente admitida con sarcasmo y teatralidad. Ejemplo de ello sería la anécdota aludida en su texto por doña Emilia, según la cual Diógenes se paseaba en plena luz del día con una vela encendida en busca «de un hombre honesto». Doña Emilia, sin embargo, alude a este episodio como un ejemplo de las superfluidades de las búsquedas anteriores del personaje, equiparables al hecho de llevar una antorcha a mediodía.

[162] *caérseles muertos los caballos:* la expresión viene a dar cuenta de las quimeras que persigue el personaje y que, como tales, se desvanecen debido a su falta de consistencia. La referencia a la Quimera es habitual en la novela del XIX para hacer referencia a la imaginación y, en concreto, al choque entre el imaginar de los personajes y la realidad. El motivo mítico de la Quimera viene así a representar el vuelo fallido de la imaginación, que se desploma al encontrarse con la realidad. Mario Vargas Llosa, por ejemplo, hace referencia a este mito cuando describe la imaginación de Emma Bovary indicando que «hay sin duda una quimera en el corazón del destino ambicionado por Emma», *La orgía perpetua* (Madrid, Alfaguara, 1983), pág. 18. Con este sentido, además de en Flaubert, aparece en Victor Hugo *(Ruy Blas),* Chateaubriand *(Los mártires),* Balzac («Prólogo» a *La comedia humana),* Stendhal *(La cartuja de Parma),* Zola *(La falta del padre Mouret),* Nerval *(Las quimeras)* y Baudelaire (en el poema «Bohemios de viaje»). Es motivo dominante también, dentro de la literatura española, en *La desheredada* de Galdós; *vid.* Ignacio Javier López, *Realismo y ficción,* ed. cit., págs. 162-172. Stirling Haig, hablando del valor de la Quimera descrito, indica: «La Quimera [...] ha usurpado el lugar de Pegaso en la reformulación moderna del mito, perdiendo en este cambio todo vestigio de monstruosidad, y reteniendo tan sólo los significados [...] de lo ficticio y artístico», *The «Madame Bovary» Blues. The Pursuit of Illusion in Nineteenth-Century French Fiction* (Baton Rouge, Luisiana Univ. Press, 1987), pág. 5 (la traducción es mía); *vid.,* también, nota 141.

Le sucedía también que la experiencia no le enseñaba a cautelar, y cada nueva construcción la emprendía con igual lujo y derroche de ilusiones y esperanzas. En la vieja poltrona paterna, ante la cama de dorado copete donde tal vez había venido al mundo, comenzó a edificar un palacio conyugal, sintiendo el tiempo perdido y lamentando no haber caído antes en la cuenta de que todo sujeto válido, todo individuo sano e inteligente, con mediano caudal, buena carrera e hidalgo nombre, está muy obligado a *crear una familia*[163], ayudando a preparar así la nueva generación que ha de sustituir a ésta tan exhausta, tan sin conciencia ni generosos propósitos.

—Yo no soy un chiflado —pensaba don Gabriel, respirando sin percibirlo por la herida—. Yo soy víctima de mi época y del estado de mi nación, ni más ni menos. Y nuestro destino corre parejas. Los mismos desencantos hemos sufrido; iguales caminos hemos emprendido, y las mismas esperanzas quiméricas nos han agitado. ¿Fue estéril todo? ¿Hemos perdido malamente el tiempo? ¿Sentenciados vivimos a no producir ni fundar cosa alguna? Cansados, sí, porque el cansancio sigue a la lucha; pero, ¿no hemos aprendido, ni progresado nada? Yo, sin ir más lejos, ¿soy el mismo que cuando salí del colegio? ¿No ha ganado algo mi educación externa desde que frecuenté el gran mundo? El suceso de mis amoríos malogrados, ¿no me curó y preservó de ilícitos y torpes devaneos? Aquellos libros que no me dieron la certeza, ¿por ventura no me cultivaron y ensancharon el entendimiento, no me hicie-

---

[163] Para los novelistas de ideología conservadora del XIX, el matrimonio aparece como cifra de la felicidad y como sustento del orden social; el soltero es un ser arisco o cómico (p. ej., *El buey suelto* de Pereda; *El capitán Veneno* de Alarcón) que tan sólo se redime al casarse *(Peñas arriba* de Pereda). Así ocurre con Juncal *(vid., supra,* nota 115), que tropieza en el «dulce escollo» de su esposa y, tras años de cohabitación («enharinamiento ilícito» lo llama la autora), accede a que la iglesia sancione su unión; su hogar ha de ser estímulo para don Gabriel, que viene al pazo con la idea de casarse con su sobrina. Un tema adicional, que se menciona tangencialmente en este texto, es la regeneración nacional. Sorprende observar el pesimismo de dicha formulación, sin embargo, ya que esta regeneración queda relegada a la mera renovación biológica, quedando la renovación moral para las nuevas generaciones debido al pensamiento exhausto y a la incapacidad o impotencia de las generaciones del momento.

ron más recto, más tolerante y más reflexivo? Mis sueños de gloria militar, mis rachas políticas, ¿no sirven, cuando menos, para probarme a mí mismo que aspiro a algo superior, que me intereso por mi raza y por mi patria, que siento y que vivo? No, Gabriel, lo que es de eso no hay por qué arrepentirse. Y a no ser por tus años de peregrinación y aprendizaje, ¿valdrías hoy para fundar casa, para contribuir en la medida de tus fuerzas a la regeneración de la sociedad y a la depuración de las costumbres, para formar a tus hijos, si Dios...?

Cuando el nombre divino surgía, ya que no de los labios, del espíritu del comandante, iba el crepúsculo lento de una tarde del mes de mayo disfumando los objetos y haciendo más melancólica la soledad del vacío dormitorio paternal. Sintió Gabriel que el corazón se le llenaba de ternura, y no sabiendo cómo desahogarla, llamó cariñosamente a la decrépita servidora, y en tono festivo, en voz casi humilde, pidióle que trajese luz[164].

Así que la bujía quedó colocada sobre la cómoda de su padre, fijáronse los ojos de Gabriel en el antiguo mueble, muy distinto de los que hoy se construyen. La cubierta hacía declive, y recordaba Gabriel que al abrirse formaba un escritorio, descubriendo una especie de templete con columnas, y múltiples cajoncitos adornados de raros herrajes, que ocultaban *secretos*. ¡Secretos! De niño, esta palabra le infundía curiosidad rabiosa y una especie de terror. ¡Secretos! Sonrióse, sacó del

---

[164] Hermoso ejemplo de la convención romántica que se conoce, desde el famoso libro de Abrams, como del espejo y la lámpara (M. H. Abrams, *El espejo y la lámpara*, Barcelona, Barral, 1977). Al comienzo del capítulo, el personaje se contempla a sí mismo en la oscuridad de la noche, oscuridad que funciona como espejo pues en ella «se delinearon y perfilaron cada vez con mayor claridad escenas de su existencia». Pero esta contemplación narcisista de sí mismo lleva a la confusión: la duda y la falta de convicciones propia de los tiempos que don Gabriel reconoce en su ideario, caracterizado por una profunda falta de asimiento moral. El personaje, pues, regresa a sus orígenes, la casa paterna, y es allí donde es capaz de entender el misterio que ha estado persiguiendo, simbólicamente representado por esta imagen: la luz que trae la «decrépita servidora», como nueva Sibila (antes se ha hecho también referencia a Diógenes), anticipando el momento en que al personaje, tras explorar éste los «secretos» escondidos en el caserón familiar, le sobreviene la firme idea con que termina el capítulo.

bolsillo un llavero, probó varias llavecicas. Una servía. Cayó la cubierta, y los dedos impacientes de Gabriel empezaron a escudriñar los famosos *secretos* de la cómoda, cual si en ellos se encerrase algún escondido tesoro. Los buenos de los secretos no tenían mucho de tales, y cualquier ratero, por torpe que fuese, lograría como Gabriel hacer girar sobre su base las dos columnas del templete, y poner patente el hueco que existía detrás. Calle..., pues había algo allí. Rollos de dinero. Los deshizo: eran moneditas de premio, Carlos terceros y cuartos, guardados sin duda por su padre para evitarles la ignominia de la refundición. Y allá, en el fondo, muy en el fondo, un papel amarillento ya por las dobleces, atado con una sedita negra. Maquinalmente lo cogió, lo abrió, rompió la sedita. Cayó una sortija de oro con perlas menudas, y vio Gabriel, cuyo corazón literalmente brincaba contra la carne del pecho, que el papel era una carta, escrita con tinta ya descolorida, y letra no muy suelta[165]. Sus ojos, vidriados por un velo de humedad, leyeron casi de una ojeada: «Querido papá, felicito a usted los días; sabe Dios quién vivirá el año que viene; hágame el favor, si me empeoro, de darle a mi hermano Gabriel la sortijita adjunta, y que mucho me acuerdo de él y le quiero; que si yo llego a faltar, ahí queda mi niña. Usted y él no dejarán de mirar por ella: moriré tranquila confiando en eso.» —Una lágrima, una verdadera lágrima, redonda y rápida en su curso, se precipitó sobre la firma— «Su amante hija, Marcelina Pardo.»

---

165 Indicación clara del distanciamiento de doña Emilia, en esta novela, de las convenciones novelescas del Naturalismo. En *Les Romanciers naturalistes*, Zola proscribe de la nueva novela naturalista el *deus ex machina* convencional en la novela romántica: «Toda invención extraordinaria está proscrita. Ya no se encuentran más los niños marcados en su nacimiento, después perdidos, para ser encontrados en el desenlace. Ya no se trata [...] de papeles que sirven, en el momento preciso, para salvar la inocencia perseguida» *(Les œuvres completes*, París, François Brenouard, 1927, vol. 44, pág. 108). Doña Emilia, contraviniendo las reglas explícitamente establecidas por su admirado autor de Médan, restaura la convención romántica del *deus ex machina;* en concreto, la notita de la hermana que descubre don Gabriel en el templete que, como una especie de sagrario simbólico, guardaba el secreto que el personaje ha estado buscando largo tiempo.

El comandante apoyó el papel contra los ojos al esconder la cara en las manos, y se reclinó en la cómoda, vencido por uno de esos terremotos del corazón que modifican las actitudes y las elevan a la altura trágica sin que lo advirtamos nosotros mismos. Pasados quince minutos, alzó la frente, con una firme resolución y una promesa.

La misma que repetía ahora a la majestuosa noche.

IX

Tan enamorado estaba Juncal de las buenas trazas y discreción de su huésped, que al día siguiente quiso entrarle en persona el chocolate, varios periódicos, un mazo de tolerables regalías[166] y una calderetilla con agua caliente por si acostumbraba afeitarse. No le maravilló poco encontrar a don Gabriel ya en pie, calzado y vestido. ¡Qué madrugador! ¡Y en ayunas! ¿Qué tal el brazo? ¿Preferiría don Gabriel el chocolate en la huerta, debajo de los limoneros? Don Gabriel dijo que sí, que lo prefería.

Razón llevaba en ello, porque la mañanita estaba fresca, el azahar trascendía a gloria, y sobre la rústica mesilla de piedra encandilaba los ojos y excitaba el paladar la vista de la bandeja con el pocillo de Caracas[167], la pella de manteca recién batida, que aún rezumaba suero, el vaso de agua serenada[168] en el pozo, el pan de dorada corteza y las lengüetas rubias de los bizcochos finamente espolvoreados de azúcar.

—Su señora de usted es una gran ama de casa —observó jovialmente don Gabriel al sorber el último residuo del aromático chocolate—. Nos trata a cuerpo de rey. Es increíble el gusto con que se come en el campo, y qué bien sabe todo. Parece que se le quitan a uno diez años de encima.

---

[166] *derecho de regalía:* impuesto que paga el tabaco importado al ser introducido en España; con el término *regalía* se nombra también al tabaco de calidad importado.

[167] *pocillo de Caracas:* puchero de chocolate hecho con cacao de Caracas.

[168] *agua serenada:* agua refrescada al sereno.

Con efecto, fuese por obra del campo o por otras causas, semejaba remozado el huésped de Juncal.

—¿Usted quiere ir esta tarde a casa del cura de Ulloa, sin falta? ¿No sería mejor descansar otro diíta en mi choza?

—Me urge, amigo Juncal. Pero si usted, por esa ojeriza que profesa al clero, no quiere acompañarme... —murmuró don Gabriel risueño, limpiándose los bigotes con encarnizamiento, a fuer de hombre pulcro.

—¿Quién? ¿Yo? ¿A casa del cura de Ulloa? ¡Por vida del chápiro verde! Si todos fuesen como ése, me parece que acabaría por volverme beato.

—No todos pueden ser iguales, señor don Máximo, usted bien lo sabe.

—Mire usted, natural sería que el clero... Digo, creo que les tocaba dar ejemplo a los demás.

—El clero es el reflejo de la sociedad en que vivimos. No estamos ahora en los primeros siglos del cristianismo —replicó con cierta malicia discreta don Gabriel mirando a Juncal que echaba lumbres con un eslabón para darle mecha encendida, pues a causa del viento y de las caminatas, el médico había proscrito los fósforos.

—Ríase usted de cuentos. Bien gordos y repolludos andan los tales parrocetáceos[169] —refunfuñó Máximo empleando el vocabulario peculiar de *El Motín*— a cuenta de nuestra bobería. Más tocino tiene el Arcipreste encima de su alma, que siete puercos cebados.

—Pues en realidad, la profesión es de las menos lucrativas que hoy se pueden seguir. ¿Por ambición, quién diablos va a hacerse clérigo? Amigo, seamos razonables. Antaño, decir canónigo era decir hombre de vida regalona y riñón cubierto; hogaño el canónigo a quien le alcanza el sueldo para comer principio[170] y llevar manteos decentes, se tiene por dichoso. Un cura de aldea es un pobre de solemnidad; cuando más, llegará a donde llegue un labriego acomodado: a tener la des-

[169] Haplología de «párroco» y «cetáceo»; *vid.*, supra, nota 107.

[170] *principio:* cualquiera de los platos que se sirve entre la olla o el cocido y los postres; segundo plato.

pensa regularmente abastecida; y eso, para un hombre que recibió cierta instrucción y tiene por consecuencia necesidades que no tiene el labriego..., ya usted ve. Esto lo sabrá usted mejor que yo, porque hasta ahora mi carrera me mantuvo alejado de Galicia.

—¿Es usted artillero, señor don Gabriel?

—Para servir a usted.

—Por muchísimos años. ¿Grado?

—Comandante efectivo. Hoy excedente, a petición mía. Convénzase usted: al clero no le podemos exigir tantas cosas.

—Pero usted también sabe de sobra, ¿porque usted habrá viajado?, ¿eh?

—Sí, he estado algún tiempo en el extranjero.

—En otras partes, la ilustración, la moralidad...

—Moralidad. Sí. Pero el hombre es hombre en todas partes. El clero protestante, en Inglaterra por ejemplo, alardea de muy moral; sólo que un vicario protestante, en resumidas cuentas, es un hombre casado, un empleado con buen sueldo y respetadísimo; ¿qué ha de hacer? ¿Tendría usted disculpa si incurriese en algún desliz, amigo Juncal, con esa bella, complaciente y hacendosa mitad, y esta dorada medianía que goza? Y además toma usted un chocolate. ¡Cuántas veces habrá usted echado en cara a los frailes la afición a chocolatear! ¡Pues lo que es usted, no se descuida!

Dijo esto don Gabriel golpeando familiarmente en el hombro del médico, porque veía a éste colgado de su boca y oyéndole como a un oráculo, y no quería poner cátedra. Sucedíale a veces avergonzarse del calor que involuntariamente tenían sus palabras al discutir o afirmar, y para disimularlo recurría a la ironía y a la broma. Juncal se extasiaba encontrando tanta sencillez y llaneza en aquel hombre cuya superioridad intelectual, social y hasta psíquica le había subyugado desde el primer instante.

—Vamos —pensaba para su capote—, que aunque fuese mi hermano no estaría más contento de tenerle aquí. Y todo cuanto dice me convence. No sé disputar con él, ¡qué rábano! —echóse el sombrero atrás con un papirotazo del dedo cordial sobre la yema del pulgar, ademán muy suyo cuando quería explicar detenidamente alguna cosa, y añadió:

—Mire usted, así que conozca al cura de Ulloa y le compare con los demás... Se quita la camisa por dársela a los pobres; no alza los ojos del suelo; dicen que hasta trae cilicio. Apenas quiere cobrar a los feligreses ni oblata[171], ni derechos, ni nada, y su criado (porque ese no entiende de amas ni de bellaquerías) está que trina, como que les falta a veces hasta para arrimar el puchero a la lumbre.

—Bien, ese ya es un santo —repuso Gabriel—. ¡Si abundase tal género, qué mayor milagro! Pero en general, ¿qué va usted a exigirle, señor don Máximo, a una clase tan mal retribuida? ¿Que instrucción, dice usted? ¿Sabe usted lo que cuesta la carrera de un seminarista? Una futesa, porque si costase mucho, la Iglesia no podría sostenerlos. ¡Instrucción! ¿Dónde se recluta la clase sacerdotal? Entre los labriegos o los muchachos más pobres de las poblaciones. La clase media, que es la cantera de que se extraen hoy los sabios, buena gana tiene de enviar al seminario sus hijos. Los manda a las universidades, y de allí, si puede, al Parlamento, caminito del Ministerio, o al menos del destino pingüe. En las clases altas, por milagro aparece una vocación al sacerdocio: ¡los tiempos no son de fe! La aristocracia es devota, mas no lo bastante para producir otro duque de Gandía[172]. Y los pocos que se inclinan a la Iglesia, van a las órdenes, en particular a los jesuitas. Así y todo, nuestro episcopado, señor de Juncal, le aseguro a usted que compite con cualquiera de Europa, en luces y en piedad. Y nuestro clero parroquial, aunque algo atrasado y díscolo, posee virtudes y cualidades que no son de despreciar[173].

---

[171] *oblata:* porción de dinero que se da al sacristán o a la iglesia por razón del gasto de vino, hostias, cera u ornamentos para decir misas.

[172] Francisco de Borja y Aragón (1510-1572), cuarto duque de Gandía y tercer general (después de San Ignacio y de Diego Laínez) de la Compañía de Jesús. Antes de ser ordenado sacerdote, desempeñó importantes cargos políticos, entre ellos el de virrey de Cataluña (1539-1543). Fue canonizado en 1671, y la iglesia católica celebra su festividad el 10 de octubre.

[173] Comentan aquí los personajes la absoluta falta de distinción del clero español durante el siglo XIX, falta de distinción que se hará particularmente notable en la segunda mitad del siglo cuando la religión tiene que enfrentarse a los desafíos de las ciencias positivas. Esta idea fue repetida por los intelectuales españoles del XIX *(vid.* Francisco Giner de los Ríos, *Estudios filosóficos y reli-*

—Es usted... —preguntó Juncal con la cara más afligida del mundo— es usted... neocatólico[174], por lo visto.

—No, nada de eso —respondió apaciblemente Gabriel—. Soy, platónicamente hablando, avanzadísimo; tengo ideas mucho más disolventes que las de usted, solamente... Pero ¡qué limoneros tan hermosos!

Tomó una rama y respiró con delicia los cálices blancos, de pétalos duros como la cuajada cera.

—Estoy encantado con mi tierra, don Máximo. Es de los países más poéticos y hermosos que se pueden soñar. Yo no conocía ni esa parte de Vigo, tan pintoresca, tan amena, ni esto de aquí; y lo poco que ya he visto, me seduce. El suelo y el cielo, una delicia; el entresuelo: gente amable y cariñosa hasta lo sumo; las mujeres parece que le arrullan a uno en vez de hablarle.

—¿Mecha otra vez?

—Gracias, no fumo más. ¿Vamos a saludar a la señora? Aún no le hemos dado los buenos días.

—Catalina apreciará tanto... Pero a estas horas, *va en*[175] el molino, de seguro. Así que alistó el chocolate, le faltó tiempo

---

giosos, Madrid, Librería de Francisco Góngora, 1876), y es reconocida también por los historiadores de nuestro siglo, *vid.* José Luis Comellas, «Revolución y Restauración (1868-1931)», *Historia General de España y América* (Madrid, Rialp, 1993), vol. XVI, págs. 13-35.

[174] *neocatólico:* ultramontano, partidario del carlismo durante la Restauración; el adjetivo es descriptivo, frente al despectivo «carca», antes usado *(vid.* nota 134). Se usó también en la forma abreviada de «neo». El partido neocatólico se formó tras la muerte del pretendiente carlista Carlos VI; su hijo, y heredero, Juan de Borbón compartía el ideario liberal y estaba separado de su esposa. Ello motivó que muchos carlistas se alejaran de la causa legitimista, formando el partido neocatólico que tuvo cierta fuerza en algunos círculos intelectuales en los primeros años de la Restauración, con personalidades como Cándido Nocedal (dirigente que volvió a integrar el partido en el movimiento carlista), Pidal y Mon, y académicos como Tamayo y Baus, Manuel Cañete y Mariano Catalina. El afamado discurso sobre la moral en el arte, pronunciado en 1877 por Pedro Antonio de Alarcón con ocasión de su ingreso en la Real Academia Española, puede considerarse como ejemplo del ideario «neo».

[175] *va en,* gall.; se trata de una expresión que puede tener sentido de dirección, aunque comúnmente se usa como locativo (Rodrigo Varela, «Galeguismos», pág. 116).

para recrearse con aquel barullo de dos mil diablos que arman las parroquianas.

Una mariposilla blanca, la vanesa[176] de las coles que abundaban por allí, vino revoloteando a posarse en el sombrero de Juncal. Don Gabriel tendió los dedos índice y pulgar entreabiertos, para asirla de las alas. La mariposa, como si olfatease aquellos amenazadores dedos, voló con gran rapidez, muy alto, entre la radiante serenidad matutina[177]. Don Gabriel la siguió con los ojos estirando el pescuezo, y el médico reparó en lo bien cuidada (sin afeminación) que traía la barba el comandante. Cada pormenor acrecentaba la simpatía en el médico, que estancado en la cultura de los años universitarios, arrinconado en un poblachón, olvidado ya, a fuerza de bienestar material y de pereza mental, de sus antiguas lecturas científicas, y sus grandes teorías higiénicas, conservaba no obstante la facultad de respetar y admirar, en un grado casi supersticioso, cuando veía en alguien la plenitud de circulación y el oxígeno intelectual que él había ido perdiendo poco a poco. Además, ¡era tan cortés, resuelto, despejado y afable aquel señor!

---

[176] Varias mariposas tienen este nombre (p. ej., *Vanessa atalanta, Vanessa cardui)*, destacando por su vistosidad y colorido. No obstante, doña Emilia se refiere a la llamada «mariposilla» o «mariposa de la col» *(Pieris rapae)*, asimismo muy vistosa, de alas hendidas color marrón oscuro en los radios y anaranjado en el resto, con bordes dentados y pigmentaciones con diseño circular de color negro. Erróneamente, sin embargo, poco después doña Emilia se refiere a ésta como «mariposilla blanca»; nótese, empero, que la autora se deja guiar más por la sugestión del color que por la veracidad del detalle.

[177] Catuxa, la esposa de Juncal, había aparecido ya como una mancha de color blanco. Se la menciona aquí junto a esta nueva imagen de color, la mariposa, que evoca en don Gabriel un ideal de realización y paz doméstica, enunciados en el capítulo anterior *(vid.* nota 115), y que viene a representar ante sus ojos Juncal. Acto seguido, don Gabriel inquiere al médico por su sobrina. Nótese, además, que, lo mismo que el arco iris en el capítulo I es una mancha que se volatiliza convirtiéndose en un «vapor de colores», también aquí la mariposa es un destello luminoso que se desvanece en el aire. La nota de color tiene la función de sugerir una idea mediante lo que Bravo Villasante denominaba el «sensualismo colorista» *(Vida y obra de Emilia Pardo Bazán*, ed. cit., pág. 117). Poco más adelante la mariposa es mencionada como signo de buen augurio; pero nótese que, al ir a cogerla don Gabriel, aquélla se le escapa de entre los dedos.

Gabriel permanecía con los ojos medio guiñados, como cuando seguimos un objeto distante. Sin embargo, la mariposa había desaparecido hacía tiempo. El artillero se volvió de repente.

—Don Máximo, ¿me hará usted el favor de contestar francamente a varias preguntas que tengo que hacerle?

—Señor de Pardo, por Dios. Me manda, y yo obedezco. En cuanto le pueda servir.

—Pensaba entenderme con el abad de Ulloa; pero por la descripción que usted me hace de él, temo..., ¿cómo diré?, temo que sea uno de esos seres angelicales, pero inocentes y pacatos, que no le sacan a uno de dudas, y que además, por lo mismo que son buenos, conocen mal a la gente que les rodea. (A medida que hablaba don Gabriel, aprobaba más enérgicamente con la cabeza el médico, murmurando «Por ahí, por ahí».) Usted es un hombre inteligente y honrado, Juncal.

Ruborizóse éste como se ruborizan los morenos, dorándosele la piel hasta por las sienes, y con algo atragantado en la nuez, murmuró:

—Honrado, eso sí. Me tengo por honrado, señor don Gabriel. Tanto como el que más.

—Pues yo fío en usted enteramente. Sepa que he venido aquí con objeto de casarme...

Abrió Juncal dos ojos tamaños como dos aros de servilleta.

—... Con mi sobrina, la señorita de Moscoso.

—¿La señorita de Moscoso? —exclamó el médico apenas repuesto de la sorpresa—. ¿Qué me dice, don Gabriel? ¿La señorita Manolita? ¡No sabía ni lo menos!

—Ya lo creo —repuso Gabriel soltando la risa—. Como que tampoco lo sabía yo mismo pocos días hace; ni lo sabe nadie aún. Es usted la primera persona a quien se lo cuento.

Juncal sintió dulce cosquilleo en la vanidad, y aturrullado de puro satisfecho, trató de formular varias preguntas, que Gabriel atajó adelantándose a ellas.

—Diré a usted, para que comprenda mi propósito, que la persona a quien más quise yo en el mundo fue mi pobre hermana Marcelina, la que casó con don Pedro Moscoso; y si hay cielo —aquí le tembló un poco la voz a don Gabriel— allí debe estar pidiendo por mí, porque fue una... már..., una santa. Al morir me dejó encargada su hija; no lo supe hasta que mi padre falleció. Yo me encuentro hoy libre, no muy viejo aún, sin compromisos ni lazos que me aten, con regular hacienda y deseoso del calor de una familia. Teniendo Manolita padre como tiene, un tío no está autorizado para velar por ella. Un marido, es otra cosa. Si no le repugno a mi sobrina y quiere ser mi mujer... Estoy determinado a casarme cuanto antes.

Oía Juncal, y poniendo las manos en los hombros del artillero, respondió vagamente, cual si hablase consigo mismo:

—En efecto... no hay duda que.... Realmente, ¿quién mejor? La verdad es...

Miró don Gabriel, sonriéndose de alegría, al médico. Su corazón se dilataba dulcemente con la confidencia, y se le ocurría que por la serena atmósfera revoloteaba un porvenir dichoso, columpiado en el espacio infinito, como la mariposilla blanca, que una superstición popular cree nuncio de dicha. Clavó sus ojos garzos en el médico: la luz del día hacía centellear en ellos filamentos de derretido oro. Se había guardado los quevedos en el bolsillo, y parpadeaba como suelen los miopes cuando la claridad les deslumbra.

—Francamente, Juncal, no conozco a mi sobrina Manuela ni sé... ¿Cómo es?

—El retrato de su difunta madre, que esté en gloria —respondió muy cristianamente el tremendo clerófobo Juncal.

—¡De su madre! —repitió el artillero extasiado.

—Pero más buena moza, no despreciando a la pobre señorita. La madre era..., algo bisoja[178] y delgada. Ésta mira derecho, y tiene unos ojazos como moras maduras. Alta, carnes apretaditas, morena con tanto andar al sol, buenas trenzas de pelo negro y bien constituida. No digamos que sea una chica

[178] *bisoja:* que padece estrabismo, detalle que viene a reiterar la imagen de mujer fea que ha sido sugerida con anterioridad. Nucha no es la mujer apropiada para un hombre tan sensual como el marqués de Ulloa, sino que es la elegida del capellán, don Julián, quien con esta elección sublima su amor mundano por la marquesa. Una sublimación similar tiene lugar en esta novela por parte de don Gabriel. La reacción de Juncal pone al lector sobre la pista de lo poco conveniente que es esta unión, que resultaría igualmente disparatada.

hermosísima, porque no tiene las *perfecciones* allá hechas a torno; pero puede campar en cualquier parte. Vaya si puede[179].

—Si se parece a Nucha, para mí ha de ser un serafín, don Máximo.

—Y a usted se parece también, no se ría, señor de Pardo. Ya sabe que a usted lo saqué yo ayer en el coche, por su hermana.

—Siempre hay eso que se llama aire de familia. Don Máximo, mire usted que aún no he empezado, como quien dice, a preguntar lo que quiero saber. Yo he sido franco con usted, ¿usted lo será conmigo?

—No faltaba más. Aunque me fuera la vida en responder.

—Diga usted. Mi cuñado...

[179] Una vez más, en esta ocasión por boca de Juncal, reaparece el modelo de belleza no idealizada que doña Emilia propusiera por primera vez en el prólogo a *La Tribuna*, donde dice seguir el modelo de Pereda, quien ha desterrado de la novela las «zagalejas de égloga».

X

Juncal terminó la semblanza y biografía de don Pedro Moscoso y Pardo de la Lage, conocido por marqués de Ulloa, con las siguientes filosóficas reflexiones:

—No todos sus defectos hay que imputárselos a él, sino (hablemos claro) a la crianza empecatada que le dieron. Sería mejor que se educase él solito o con los perros y las liebres, que en poder de aquel tutor tan animal, Dios me perdone, y tan listo para sus conveniencias. ¡Y se llamaba como usted, don Gabriel!

El comandante sonrió.

—Maldito lo que se parecen. Como iba diciendo, yo, hace años, muchos años, que no pongo los pies en los Pazos de Ulloa; desde aquellas elecciones dichosas en que anduve contra don Pedro. Porque lo primero de todo son las ideas y los principios, ¿verdad, don Gabriel?

—Sin duda, sobre todo cuando uno los ha pesado y examinado y está seguro de su bondad —respondió el artillero.

—Tiene usted razón. A veces se calienta la cabeza, y hace uno disparates. Pero en fin, yo soy liberal desde que nací, y en vez de enfriar con los años, me exalto más.

—¿Dice usted que no va usted por allí? ¿Cómo anda de salud mi cuñado?

—Regular; está muy grueso y padece bastante de la gota, como el difunto tío, por lo cual dicen que gasta muy mal humor, y que ha perdido la agilidad, de manera es que no puede salir a caza como antes.

—Y, ¡acuérdese usted de que me ha prometido ser franco! ¿Y esa mujer que tiene en casa?

—Mire usted, como yo no voy por allí, con repetirle lo que se cuenta..., y unos hablan de un modo y otros de otro; pero yo me atendré a lo que dicen los más formales y los que acostumbran ir a los Pazos. Usted ya sabe que tal mujer estaba en la casa antes de casarse su señor cuñado; enredados los dos, por supuesto, y el padre siendo el verdadero mayordomo y en realidad el dueño de la casa, aunque por *plataforma* trajeron allí al infeliz del cura de Ulloa, que no sirve para el caso. Había un chiquillo precioso, y pasaba por hijo del marqués. Pero resultó que después de la boda de don Pedro, la muchacha por su parte se empeñó en casarse con un paisano de quien estaba enamoradísima, y a quien le colgó, ¿usted se entera?, el milagro del rapaz. Este paisano, que ahora anda hecho un caballero, siempre de tiros largos, se llama el *Gallo* de apodo, y nadie le conoce sino por el apodo o por el *Gaitero de Naya*, porque lo fue; y el remoquete de *Gallo* se lo pusieron sin duda por lo bien plantado y arrogante mozo, que lo es, mejorando lo presente. Un poco antes mataron al padre de la muchacha...

—¿No le asesinaron por una cuestión electoral?

—Justo. Según eso, ¿está usted en autos?

—Uno que venía conmigo en la berlina, el Arcipreste no, el otro.

—*¿Trampeta?*

—Pequeño, vivaracho, entrecano...

—El mismo. Pues le contó verdad. Al gran pillastre de Primitivo me lo despabilaron de un trabucazo, en venganza de que los había vendido a última hora, tanto que les hizo perder la elección (Juncal bajó la voz involuntariamente). ¿Ve usted aquellas tapias, pasadas las primeras, donde asoman las ramas de un cerezo con fruta? Pues son las del huerto de Barbacana, el cacique más temible que hubo en el país. Dicen que ese ordenó la ejecución, aunque el verdugo fue una especie de facineroso que anda siempre a salto de mata, de aquí a Portugal y de Portugal aquí.

Gabriel meditaba, sepultando la quijada en el pecho. Luego se caló distraídamente los quevedos.

—Así somos, amigo Juncal. Un país imposible, en ese terreno sobre todo. Antes que aquí se formen costumbres en armonía con el constitucionalismo, tiene que ir una poca de agua a su molino de usted. Decía cierto hombre político que el sistema parlamentario era una cosa excelente, que nos había de hacer felices dentro de setecientos años[180]. Yo entiendo que se quedó corto. Al caso; dígame todo lo concerniente a la historia.

—Hoy en día, a Barbacana ya lo llevan acorralado, y se cree que trata de levantar la casa e irse a morir en paz a Orense. Porque va viejo, y no le dejan respirar sus enemigos. El que vino con usted, Trampeta, con el aquel de protegido de Sagasta, es ahora quien sierra de arriba. En fin, todo ello para nuestro cuento importa un comino. Así que mataron al padre, la muchacha se casó con su *Gallo,* y cuando se creía que el marqués los iba a echar con cajas destempladas, resulta que se quedan en la casa, ellos y el rapaz, y que está su señor cuñado contentísimo con tal muñeco. Esto fue antes, muy poco antes de morir la señorita, su hermana.

Gabriel suspiró, juntando rápidamente el entrecejo.

—No había quedado nada fuerte desde el nacimiento de la niña: yo la asistí, y necesité echar mano de todos los recursos de la ciencia para que...

—¿Usted asistió a mi hermana? —exclamó el artillero, cuyos ojos destellaron simpatía, casi ternura, humedeciéndose con esa humedad que es como el primer vaho de una lágrima antes de subir a empañar la pupila.

—Entonces, sí señor; que después, como dije a usted, el marqués hizo punto en no volverme a llamar. La pobre señora se quedó, según dicen, como un pajarito; se le atravesaron unas flemas en la garganta.

Los ojos de Gabriel, ya secos, ardientes y escrutadores, se posaron en Juncal.

—¿Don Máximo, cree usted en su conciencia que mi hermana murió de muerte natural? —pronunció con tal acento, que el médico tartamudeaba al contestar:

---

[180] Probablemente se trata de Cánovas, quien ha de considerar la democracia como un sistema excelente, pero impracticable en España. Dada la imposibilidad de tener un sistema de democracia real, debido a la gran masa inculta del país, Cánovas entiende la actividad política como «el arte de lo posible», y se propone practicarla «huyendo de bellas teorías inaplicables»; *vid.* José Luis Comellas, *Historia de España contemporánea* (Madrid, Rialp, 1988), pág. 253.

—Sí señor, sí señor, ¡sí señor! Puedo atestiguarlo con sólo una vez que la vi en la feria de Vilamorta, donde estaba comprando no sé qué, allá unos seis meses antes de la desgracia. La fallé[181] y dije (puede usted creerme como estamos aquí y Dios en el cielo): «No dura medio año esta señorita.»

Pasóse Gabriel la mano por la frente.

—Don Gabriel —prosiguió el médico—, ¿qué le hemos de hacer? Su hermana era delicada; necesitaba algodones; encontró tojos y espinas. De todas las maneras, ella siempre fue poquita cosa. Volviendo a la niña, no digamos que su padre la maltrate, pero apenas le hace caso. Él contaba con un varón, y recuerdo que cuando nació la pequeña, ya renegó y echó por aquella boca una ristra de barbaridades. Al que adora es al chiquillo de la Sabel. Si lo querrá, que hasta se ha empeñado en que estudie, y lo manda a Orense al Instituto, y piensa enviarlo a Santiago a concluir carrera. El muchacho anda lo mismo que un mayorazgo: su buen reloj de oro, su buena ropa de paño, la camisola fina, el bastoncito o el látigo cuando va a las ferias, y yegua para montar, y dinero en el bolsillo.

Asió Juncal con misterio la solapa de la americana de don Gabriel, y arrimando la boca a su oído susurró:

—Dicen que le quiere dejar bajo cuerda casi todo cuanto tiene.

En vez de fruncir el ceño el artillero, despejóse su encapotada fisonomía, y contestó en voz serena:

—Ojalá. ¿Se admira usted de mi desinterés? Pues no hay de qué. Es cierto que considero obligación del hombre sostener la familia que crea al casarse; pero no soy de esos tipos que tanto les gustan a los autores dramáticos de ahora, que no se casan con una mujer de quien están perdidamente enamorados, sólo porque es rica. En el caso presente me alegro, porque cuantas menos esperanzas de riqueza tenga mi sobrina, más fácilmente se avendrán a dármela, a mí que no he de exigir dote. Confieso que tenía yo mis miedos de que me diese calabazas mi señor cuñado. Verdad es que como no me las dé Manolita, soy abonado hasta para robarla, ni

[181] *fallé:* arcaísmo o galleguismo por «hallé».

más ni menos que en las novelas de allá del tiempo del rey que rabió.

Miró Juncal la fisonomía del artillero, a ver si hablaba en broma o en veras. Revelaba cierta juvenil intrepidez, y la resolución de poner por obra grandes hazañas, a pesar de los blancos hilos sembrados por la barba y el pelo que escaseaba en las sienes.

—Si ella no me quiere, y bien puede ser, que al fin soy viejo para ella (Juncal hizo con manos y rostro furiosos signos negativos), entonces, no habrá rapto. De todos modos, por cuestión de cuartos, no se ha de deshacer la boda: yo lo fío. Aparte de que, siendo ese chico hijo del marqués, natural me parece que le toque algo de la fortuna paterna.

—¿Quién sabe de quién es el chico? Y es como un pino de oro.

—¿Más lindo que mi sobrina? Mire usted que voy a defender, sin haberla visto, como el ingenioso hidalgo, que es la más hermosa mujer de la tierra[182].

—De fea no tiene nada: pero de vestir, la traen..., así..., nada más que regular. Muchas veces no se diferencia de una costurerita de Cebre. Vamos, la pobre tuvo poca suerte hasta el día.

—A arreglar todo eso venimos —contestó Gabriel levantándose, como deseoso de echar a andar sin dilación en busca de su futura esposa. Su huésped le imitó.

—Entonces, ¿a qué hora de la tarde quiere usted salir para la rectoral de Ulloa? —preguntó muy solícito.

—He mudado de plan; ya no voy. Iré dentro de un par de días a saludar al señor cura. Tengo por usted cuantos informes necesito, y puedo presentarme hoy mismo en los Pazos de Ulloa sin inconveniente alguno.

—¿Le corre tanta prisa?

—¿Qué quiere usted? Cuando uno está enamorado...

Juncal se rio, y volvió a mirar a su interlocutor, gozándose en verle tan animoso. El sol ascendía, la proyección de sombra de las tapias y el emparrado empezaba a acortarse. Por la puerta del huerto asomó una figura humana inundada de luz,

---

[182] Se refiere, naturalmente, al malogrado episodio de don Quijote con los mercaderes toledanos, *Quijote* I, 4.

de frescura y color: era una mujer, Catuxa, con el delantal recogido y levantado, lleno de ahechaduras[183] de trigo que arrojaba a puñados en torno suyo chillando agudamente:

—Pitos, pitos, pitos, pipí, pipí, pipí.

Seguíanla los pollos nuevos, amarillos como canarios, con sus listos ojillos de azabache, con sus corpezuelos que aún conservaban la forma del cascarón, columpiados sobre las patitas endebles. Detrás venía la gallina, una gallina pedreña, grave y cacareadora, honrada madre de familia, llena de dignidad. A la nidada seguía una horda confusa de volátiles: pollos flacos y belicosos, gallinas jóvenes muy púdicas y modestas, muy sumisas al hermosísimo bajá, al gallo rojizo con cresta de fuego y ojos de ágata derretida, que las custodiaba y les señalaba con un cacareo lleno de deferencia el sustento esparcido, sin dignarse probarlo. Don Gabriel se detuvo muy interesado por aquel cuadro de bodegón, que rebosaba alegría[184]. El gallo le recordó el mote del marido de Sabel y, por inevitable enlace de ideas, los Pazos de Ulloa. Y al pensar que estaría en ellos por la tarde y conocería a la que ya nombraba mentalmente *su novia*, la circulación se le paralizó un momento, y sintió que se le enfriaban las manos, como sucede en los instantes graves y decisivos.

—¡Fantasía, fantasía! —pensó—. ¡Cuidadito, no empieces ya a hacer de las tuyas![185].

---

[183] *ahechaduras:* desperdicio que queda después de haber cribado el trigo u otro cereal.

[184] Un nuevo bodegón con su nota de color *(vid.* Baquero Goyanes, ed. cit., págs. 185-187).

[185] Estas reflexiones, indicio de la debilidad que tiene don Gabriel por dejar correr la imaginación, tratan de distanciar al lector del personaje de modo que las opiniones de éste no sean tomadas como exposición del punto de vista de la escritora. Como se dijo en la introducción, en otras novelas de la época la autora da cuenta del carácter estrafalario del ideario de don Gabriel *(vid.,* además, notas 141 y 162). A ello se refiere también esta reflexión. Otros autores de la época se distancian de sus personajes indicando que éstos se dejan llevar excesivamente por el vuelo de la imaginación. En su novela de 1885, *Juan Vulgar,* Jacinto Octavio Picón indica que el protagonista «tenía más imaginación de la que conviene al hombre» *(Juan Vulgar,* Madrid, Tip. «El Correo», 1885, pág. 15); y el mismo Galdós, hablando de don José Relimpio, en *La desheredada,* dice que la vida de éste está «compuesta de extraños fingimientos de juventud, pasión y energía» *(La desheredada,* Madrid, «La Guirnalda», 1881, pág. 451).

XI

Antes de salir de Cebre a caballo, rigiendo una yegua y una mulita[186], detuviéronse cortos momentos Juncal y don Gabriel en el *alpendre* o cobertizo del patio del mesón donde remudaba tiro la diligencia. Yacían allí las víctimas del siniestro, una mula con una pata toda entablillada, y no lejos, sobre paja esparcida, cubierto con una manta, temblando aún de la bárbara cura que acababan de hacerle, el infeliz delantero, no menos entablillado que la mula. A su cabecera (llamémosle así) estaba el facultativo, que no era sino el famoso señor Antón, el algebrista de Boán. Máximo dio un codazo a don Gabriel, advirtiéndole que reparase en la peregrina catadura del viejo, el cual no se turbó poco ni mucho al encontrarse cogido in fraganti delito de usurpación de atribuciones; saludó, sacó de detrás de la oreja la colilla, y empezó a chuparla, a vueltas

[186] Al igual que don Julián en *Los Pazos de Ulloa*, don Gabriel llega a la agreste geografía del pazo desde la civilización *(i.e.,* Santiago de Compostela) pasando mil incomodidades que dan relieve a este tránsito. Pero, a diferencia de don Julián, el personaje en esta novela no se siente ridículo a caballo. Juncal le había informado de la mansedumbre del animal, con lo que la llegada del artillero al pazo contrasta definitivamente al compararse con la llegada de Julián. De éste se dijo que: «Experimentaba el jinete indefinible malestar, disculpable en quien nacido y criado en un pueblo tranquilo y soñoliento, se halla por vez primera frente a frente con la ruda y majestuosa soledad de la Naturaleza» *(Los Pazos de Ulloa,* cap. I). Nada de esto ocurre con don Gabriel, militar de profesión, que es por tanto capaz de adecuarse perfectamente a la dureza del medio.

de inauditos esfuerzos de su barba, determinada a juntarse de una vez con la nariz.

Miró Gabriel al pobre mozo que gemía, con los ojos cerrados, la cabeza entrapajada y una pierna tiesa del terrible aparato que acababan de colocarle, y consistía en más de una docena de *talas*[187] o astillas de caña de cortas dimensiones, defensa de la bizma de pez hirviendo que le habían aplicado. La criada y el amo del mesón se limpiaban aún el sudor que les chorreaba por la frente, cansados de ayudar a la operación de la compostura tirando con toda su fuerza de la pierna rota hasta hacer estallar los huesos, a fin de *concertar* las articulaciones, mientras el paciente veía todos los planetas, incluso los telescópicos.

—Mire si tenía razón —murmuró Máximo—. Estoy ahí a la puerta, y han preferido mandar llamar a éste de más de tres leguas. Es verdad que él ha curado de una vez al muchacho y a la mula, cosa que yo no haría.

Gabriel observaba al algebrista como se observa un tipo de cuadro de género, de los que trasladó al lienzo para admiración de las edades el pincel de Velázquez y Goya[188].

—Me gustaría darle palique si no tuviésemos el tiempo tan tasado —indicó al médico.

—¡Bah! No tenga miedo, que al señor Antón se lo encontrará usted a cada paso por ahí. Raro es que pase un mes sin que dé una vuelta por los Pazos: como hay mucho ganado...

Antes de ponerse en camino, don Gabriel sacó de la petaca algunos cigarros, que tendió al atador. Tomólos éste con su flema y reposo habituales; y arrojando la ya apurada colilla, se

---

[187] *tala*, gall.: tablas que se usan para enderezar algo que se dobló.

[188] Doña Emilia apela en repetidas ocasiones a las formas del realismo tradicional español, cuyos modelos serían Velázquez, Goya y el Quevedo de *El Buscón*. A todo lo largo de la década de 1880, los críticos y autores que se oponen al Naturalismo francés apelan a este realismo «castizo» como alternativa a la novela francesa. La misma autora gallega lo hace en el prefacio a *Un viaje de novios*, donde escribe que Zola, «con su inmenso talento», es el más hipocondríaco de los escritores «habidos y por haber», oponiendo a él «nuestro realismo, el que ríe y llora en la *Celestina* y el *Quijote*, en los cuadros de Velázquez y Goya, en la vena cómico-dramática de Tirso y Ramón de la Cruz» *(Un viaje de novios*, ed. cit., págs. 59-60).

tocó el ala del grotesco sombrero, mientras con la izquierda cogía el vaso colmado de vino que le brindaba la mesonera.

Los jinetes refrenaron el primer ímpetu de sus cabalgaduras, a fin de no cansarlas ni cansarse, y adoptaron una ambladura pacífica. Era la tarde de esas del centro del año[189], que en los países templados suelen ostentar incomparable magnificencia y hermosura. Campesinos aromas de saúco venían a veces en alas de una ligerísima brisa, apenas perceptible. La yegua de Juncal, que montaba el comandante, no desmentía los encomios de su dueño. Regíala Gabriel con la diestra, y bien pudiera dejarle flotar las riendas sobre el pescuezo, pues aunque lucia y redondita de ancas, gracias al salvado de Catuxa, era la propia mansedumbre. Sólo se permitía de rato el exceso de torcer el cuello, sacudir el hocico y rociar de baba y espuma los pantalones del jinete; pero aun esto mismo lo hacía con cierta docilidad afectuosa.

Gabriel se dejaba columpiar blandamente, penetrado de un bienestar intenso, de una embriaguez espiritual, que ya conocía de antiguo, por haberla experimentado cuantas veces se divisaba en su vida un horizonte o un camino nuevo. Era una especie de eretismo de la imaginación, que al caldearse desarrollaba, como en sucesión de cuadros disolventes[190], escenas de la existencia futura, realzadas con toques de poesía, entretejidas con lo mejor y más grato que esa existencia podía dar de sí, con su expresión más ideal. En la fantasía incorregible del artillero, los objetos y los sucesos representaban todo cuanto el novelista o el autor dramático pudiese desear para la creación artística, y por lo mismo que no desahogaba esta ebullición en el papel, allá dentro seguía borbotando[191]. Si la

---

[189] Una de las raras referencias temporales en la novela. Como se dijo más arriba, se trata de junio o julio.

[190] *cuadros disolventes:* imágenes obtenidas mediante la linterna mágica, aparato óptico con el que, por medio de lentes, se proyectan ampliadas imágenes originalmente pintadas en vidrio.

[191] Nótese que aquí, por implicación, hay una conciencia artística que supone la escritura como antídoto contra los desórdenes de la imaginación; esto es, se trata de materializar las ficciones para evitar los desórdenes o exageraciones deformadas de la fantasía. Al no materializarse la imaginación en una novela en el caso del personaje, la ficción sigue desarrollándose desorbitadamen-

realidad no se arreglaba después conforme al modelo fantástico, Gabriel solía pedirle estrechas cuentas; de aquí sus reiteradas decepciones. Soñador tanto más temible cuanto que guardaba sepulcral silencio acerca de sus ensueños, y a nadie comunicaba sus fracasos —los *caballos muertos,* que decía él para sí. Conociéndose, solía proponerse mayor cautela, y echar el torno a la imaginación. Pero ésta llevaba siempre la mejor parte.

Verbigracia, en el caso presente. ¿Pues no habíamos quedado en que el pedir la mano de su sobrina era el cumplimiento de un austero deber, un tributo pagado a la memoria de un ser querido, un acto sencillo y grave? ¿Bastarían dos o tres frases de Juncal, el olor de las flores silvestres y el hervor de su propia mollera para edificar sobre la base de la obligación moral el castillo de naipes de la pasión? ¿Por qué pensaba en su sobrina incesantemente, y se la figuraba de mil maneras, y discurría, enlazando experiencias y recuerdos, cómo sorprenderla, interesarla y enamorarla, hablando pronto? ¿Por qué se deleitaba en imaginar la inocencia selvática de su sobrina, su carácter algo arisco, y el rendimiento y ternura con que, después de las primeras esquiveces, le caería sobre el corazón más blanda que una breva; y por qué se veía disipando poco a poco su ignorancia, educándola, formándola, iniciándola en los goces y bienes de la civilización, y otras veces volvía la torta, y se veía a sí propio hecho un aldeano, y a Manolita, con los brazos arremangados como Catuxa, dando de comer a las gallinas, o —¡celeste visión, espectáculo inefable!— arrimando al blanco y redondo pecho una criaturita medio en pelota, toda bañada de sol?[192].

---

te hasta entrar en conflicto con la vida. De ahí que, si la realidad no se desarrolla de acuerdo con las expectativas imaginarias del personaje, éste caiga en sucesivas decepciones. Como he indicado en otro lugar *(Realismo y ficción: «La desheredada» de Galdós y la novela de su tiempo,* Barcelona, PPU, 1989), *La desheredada* (1881) de Galdós es la primera novela que en España presenta este conflicto en el XIX, conflicto que es característico de la mejor novela del momento y que hay que entender en su conexión con *El Quijote.*

[192] Don Gabriel Pardo ve la vida en función de modelos literarios. En concreto, hay aquí varios modelos de ficción que aparecen yuxtapuestos: la «pastorela» en que el señorito corteja y seduce a la aldeana, modelo que reaparece

La naturaleza se asemeja a la música en esto de ajustarse a nuestros pensamientos y estados de ánimo. No le parecieron a Gabriel tristes y lúgubres ni los abruptos despeñaderos que se suspenden sobre el río Avieiro, ni los pinares negros cuya mancha limitaba el horizonte, ni los montes calvos o poblados de aliaga, ni los caminos hondos, que cubría espesa bóveda de zarzal. Al contrario, miraba con interés los pormenores del paisaje, y al llegar al crucero de piedra y al copudo castaño que le formaba natural pabellón, exclamó con entusiasmo:

—¡Qué hermoso sitio! Ni ideado por un pintor escenógrafo de talento.

—Cerquita de aquí —advirtió Juncal— mataron al excomulgado de Primitivo, el mayordomo de los Pazos. Mire usted: debió ser por allí, donde blanquea aquel paredón. El chiquillo, el nieto, el Perucho, lo estuvo viendo muy agachadito detrás de las piedras. Se le ha de acordar cada vez que pase por aquí..., si es que tiene valor de pasar[193].

---

irónicamente invertido al comienzo del capítulo XVI (véanse notas 205 y 233); el mito de Pigmalión y Galatea, según el cual don Gabriel tratará de moldear el corazón y la sensibilidad de su sobrina; y el «idilio rústico», que noveliza también Pereda en *Peñas arriba,* por ejemplo, aunque Pardo Bazán usa este modelo para distanciar al lector del personaje por medio de la ironía, mientras que Pereda, debido a razones ideológicas, propone seriamente la conversión idílica de Marcelo en la novela citada.

[193] «Apretaba el *Tuerto* contra su pecho corto y ancho trabuco, y, después de girar hacia todas partes el único lucero de su fea cara, de aguzar su oído, de olfatear, por así decirlo, el aire, arrimóse al murallón, medio arrodillándose tras de un seto de zarzas y brezo que lo guarecían. Perucho, cuyos pies descansaban en las anfractuosidades del muro, se quedó como incrustado en él sin osar respirar, ni bajarse, ni moverse, porque aquel hombre desconocido, mal encarado y en acecho, le infundía el pavor irracional de los niños que adivinan peligros cuya extensión ignoran. Por mucho que le aguijonease el deseo de sus cuatro cuartos, no se atrevía a descolgarse del murallón, temiendo hacer ruido y que le apuntase con el cañón de aquella arma, cuya ancha boca debía, de seguro, vomitar fuego y muerte. Así transcurrieron diez segundos de angustia para el angelote. Antes que pudiese entrar a cuentas con el miedo, ocurrió un nuevo incidente. Sintió otra vez pasos, no recelosos como de quien se oculta, sino precipitados, como de quien va a dondé le importa llegar presto; y por el camino hondo que limitaba al murallón divisó a su abuelo, que avanzaba en dirección de los pazos; sin duda, con su vista de águila, había divisado al señorito y le seguía, intentando darle alcance. Iba Primitivo

Gabriel se volvió un poco sobre la silla española que vestía su yegua, y exclamó como el que pregunta algo de sumo interés que se le ha olvidado:

—¿Qué tal índole es la de ese chico? ¿Maltrata a mi sobrina? ¿La mortifica? ¿Le tiene envidia? ¿Hace por malquistarla con mi cuñado?

—¡Él maltratarla! ¡A su sobrina! Pues si no ha habido en el mundo cariño más apretado que el de tales criaturas. Desde que nació la niña, Perucho se volvió chocho, lo que se llama chocho, por ella; la señora y el ama no sabían cómo hacer para quitarse de encima al chiquillo, que no hacía sino llorar por la nené. Allí estaba siempre, como un perrito faldero; ni por pegarle; le digo a usted que era mucho cuento tal afición. Y después de fallecer la señora, ¡Dios nos libre! El niñero de la señorita Manolita en realidad ha sido Perucho. Siempre juntos, correteando por ahí. ¡Pocas veces me los tengo encontrados por los sotos, haciendo *magostos*[194], por las viñas picando uvas, o chapuzando por los pantanos! Y que no sé cómo no se mataron un millón de veces o no rodaron por los despeñaderos al río. El chiquillo es fuerte como un toro, ¡más sano y recio! Un hijo verdadero de la naturaleza. Sólo una enfermedad le conocí, y verá usted cuál. Cátate que se le pone en la cabeza al marqués, y otros dicen que al farolón del Gallo, enviar al rapaz a Orense para que estudie; y quién le dice a usted que el primer año, cuando tocaron a separarse, los dos chiquillos cayeron malos qué sé yo de qué, de una cosa que aquí llamamos *saudades*. ¿Usted comprende el término? Porque usted lleva años de faltar de Galicia.

---

distraído, con el propósito de reunirse a don Pedro, y no miraba a parte alguna. Llegó a atravesar por delante del muro. El niño, entonces, vio una cosa terrible, una cosa que recordó años después y aun toda su vida: el hombre emboscado se incorporaba, con su único ojo centelleante y fiero; se echaba a la cara la formidable tercerola negra; flotaba un borrón de humo, que el aire disipó instantáneamente, y a través de sus últimos tules grises, el abuelo giraba sobre sí mismo como una peonza y caía boca abajo, mordiendo, sin duda, en suprema convulsión, la hierba y el lodo del camino» *(Los Pazos de Ulloa*, cap. XXVIII).

[194] *magosto*: hoguera que se hace para asar castañas.

—Sí, ya sé qué quiere decir *saudades*. Los catalanes llaman a eso *anyoransa*. En castellano no hay modo tan expresivo de decirlo[195].

—Ajajá. Pues el chiquillo, el primer año, se desmejoró bastante y vino todo encogido, como los gatos cuando tienen *morriña;* pero así que volvieron a sus correrías, sanó y se puso otra vez alegre. Y a cada curso la misma función. Siempre triste y rabiando en Orense (parece que la cabeza no la tiene el chico allá para grandes sabidurías) y, apenas *pintan* las cerezas y toma las de Villadiego, otra vez más contento que un cuco, y a corretear con su...

Juncal dudó y vaciló al llegar aquí. Por vez primera acaso, se le vino a las mientes una idea muy rara, de esas que hacen signarse aun a los menos devotos murmurando «¡Ave María!»; de esas que no se ocurren en mil años, y una circunstancia fortuita sugiere en un segundo[196].

Cruzáronse sus miradas con las de don Gabriel, que le parecieron reflejo de su propio pensamiento, reflejo tan exacto como el del cielo en el río; y entonces el artillero, sin reprimir una angustia que revelaba el empañado timbre de la voz, terminó el período:

—Con su hermana.

Calló Juncal. Lo que ambos cavilaban no era para dicho en alto.

---

[195] En sentido estricto se equivoca doña Emilia, pues sí hay (o, mejor dicho, había) en castellano un vocablo para nombrar dicho sentimiento: «querencia». El vocablo ya no es habitual en castellano. Acierta, por otra parte, la autora al dar al vocablo «saudade» un sentido especial *(i.e.,* la nostalgia o falta de algo o alguien que resulta difícil de explicar pero que se siente vivamente) que falta en su equivalente castellano y que ratifica el hecho de que en toda España se use hoy con frecuencia el vocablo gallego «saudade» para dar expresión a este sentimiento.

[196] Comienza aquí, con esta epifanía del médico, el «nudo» de la novela. El lector ya era consciente de esta situación, pues en el capítulo primero se nos indica que los personajes, que antes carecían de vergüenza en su trato personal, comienzan a sentirse inquietos cuando se encuentran a solas. Esta revelación tiene un valor estructural; han acabado los preliminares, y entramos en el conflicto central de la novela. Inadvertidamente, Juncal pone a don Gabriel sobre la pista del drama.

Reinó un silencio abrumador, cargado de electricidad. Estaban en sitio desde el cual se divisaba ya perfectamente la mole cuadrangular de los Pazos de Ulloa, y el sendero escarpado que a ellos conducía. Juncal dio una sofrenada a su mula.

—Yo no paso de aquí, don Gabriel. Si llego hasta la puerta, extrañarán más que no entre y, la verdad, como está uno así..., político..., no me da la gana de que piensen que aproveché la ocasión para meter las narices en casa de su señor cuñado. Mañana vendrá el criado mío a recoger la yegua.

Gabriel tendió la mano sana buscando la del médico.

—Me tendrá usted en Cebre cuando menos lo piense, a charlar, amigo Juncal. A usted y a su señora les debo un recibimiento y una hospitalidad de esas que no se olvidan.

—Por Dios, don Gabriel. No avergüence a los pobres. Dispensar las faltas que hubiese. La buena voluntad no escaseaba: pero usted pasaría mil incomodidades, señor.

—Le digo a usted que no la olvidaré.

Y el rostro del artillero expresó gratitud afectuosa.

—¡Cuidar el brazo, no hacer nada con él! —gritaba Juncal desde lejos, volviéndose y apoyando la palma sobre el anca de la mula. Y diez minutos después aún repetía para sí—: ¡Qué simpático! ¡Qué persona tan decente! ¡Qué instruido! ¡Qué modos finos!

El médico, después de volver grupas, apuró lo posible a la mulita con ánimo de llegar pronto a su casa. Iba pesaroso y cabizbajo, porque ahora le venía el trasacuerdo[197] de que no había preguntado al comandante Pardo sus opiniones políticas y su dictamen acerca del porvenir de la regencia y posible advenimiento de la República[198].

---

[197] *trasacuerdo:* castellanización del gallego *trasacordo,* o sea, acordarse a destiempo.

[198] El 25 de enero de 1885 fallecía Alfonso XII. Había casado en segundas nupcias con María Cristina de Habsburgo, la cual estaba en estado al morir el monarca, y quien sería regente hasta la mayoría de edad del hijo póstumo de aquél, el futuro rey Alfonso XIII, que nació el 17 de mayo de 1885.

—¿Cómo pensará este señor? —discurría Juncal, mientras el trote de la mula le zarandeaba los intestinos—. ¿Qué será? ¿Liberal o carcunda? Vamos, carcunda es imposible. Tan simpático, ¡qué había de ser carcunda! Pues sea lo que quiera, debe de estar en lo cierto.

XII

Por delante de los Pazos cruzaba un mozallón conduciendo una pareja de bueyes sueltos, picándoles con la aguijada a fin de que anduviesen más aprisa. Gabriel le preguntó, para orientarse, pues ignoraba a cuál de las puertas del vasto edificio tenía que llamar. Ofrecióse el mozo a guiarle adonde estuviese el marqués de Ulloa, que no sería en casa, sino en la era, viendo recoger la cosecha del centeno. Arrendando el artillero su dócil montura, echó detrás del mozo y de los bueyes.

Dieron vuelta casi completa a la cerca de los Pazos, pues la era se encontraba situada más allá del huerto, a espaldas del solariego caserón. Gabriel aprovechó la coyuntura de enterarse del edificio, en cuyas trazas conventuales discernía rastros de aspecto bélico y feudal, aire de fortaleza por el grosor de los muros, la angostura de las ventanas, reminiscencia de las antiguas saeteras, las rejas que defendían la planta baja, las fuertes puertas y los disimulados postigos, las torres que estaban pidiendo almenas, y sobre todo, el montés blasón, el pino, la puente y las sangrientas cabezas de lobo.

Indicaba desde lejos la era la roja cruz del hórreo; se oía el coro estridente de los ejes de los carros, que salían vacíos para volver cargados de cosecha. Era la hora en que los bueyes, rociados con unto y aceite como preservativo de las moscas, cumplen con buen ánimo su pesada faena, y se dejan uncir mansamente al yugo, mosqueando despacio el ijar con las crinadas colas. Gabriel se tropezó con dos o tres carros, y al emparejar con ellos, pensó que su chirrido le rompiese el tímpano. Delante de la era se apeó ayudado por su guía; entrególe las riendas, y entró.

Un enjambre de fornidos gañanes, vestidos solamente con grosera camisa y calzón de estopa, alguno con un rudimentario chaleco y una faja de lana, empezaban a elevar, al lado de una *meda* o montículo enorme de mies, otro que prometía no ser más chico. Dirigía la faena un hombre de gallarda estatura, moreno y patilludo, de buena presencia, vestido a lo señor, con americana, cuello almidonado, leontina y bastón, y muy zafio y patán en el aire; Gabriel pensó que sería el mayordomo, el Gallo. Sentado en un banquillo hecho de un tablón grueso, cuyas patas eran cuatro leños que, espatarrándose, miraban hacia los cuatro puntos cardinales, estaba otro hombre más corpulento, más obeso, más entrado en edad o más combatido por ella, con barba aborrascada y ya canosa, y vientre potente, que resaltaba por la posición que le imponía la poca altura del banco. A Gabriel le pasó por los ojos una niebla: creyó ver a su padre, don Manuel Pardo, tal cual era hacía unos quince o veinte años; y con mayor cordialidad de la que traía premeditada, se fue derecho a saludar al marqués de Ulloa.

Éste alzó la cabeza muy sorprendido; el Gallo, sin volverse, giró sus ojos redondos, de niña oscura y pupila aurífera, como los del sultán del corral, hacia el recién llegado; los mozos suspendieron la faena, y Gabriel, en medio del repentino silencio, notó en las plantas de los pies una sensación muelle y grata, parecida a la del que entra en un salón hollando tupidas alfombras. Eran los extendidos haces de centeno que pisaba.

El hidalgo de Ulloa se puso en pie, y se hizo con la mano una pantalla, porque los rayos del sol poniente daban de lleno en la cara de Gabriel, y no le permitían verla a su gusto. El comandante se acercó más a su cuñado, y alargó la diestra, diciendo:

—No me conocerás. Te diré quien soy. Gabriel, Gabriel Pardo, el hermano de tu mujer.

—¿Gabriel Pardo?

Revelaba la exclamación de don Pedro Moscoso, no solamente sorpresa, sino hosco recelo, como el que infunden las cosas o las personas cuya inesperada presencia resucita épocas de recuerdo ingrato. Viendo Gabriel que no le tomaban la mano que tendía, hízose un poco atrás, y murmuró serenamente:

—Vengo a verte y a pedirte posada unos cuantos días. ¿Te parece mal la libertad que me tomo? ¿Me recibirás con gusto? Di la verdad; no quisiera contrariarte.

—¡Jesús, hombre! —prorrumpió el hidalgo esforzándose al fin por manifestar cordialidad y contento, pues no desconocía la virtud primitiva de la hospitalidad—. Seas muy bien venido: estás en tu casa. ¡Ángel! —ordenó dirigiéndose al Gallo—, que recojan el caballo del señor, que le den cebada. ¿Quieres refrescar, tomar algo? Vendrás molestado del viaje. Vamos a casa enseguida.

—No por cierto. De Cebre aquí a caballo, no es jornada para rendir a nadie. Siéntate donde estabas; si lo permites, me quedaré aquí; lo prefiero.

—Como tú dispongas; pero si estás cansado y... ¡Ey, Ángel! —gritó al individuo que ya se alejaba—: a tu mujer que prepare tostado[199] y unos bizcochos. ¡Vaya, hombre, vaya! —añadió volviéndose a Gabriel—. Tú por acá, por este país...

—He llegado ayer —contestó Gabriel comprendiendo que una vez más se le pedía cuenta de su presencia y razón plausible de su venida—. Estaba en la diligencia que volcó —y al decir así, señalaba su brazo replegado, sostenido aún por el pañuelo de seda de Catuxa—. Ha sido preciso descansar del batacazo.

—¡Hola, con que en la diligencia que volcó! ¡Ey, tú, Sarnoso! —exclamó el hidalgo dirigiéndose a uno de los gañanes—. ¿No dijiste tú que vieras[200] entrar en Cebre ayer una mula y un delantero estropeados?

—Con perdón —respondió el Sarnoso tocándose una pierna— llevaban esto *crebado*[201], dispensando usted.

---

[199] *tostado:* vino del país, mencionado ya en *Los Pazos de Ulloa*: «Va usted a beber el mejor tostado que por aquí se produce», Emilia Pardo Bazán, *Los Pazos de Ulloa* (Madrid, Cátedra, 1997), pág. 108.

[200] *vieras:* galleguismo por el pluscuamperfecto de indicativo, «habías visto».

[201] *crebado:* metátesis de «quebrado».

—Sí, es verdad; hoy se les hizo la cura —confirmó Gabriel.

El vuelco de la diligencia empezó a dar mucho juego. El Sarnoso agregó detalles; Gabriel añadió otros; el marqués no se saciaba de preguntar, con esa curiosidad de los acontecimientos ínfimos propia de las personas que viven en soledad y sin distracción de ninguna clase. Gabriel le examinaba a hurtadillas. Para los cincuenta y pico en que debía frisar, parecíale muy atropellado y desfigurado el marqués, tan barrigón, con la tez tan inyectada, con el pescuezo y nuca tan anchos y gruesos, con las manos tan nudosas por las falanges como suelen estar las de los labriegos que por espacio de medio siglo se han consagrado a beber el hálito de la tierra, y a rasgarle el seno diariamente. A modo de maleza que invade un muro abandonado, veía el artillero en el conducto auditivo, en las fosas nasales, en las cejas, en las muñecas de su cuñado, que teñía de rojo el sol poniente, una vegetación, un musgo piloso, que acrecentaba su aspecto inculto y desapacible. El abandono de la persona, las incesantes fatigas de la caza, la absorción de humedad, de sol, de viento frío, la nutrición excesiva, la bebida destemplada, el sueño a pierna suelta, el exceso en suma de vida animal, habían arruinado rápidamente la torre de aquella un tiempo robustísima y arrogante persona, de distinta manera pero tan por completo como lo harían las excitaciones, las luchas morales y las emociones febriles de la vida cortesana. Tal vez parecía mayor la ruina por la falta de artificio en ocultarla y remediarla. Ceñido aquel mismo abdomen por una faja, bajo un pantalón negro hábilmente cortado; desmochada aquella misma cabeza por un diestro peluquero; raídas aquellas mejillas con afiladísima navaja, y suavizada aquella barba con brillantina; añadido a todo ello cierto aire entre galante y grave, que caracteriza a las personas respetables en un salón, es seguro que más de cuatro damas dirían, al ver pasar al marqués de Ulloa:

—¡Qué bien conservado! Cuarenta años es lo más que representa.

Lo cierto es que Gabriel, al ver en su cuñado señales evidentes del peso de los años y del esfuerzo con que iba descendiendo y el agrio repecho de la vida, sintió por él esa compasión involuntaria que inspiran a los corazones generosos las personas aborrecidas o antipáticas, cuando se ve que caminan al desenlace de las humanas tribulaciones, flaquezas e iniquidades, la muerte.

—¡Yo que le tenía por un castillo! —pensó—. Pero también los castillos se desmoronan.

De su parte el marqués, lleno de curiosidad y suspicacia, estaba que daría el dedo meñique por saber qué viento traía a su cuñado. Pensaba en recriminaciones, en acusaciones, en cuentas del pasado ajustadas ahora por quien tenía derecho de ajustarlas, y pensaba también en cosa más inmediata y práctica, en una discusión referente a las partijas que se hallaban incoadas y pendientes desde el fallecimiento del señor de la Lage. Por más que el aire abierto y franco que traía Gabriel decía a voces «no vengo aquí a ocuparme en cuestiones de intereses», el marqués de Ulloa se fijó en la última hipótesis, y la dio por segura, y empezó a tirar mentalmente sus líneas y a combinar su estrategia. Con los años, el marqués de Ulloa había contraído las aficiones de los labriegos viejos, para los cuales no hay plato más gustoso que una discusión de pertenencia, un litigio, un enredo cualquiera en que si no danza el papel sellado, esté por lo menos en ocasión de danzar.

Como anticipándose a indicar el verdadero objeto de su venida, Gabriel, habiéndose quitado su sombrero hongo de fieltro, que le dejaba una raya roja en la frente, y pasándose con movimiento juvenil la mano por el cabello para arreglarlo y calados mejor los quevedos, preguntó:

—Y, ¿qué tal mi sobrina Manuela? Estoy deseando verla. Debe ser toda una mujer..., ¿estará guapísima?

El marqués de Ulloa gruñó, creyendo que el gruñido era la mejor manera de contestar a lo que juzgaba cumplimiento. Al fin articuló:

—Ahora la verás. Milagro que no anda por aquí. Estarán ella y Perucho como dos cabritos, triscando. Los pocos años, ya se ve. Cuando vamos viejos se acaba el humor. Más tengo corrido yo por esos vericuetos, que ningún muchacho de hoy en día. Pero a cada cerdo le llega su San Martín, como dicen. Todos vamos para allá —dijo apoyando su grueso mentón en el puño de su palo, y señalando con la cabeza a punto muy distante[202].

Gabriel se entretenía contemplando el espectáculo de la era, que le parecía, acaso por la gran plenitud de su corazón y el rosado vapor en que sabía bañar las cosas su fantasía incurable, henchida de soberana quietud y paz. La puesta del sol era de las más espléndidas, y los últimos resplandores del astro inundaban de rubia claridad la cima de las *medas*, convertían en cinta de oro bruñido la atadura de los haces, daban toques clarísimos de esmeralda a la copa de los árboles, mientras las ramas bajas se oscurecían hasta llegar al completo negror. Se oían los últimos pitíos de los pájaros, dispuestos ya a recogerse, el canto ritmado del «¡pas-pa-llás!»[203] en el barbecho, el arrullo de las tórtolas, que se dejaban caer por bandadas en los sembrados, en busca del rezago de granos y espigas que allí había derramado la hoz, y la lamentación interminable del carro cargado, tan áspera de cerca como melodiosa de lejos. A trechos se escuchaba también otra queja prolongadísima, pero humana, un «¡alalaaaá!» de segadoras, y todo ello formaba una especie de sinfonía —porque Gabriel no discernía bien los ruidos, ni podía decir cuáles salían de laringe de pájaro y cuáles de femenina garganta—, una sinfonía que inclinaba a la contemplación y en la cual sólo desafinaba la voz enronquecida del marqués de Ulloa[204].

---

[202] He aquí la versión que da el marqués de Ulloa de la *Danza de la muerte* enunciada al comienzo por el algebrista y la Sabia, y que más tarde ha de volver a mencionar Goros. En el capítulo I, Perucho y Manuela descubren los secretos ritos de la Naturaleza, que se reducen a dos principios, vida —que puede formularse, y así ha de ser en la aventura de los protagonistas, en su variante de amor— y muerte; correspondiendo al primer elemento, don Gabriel contempla la era llena de mies; el segundo, la muerte —con su variante de envejecimiento—, es enunciado por el marqués, que continúa un tema sugerido por la voz narrativa poco antes, al indicarse que las personas «caminan al desenlace de las humanas tribulaciones, flaquezas e iniquidades, la muerte». Ambos principios, vida y muerte, fecundidad y agotamiento, se reúnen poco después en la imagen final del capítulo con la llegada a la era de los carros llenos de mies vistos en el crepúsculo.

[203] *pas-pa-llás*, gall. [paspallás]: codorniz; también sonido de la codorniz.

[204] Un dato de interés caracteriza a este bodegón y lo distingue de los anteriores: la musicalidad. En efecto, además de la nota de color que caracterizaba a los bodegones ya vistos, aquí el sonido añade una cualidad sinfónica a la es-

Incorporóse éste, haciendo segunda vez pantalla de la mano.

—¿No preguntabas por tu sobrina? Me parece que ahí la tienes. ¡Vela allí!

—¿En dónde? —preguntó Gabriel, que no veía nada ni oía más que un discordante quejido, que poco a poco iba convirtiéndose en insoportable estridor.

Entre el marco que dos higueras retorcidas, cargadas de fruto, formaban a la puerta de la era, desembocó entonces una yunta de amarillos y lucios bueyes, tirando de un carro atestado de gavillas de centeno. Reparó Gabriel con sorpresa la forma primitiva del carro, que mejor que instrumento de labranza parecía máquina de guerra: la llanta angosta, la rueda sin rayos, claveteada de clavos gruesos, el borde hecho con empalizada de agudas estacas, donde para sujetar la carga, descansa un tosco enrejado de mimbres, de quitaipón. Pero al alzar la vista de las ruedas, fijó su atención un objeto más curioso: un grupo que se destacaba en la cúspide del carro, un mancebo y una mocita, tendidos más que sentados en los haces de mies y hundido el cuerpo en su blando colchón; una mocita y un mancebo risueños, morenos, vertiendo vida y salud, con los semblantes coloreados por el purpúreo reflejo del Oeste donde se acumulaban esas franjas de arrebol que anuncian un día muy caluroso. Y venía tan íntima y arrimada la pareja, que más que carro de mies, parecía aquello el nido amoroso que la naturaleza brinda liberalmente, sea a la fiera entre la espinosa maleza del bosque, sea al ave en la copa del arbusto. Gabriel sintió de nuevo una extraña impresión; algo raro e inexplicable que le apretó la garganta y le nubló la vista.

---

cena de la siega en los valles. Estamos ante un idilio bucólico y, en medio de esta sinfonía, aparecerá Manuela ante don Gabriel, encima de un carro de mies «vertiendo vida y salud», siguiendo un modelo pictórico cuya sugerencia pudo llegarle a la autora al ver el cuadro *El carro de heno* del Bosco, que se conserva en el Museo del Prado, y en el que aparece resumida también, metafóricamente, la noción del doble principio de la existencia: la vida y la muerte. Poco después, de hecho, la autora subraya esta relación al indicar que «más que carro de mies, parecía aquello el nido amoroso que la naturaleza brinda liberalmente, sea a la fiera entre la espinosa maleza, sea al ave en la copa del arbusto»; se repite con ello el motivo persistentemente elaborado desde que Perucho y Manuela se adentraron en la cueva, en el capítulo I de la novela.

Hyeronymus Bosch, *El carro de heno* (tríptico; tabla central).

XIII

Primero se bajó de un salto Perucho, y tendiendo los brazos, recibió a Manuela, a quien sostuvo por la cintura. Cayó la chica con las sayas en espiral, dejando ver hasta el tobillo su pie mal calzado con zapato grueso y media blanca. Al punto mismo de saltar vio al desconocido, y se detuvo como indecisa. Perucho también pegó un respingo de animal montés que encuentra impensadamente al cazador. Gabriel clavó en su rostro la mirada, impulsado por ansia secreta e indefinible de saber si merecía su fama de belleza física el que él llamaba entre sí, con asomos de humorismo, el bastardo de Moscoso.

Para el escultor y el anatómico, belleza era, y de las más perfectas y cumplidas, aquel cuerpo bien proporcionado y mórbido, en que ya, a pesar de la juventud, se diseñaban líneas viriles, bien señaladas paletillas, vigorosos hombros, corvas donde se advertía la firmeza de los tendones; y rasgo también de belleza clásica y pura, la poderosa nuca redondeada, formando casi línea recta con la cabeza y cubierta de un vello rojizo; el trazo de la frente que continuaba sin entrada alguna; la vara de la correcta nariz; los labios arqueados, carnosos y frescos como dos mitades de guinda; las mejillas ovales, sonrosadas, imberbes; la nariz y barba que ostentaban en el centro esa suave pero marcada meseta o planicie que se nota en los bustos griegos, y que los artistas modernos no encuentran ya en sus modelos vulgares, y por último el monte de bucles, digno de una testa marmórea, de los cuales dos o tres se emancipaban hasta flotar sobre las cejas y estorbar a los ojos.

Para Gabriel, más pensador e idealista que artista y pagano, y además hombre moderno en toda la extensión de la palabra, aficionado a la expresión, prendado sobre todo, en el sexo varonil, de las cabezas reflexivas, de las frentes anchas en que empieza a escasear el cabello, de las fisonomías que son una chispa, una llama, una idea hecha carne, que habla por los ojos y se imprime en cada facción y se acentúa enérgicamente en la ahorquillada o puntiaguda barba, de los cuerpos en que la disposición atlética y la hermosura de los miembros se disimula hábilmente bajo la forma de la vestidura usual entre gente bien educada; para Gabriel, decimos, fuese por todas estas razones o por alguna otra que ni él mismo entendía, no solamente resultó incomprensible la lindeza de Perucho, sino que a pesar de su predisposición a la simpatía, sobre todo hacia la gente de posición inferior a la suya, le pareció hasta antipática e irritante aquella cabeza de joven deidad olímpica, aquella frescura campesina y tosca, aquella cara tallada en alabastro, pero encendida por una sangre moza y ardiente, savia vital grosera y propia de un labriego (así pensaba Gabriel); y sobre todo aquellos modales aldeanos, aquel vestir lugareño, aquella extracción evidentemente rústica, revelada hasta en el modo de andar y en el olor a campo que le había comunicado la mies.

En cambio, ¡oh transacciones de la estética!, Gabriel se indignó de que alguien hubiese dudado de la hermosura de Manolita. ¡Manolita! Manolita sí que era guapa. Así como a Perucho se le estaba despegando la americana y el pantalón, y su musculatura pedía a voces el calzón de estopa de los gañanes que erigían la meda, a Manolita (seguía pensando Gabriel) no le cuadraba bien el pobre vestidillo de lana, y su fino talle y su airosa cabecita menuda reclamaban un traje de *cachemir* de corte elegante y sencillo, un sombrero *Rubens* con plumas negras, que lo llevaría divinamente.

¿Parecido con su madre? Sí; mirándola bien, se parecía, se parecía mucho a la inolvidable *mamita;* los mismos ojazos negros, las mismas trenzas, la frente bombeada, el rostro larguito, pero animado, trigueño, con una vida exuberante que la pobre *mamita* no gozó nunca. Y además, serena e intrépida y despegada y arisca. Al decirle su padre «Este señor es tu tío

Gabriel Pardo, el hermano de tu mamá», la montañesa apuntó a boca de jarro las pupilas, y murmuró con desdeñosa gravedad:

—Tenga usted buenas tardes.

Sin más conversación, volvió la espalda, deslizándose tras de la meda. Gabriel se quedó algo sorprendido de semejante conducta por parte de su sobrina. Entre los números del programa trazado por su imaginación, se contaba el del recibimiento. Con el candor idílico que guardan en el fondo del alma los muy ensoñadores, durante el camino se había imaginado una escena digna del buril de un grabador inglés: una doncella candorosa aunque algo brava y asustadiza, que se ruborizase al verle, que le hiciese, muy confusa y bajando los ojos, varios saludos y reverencias, que luego consultase con tímida mirada a su padre, y autorizada por una seña de éste, saliese precipitadamente, volviendo a poco rato con una bandeja de frutas y refrescos que brindar al forastero... Sí, ¡buenos refrescos te dé Dios! Maldito el caso que le hacía Manolita[205]; y su padre, en vez de mostrar que extrañaba semejante comportamiento, ni lo notaba y seguía conversando con Gabriel, informándose asiduamente de ¿cómo había encontrado los asuntos de su padre, al hacerse cargo de ellos? ¿Cómo andaba el partido H y los foros X? El artillero contestaba; pero de soslayo observaba atentamente lo que acontecía en la era. A su sobrina no la veía entonces; sí a Perucho, que en mangas de camisa, habiendo echado la americana sobre el yugo de los bueyes, ayudaba a descargar el carro, mostrando deleitarse en la actividad muscular, que esparcía su sangre y la enviaba en olas a enrojecer su pescuezo y su frente blanca y lisa. Así que la carga del carro estuvo por tierra, llegóse a la meda empezada, en cuya cima vio Gabriel alzarse, como estatua en su pedestal, a Manolita. Cruzáronse entre los dos muchachos frases, risas y una especie de gracioso reto; y empuñando Perucho con resolución una horquilla de palo, dio principio al

[205] Claro ejemplo de ironía de situación: don Gabriel ve con estupor cómo se rompen las líneas del programa por él ideado con anterioridad según los modelos de la «pastorela» convencional. Habrá de repetirse más tarde la misma ironía (*vid.* nota 233 al capítulo XVI).

juego de levantar con ella un haz y arrojárselo a la chica, que lo recibía en las manos como hubiera podido recibir una pelota de goma, sin titubear, y se lo pasaba al punto a un gañán encaramado también sobre la meseta de la meda, el cual lo sentaba y colocaba, espiga adentro, *medando* hábil y rápidamente.

Gabriel no tenía ojos ni oídos más que para el juego. Su cuñado seguía habla que te hablarás, en el tono llano y cansado del hombre para quien pasó la edad de los retozos y no cree que ya le importen a nadie. Y Gabriel se consumía, contestando cortésmente, pero distraído, con el alma a cien leguas de la plática. Al fin no pudo contenerse, y se levantó.

—¿Tú querrás descansar? ¿Tomas algo? ¿Cenas? —interrogó obsequiosamente el marqués, dando muestras de querer llevarse a su huésped hacia casa.

—No... Sí... Quisiera... —murmuró Gabriel un tanto confuso, porque al verse de pie le pareció ridículo decir «Lo que estoy deseando, a pesar de mi brazo vendado, es ponerme también a echar haces a la meda». Y no atreviéndose a confesar el capricho, se dejó guiar resignado hacia la gran mole de la casa solariega. Al salir siguió escuchando durante algunos segundos las risas de la pareja, el «¡jeeem!» triunfal que dilataba la cavidad pulmonar de Perucho al lanzar los haces, y el impaciente «¡venga otro!» de Manolita cuando tardaban[206].

---

[206] Nótese el contraste entre el mundo rural y el mundo de la ciudad. Sorprendido por la falta de candor idílico —«escena digna del buril de un grabador inglés»—, don Gabriel se siente ridículo en medio de la era. Parte fundamental de este contraste es Manuela, la muchacha rústica —«cortezuda» la llamará don Gabriel—, que aparece sin idealizar. Con ello, no sólo se acentúa el contraste señalado entre Naturaleza y civilización, sino que se sigue un principio estético fundamental entre los naturalistas. En este sentido, recuérdese lo dicho en el capítulo II, cuando se indicó que doña Emilia asegura, en el prólogo a *La Tribuna*, que es preciso renunciar a las pastorcillas de égloga y a las zagalejas de porcelana típicas en la literatura anterior. Hay, en la presentación de Manuela, indudable rudeza, que la autora yuxtapone a las descripciones de la belleza de la joven. Se trata, en fin, de una rudeza premeditada con la que doña Emilia reacciona contra el idealismo convencional.

XIV

Al entrar en los Pazos experimentó Gabriel la impresión melancólica que sentimos al acercarnos a la sepultura de una persona querida, y la emoción profunda que nos causa ver con los ojos sitios que desde hace mucho tiempo visita nuestra imaginación. En sus años de colegio, Gabriel se representaba la casa de su hermana como una tacita de plata, elegante, espaciosa, cómoda; después sus ideas variaron bastante; pero nunca pudo figurársela tan ceñuda y destartalada como era en realidad.

A la escalera salieron a hacerle los honores el Gallo y su esposa, la ex-bella fregatriz Sabel, causa de tantos disturbios, pecados y tristezas. Quien la hubiese visto cosa de dieciocho años antes, cuando quería hacer prevaricar a los capellanes de la casa, no la conocería ahora. Las aldeanas, aunque no se dediquen a labrar la tierra, no conservan, pasados los treinta, atractivo alguno, y en general se ajan y marchitan desde los veinticinco. Sus extremidades se deforman, su piel se curte, la osatura se les marca, el pelo se les vuelve áspero como cola de buey, el seno se esparce y abulta feamente, los labios se secan, en los ojos se descubre, en vez de la chispa de juguetona travesura propia de la mocedad, la codicia y el servilismo juntos, sello de la máscara labriega. Si la aldeana permanece soltera, la lozanía de los primeros años dura algo más; pero si se casa, es segura la ruina inmediata de su hermosura. Campesinas mozas vemos que tienen la balsámica frescura de las hierbas puestas a serenar la víspera de San Juan, y al año de consorcio no es posible conocerlas ni creer que son las mismas, y su tez lleva ya arrugas, las arrugas aldeanas, que parecen grietas del terruño. Todo el peso del hogar les cae encima, y adiós risa alegre y labios colorados. Las coplas populares gallegas no celebran jamás la belleza en la mujer después de casada y madre; sus requiebros y ternezas son siempre para las *rapazas,* las *nenas bunitas.*

Sabel no desmentía la regla. A los cuarenta y tantos años era lastimoso andrajo de lo que algún día fue la mejor moza diez leguas en contorno. El azul de sus pupilas, antes tan claro y puro, amarilleaba; su tez de albérchigo era piel de manzana que en el madurero se va secando; y los pómulos sobresalientes y la frente baja y la forma achatada del cráneo se marcaban ahora con energía, completando una de esas cabezas de aldeana de las cuales dice cualquiera: «Mas fácil sería convencer a una mula que a esta mujer, cuando se empeñe en algo.»

Con todo, su marido Ángel de Naya, por remoquete *Gallo,* la tenía no sólo convencida, sino subyugada y vencida por completo, desde los tiempos ya lejanos en que anhelaba dejar por él su puesto y corte de sultana favorita en los Pazos, e irse a cavar la tierra. Era una devoción fanática, una sumisión de la carne que rayaba en embrutecimiento, y una simpatía general de epidermis grosera y alma burda, que hacían de aquel matrimonio el más dichoso del mundo. El varón, no obstante, calzaba más puntos que la hembra en inteligencia, en carácter, y hasta en ventajas físicas. Ajada y lacia ella, él conservaba su tipo de majo a la gallega y su triunfadora guapeza de sultán de corral: el andar engallado, el ojo claro, redondeado y vivo, las rizosas patillas y la *fachenda*[207] en vestir y el empeño de presentarse con cierta dignidad harto cómica. Es de saber que el Gallo, sin madurar los vastos y mefistofélicos planes de su antecesor y suegro el terrible Primitivo, no era ajeno a miras de engrandecimiento personal, que delataban indicios evidentes. El Gallo vestía *de señor,* lo que se dice *de señor;* encargaba a Orense camisolas, corbatas, pañuelos, capa, reloj, botitos, y por nada del mundo se volvería a poner su pinto-

---

[207] *fachenda:* aspecto, úsase comúnmente en sentido despectivo.

resco traje de terciopelo de rizo azul, con botones de filigrana de plata, y la montera con plumas de pavo real, ni a oprimir bajo el sobaco el *fol*[208] de la gaita a cuyo sonido habían danzado tantas veces las mozas. Paisano trasplantado a una capa superior, todo el afán del Gallo era subir más, más aún, en la escala social. Nadie le obligaría a coger una horquilla o una azada: dirigía la faena agrícola, nunca tomaba parte activa en ella, porque soñaba con tener las manos blancas y no *esclavas,* como él decía. Otra de sus pretensiones era leer óptimamente y escribir con perfección. Como todos los labriegos que aprenden a leer y escribir de chiquillos, su iniciación en esta maravillosa clave de los conocimientos humanos era muy relativa: saber leer y escribir no es conocer los signos alfabéticos, nombrarlos, trazarlos; es sobre todo poseer las ideas que despiertan esos signos. Por eso hay quien se ríe oyendo que para civilizar al pueblo conviene que todos sepan escritura y lectura; pues el pueblo no sabe leer ni escribir jamás, aunque lo aprenda[209]. En resolución, el Gallo se despepitaba por alardear de lector y pendolista y acostumbraba por las noches, antes de acostarse, leerle a su mujer, en alta voz, el periódico político a que estaba suscrito y que proporcionaba una satisfacción profunda a su vanidad, al imprimir en la faja «Sr. D. Ángel Barbeito—Santiago—Cebre»[210]. Por supuesto que leía de tal manera, que no sólo al caletre algo obtuso de Sabel, sino al más despierto y agudo, le sería difícil sacar nada en limpio; porque suprimía radicalmente puntos y comas, se comía preposiciones y conjunciones, se merendaba pronombres y verbos, casaba sin dispensa palabras y repetía cuatro y

---

[208] *fol,* gall.: pandorga o vejiga de la gaita.

[209] Como se dijo en la introducción, doña Emilia tiene ideas harto negativas sobre las posibilidades de redención, mediante la cultura, de las clases inferiores. Su desdén por el Gallo, por su deseo de trepar socialmente, y las burlas que hace la autora de la incapacidad de aquél para leer, son bastante ilustrativos de este sentimiento negativo. Se distingue con ello la autora de don Benito Pérez Galdós, que siempre vio con optimismo, y de forma positiva, los deseos de las clases medias de medrar tanto en lo económico como en lo cultural.

[210] La mención de Santiago en la faja indica que el correo ha de remitirse a través de Santiago de Compostela hacia la aldea en que vive el personaje, esto es, Cebre, lugar imaginario en la provincia de Orense.

seis veces sílabas difíciles, siendo de ver lo que se volvían en labios suyos las noticias referentes, verbigracia, al *Mahdi*[211], a los *nihilistas*[212], al rey Luis de Baviera[213] o a los *fenianos*[214] y *liga agraria*[215]. Y todos estos sucesos, batallas, asolamientos y fieros males, cuanto más lejanos y más inaccesibles, razonablemente hablando, a su comprensión, más le deleitaban, interesaban y conmovían; y era curioso oírselos explicar, en tono dogmático, a otros labriegos menos enterados que él de la política exterior europea en cierta tertulia que solía juntarse en la cocina de los Pazos. Respecto a sus pretensiones de pendolista, había empezado a satisfacerlas del modo siguiente: encargando a Orense una resmilla de papel de cartas bien lustroso, de canto dorado, y mandando plantificar en mitad de cada hoja un A. B. cruzado, tamaño como la circunferencia de un duro; y ya provisto de papel tan elegante y de escribanía y cabos de pluma en armonía con él, dio en escribir, para ejercitar la letra, cartas y más cartas a todo bicho viviente, tomando

---

211 Según las profecías islámicas, Mahoma declaró que uno de sus descendientes, que llenaría la tierra de bien y justicia, sería llamado *mahdi*, «el que es guiado por el bien». Pardo Bazán, sin embargo, se refiere a Mohammed Ahmed ibn Seyyid Abdullah, quien en 1881 se autoproclamó Mahdi, y fundó en el Sudán oriental un imperio que en 1898, once años después de publicada *La madre Naturaleza*, fue destruido por las fuerzas colonialistas inglesas que ocupaban Egipto.

212 Corriente filosófica escéptica que se originó en la Rusia del XIX, y que fue popularizada por Ivan Turgueniev en su novela *Padres e hijos* (1862). Lograron gran notoriedad tras el atentado contra el zar Alejandro II y buscaron inspiración en pensadores anarquistas como Bakunin y Kropotkin.

213 Luis II de Baviera (1845-1886), el rey loco, aparece siempre en la literatura de la época vinculado a lo extravagante y decadente. Es conocido por su amor por la música wagneriana y por los extraordinarios castillos que ordenó construir. Reinó desde 1864 hasta que fue declarado incompetente para gobernar en 1886. En este mismo año murió ahogado.

214 Una hermandad revolucionaria irlandesa, cuyo nombre deriva de los *fiann* o *féinne*, los legendarios libertadores irlandeses guiados por Finn MacCumhail. La sociedad se creó en los Estados Unidos, en 1856, pasando a convertirse más tarde en la Hermandad Revolucionaria Irlandesa (Irish Revolutionary Brotherhood). Intentaron, sin éxito, varias acciones en Irlanda, y fueron exterminados en una acción conjunta por la Policía de Fronteras estadounidense y la canadiense, cuando el grupo intentó acciones en el Canadá.

215 Movimiento español de productores agrícolas, del año 1887, al que perteneció Joaquín Costa.

por pretexto, ya el felicitar los días, ya cualquier motivo análogo. También era para él gran preocupación el hablar, pues se esforzaba a que sus labios olvidasen el dialecto a que estaban avezados desde la niñez, y no pronunciasen sino un castellano que sería muy correcto si salvásemos las innumerables jeadas[216], contracciones, diptongos, barbarismos y otros lunarcillos de su parla selecta. ¡Y cuanto más se empeñaba en sacudirse de los labios, de las manos, de los pies, el terruño nativo, la oscura capa de la madre tierra, más reaparecía, en sus dedos de uñas córneas, en sus patillas cerdosas y encrespadas, en sus muñecas huesudas y en sus anchos pies, la extracción, la extracción indeleble, que le retenía en su primitiva esfera social! Si él lo comprendiese sería muy infeliz. Por fortuna suya creía todo lo contrario.

Incapaz de los vastos cálculos de Primitivo, había dedicado a comprar tierras todo el dinero heredado de su difunto suegro, que no era poco y andaba esparcido por el país en préstamos a un rédito usurario. El Gallo amaba las fincas rústicas a fuer de labriego de raza. Instalado en los Pazos de Ulloa, la casa más importante del distrito, vio desde luego lo ventajoso de su situación para *papelonear;* y como el Gallo antes pecaba de pródigo que de mezquino, condición frecuente en los gallegos, dígase lo que se quiera[217], su sueño dorado fue subir como la espuma, no tanto en caudal cuanto en posición y decoro; y se propuso, ya casado con Sabel, convertirse en *señor* y a ella en *señora*, y a Perucho en señorito verdadero. Aquí conviene aclarar un delicado punto. Era de tal índole la vanidad del buen Gallo, que dejándose tratar de *papá* por Perucho y sin razón alguna para regatearle el título de hijo, la idea de que por las venas del mozo pudiese circular más hidalga sangre, le ponía tan esponjado, tan hueco, tan fuera de sí de or-

[216] *jeadas:* se refiere a la tendencia habitual en gallego a pronunciar como velar fricativa sorda [x] el sonido velar sonoro [g]; es una tendencia habitual en las zonas rurales de Galicia y se da también, ocasionalmente, en algunas áreas leonesas de fuerte influencia gallega, como El Bierzo.

[217] Reacciona aquí la autora contra el infundio, común por muchos años tanto en España como (por mimetismo o por simple papanatismo) en algunos otros lugares del mundo hispánico, según el cual los gallegos serían particularmente tacaños.

gullo, que no había anchura bastante para él en toda el área de los Pazos. Lo pasado, el ayer de Sabel en aquella casa, lejos de indignarle o disgustarle, era el verdadero atractivo que aún poseía a sus ojos una mujer marchita y cuadragenaria.

El matrimonio salió a esperar al huésped en la meseta de la escalera, deshaciéndose en obsequiosos ofrecimientos al «señorito». Parecían los verdaderos dueños de la casa. Aunque Sabel no guisaba ya, ¡pues no faltaría otra cosa![218], se enteró minuciosamente de lo que el huésped podía apetecer para su cena. ¿Una ensaladita? ¿Tortilla? ¿Lonjas de carne? ¿Chocolate? Gabriel repetía que cualquier cosa, que él comía de todo; y en esta porfía me lo iban llevando de habitación en habitación, a cual más destartalada y sin muebles. En el comedor dieron fondo, y según la costumbre del país, sentáronse ante la mesa libre de manteles, presenciando cómo la *cubrían*[219]. Gabriel, al comprender que se trataba de cenar, buscó con los ojos algo que no parecía por el comedor. Y al fin no pudo contenerse.

—¿Y Manolita? —preguntó—. ¿Y Manolita? ¿No cena?

—¿La chiquilla? ¡Busca! ¿Quién cuenta con ella? —respondió el marqués de Ulloa, como si dijese la cosa más natural y corriente del mundo—. ¿En tiempo de siega? Echarle un galgo. Ahora se juntarán en la era todas las segadoras, y armarán un bailoteo de cuatrocientos mil demonios, y pandereta arriba y pandereta abajo, y copla va y copla viene, y habiendo una luna hermosa como hay, tenemos broma hasta cerca de las diez.

No replicó palabra Gabriel, por lo mismo que se le ocurrían infinidad de objeciones; pero no era ocasión de soltar la sin hueso allí delante de la criada que entraba y salía llevando

---

[218] Forma obvia del estilo indirecto libre o lenguaje referido, que desarrollan los naturalistas en la novela, y que alcanzara ya gran desarrollo con Flaubert y Zola en la novela francesa. Consiste esta forma de lenguaje en proporcionar el pensamiento del personaje —en este caso es la voz del Gallo— dentro de la secuencia narrativa; refiriéndose a su uso por Galdós en *La desheredada,* Clarín lo denominó bellamente como el «subterráneo hablar de una conciencia» (Leopoldo Alas, *Galdós,* Madrid, Renacimiento, 1912, pág. 103).

[219] *cubrir la mesa:* poner la mesa, disponerla para comer.

platos, vasos y servilletas. Su impulso era decir: «Pues mira, vámonos a la era, y luego cenaremos juntos», pero se contuvo. Todo le parecía prematuro, indelicado y fuera de sazón mientras no tuviese con su cuñado una entrevista, lo que se llama una entrevista formal.

Trató de entretenerse observando. Le parecía poético aquel comedor tan distinto de los que se ven en todas partes, sin aparadores, sin platitos japoneses o de Manises colgados por la muralla, sin cortinas ni chimenea; por todo adorno, barrocas pinturas al fresco, desconchadas y empalidecidas, representando pájaros, racimos, panecillos, ratones que subían a comérselos, y otros caprichos de la fantasía del pintor; y en el centro, frente a la vasta mesa de roble y a los bancos duros, de abacial respaldo, el péndulo solemne. También la mesa se le antojó que tenía *carácter* o *cachet,* ese no sé qué de arcaico que enamora a las cansadas imaginaciones modernas, y se confirmó en ello al fijarse en el plato que le pusieron delante, en cuyo fondo campeaban emblemas curiosísimos, que le trajeron a la memoria su edad infantil, pues en su casa siendo niño había visto loza idéntica. Era en efecto resto de dos docenas de platos traídos por doña Micaela, la madre del marqués, que debían formar parte de alguna soberbia vajilla hecha para un Pardo virrey o magnate: tenía en el centro el escudo de los Pardos de la Lage dividido en dos cuarteles; en el de la derecha se encabritaban dos leones rampantes en campo de gules, y en el de la izquierda otro león y cuatro cruces de Malta en campo de oro. Un casco con una cruz de Caravaca[220] por cimera remataba el escudo: sobre él se leía en una banderola la divisa: *Fortis in fide et regi fidelis*[221]; bajo el escudo, en otra banderola, *Per cruces ad triumphos*[222]. ¡Resto de algo glorioso, esculpida y dorada proa que recuerda al buque náufrago! Distrajo a Gabriel de la contemplación del plato su cuñado, que con inmenso cucharón de plata le servía una sopa de

---

[220] *cruz de Caravaca* o *cruz patriarcal,* pues la llevan los prelados; es la que tiene un pie y dos travesaños paralelos y desiguales, formando en total cuatro brazos.

[221] Fuerte en la fe y fiel al rey.

[222] Por las cruces hacia los triunfos.

pan humeante, grasienta y doradita. La sopa cubrió en un momento los lemas heroicos y los fieros leones, y no quedó ni señal de la pluma flotante del casco, ni de los airosos picos en que se bifurcaban al extremo las gallardas banderolas de las divisas.

Si Gabriel pudiese recordar otras épocas de los Pazos, notaría, no sólo en aquella exhibición de vajilla blasonada, sino en mil detalles más, que allí reinaba cierta suntuosidad desconocida cosa de veinte años antes. Y no era que don Pedro Moscoso se hubiese pulido y civilizado algo; al revés: con la mengua de sus fuerzas físicas; con el paso de la vida nómada de cazador a la más sedentaria de hidalgo que cultiva sus tierras; con el terror de la gota, de la vejez y de la muerte, terror que se iba escribiendo en su huraño semblante, le había entrado mayor indiferencia que nunca por las finuras y elegancias; en cambio la materia le dominaba, cogiéndole por el flaco de la gula, y como todos los gotosos, apetecía justamente los platos y vinos que más daño podían causarle. El ramo de pompas y vanidades corría de cuenta del insigne Gallo, en quien latía la inclinación más irresistible al fausto y esplendor, y que procuraba deslumbrar al huésped con la vajilla y con cuanto pudiese.

Cuando, después de reposar la cena, fumando un par de cigarrillos, pedía Gabriel a don Pedro una entrevista confidencial para el día siguiente, retirábase el Gallo a sus habitaciones en compañía de su mujer, la cual acababa de disponer todo lo necesario al alojamiento del huésped. Nada menos que a sus habitaciones que eran en la planta baja, muy apañadas y cucas, con divisiones nuevecitas de barrotillo[223] y enlucido de yeso. Todo lo que antes fue madriguera del zorro Primitivo, lo había convertido el presuntuoso Gallo en corral digno de sus espolones y fachenda. Y cuanto tenían de destartalados y tristes los aposentos de arriba, que habitaba el señor, otro tanto de cómodos y alegres los de abajo, el nido que se labraba el mayordomo. Llenitas como un huevo, nada faltaba en ellas: ni los cómodos armarios recién pintados, ni las útiles perchas,

[223] *divisiones de barrotillo* o *de barrotín:* divisiones hechas a base de trenzar mimbres sobre traviesas de madera.

ni las sillas y sofá de yute, ni el espejo grande en la salita, ni las fotografías harto ridículas, en sus marcos dorados, ni cromos de frailes y majas, ni muñequitos de porcelana tocando el violín, ni calendario americano, ni, en suma, ninguno de los objetos que componen el falso bienestar y el lujo de similor que hoy penetra hasta en las aldeas. La cama de matrimonio era negra *maqueada*[224], es decir, con unos pecaminosos medallones dorados y unas inicuas guirnaldas de rosas; a cada viaje que el Gallo hacía a Orense, se le acrecentaba el deseo de trocarla por una dorada enteramente, lo cual era a sus ojos el colmo de la ostentación y sibaritismo humano; pero un vago recelo de lo que podría decir la gente envidiosa y chismosa, le contenía siempre, reduciendo su vehemente capricho al estado de sueño, de aspiración imposible, y por lo mismo más seductora.

Las pollitas, o sea las hijas del Gallo, de siete y nueve años de edad, dormían ya como sardina en banasta en una misma cama, la una en posición natural, la otra con los pies hacia la cabecera; dormían con los ojos colorados y los carrillos hechos un tomate de tanto becerrear y llorar, porque querían ir a la era, a oír tocar la pandereta y cantar la *encomienda*[225]; pero su padre, que profesaba las más severas ideas respecto al decoro de las *señoritas*, no se lo había permitido. Sabel empezaba a soltarse los cordones de las innumerables sayas que vestía según la costumbre aldeana; y el Gallo, sentado en una butaca, al lado de una mesa que sustentaba la lámpara de petróleo (una lámpara nada menos que de imitación de porcelana japonesa), tomó el periódico que a la sazón recibía, y era, si no mienten las crónicas, *El Globo*[226], y comenzó a chapucear sueltos, asombrándose mucho del calor que hacía en Nueva York, y exclamando:

—¡Ave María de gracia! Dice que están a noventa... y cin... y cin... co farengues... (95° Fahrenheit se cree que sería), y

[224] *maqueada:* adornada con dibujos o pinturas cubiertos de barniz o maque.

[225] *cantar la encomienda:* canto de elogio con que, en las ferias, los músicos buscan el aguinaldo de los homenajeados.

[226] Periódico fundado en 1875 por don Alfredo Vincenti, cercano al pensamiento de Castelar.

trin... trienta y ci... cinco y ciento gra... dos! (35° centígrados, supongo que rezaría la hoja). Mujer..., ¡qué pasmo!

Sabel, que se acostaba entonces, respondió con una especie de complaciente gruñido, estirándose gustosa entre las sábanas, pues sin saber cuántos *farengues* de calor se gastaban por allí, sabía que había sudado el quilo el día entero. Y con ese género de gruñidos salía del apuro siempre que su consorte se empeñaba en enseñarle el santito, el grabado, o mejor dicho el borrosísimo cliché del periódico, para hacerle admirar cuatro chafarrinones y media docena de rayas en que una fantasía ardiente podía reconocer, ya una *Aldea rusa a orillas del Volga*, ya la *Vista de Constantinopla tomada desde el Bósforo*[227], con otros primores artísticos de la misma laya. Aquella noche, después de pagar el imprescindible tributo a la política exterior y al movimiento europeo, ambos cónyuges, después de apagar el quinqué soplando fuertemente en la boca del tubo, entre el silencio y la oscuridad y el bienestar del lecho, que refuerza muchísimo la potencia discursiva, se echaron a indagar, comunicándose sus reflexiones, qué demonios sería aquella venida del señorito don Gabriel.

[227] Rusia y Turquía llenaron los titulares de los periódicos durante la guerra que pelearon en 1877-1878. Lo cierto, sin embargo, es que este interés está ya un poco desfasado para el momento en que se escribe la novela, que corresponde, *grosso modo,* a la cronología de la novela misma, pues —recuérdese— Juncal menciona que ha muerto ya Alfonso XII († 1885).

XV

La primer noche de los Pazos fue para Gabriel Pardo noche de fiebre. Fiebre de impaciencia, fiebre de cólera, fiebre de recuerdos, de esperanzas, de curiosidad, de indefinible y hondo temor, y además, ¿por qué negarlo?, ¿por qué dudarlo?[228], fiebre amorosa.

¡Amorosa! ¡Una niña a quien había visto un cuarto de hora, que le había dicho *buenas tardes* por junto y enseguida a recoger gavillas de centeno sin mirarle más a la cara! ¡Una niña cuyos rasgos fisiognómicos le sería imposible recordar con exactitud!

—No soy yo quien se enamora, es mi imaginación condenada —pensaba el comandante—. Parezco un cadete. Pero es que en esa chiquilla he cifrado yo muchas cosas. La familia pasada y la futura, mi *mamita* y mi hogar, mis ya casi desvanecidas memorias de cariño y mis justas aspiraciones a los afectos santos que todo hombre tiene derecho a poseer. Por eso me ha entrado así, tan fuerte.

Cabalmente le habían dado el cuarto de su *mamita*, ¡el cuarto en que había muerto! Él no lo sabía. Por una especie de convenio tácito consigo mismo, y a fuer de persona recta,

---

[228] Nótese el posible sentido irónico de estas preguntas, y el efecto distanciador que producen. En la narración resulta sorprendente el repentino amor sentido por don Gabriel hacia su sobrina, y la autora ironiza sin duda sobre él cuando, en el capítulo X, don Gabriel dice a Juncal que defenderá a su sobrina, aún sin conocerla, como el hidalgo manchego defendió la belleza de Dulcinea en el *Quijote* (I, 4).

le repugnaba hacer ninguna pregunta hostil o desagradable en una casa adonde venía en son de paz; así es que no había querido ni enterarse de *cuál era el cuarto.* Se lo dieron porque, arreglado poco antes de la boda, se encontraba más presentable que el resto de la desmantelada huronera, tan invadida por las aficiones agrícolas del dueño, que en algún salón la cosecha de maíz sobrante se amontonaba a ambos lados en rimero de oro.

Allí la cama barroca, con su dorado copete figurando el sol; allí el biombo con inverosímiles pinturas de casas y árboles; allí todavía el canapé de estilo Imperio en que se reclinaba la enferma, la honda ventana junto a la cual se sentaba a leer en un sillón de gutapercha[229] ya descascarado; sobre la cabecera estampas de su devoción, un rosario de azabache con engarce de plata, todo había sido conservado allí, no por respeto ni por ternura, sino por la indiferencia de la vida campesina, por el tamaño del gran caserón, donde se pasaba un año sin que fuesen visitados algunos aposentos. Gabriel velaba revolviéndose en la cama, escuchando el silencio, ese silencio campesino en que vibran siempre ladridos de canes vigilantes, murmullos de agua y brisa, coros de ranas, y antes de la aurora, gemir de carros, y a la aurora, dianas de gallos de sangre ligera. Calculaba qué línea de conducta le convendría adoptar al día siguiente; al fin optó por las más leal. Hablaría con el hidalgo francamente, se lo diría todo, obraría de acuerdo con él y previo su consentimiento. Y si le negaba autorización para hacerse querer de la niña, bien, entonces le asistiría el derecho de tomársela.

Llegó al cabo el amanecer, y sucedióle a Gabriel lo que a todos los que se pasan la noche en blanco suspirando por el día: que se quedó profunda e invenciblemente dormido. El marqués de Ulloa, inveterado madrugador gracias a sus hábitos de caza y siesta, vino con impertinente celo a despertar a su cuñado, aguijoneándole ya la curiosidad de saber el objeto de la venida del comandante. Gabriel fue llamado al mundo real cuando más a su sabor se encontraba en el de las quimeras.

[229] *gutapercha:* goma translúcida con que se barnizan algunas telas.

Propuso el marqués, a guisa de armisticio, que la conversación fuese de cama a bucata, pero Gabriel rechazó las sábanas, y empezó a vestirse y lavarse en un aguamanil tan chico como incómodo, con dos toallas no mayores que pañuelos de narices. Convinieron en que la entrevista se celebraría dentro de media hora en el despacho y archivo del marqués de Ulloa, archivo que ya volvía a encontrarse, punto más punto menos, en su prístino estado, antes de arreglarlo cierto capellán[230].

El artillero acudió puntualmente, y sin saber cómo, el diálogo que Gabriel se había propuesto que fuese sumamente correcto y formal, tomó en seguida giro humorístico, descarado y hostil por ambas partes.

—Me dejas pasmado.

—No sé por qué.

—Pero, vamos claros: ¿tú tienes gana de broma?

—Nada de eso: con nadie, y menos contigo.

—¿En qué quedamos?; ¿me pides o no a Manolita?

—No te la pido; lo que hago es advertirte que voy a intentar tomarla, porque me parece desleal proceder de otra manera: al fin eres su padre.

—¿Tomarla? ¿Cómo se entiende eso de tomarla?

—¿Cómo se entiende? No como lo entiendes tú, sino de otro modo: y para explicártelo mejor, voy a ver si logro que la chica me quiera, y entonces..., entonces sí que te la pido.

—Sólo faltaba que tampoco me la pidieras entonces.

—Pues bien mirado, si ella quiere darse, es cuando menos falta me hace que me la des tú; pero, yo soy así.

—Tú eres por lo visto una buena pieza.

—Nada de eso; al contrario; por sencillez y por honradez te cuento a ti todo esto.

—Pero, ¿estará decente que andes tú por ahí acompañando a la chica, después de saber que tienes tales proyectos?

—Mis proyectos son muy honestos, y no parece sino que tu hija anda muy recogida y pierniquebrada.

---

[230] Referencia a la novela anterior. Se trata, naturalmente, de don Julián, en *Los Pazos de Ulloa*, cap. IV.

—¡Hombre.., hombre!

—La has criado como un marimacho, sin recato ninguno, ¿sabes? Y muy mal, por no decir infernalmente.

—Y a ti, ¿quién te da vela...?

—Poca cosa: como que intento ser su marido, y como que soy el hermano de su madre.

—Manolita es una chiquilla y, además..., no anda sola.

—No, ya sé que la acompaña... el hijo del mayordomo.

Aquí los ojos de ambos cuñados cruzaron una mirada singular, y don Pedro acabó por bajarlos.

—Siempre anduvieron juntos ella y ese rapaz desde pequeñitos.

—¡Bonita razón! En fin, al grano; ¿me permites, sí o no, que pruebe a agradar a Manolita?

—¿Y si no te lo permito?

—Lo haré sin tu permiso; sólo que lo haré desde fuera de tu casa, porque no me parecerá regular venir a meterme en ella para obrar contra tu gusto.

—Y si te doy permiso y le agradas, ¿te casarás con ella?

—¡Hombre!, ese es mi propósito: ¿pero y si tratada, no me gusta? No puedo empeñarte mi palabra.

—Me estás proponiendo cosas raras.

—Aún voy a proponerte otra más rara que todas las demás. Si se arregla la boda, no le des un céntimo a tu hija de presente, y dispón tu testamento como te dé la gana y a favor de quien se te antoje.

—Eh.... Ni un cént.... Quieto, quieto; mi hija no está en la calle; por de pronto tiene... la legítima materna[231].

Por ahí te duele, pensó Gabriel cuando oyó esto.

—La legítima materna de Manolita te la cederé: yo le señalaré de mi patrimonio, en carta dotal, otro tanto como le corresponda por herencia de su madre.

—Yo..., en realidad de verdad..., así Dios me salve...

—He dicho que ni un céntimo de presente, ¿cómo se dicen las cosas?... Y el día de mañana, lo que te dicte tu conciencia, y nada más.

---

[231] *legítima:* parte de la herencia de la que el testador no puede disponer libremente, por asignarla la ley a los herederos.

La cara del marqués se dilataba, su barba gris temblaba de placer.

—¡Vaya, vaya con don Gabriel Pardo! ¿Y cómo ha sido ese repentón de gustarte la chica?

—Tres meses hace que me gusta.

—¿Sin verla?

—¡Se entiende! Casi no la he visto aún a estas horas. A ti, ¿qué te importa eso? Es cuenta de ella y mía. No se te pide sino la aquiescencia y nada más.

—Pues..., por mí..., trato hecho.

—Trato hecho. ¡Acabáramos!

—Ya tengo —pensó Gabriel al volver a su cuarto— campo libre y carta blanca.

Pasábase el cepillo por la cabeza a fin de alisar y distribuir mejor sus cabellos finos y escasos, cuando el corazón le dio un brinco absurdo, inverosímil: unos dedos menudos herían aprisa la puerta, una voz que le era imposible confundir ya con otra alguna, preguntaba:

—¿Hay permiso?

Manolita entró. Venía vestida con algún más esmero que el día anterior, y su traje de percal color garbanzo salpicado de cabecitas de perros, látigos y gorras de jockey, revelaba pretensiones de *seguir la moda* y procedencia orensana o pontevedresa. El peinado también indicaba más larga elaboración que la víspera, y había un lazo azul de raso al extremo de las trenzas. La muchacha se adelantó sin cortedad alguna por el cuarto de su tío, y con cierta sequedad le dijo, de carretilla y en tono uniforme, a manera de chico que recita la lección:

—Buenos días. ¿Cómo ha descansado usted? Yo, bien. Dice papá que le lleve a ver el huerto y la casa toda.

—Gracias, niña. ¿Y para venir conmigo te has compuesto así?

—Mandó papá que me pusiese el vestido nuevo para acompañarle a usted.

—¿Te sería igual tutearme o te parezco demasiado viejo? Di—añadió con unos visos de melancolía.

—Algo viejo es..., y me da vergüenza.

Gabriel se quedó encantado de la contestación. «Ella me tuteará» —pensó para sí—; y añadió en voz alta:

—Pues cuando tengamos más confianza. Ahora, vámonos por ahí, al huerto. Tengo más ganas de aire libre que de ver la casa. ¿Quieres mi brazo?

—¿Brazo? ¡Ay qué chiste! Tengo los dos que Dios me dio. Puede que...

—¿Qué?

—Que si fuésemos por ahí, por montes, le tuviese yo que dar la mano.

—Pues mira. Justamente quería pedirte ese favor. Que me enseñases paseos largos, sitios bonitos. Tú que conoces todo este país como tu propio cuarto.

—Sí; pero a esta horita —notó la muchacha castañeteando los dedos— ¿quién se atreve a pasar más allá del bosque? No se aguantará la calor[232], y usted que no tiene costumbre...

—Pues al bosque ahora, y a la tarde me llevarás a donde gustes, chiquilla.

Volvióse la muchacha con un movimiento de mal humor y aspereza, que ya dos veces había observado en ella Gabriel; y este síntoma infalible de detestable educación, en vez de desalentar al artillero, le atrajo más. «Es un terreno inculto, virgen, lleno de espinos, ortigas, zarzales. ¡Pobre huérfana, y pobre hermana mía! Si viviese. A falta suya, yo desbrozaré esa maleza, a fuerza de paciencia y de cariño.»

La montañesa echó delante, ágil y airosa como una cabrita montés, y su tío la seguía, rumiando aquello del terreno virgen, y observando con gran placer que era aplicable así a lo moral como a lo físico de la muchacha. La cintura de Manolita, en vez de ser de forma cilíndrica, tenía las dos planicies delante y detrás, que suelen delatar la inocencia del cuerpo; su nuca (descubierta por la raya que dividía las trenzas colgantes), su nuca, esa parte del cuerpo femenino que el arte moderno ha rehabilitado devolviéndole todo su valor expresivo, era de las más tranquilizadoras, por su delgadez y pureza, y lo raro y lacio del pelo corto que la sombreaba; su andar era andar de cervatilla, sin languidez alguna, y sus sienes rameadas

[232] *la calor*, gall.: la expresión en femenino sigue la concordancia propia de la lengua gallega.

de venas azules y su frente convexa la hacían semejante a las santas mártires o extáticas que se ven en los museos.

—¡Cuánto tengo aquí que enmendar, que enseñar, que formar! —reflexionaba Gabriel, muy encariñado ya con su oficio de preceptor[233]—. Pero hay terreno, hay sujeto. ¡La han descuidado tanto! Lo que exista aquí de bueno ha de ser bueno de ley, por deberse exclusivamente a la fuerza e influjo del natural, a la rectitud del instinto. Más fácil es habérselas con esta niña, entregada a sí misma desde que nació, que con esas chicas criadas en una atmósfera artificial, y a quienes la solicitud y los sabios, o hipócritas consejos de las mamás, tías y amiguitas, han cubierto de un barniz tan espeso y compacto, que el demonio que sepa lo que hay debajo de él.

—¿Conque adónde me llevas?, ¿al bosque? ¡Pero qué modo de correr! —exclamó en voz alta, viendo que Manolita atravesaba velozmente las habitaciones de la casa, bajaba las escaleras de cuatro saltos, y sin aflojar el paso se metía por el huerto.

—Corra también —respondió la niña casi sin volver la cara—: ¡Todo esto de la casa y la huerta es más cargante! Ya iremos despacio por el soto. Allí da gusto.

Realmente el huerto parecía un horno. El día amenazaba ser del todo canicular, y en la superficie del estanque, los mismos escribanos de agua[234] tenían pereza de echar complicadas firmas con sus largos zancos, y adormecidos sobre las verdosas plantas palúdicas se entregaban al goce de beber sol. Los átomos del aire vibraban, prontos a inflamarse cuando el astro ascendiese a su cenit; innumerables insectos zumbaban entre la hierba; gorjeaban con viveza y regocijo los pájaros, seguros de que con aquel día tropical la espiga se abriría sola y los surcos se llenarían de derramada simiente; de cuando en

---

[233] Fracasado el primer modelo de ficción, la «pastorela», dada la fría acogida que dispensa Manuela a su tío, éste se lanza al segundo: el mito de Pigmalión y Galatea. No obstante, la celeridad con que Manuela sale a la calle, llevando tras de sí a su tío, nos advierte asimismo del fracaso de este segundo modelo. Una vez más, las expectativas imaginarias de don Gabriel chocan con la realidad.

[234] *escribanos de agua:* insectos de patas largas, que se deslizan por la superficie del agua.

cuando, una bandada de mariposas ejecutaba en el ambiente de fuego una figura de rigodón, y luego se desvanecía. Gabriel, sofocado, se había quitado el hongo, y abanicábase con él. Sin pararse, de soslayo, la chica lo vio.

—Va a pillar un *soleado*[235]. ¡Ave María Purísima! Coja una hoja de berza y métala en el sombrero, que si no, mañana a estas horas está en la cama con un mal.

Obedeció el sabio consejo el artillero, y colocó dentro de su hongo una hoja de col bien aplicada.

—¿Y tú? —exclamó en seguida—. ¿Por qué no coges un soleado tú? No llevas nada en la cabeza.

—¡Uy! ¡Yo! Yo ya tengo confianza con el sol.

A lo lejos, más allá de los frutales del huerto, que apenas daban sombra, destacábase el soto, como una promesa de frescura y bienestar; el soto de castaños floridos, donde los rayos del sol no tenían acceso. Pero Gabriel, fuese por detenerse un minuto, o porque realmente el paseo convidaba a refrescar la boca, se detuvo al pie de un ciruelo cargado de fruta, y llamó a su sobrina.

—¿Manuela?

Ella se volvió, asaz impaciente.

—¿Sabes que de buena gana comería un par de ciruelas?

—Pues cómalas, y buen provecho —respondió la chica encogiéndose de hombros.

—Escógemelas; ten compasión de un pobre cortesano ignorante.

—¿*Seque*[236] no diferencia las verdes de las maduras?

—No. Sé un poco amable. Ayúdame.

Con el ceño fruncido, el ademán entre hosco y burlón, la chica alargó los dedos, bajó una rama, fue tentando ciruelas y, en un abrir y cerrar de ojos, dejó caer una docena, como la pura miel, amarillas por la cara que miraba al sol y reventadas ya de tan dulces, en el pañuelo limpio, marcado con elegante cifra, que Gabriel tenía cogido por las puntas.

---

[235] *soleado,* del gall. *soleada:* insolación.

[236] *seque,* gall.: apócope popular, que también tiene las formas *seica* y *seique,* que podría traducirse al castellano como «o sea que»; la joven pide a su tío una confirmación: «¿O sea que no diferencia las [ciruelas] verdes de las maduras?»

—Mil gracias. Ahora...

—¿Ahora qué?

—Cómete tú una primero, para que me sepan mejor las demás.

—No me da la gana. Estoy harta de ciruelas.

—Pues dispensa. Una más o menos, no te produciría indigestión, y al comerla, cumplirías un deber.

—¿De qué? —preguntó ella fijando con dureza en Gabriel sus ojos ariscos.

—El deber de las señoritas, que es hacerse agradables y simpáticas a todo el mundo, y con mayor razón a los huéspedes que tienen en casa, y todavía más si son sus tíos y vienen a verlas.

Una ojeada más fiera que las anteriores fue la respuesta de Manolita, que echó a andar apretando el paso, tanto que a Gabriel le costaba trabajo seguirla.

—Chica, chica....—gritó—. Mira que he trepado por los vericuetos de las Provincias[237], pero tú eres un gamo. Aguarda un poco.

Paróse la muchacha, y agarrándose al tronco de un peral, y estribando en la pierna izquierda, con la punta del pie derecho describía semicírculos sobre la hierba. Al alcanzarla su tío, no dijo palabra; suspiró con resignación, y siguió andando con menos ímpetu, pero sin hacer caso del forastero.

Dejado atrás el huerto, pisaron la linde del bosque, alfombrada por las panojas amarillentas de la flor del castaño, que empezaba a desprenderse aquellos días y había impregnado el aire de un olorcillo que, sin ser embriagador perfume, tiene algo de silvestre, de fresco, de forestal, de húmedo y refrigerante, por decirlo así, encantador para los que han nacido o vivido largo tiempo en la región gallega. No pecaba el soto de intrincado; como más próximo a la casa, había sido plantado con cierto orden y simetría, y los troncos de sus magníficos árboles formaban calles en todas direcciones, aunque los obstruyese la maleza, dejando sólo relativamente limpia la del centro, atajo que solían tomar los peatones que descendían

[237] *las Provincias:* se refiere a las «Provincias vascongadas», el País Vasco.

de la montaña, para llegar a los Pazos más pronto. El ramaje era tan tupido y formaba tan espesa bóveda, que sólo casualmente le atravesaba la claridad solar, engalanándolo con una estrella de oro de visos irisados, trémula sobre la cortina verde. Manolita andaba y andaba, pero más despacio ya, con el involuntario recogimiento que produce la frescura y la oscuridad de un bosque. Gabriel emparejó con ella, y señalándole el repuesto y solitario lugar y la mullida hierba, le dijo:

—¿Vamos a sentarnos un poco? Esto está envidiable.

—Bien —contestó lacónicamente la muchacha, siempre con la misma agrazón en el acento y el gesto; y se tumbó como de mala gana en el blando tapiz.

XVI

—¡Cortezuda es la pobrecilla! —pensaba Gabriel mientras su sobrina callaba arrancado uno tras otro los pétalos de una flor silvestre. La flor, que era una margarita, le contestó mucho, pero la muchacha, que nada tenía de romántica, no le había preguntado cosa alguna[238].

—Manuela —esto ya iba dicho en voz alta y con dulzura y ansiedad— dispénsame que te haga una pregunta. ¿Estás así, incomodada y de mal humor, por culpa mía, por tener que acompañarme? Mira, dímelo francamente, porque no tendrá nada de particular, ¿sabes? Lo que se dice nada. Un pariente forastero que llega ayer, llovido del cielo; a quien tú no has visto jamás ni probablemente oído nombrar dos veces en toda tu vida; que no conoce tus gustos y costumbres, ni tú las de él, más viejo..., mucho más viejo que tú; y que va tu padre y te manda que..., lo acompañes, ¿no es eso? Hija, comprendo, comprendo perfectamente que reniegues de mí.

Manuela bajó los ojos, que tenía clavados en el ondeante pabellón de las ramas, y miró a su tío primero con cierta sorpresa, después con atención. Gabriel, habiéndose quitado los quevedos, concentraba en sus expresivas pupilas toda la vida de su espíritu.

---

[238] Divertida ironía de situación, en la que Manuela, distraída de la charla que le da su tío, piensa en Pedro. Nótese que, con esta ironía, se invierte el modelo de lo que, de otro modo, sería una «pastorela» convencional: es decir, el señorito de ciudad (que aquí reemplaza al cortesano tradicional) seduciendo a la lugareña.

—Como lo comprendo, no pienses que me he de enfadar contigo. Lo que te dije antes, cuado te pedí que comieses las ciruelas, fue pura broma. Yo no me enfado por sentimientos naturales y cosas propias de la edad; además, nada que venga de ti puede enfadarme, niña. Tú puedes hacer de mí lo que quieras.

—¿Por qué? —preguntó la montañesa, cuya negra pupila se dilató de asombro.

—Porque eres un ángel, y los ángeles no ofenden a nadie; y porque aunque fueses un diablillo, yo..., te querría, ¿sabes? Lo mismo que te quiero..., con toda el alma..., ¡con toda el alma!

Fue dicha la frase con tan sabrosa mezcla de calor y galantería, de ternura paternal y fuego profano, que Manuela se sintió poco a poco enrojecer desde la punta de la barbilla hasta la raíz del cabello, y su infalible instinto femenil le dijo que había allí *algo* inusitado, algo distinto de lo que podía decir un tío a una sobrina en el fondo de un bosque. Y otra vez se juntaron sus cejas, y su boca de finos labios adquirió expresión severísima.

—Tu madre —añadió Gabriel como para atemperar el encendimiento de sus palabras— fue mi hermana del corazón, y he conservado de ella tal memoria, que sólo por ser tú hija suya, besaría la tierra que pisas. ¿Te ríes, chiquilla? Pues verás como lo hago, ahora mismo.

Y sin más preliminares, Gabriel, que estaba recostado un poco más abajo que la niña, se volvió, llegó el rostro a las hierbas en que el pie de ésta reposaba, y aplicóles un sonoro beso.

La gravedad de la montañesa se disipó como el humo. Ver a aquel señor, tan elegante, tan fino, tan formal, que aunque no era precisamente viejo, parecía «persona de respeto», y que sin más ni más besuqueaba el suelo delante de ella, le arrancó una viva y sonora carcajada. Gabriel le hizo coro.

—¡Gracias a Dios que te veo reír! —dijo al disiparse el primer alborozo—. ¡Gracias a Dios! Todo lo que sea no estar con aquella cara de juez de antes, me gusta. A tu edad se debe reír, es lo natural. ¡Qué contento me da verte así! Sobrina mía, te declaro solemnemente que eres muy bonita cuando te ríes. (Ya lo sabía la niña, y aunque montañesa, no ignoraba que al reír se le ahondaba un par de graciosos hoyos en las mejillas y se lucían sus dientes, que en lo blancos y parejos afrentaban a los piñones.) Por lo demás —siguió Gabriel— a mí, como te quiero, me pareces siempre muy linda. Sí, sobrinita. Antes de verte ya me gustabas...

—¿Antes de verme? —interrogó la chiquilla con serenidad burlona, enjugándose con las yemas de los dedos lágrimas de risa.

—Antes. ¿De qué te pasmas? ¿Te acuerdas tú de tu mamá?

—No. ¡Era yo tan *cativa*[239] cuando se murió la pobre!

—¿Y cómo te la figuras tú? ¿Fea o bonita?

—¡Qué pregunta! Ya se sabe que bonita.

—Pues..., lo mismo me pasaba a mí contigo antes de verte. Ea, ¿están hechas las paces? ¿Somos amigos?

—Sí, señor —respondió Manuela entornando los párpados.

—¿No estás disgustada por tener que acompañarme?

—No, señor.

—Sí señor, no señor. ¡Ay, ay, ay! ¡Qué sonsonete! Mira que si me enfado..., te hago reír otra vez. Ya que no quieres tutearme, al menos, no me digas señor: dime Gabriel, que es mi nombre.

—¿Tío Gabriel?

—Bueno, *tío Gabriel*, si así te parece que te podrás ir acostumbrando a llamarme *Gabriel* a secas. Y ahora, que ya estamos con más confianza (Gabriel apoyó el codo sano en el suelo y se reclinó cómodamente), vamos, dime por qué estabas de mal humor conmigo esta mañana.

—Porque... —Manuela iba sin duda a soltar un secreto formidable; pero de pronto sus labios se cerraron, sus ojos vagaron por el suelo, y murmuró enérgicamente—. Por nada.

—¿Por nada?

—Por..., porque hablando francamente, era mejor que papá lo acompañase; yo no soy quien para entretenerlo ni darle conversación. Bonita diversión la que saca de estar con-

---

[239] *cativa*, gall.: muchacha de corta edad.

migo. ¿De qué le he de hablar? Por eso me dio rabia que papá discurriese mandarme a papar moscas con usted.

—Montañesita, eso que vas diciendo sí que es una chiquillada. No sólo me distrae tu compañía, sino que la he solicitado. ¿De dónde sacas tú que no tenemos de qué hablar? ¡Miren la muñeca! Vaya si tenemos: y tanto, que no se nos acabará en muchísimo tiempo la conversación. Podremos estar charlando una semana, y otra, y otra, y tener siempre cosas nuevas de qué tratar.

Enarcó Manuela las cejas, entreabrió los labios, redondeó los ojos, y se quedó como asombrada mirando al artillero.

—¿No lo crees? —dijo éste, que iba cortando con mucho primor, de una uñada, tallos de gramíneas, y reuniéndolos, sin duda con ánimo de formar un ramillete.

—No señor..., tío Gabriel. Porque..., yo soy una infeliz que me he criado aquí, entre los tojos, como quien dice, y usted anduvo mucho mundo y corrió muchos pueblos y sabe todo. Conmigo se tiene que aburrir, ¿eh? Aunque por darme jarabe diga eso. Otra le queda.

—¡Ay, chiquilla! Te engañas de medio a medio. Pues si justamente te necesito; si me haces muchísima falta para explicarme, y enterarme, y ponerme al corriente de un sinnúmero de cosas importantísimas, en que eres tú maestra y yo no sé ni el a, b, c.

—Vaya, vaya, vaya —canturreó la niña con su marcado acento del país.

—No hay vaya, vaya, que valga —murmuró Gabriel remedándola tan jovialmente, que no había modo de enojarse por la parodia—. Sí señora. Se lo digo a usted formalmente, con toda la formalidad que cabe en un comandante de artillería. Mira, hijita, por lo visto tú eres como Santo Tomás: ver y creer. Así es que te diré cuáles son esas cosas en que eres una sabia y yo un borrico. Son..., las cosas de por aquí, del campo.

—¿Del campo?

—Cabales. Atiéndeme. Yo me he criado en un pueblo, he estudiado en otro, he vivido en varios, y no he estado en lo que se llama *campo,* sino en el *campamento,* que es muy diferente. Allí mira uno la tierra desde el punto de vista de cómo podrá, abierta en trincheras, servir para resguardarse del enemigo, y las montañas que yo he visto y recorrido, ¿sabes lo que buscaba en ellas? Un punto estratégico en que situar una batería para santiguar desde allí a cañonazos a los carlistas.

Inclinóse la montañesa hacia su tío, revelando en sus ojos brillantes, en su respiración agitada, el interés con que infaliblemente escucha la mujer toda historia en que juega el valor masculino.

—¿Estuvo en muchas batallas? —preguntó mostrando gran curiosidad.

—En unas pocas, pero no batallas campales y en grande, hija mía, como esas que tú habrás visto pintadas o te habrás representado en la imaginación; fueron encuentros parciales, tomas de fortines, asaltos de trincheras, escaramuzas, tiroteos de avanzadas...

—¿Y muere gente en eso como en lo otro?

—¡Ah! Morir, sí, lo mismo; en proporción, quizá sea más peligroso. Allí ve uno muy de cerca el brillo de las bayonetas y los machetes, y la boca de los revólveres.

—¿Y a usted..., lo hirieron? ¿Le hicieron daño?

—Sí, a veces. Rasguños.

—¿En dónde? ¿Aquí? —exclamó la chiquilla alargando su dedito moreno hasta rozar con él la mejilla de su tío, el cual se estremeció dulcemente, como si le hiciese cosquillas una de las delicadas gramíneas que cortaba.

—No —dijo sin ocultar el estremecimiento—. Esto fue la explosión de un poco de pólvora que se me quedó embutida debajo de la piel.

—¡Ay!, me ha de contar cómo fue. No, pero antes las batallas.

Gabriel se incorporó quedándose sentado en la hierba, con las piernas estiradas y el haz de gramíneas en la mano. Habíalas verdaderamente airosas y elegantes, montadas en tallos como hilos; sus menudas simientes pajizas temblaban, bailaban, oscilaban, se encrespaban y bullían como burbujas de aire moreno, como gotas de agua enlodada; algunas semejaban bichitos, chinches, otras, como la *agrostis*[240], tenían la va-

---

[240] *agrostis o agróstide:* planta gramínea que se usa como alimento para el ganado.

porosa tenuidad de esas vegetaciones que la fina punta del pincel de los acuarelistas toca con trazos casi aéreos, allá al extremo de los países de abanico[241]: una bruma vegetal, un racimo de menudísimas gotas de rocío cuajadas. Con aquel fino puñado de hierba, Gabriel acarició la cabeza trigueña de su sobrina, diciendo con una explosión de alegría casi infantil:

—¡Ah, pícara, pícara! Ves cómo tenemos de qué hablar, y nos sobra. ¿Lo ves, lo ves? Yo te cuento guerras o catástrofes como esta de la pólvora que se me metió entre cuero y carne, y muchas cosas más que me han pasado; y tú...

—¡Bah! No haga burla, no haga burla. Ya se sabe que yo no puedo contar nada que valga dos nueces.

—Que sí, mujer. Más que yo; doscientas veces más. Tú eres una doctora y yo un ignorantón.

—¿Con tanto como estudió?

—En los colegios, hija mía, nos enseñan cosas muy raras y estrafalarias, que andan en libros, y mira tú, lo bueno es que allí se quedan, porque luego, en la vida, no se las vuelve uno a encontrar ni por casualidad una sola vez. Pues sí, tú vas a reírte de mí cuando veas lo tonto que soy. No diferencio el trigo del centeno.

La montañesa soltó una carcajada fresquísima.

—No he visto nunca moler un molino. El único en que estuve lo tomamos a cañonazos: era un molino en que se habían hecho fuertes las gentes del cabecilla Radica[242]. Ya te figurarás que no molía entonces...

Redobló la carcajada de Manuela.

---

[241] Se trata de Oriente. Detalla aquí doña Emilia la naturaleza mediante alusión pictórica al arte oriental, o sea, el arte de «los países de abanico». Recuérdese que otro tanto hace Galdós en *Fortunata y Jacinta* al introducir en la novela el arte de los mantones de Manila. Esto se debe, como observa atinadamente Clarín al reseñar la novela de Galdós, al interés «orientalista» y las «chinoisseries» que dentro del exotismo del XIX van sucediendo poco a poco al interés por lo árabe. El orientalismo triunfa en Europa de la mano del francés Pierre Loti, autor de la delicada novela *Ayzadé*. El género cuenta con obras magníficas, como la novela *O mandarím*, del novelista portugués José María Eça de Queirós.

[242] Marina Mayoral (ed. cit., vol. II, pág. 510) indica que puede tratarse del cabecilla Rada, que participó en las campañas carlistas de los años 1872-1873.

—Tampoco he visto segar. Ayer me enteré de que hacéis unas cosas que se llaman *medas,* que son como una pirámide de haces de mies, y eso porque te vi encaramada encima como un loro en su percha.

Ya no era risa; era convulsión lo que agitaba a Manuela, obligándola a echarse atrás, a recostarse en el tronco del castaño para no caer. Con una mano, a la usanza aldeana, se comprimía la ingle, y con otra se tapaba la boca y la nariz, pero entre sus dedos rezumaban y salpicaban chorros de risa que, por decirlo así, caían sobre el rostro del artillero.

—Ay, ay, que me muero, que no puedo más —decía la chiquilla—. Ay, por Dios, no diga tontadas así.

Sonreíase él, contento del efecto producido, y haciendo girar entre pulgar e índice el fino tallo de una gramínea, que por el volteo apresurado parecía una rueda de dorada niebla. Paróse, al ver un insecto semejante a una media bola de coral pulido, con pintas, de esmalte negro, que le había caído sobre el dorso de la mano y allí permanecía inmóvil.

—Ahí tienes —murmuró dirigiéndose a su sobrina, que pasado el espasmo se había quedado como aturdida, con dos lágrimas que le asomaban al canto de los lagrimales—; mira si es verdad lo que tanto te hace reír, que ahora me veo en el apuro de ignorar qué fiera es esta que se me ha domiciliado en la mano.

—¿Ésa? —balbució la niña como saliendo de un letargo—; es una *mariquita de Dios.*

—¿Y por qué se está tan quieto este bicho divino?

—¿Quiere que vuele? Yo la haré volar enseguida.

—¿Pinchándola? No. Mira que yo, aquí donde me ves con estas barbas, no puedo sufrir que se lastime a ningún animal.

—¿Piensa que yo soy un verdugo? Verá cómo vuela sólo con hablarle.

Y la niña, acercándose tanto a la mano de su tío que éste sintió el húmedo calor y la frescura de su sano aliento, murmuró misteriosamente:

—Mariquiña, voa, voa, que ch' ei de dar pan e ceboa[243].

---

[243] Mariquita, vuela, vuela, que te he de dar pan y cebolla.

A las primeras sílabas del conjuro el insecto se bullió; a las segundas removió sus patas, que parecían hechas de cabitos cortos de seda negra; a las terceras entreabrió las alas de coral, descubriendo debajo otras de gasa, de sombría irisación, que tenía replegadas como las alas membranosas del murciélago; y antes de que la fórmula cabalística terminase, alzó el vuelo rápidamente y se perdió en el aire.

—No he visto en los días de la vida animal más bien mandado —observó Gabriel un tanto sorprendido—. ¿Obedecen así los demás bicharracos?

—¿Los demás? ¡Buena gana! Si fuese una avispa y le clavase el aguijón, ya vería si obedecen o no.

—¿De modo que los bichos más dañinos son las avispas?

—¡Uy!, otros son peores. Hay los de cuatro patas. Raposos y lobos; allá en lo más alto de la sierra, jabalíes; la marta, que se come las gallinas; el *miñato*[244], que mata las palomas. Pero a mí esos animales fieros no me dan cuidado ninguno; me gustaría ir con los cazadores cuando dan la batida a los lobos, que debe ser precioso; pero a lo que tengo miedo es a... los perros rabiosos, en este tiempo del año. Dicen que cuando muerden, para que uno no se muera, hay que quemarle con un hierro ardiendo el sitio donde dejan la baba... ¡ih, ih, ihhh![245].

Manolita se estremeció, subiendo los hombros como si tuviese frío.

—¡Qué nerviosa es! —pensó para sí Gabriel, el cual, en medio de la embriaguez que le producía el ver a la niña tan

---

[244] *miñato,* gall.: milano

[245] Para cuando apareció *La madre Naturaleza,* la rabia era todavía una enfermedad temida, y la mordedura de un animal rabioso con frecuencia resultaba fatal. La investigación para la cura y erradicación de la enfermedad logró gran impulso a partir de 1881, gracias a los esfuerzos de Louis Pasteur; y la primera cura mediante vacuna, que éste realiza en 1885, es un par de años anterior a la novela. No obstante, la mayor parte de la investigación para combatir la enfermedad se realiza con posterioridad a la publicación de esta obra: en 1889, Babès y Lepp desarrollan el tratamiento con suero; y hasta el siglo XX no se perfeccionan las vacunas: el español Ferrán, el italiano Fermi (1908) y el suizo Semple (1919) contribuyen a perfeccionar el sistema de vacunación original de Pasteur.

domesticada ya y entretenida en tan familiar y afectuosa plática, no dejaba de estudiarla, recordando que tenía que hacer con ella oficio de padre, de maestro, y aun quizás de médico; tierno protectorado, acaso lo más dulce y atractivo de la obra de caridad que su corazón emprendía—. Al mismo tiempo —calculó mirando la coloración trigueña, encendida y melada del rostro de su sobrina— hay sangre, generosa, rica y roja. Me gusta que tenga nervios: ¡por el camino de los nervios se puede conseguir tanto de la mujer!

Aún charlaron algo más antes de volver a los Pazos a la hora de la comida. Al atravesar el bosque, pudo ver el comandante que los nervios de su sobrina se estaban quietos en ocasiones que alborotarían los de una señorita cortesana. Allá, en lo más oscuro y enmarañado del bosque, notó Gabriel un roce entre las hojas, algo parecido al cimbrear de una vara verde; y al punto mismo vio pasar a dos dedos de sí, con el espinazo arqueado y enhiesto, arrastrado el pecho, la plana cabeza erguida, una gruesa culebra, distinguiendo la blancura azulada de su vientre. Sería como la muñeca de un niño, y mediría de largo vara y media[246]. Gabriel se quedó fascinado, sintiendo el frío que causa la presencia de los reptiles. Manolita en cambio se bajó, y escudriñando entre las hojas caídas y la maleza, blandió triunfalmente un objeto amarillento, larguirucho, diáfano, que parecía hecho de papel de seda untado con aceite, por encima imbricado de escamas, por debajo plegado en pliegues horizontales; un andrajo orgánico, que aún parecía conservar la flexible curvatura del tronco que momentos antes revestía.

—¡La camisa de la culebra! —gritaba entusiasmada Manola—. ¡La ha soltado ahí la bribonaza! ¡Vestido nuevo, que estamos en tiempo de feria! ¡Ah maldita! ¡Si yo tuviese una piedra con que *esmagarte*[247] los sesos! Mire, mire, mire —exclamó metiéndosela a Gabriel casi por los ojos—: mire la hechura de

---

[246] *vara:* medida de longitud correspondiente a 835 milímetros y 9 décimas.

[247] *esmagarte*, gall.: aplastar

cabeza, mire la boca, mire los ojos... ¡como se conocen los ojos!

—¿La llevas? —preguntó Gabriel viendo que se la enrollaba a la muñeca.

—¡Toma! Para enseñársela a Perucho[248].

[248] Irónicamente, pues, el capítulo comienza y termina con la mención de Perucho, el contrincante de don Gabriel. He aquí, por tanto, una indicación de que, a pesar de que éste cree haber ganado terreno en el corazón de la muchacha, la competición entre los dos pretendientes de Manuela sigue en pie.

XVII

Después de comer, transcurrida la hora sagrada de la siesta, Gabriel sintió otra vez llamar a su puerta, no con los nudillos y desdeñosamente como por la mañana, sino con el batir imperioso de una manecita que manifiesta cierta cordialidad y deseo de ver pronto a la persona que busca. Saltó el comandante del canapé en que se había recostado, más a leer que a dormir. Como todo hombre de hábitos intelectuales, Gabriel, al llegar a los Pazos, había buscado algún alimento del alma, alguna lectura: el obsequioso Gallo le había ofrecido sus periódicos (el señor los leía también al día siguiente); pero Gabriel, recordando haber visto por la mañana en el archivo un armario-estantería donde encima de las oscuras encuadernaciones de antiguos libros relucía algún filete de oro, se fue allá terminada la comida. Al abrir las hojas forradas, en vez de vidrios, de rejilla de alambre, salió una tufarada de moho, de polvo, de humedad; cenicientas polillas huyeron despavoridas de su refugio predilecto. No se arredró; fue sacando volúmenes. Cada libro que abría era un depósito de larvas, una red de túneles abiertos por el diente del insecto bibliófilo; y el cadáver del siglo XVIII se alzaba de su sepulcro, todo comido de gusanos; allí estaban, calados y alicatados por la polilla con mil pintorescos dibujos, *La Enriqueida*, *El Contrato Social*, la *Moral universal*, las *Confesiones*, la *Nueva Heloísa;* y también las novelas del género sentimental interminable; *Clara Harlowe*, *Pamela Andrews*[249], a las cuales las ratas, por no ser menos que

---

[249] En *Los Pazos de Ulloa*, don Julián hace una inspección similar de la biblioteca del pazo, encontrándola invadida de roedores y polillas, y los volú-

los bichos, habían roído los cantos y puesto como una sierra el borde de las hojas. Lo único que encontró Gabriel en mediano estado fueron las obras de Feijoo y Sarmiento, unos tomos del *Viajero universal* y un ejemplar de los *Nombres de Cristo,* así como la traducción del *Cantar de los cantares,* también del Maestro León. Llevóse para su cuarto lo más aceptable, y recordando sus aficiones filosóficas, se hundió en las luminosas simas platónicas de los *Nombres.* Pero entre su vista y la hoja de grueso papel en que el tiempo había derramado un baño de ámbar, se interponían dos ojos serenos y ariscos, ojos de novilla virgen, que miraban con despego primero y con pensativa curiosidad después. ¡Qué aprisa soltó el libro al oír llamar!

—¿Está cansado? Si no, es hora de ir saliendo.

—¿Adónde?

—Por ahí. ¿No dijo que quería...?

—Sí, chiquilla; contigo, al fin del mundo.

Ella se encogió de hombros, respuesta que tenía preparada para cuanto le sonaba a galante broma, pero ya sin el enfado rabiosillo de por la mañana.

---

menes devorados por el comején. Entonces, el capellán pone orden en aquella barbarie. Mas, como se dice al final de la novela de 1886, la barbarie vuelve al pazo tras la marcha de don Julián. Don Gabriel hace ahora una inspección similar en cierto modo a aquélla. Aparecían allí, y hay aún aquí, textos del XVIII, indicio de algún antepasado ilustrado del actual ocupante de los pazos, posible lector de *La Henriade* de Voltaire. Y las obras de Jean Jacques Rousseau *Julie, ou la nouvelle Héloïse* (1761), *Du contrat social* (1762), *Émile* (1762) y las *Conféssions;* junto a las novelas *Pamela; or Virtue Rewarded* y *Clarissa; or the History of a Young Lady,* del autor británico Samuel Richardson (1689-1761). Se encuentra también la *Moral universal* (1874) de William Tiberghien, seguidor de Krause. Nótese, no obstante, una dimensión posible de este párrafo pues, como en el episodio del escrutinio de los libros en el *Quijote,* donde los malos libros son arrojados al fuego, aquí se indica que todas estas obras han sido devoradas por las ratas. Tan sólo se salvan, o se encuentran «en mediano estado», las obras de Feijoo y de Sarmiento. Se salvan también de la simbólica «quema», o simplemente de la destrucción, dos libros de Fray Luis, uno de los cuales tendrá importancia en el desarrollo del argumento de esta novela. En concreto, de la traducción del *Cantar* de Fray Luis se sirve la autora en los capítulos que siguen para dar expresión a lo inefable del impulso amoroso.

Al salir a campo abierto, sobrecogió a Gabriel el ardor sofocante del día. El aire era fuego, fuego fluido que envolvía el cuerpo, penetraba en el cerebro, derretía los sesos y causaba la sensación de hallarse metido en una zanja, rodeado de hogueras. La naturaleza, abrumada por aquella temperatura canicular, yacía inmóvil; no corría brisa alguna. Manuela sin embargo andaba ligera, en términos que a su tío siempre le costaba trabajo seguirla. Tomaron un sendero oculto días antes por el movible mar de oro del trigo; pero ya la vega había ido despojándose del manto de seda amarilla, y la vista no se recreaba al contemplar, desde los oteros, las anchas alfombras, tan alegres, que parecían un pedazo de luz solar; ahora se veía la desnudez de la tierra, la negrura de los surcos, invadidos por el estéril helecho, y sobre los cuales yacían los haces en desorden como muertos después de la batalla; entre las cortadas espigas doblaban la cabeza moribundas las amapolas de tafetán con corazón de terciopelo negro, las nevadas mejoranas, los cardos, las alfalfas y tréboles, toda la flora que se cobija a la sombra de la mies y vive por ella sola. Aún queda otra cosecha, en verano, otra planta tierna y verde que esparce su polen fecundante por el aire encendido: es el maíz, el maíz susurrón y melancólico, nunca saciado de agua; la cosecha del otoño gallego. Manuela fijó los ojos en la *cortiña*[250] segada.

—Después de que siegan ya parece que se escapa el verano —pronunció con cierta pesadumbre, pensando en alto, pues el verano era para ella la época suspirada, la época en que su compañero, su amigo de toda la vida, regresaba de Orense, y corrían y se solazaban juntos. Gabriel no comprendió el pesar de la montañesa; creyó que pensaba en el trigo no más, y miró a su vez los surcos[251]. Empezaba a considerar con simpa-

[250] *cortiña*, gall.: cortinal, espacio de tierra cercado, cercano a poblado, y sembrado.

[251] Se repite la situación anterior, y una vez más comienza el capítulo con referencia a Perucho, y a él se hace referencia una vez más al final: «A mí y a Perucho nos rompen los oídos pidiendo...» Con ello se prepara la narración para su aparición súbita al final del capítulo XVIII, y se mantiene también la ironía, pues don Gabriel reflexiona en ocasiones sobre sus avances, sin observar, como ocurre aquí, quién es el referente de los suspiros de su sobrina.

tía, aunque por reflejo, aquella cosa vasta y vaga, el campo, mas no se le ocultaba que la veía al través de Manuela, con ese interés que inspiran las cosas que son el ambiente y el marco de la persona querida.

—¿Se puede saber adónde me lleva su alteza la infanta? —preguntó cuando cruzaron el barbecho y fueron bajando a una pequeña hondonada en que crecían hasta una docena de olmos muy bajos.

—Vamos a la represa del molino; le enseñaré cómo muele, porque si subiese por la montaña, se moriría con el calor que hace.

—No, mujer, ¿por quién me tomas? Tú crees que yo soy una damita. Verás cómo no me canso, por muy largo que paseemos y por mucho que sea el calor.

Lo cierto es que el artillero pensaba ahogarse. Desde los tiempos en que andaba a la greña con los carlistas, no había pasado sofocón por el estilo, y el andar rápido de la muchacha le ponía a prueba. Pero antes mártir que confesor. No quería darse por vencido ante un poco de sol, y, como todos los enamorados, quería alardear de vigor y salud.

—Vaya, vaya —dijo con graciosa roncería su sobrina— que si yo lo llevase allí (y señaló una cumbre no muy distante, que herida por el sol brillaba con resplandores micáceos), ya veríamos si podía volver por su pie.

—Niña, ¿pero tú te imaginas que nunca he escalado montes? ¡Caramba, hija! Y con la batería, que es un poco más peliagudo. ¿Cómo se llama esa altura?

—Pico Medelo. Otro día iremos allá, ya que se hace de tan valiente, a ver quien saca la lengua primero; pero hay que salir por la fresquita de la mañana y entonces se ve desde allí una vista tan preciosa, que no sé: dicen que hasta se ve algo de Portugal. Es preciso que sea un día que sople vendaval, porque con él se ve más lejos que con el *nordés*[252]. Y allí hay unas piedras viejísimas que dicen que fueron de un castillo del tiempo...

La montañesa reflexionó, llamando en su ayuda todo su caudal de erudición.

---

[252] *nordés,* gall.: viento noreste.

—Del tiempo de los moros —exclamó al fin muy formal.

Viendo en el rostro de Gabriel una media sonrisa cariñosísima, añadió:

—¡Bah! Me hace burla. Pues no le vuelvo a contar nada. ¡Cuidado ahí! Que se puede resbalar en las hierbas, y ¡pataplum!

Seguían orillando el diminuto barranco, en cuyo fondo iba cautivo un riachuelo que después se tendía encharcándose, antes de llegar al molino, invisible aún. La proximidad del agua y la sombra de los olmos, en tal momento, hacían del barranco un oasis. Entapizaban la superficie de la charca esas plantas acuáticas, esas menudísimas ovas que parecen lentejuelas *verdegay*[253], y engañan la vista representando una continuación del prado: Manuela avisó al artillero, cogiéndole del brazo, para que no metiese la bota entera y verdadera en el río. Al borde de la charca se arrastraban rojizas babosas y limazas negras de una cuarta de largo; daba grima pisarlas por la resistencia elástica que oponía su cuerpo. Espadañas, gladiolos y juncos elevaban sus lanzas airosas al borde del agua. El terreno estaba empapado, y la suela de la bota de Gabriel, al posarse en la hierba, dejaba un ligero charco, borrado al punto. Oíase, misterioso y grave, el ruido del agua en la presa. Manuela se volvió de pronto.

—¿Sabe pescar? —dijo a su tío.

—¡En qué aprieto me pones! Jamás he cogido una caña, ni una red, ni...

—¡Qué lástima! Si Perucho viniese, esta noche de seguro que cenábamos una anguila tan gorda como mi brazo (y ceñía la manga de su traje para que se viese bien el grosor de la anguila). Las hay hermosas en la presa. Entre el mismo barro las pescan con un pincho. Hay que remangarse...

—Vea usted —pensaba para sí el artillero—. ¿De qué me sirven aquí filosofías ni matemáticas? Me convendría mucho, para conquistar a esta criatura, pescar anguilas. Yo aquí soy un ser inútil.

---

[253] *verdegay:* verde claro.

Rota la cortina de olmos, apareció el estanque de la presa, del cual emergían los escobones de las poas[254] y las flores rosas de la salvia: el agua se precipitaba espumante, pero Manuela vio con sorpresa paradas las paletas del molino.

—Hoy no muele —dijo meneando la cabeza—. Ya me figuro por qué será; pero venga, que preguntamos.

Desanduvo[255] lo andado, y volviendo a meterse por entre los olmos, torció a la derecha por un maizal, y pararon ante una era mucho más chica que la de los Pazos, cerrada por humilde tapia. Un perro de amarillento pelaje, atado a una cuerda al pie del hórreo, saltó ladrando como una fiera y arrojándose a morder; pero a la puerta de una casuca asomó una mujer anciana, y amansó al fiel vigilante con un «¡Quieto, can!» que en sus labios sonaba como regaño de persona cortés al criado que recibe mal una visita.

—Entren, entren, mi ama y la compañía —suplicaba obsequiosamente la vieja, riéndose con desdentada boca. Gabriel miró a la mujer y la encontró típica. Representaba unos sesenta años; el sol había curtido su piel, que en los sitios donde sobresalen los huesos tenía el bruñido y la lisura de la piel de los arneses cuando el uso la avellana. Sus ojos grises, incoloros, hacían un guiño entre malicioso y humilde; su pescuezo colgaba en pellejos negruzcos, confundiéndose su color y la sombra del arranque del pelo, única parte que descubría el pañuelo atado a la usanza campesina, con una punta colgando sobre la espalda y dos cruzadas encima de la frente, a modo de orejas de liebre. Llevaba pendientes de prehistórica forma, parecidos a los que tal vez se encuentran en alguna sepultura; y el cruce de otro pañuelo sobre su pecho dejaba adivinar senos flojos de hembra cansada de criar numerosa prole. Remangadas las mangas de la camisa, se ostentaba su brazo —un poema de laboriosidad, un brazo en que las finas venas azules, que al escotarse las damas atraen la vista como el jaspeado de un rico mármol, eran gruesos troncos negruzcos, cuyas raíces se destacaban en relieve sobre la carne terrosa, pa-

---

[254] *poa*, gall.: espiguilla.
[255] En la 1.ª ed., por error, «Desandó», corregido en las demás.

recida a barro groseramente cocido. El semblante de la vieja respiraba satisfacción y amabilidad, y guiaba a los visitadores hacia su casa como si les fuese a hacer los honores de un palacio.

A la puerta estaba un rapazuelo como de dos años, de esos que se ven jugar ante todas las casucas de labrador gallego: cabeza grande, pelo casi blanco de puro rubio, muy lacio y que cae hasta la nariz, barriguilla hidrópica, fruto de la alimentación vegetal, sayo que respinga por delante, pies zambos, magníficos ojos negros que se clavan fascinados de terror en el que llega, el índice metido en la boca, y suspensa la respiración. El rapaz lucía un sombrero de paja con cinta negra, en el estado más lastimoso. La abuela, al entrar precediendo a Manolita y Gabriel, le dio un pequeño *lapo*[256] para que se apartase, y en dialecto explicó, repitiendo cada cosa cien veces y con las mismas palabras, que los chiquillos eran unos demonios, que a éste y a su hermana los había tenido que encerrar en el sobrado[257] para poder cocer con sosiego, que hacía más de dos horas que pedían *bola*[258], aun antes de estar amasada la harina y caliente el horno, y que si no le bastaba haber cuidado tantos hijos, ahora le caían encima los nietos.

—Son los chiquillos del molinero —dijo Manolita alzando al muñeco panzudo y besándolo en la faz, sin asco del amasijo de tierra y algo peor que le cubría nariz y boca—. ¿Y... por qué no está hoy su hijo en el molino, señora Andrea? —preguntó a la vieja.

—¡Ay, mi ama, palomiña querida! —exclamó lastimosamente ésta, levantando al cielo las manos, como para tomarlo por testigo de alguna gran iniquidad—. ¿Y no sabe que es-

---

[256] *lapo:* voz antigua para «cachete».

[257] *sobrado:* vocablo gallego (en castellano es arcaísmo) con que se menciona cada uno de los aposentos en el segundo piso de una casa.

[258] *bola,* gall.: más tarde mencionado como «bolla», cocimiento, masa de pan con trenzados, descritos poco después; se usa un vocablo parecido en castellano para nombrar algunas figuras de pastelería, p. ej., «bollo», «bollería»; Rodrigo Varela Cabezas («Galeguismos», pág. 120) la define como pan de trigo, que distingue de la *broa, brona* o *borona,* mencionada más tarde, y que define como pan de mijo.

tos días, con el cuento de la siega, de la maja, no sabe cómo andan, paloma?

Al entrar en la casa, lo primero que vio Gabriel fueron las cabezas de dos hermosos bueyes de labor, que asomaban casi a flor de suelo, saliendo de un establo excavado más hondo. A un lado y otro, haces de hierba. A izquierda, la subida al sobrado, donde estaban las mejores habitaciones de la casa: una escalera endiablada y pina, por donde treparon todos, y tras ellos, a gatas, el chicuelo. Arriba encontraron a su hermanilla, morena de cuatro años, hosca, ojinegra, redondita de facciones; cuando le alabaron su hermosura tío y sobrina, respondióles la vieja con afable sonrisa:

—De hoy en un año andará por ahí con la cuerda de la vaca.

Gabriel sintió un estremecimiento humanitario. ¡Con la vaca, aquella criaturita poco más alta que un abanico cerrado, aquel ser lindo y frágil, aquellas mejillas que pedían besos; una cuerda gruesa, áspera, enrollada a aquella muñequita débil! En dos minutos, la incorregible fantasía le sugirió mil disparates, entre ellos adoptar a la niña; todo paró en echar mano al bolsillo para darle una moneda de plata; pero se había dejado en los Pazos el portamonedas, y sólo encontró el pañuelo. Éste era de los más elegantes para viaje y campo, de finísimo fular blanco, y las iniciales bordadas con seda negra. Se lo ató al cuello a la chiquilla, que bajaba los ojos asombrada y dudosa entre reír o llorar.

—¿Cómo se dice? Se dice gracias, Dios se lo pague —gritó la abuela con mucha severidad; por lo cual la niña, volviendo la cabeza, optó por hacer un puchero de llanto. Vieron el sobrado en dos minutos: había el *leito* o cajón matrimonial, y la cama de la vieja, un brazado de paja fresca sobre una tarima; desde que se le había muerto su *difuntiño,* no podía dormir sino allí, porque tenía miedo en el antiguo *leito.* Los chiquillos dormirían... sabe Dios dónde: abajo, al calor del establo de los bueyes, o tal vez en el horno. Dos o tres gatos cachorros correteaban por allí, magros, mohínos, atacados de esa neurosis que en el país les curan radicalmente cercenándoles de un hachazo la punta del rabo. Otro gatazo lucio y hermosísimo salió a recibir a la gente que bajaba del sobrado: era de los que llaman *malteses,* fondo blanco, manchas anaranjadas y negras distribuidas con la graciosa disimetría que embellece la piel del tigre. Manuela se inquietó al ver al pequeñuelo rubio descender solito por la escalera sin balaústre; la abuela se encogió de hombros; ¡bah!, a los chiquillos los guarda el diablo; ¿pues no se había quedado un día colgado del primer escalón, sosteniéndose con las uñas y berreando hasta que lo fueron a coger? Esa clase de hierba nunca muere... Que pasasen, que verían su *bolla.* Entraron en la cocina, que cogía a la derecha tanto trecho como los establos y el sobrado: recibía luz por la puerta de la división de tablas, que comunicaba con el corredor, y una poca más se colaba libremente por el techado a tejavana[259]; es verdad que también la iluminaban los hilos de brasa de unos *tallos* o troncos menudos que ardían en el hogar. Encendió la vieja un fósforo, y enseñó orgullosamente un magnífico pan, una soberbia torta de *brona*[260], color de castaña madura, bien redonda, bien cocida, bien combada hacia el medio, bien cruzada de rayas formando un enrejado romboidal. Alumbró después con su fósforo las profundidades del horno, cuya boca guarnecían ascuas inflamadas, y allá en el fondo se vieron tres o cuatro torterones enormes, que acababan de cocerse. En el hogar resonaba un coro de grillos, muy bien afinado; un concierto misterioso, que sin lastimar el oído, vencía la tristeza del silencio. La vieja partió la torta, y alargó un pedazo a Gabriel y otro a Manolita, rogándoles *que no la despreciasen,* que probasen *su pobreza.* Hincaron el diente en el pan, de bonísima gana: al partirse el cortezón, descubría una masa amarilla, caliente y sabrosa, que Manuela alabó mucho.

—Pero, señora Andrea, ¿qué le echa a la *brona?* Por fuerza esta mujer es *meiga*[261], y tiene algún secreto... Si parece bizcocho de Vilamorta.

—¡Ay, mi ama, paloma! Ni siquiera *mistura* llevó, que se nos acabó el centeno y está el nuevo por majar aún. Cuando lo haya, entonces me ha de venir a probar mi *bola.*

---

[259] *a tejavana:* a manera de cobertizo.

[260] *brona* o *broa,* gall.: borona, pan de mijo.

[261] *meiga,* gall.: bruja.

—Pues está mucho mejor hecha que la de casa; vaya si está. ¿Le gusta, tío Gabriel?

—Riquísima. La mejor prueba es que he despachado la mía ya. ¿Me das de la tuya?

—Tome, tome, señor —murmuró la paisana ofreciendo otro trozo: pero al ver, a la luz del fósforo, el rostro de Gabriel vuelto hacia su sobrina, implorando el pedazo que la niña mordía aún, con la rápida intuición y la astuta sagacidad de las gentes del campo, bajó lentamente el brazo y no insistió en el ofrecimiento. Cuando salieron, llamó la atención de Gabriel, enseñándole las puertas de su casa, todas carcomidas.

—Señor —dijo en tono quejumbroso—, ¿y no le ha de decir al señor marqués o al señor Ángel que nos ponga unas puertas nuevas? Estamos sin defensa, señor, sin defensa para el invierno. ¿Si entra gente mala y nos roban nuestra pobreza toda, señor? Mi ama, ¿no lo ha de decir en casa, por el alma de quien la parió, paloma?

—Calle, calle —respondía Manuela—; que si les hiciesen caso, estaría siempre el carpintero amañándoles algo.

—Pero mire, santa, mire —y la vieja arrancaba con los dedos astillas del podrido maderamen para demostrar la justicia de su pretensión. Los chiquillos, domesticados ya, venían a enredarse entre las piernas: Gabriel hubiera dado dos duros por tener allí uno, en pesetas, y repartirlas a aquella tropa.

—Os he de traer una cosa —les dijo besándolos con tanta resolución como su sobrina. El rapaz continuaba con su *pucho*[262] encasquetado; la abuela se lo derribó, advirtiéndole con la misma severidad de antes:

—¿No se dice *besustélamano*? ¿O cómo se dice? —y arrancando la cobertera de la cabeza de su nieto, la mostró a Gabriel metiendo los cinco dedos por otros tantos agujeros fenomenales: podían creerle que era un sombrero nuevecito, comprado en la última feria de Cebre; pero al enemigo del rapaz, ¿qué se le había ocurrido hacer? Pues con la hoz de segar la hierba, lo había segado, perdonando ustedes, y así estaba ahora, que parecía un *Antruejo*[263]. Con esto, la buena de la vieja

[262] *pucho:* gorra de visera.

[263] *Antruejo,* gall.: persona que viste de manera estrafalaria.

acompañó a las visitas hasta el límite de su era, a fin de librarlos del colmilludo mastín, y los despidió con un «¡vayan muy dichosos!» que ahogaron los ladridos del vigilante.

—Vaya, ¿se divirtió? —preguntó Manuela muy risueña al salir.

—No sabes cuánto, hija. No doy lo que acabo de ver por las más pintadas distracciones que puede ofrecer un pueblo. Chiquilla, no sólo me divierte, sino que me interesa... pero no sabes cómo. ¿No te parece a ti que daría gusto ir entrando así en todas las casas de estas pobres gentes, una por una, y enterarse de lo que necesitan, de lo que quieren, de lo que piensan?

—¡Ay! son tantas cosas las que necesitan. A mí y a Perucho nos rompen siempre los oídos pidiendo. Que una *chaminé*[264] porque los mata el humo; que rebaja del arriendo porque la cosecha fue mala; que perdón de la renta de castañas porque no se cogieron... El diablo y su madre. Si uno pudiera. Pero mi padre y Ángel no hacen caso maldito. Son muy pedigüeños; lo que es eso es la pura verdad. Yo... dar... les doy lo que tengo: toda mi ropa vieja..., pero es poquita.

Gabriel Pardo, olvidando ideas humanitarias y fantasías sociológicas, sintió, al oír estas frases que dijo Manolita con acento alegre e indiferente, tiernísima compasión por su sobrina; y la miró de tal manera, que la montañesa volvió el rostro y cogió una rama del espliego que formaba el seto del huerto de la señora Andrea. Gabriel se alegró de la turbación de la niña. Le parecía imposible haberla amansado tanto en tan corto tiempo: indiferente del todo hacía pocas horas en la era, áspera por la mañana, se había ablandado, conversaba familiar e íntimamente con él, se pasaba el día acompañándolo, sin dar muestras de cansancio ni de fastidio; más aún: sentía involuntariamente el poder de aquel afecto nuevo, no se enojaba por miradas claras y expresivas ni por palabras o movimientos afectuosos; era, en suma, una cera virgen, y Gabriel presentía enajenado los deliciosos relieves que un hombre como él sabría imprimirle. Resolvió no espantar a la cierva,

---

[264] *chaminé,* del francés *cheminée:* chimenea.

no insinuarse más por no perder las conseguidas ventajas; seguir aprovechándolas, haciéndose simpático, adquiriendo cierto ascendiente sobre Manuela y aguardar un momento favorable.

Bajaron hacia el fondo del valle, donde debía estar terminándose la faena de la siega. De repente, recordó algo el artillero:

—Tengo que ver al señor cura. ¿Me llevas allá?

—Bien, justamente estamos cerquita de la iglesia y de la casa.

XVIII

La rectoral de Ulloa, en poder de su actual párroco, era la mansión más apacible y sosegada. El cura vivía con un criado, y no pisaba los aposentos otro pie femenino sino el de las mozuelas que en Pascua florida venían a traer las acostumbradas cestas de huevos, los quesos y los pollos —en cantidad bien escasa, pues el señor abad no exigía, y los labriegos se aprovechaban, contentándole con poco y malo[265].

El criado era uno de esos fámulos eclesiásticos que sólo pueden compararse con los asistentes de militares, porque además de una lealtad canina, son seres universales y andróginos, que reúnen todas las buenas cualidades del varón y de la

---

[265] Se trata, aquí, del diezmo o impuesto que aún en el siglo XIX los feligreses pagaban a las parroquias e iglesias, consistente *grosso modo* en la décima parte del total de la cosecha. Este impuesto desaparece con las sucesivas desamortizaciones toda vez que el gobierno se compromete al mantenimiento del clero secular; pero para los autores del XIX es materia de debate junto con el papel social de la Iglesia. Así, por ejemplo, los autores ideológicamente conservadores, como es el caso de doña Emilia, hablan de clérigos tan virtuosos que prestan poca atención al cobro de los diezmos. El caso más ilustrativo de esta actitud es sin duda Alarcón quien, en *El sombrero de tres picos* recuerda al comienzo los «diezmos, primicias, alcabalas, subsidios, mandas y limosnas forzadas, rentas, rentillas, capitaciones, tercias reales, gabelas, frutos civiles, y hasta cincuenta tributos más» que existen a comienzos del XIX, y que en consecuencia ha de pagar el tío Lucas; pero también insiste en la poca prisa que se da en cobrarlos el «venerable prelado». Los autores radicales, por el contrario, acentúan la visión negativa del clero. Ejemplo de ello es la madre de don Fermín de Pas, en *La Regenta;* otro tanto puede decirse de la novela de Eduardo López Bago, *El confesionario* (Madrid, Administración, [¿1887?]), en la que también se acentúa la imagen negativa del clero decimonónico.

hembra. El del cura de Ulloa podía servir de modelo. Lo poseía por herencia de otro cura del arciprestazgo, a quien Goros —que así se llamaba el sirviente— había cuidado y asistido hasta el último instante en una enfermedad larga y cruel, con tanto esmero como la enfermera más solícita. Al encontrar a Goros, el cura de Ulloa resolvió el problema que él juzgaba más arduo: arreglar la vida práctica sin admitir en casa mujeres. Goros tenía cuidado de levantarse por la mañana muy temprano, y de despertar a su amo, pues según decía él en dialecto, demostrando su pericia en asuntos de la vida eclesiástica, *el clérigo y el zorro, si pierden la mañana, lo pierden todo*[266], y cuando el párroco volvía de misar, le aguardaba ya un chocolate hecho al modo conventual, con una onza de cacao mitad caracas y mitad guayaquil[267], macho y sin espuma, confortativo como él solo. Mientras su amo rezaba, leía o asentaba alguna partida en el registro parroquial, Goros se dedicaba a guisar la comida, no sin haber entregado a medio día la llave de la iglesia al sacristán, para que tocase a las Ave Marías[268]. A la una, contada por el sol, único reloj de que se servía Goros para averiguar la hora que estaba *al caer,* llamaba a su amo y le servía con diligencia la apetitosa aunque frugal refacción: la taza de caldo de patatas o verdura con jamón, tocino y alubias de cosecha, el cocido con cerdo y garbanzos, el estofado de carne con cebollas, la fruta en el verano, el queso en invierno, el vinillo clarete, con olor a silvestre viola. El cura comía parcamente, distraído, pero así y todo, Goros notaba sus inconscientes golosinas, sus instintivas preferencias, y no se olvidaba jamás de acercarle la tartera cuando el guisote le había agradado, ni de dorarle la sopa de pan, porque sabía que le gustaba así. Por la tarde, cuando el cura dormía su breve sies-

[266] Versión en castellano del refrán gallego: *O crego e máis o raposo, se perden a mañá, perden o día todo;* E. Rodríguez González, *Diccionario enciclopédico gallego castellano* (Vigo, Galaxia, 1958-1961), 3 vols., cit. por Rodrigo Varela, «Galeguismos», pág. 115.

[267] *caracas* y *guayaquil:* se refiere al cacao procedente de estas ciudades, de Venezuela y Ecuador, respectivamente; *macho:* fig., fuerte, amargo.

[268] *tocar las avemarías:* se trata probablemente del toque del Ángelus, oración en honor del misterio de la Encarnación, que se rezaba inicialmente a la caída de la tarde y, después, también a media mañana o a mediodía.

ta o recorría el huerto con las manos a la espalda embelesándose en notar lo que había crecido desde el año pasado un arbusto, o se iba a visitar a algún feligrés enfermo o a cuidar del ornato de la iglesia y el cementerio, lidiaba el bueno de Goros con la hortaliza, cavaba las patatas, plantaba coles, enviaba al pasto con un zagal de pocos años el ganado vacuno y la yegua, y luego bajaba al río, y con sus propias manos, cual otra Nausicaa[269], lavaba toda la ropa blanca, que lo hacía primorosamente, así como aplancharla y estirarla, sirviéndose de una de esas planchas antiguas, en forma de corazón, que ya no se ven sino arrumbadas en los desvanes. No eran éstas las únicas habilidades femeniles de Goros. Había que verle por las noches, a la luz de una candileja de petróleo, provisto de un dedal perforado por arriba y abajo, de los que usan las labradoras, bizcando del esfuerzo que hacía para concentrar el rayo visual y enhebrar una aguja, apretando entre las rudas yemas de sus dedos el hilo que antes había retorcido y humedecido para aguzarlo; y cumplida la ardua faena de enhebrar, y encerando la hebra con un cabo de cera, dedicarse a pegar botones a los calzoncillos, echar remiendos a las camisas, poner bolsillos nuevos a los pantalones y aun zurcir las punteras de los calcetines del cura; todo lo cual no iría curioso, pero sí muy firme, como los cosidos del diablo. ¿Qué más? En las largas veladas de invierno, junto a la lumbre de sarmientos que chisporroteaba, acurrucado en el banco, Goros, con sus manos cansadas de labrar la tierra todo el día, aquellas manos peludas por el dorso, callosas por la palma y los pulpejos, zarandeaba cuatro agujones de hacer calceta, y a eso se debían las buenas medias de lana gorda con que abrigaba pies y pantorrillas el señor cura.

Si por hogar se entiende, no la asociación de seres humanos unidos por los lazos de la sangre o para la propagación y conservación de la especie, sino el techo bajo el cual viven en paz y en gracia de Dios y con cierta afectuosa comunicación de intereses y servicios, el cura de Ulloa había reconstruido

[269] La hija de Alcino que encuentra a Ulises desnudo en la playa cuando va a lavar la ropa, en *La Odisea.*

con Goros el hogar que perdiera al fallecer su madre. Y en cierto modo, hasta donde puede aplicarse la frase a dos individuos del mismo sexo, Goros y él se completaban. El criado era para el cura, para el místico que apenas sentaba en la vida práctica la suela del zapato, quien le impedía desmayarse de necesidad o perecer transido de frío en invierno. Por Goros tenía tejas en el tejado, leña que quemar en la leñera, huevos frescos para cenar y buen chocolate para el desayuno, y por Goros cubría sus carnes con ropa limpia y de abrigo; por Goros le quedaban unos reales para traer de Cebre candela, lienzo, aceite, sal, fósforos y loza; por Goros no faltaba nada en aquella rectoral de aldea, humilde como la que más, y como ninguna aseada y abastecida de lo indispensable.

Cuando Goros entró a servir al cura, hacía dos años que éste había perdido a su madre y despabilado las economías de la difunta entre caridades, préstamos sin interés a feligreses pobres, ropa para la iglesia, ornato del cementerio y otros gastos superfluos. En el gobierno de la casa se habían sucedido dos viejas brujas, a cual más holgazana, ávida e impudente, porque el cura de Ulloa, al tomarlas, no les exigió más requisito que pasar de los sesenta y estar hechas unas láminas por lo arrugadas y horrorosas. En ese terreno el abad era intransigente, y sentía que no bastaba ser bueno, que era preciso también parecerlo y que, añadía suspirando, aun con las mejores intenciones se da a veces pasto a la calumnia. Las dos Parcas dejaron la rectoral desmantelada, y Goros tropezó con dificultades inmensas al principio de su misión restauradora. El cura casi no le daba un ochavo para sus gobiernos, y el fámulo no sabía a qué santo encomendarse. Poco a poco fue tomando confianza con su amo, y aun adquiriendo cierto imperio sobre él: y entonces siguió la pista al dinero del cura, a las dádivas impremeditadas, a los feligreses morosos en el pago de derechos, a los préstamos sin interés, al chorrear continuo de limosnitas pequeñas que absorbían lo mejor de la paga, sin que literalmente quedase en el presbiterio con qué arrimar el puchero a la lumbre. Y sin que el cura lo notase, ni pudiese evitarlo, Goros empezó a luchar por la existencia, defendiendo al pastor contra las ovejas que amenazaban tragárselo, como la tierra caída de la montaña iba tragándose la pobre iglesia de

Ulloa. Goros se hizo recaudador, y a veces, con el instinto de rapacidad que carateriza al aldeano, exactor y usurero. Reclamó y cobró algunas cantidades prestadas, e introdujo severo orden en los gastos equilibrándolos con los ingresos. Llegó el momento en que el cura, por no pensar en la moneda, entregó al criado la llave de la cómoda, diciéndole: «Mira si hay cuartos; dime si tenemos para esto o para lo otro.» Cabalmente era lo que Goros deseaba. Hecho intendente ya, equilibró el presupuesto, realizando varias combinaciones que traía entre ceja y ceja desde su llegada a casa del cura. El primer dinero que pudo ahorrar lo empleó en ganado, que dio a parcería[270]; fue en persona a las ferias, hizo tratos ventajosos, y trajo a la casa del cura un bienestar modesto. Así se estableció el debido equilibrio entre las potestades, dándose a Dios lo que es de Dios, y al César lo que es del César; el cura era el espíritu, Goros vino a hacer el oficio del cuerpo, de la realidad sensible, factor del cual no es posible prescindir acá abajo; y para que la similitud fuese completa, cuerpo y espíritu andaban siempre pleiteando, queriéndose llevar cada uno la mejor parte, pues el cura no hacía sino sonsacarle a su criado metálico y especies para satisfacer, como decía Goros, el vicio de dar a todo Dios que llegaba por la puerta, y Goros por su parte no recelaba mentirle al cura y a ocultarle dinero a fin de que no lo derrochase sin ton ni son.

Cuando no estaba su amo presente, Goros soltaba la rienda a dos inclinaciones invencibles suyas: decir irreverencias, y murmurar de los curas y las amas. Cuantas chanzonetas agudas o sátiras desolladoras ha creado la musa popular y la irrespetuosa imaginación de los labriegos contra las compañeras del celibato eclesiástico, cuantas anécdotas saladas, coplas verdes, chascarrillos que levantan ampolla y dicharachos que arden en un candil, corren y se repiten en molinos, fiadas y deshojas[271], al

---

[270] *parcería:* del gall. «parceiro» (compañero, socio); es decir, cedió a otro el ganado por él comprado, para que este otro lo criara, repartiendo después los beneficios entre ambos.

[271] *fiada,* gall.: reunión de mujeres para *fiar,* contar historias, etc.; *deshojar:* del gallego *esfolar,* murmurar de una persona ausente, difamándola de un modo despiadado.

amor de la lumbre, por este pueblo gallego que posee el instinto de la sátira obscena y del contraste humorístico entre las profesiones consagradas al ideal y las caídas y extravíos de la naturaleza, todas las sabía Goros de memoria; y apenas se reunía con gentes de su misma laya, bien en el atrio de una iglesia, a la salida de misa, bien a la mesa de una taberna, en las ferias donde chalaneaba y negociaba sus ganados, bien a lo largo de las *corredoiras*[272], cuando regresan juntos cuatro compadres semichispos, tan dispuestos a alumbrarse un garrotazo como a reírse mutuamente las gracias, vaciaba el saco y daba gusto a la lengua, y soltaba todo su repertorio de irreverencias y verdores, todas las coplas sobre el clérigo y el ama, saliendo de aquella boca sapos y culebras, como de la de los energúmenos[273] al alzarse la hostia.

¿Quién será capaz de resolver si en el alma de Goros sería aquello chispa de la santa indignación que inflamó a tantos Padres de la Iglesia contra las mujeres que hacen prevaricar a los ordenados y contra el sexo femenino en general? Porque Goros, aparte de semejantes desahogos verbales, era en su conducta el mejor cristiano del mundo; cristiano viejo, rancio, con aquella piedad desahogada y sólida, que ya no se encuentra a dos por tres. No perdía la misa un solo día festivo; confesábase dos o tres veces al año; sus costumbres eran morigeradas; no fumaba, no bebía, no comía con gula; pecaba, sí, de lenguaraz y aun de propenso a la codicia y a la tacañería; pero hombre de bien a carta cabal e incapaz de robar una hilacha a su amo. Y en cuanto a su continencia, más que virtud, semejaba manía de misógino; todo el mal que no hacía, se daba a suponerlo en los demás, siempre echando la culpa a las hembras; y no sólo las huía por cuenta propia, sino que no serviría por todos los tesoros del mundo a un cura mujeriego. El exterior de Goros tenía algo de extraño, muy en armonía con todas estas prendas de carácter; recordaba el de un puerco espín, y las cerdas del erizadísimo cabello, la barba recia,

---

[272] *corredoira*, gall.: también *corredoura*, rodera, camino de carro.

[273] *energúmeno:* persona poseída por el diablo que, según creencia popular, se retuerce, maldice y atormenta durante el misterio de la consagración en la ceremonia de la misa.

descañonada a un dedo de la piel, pues Goros andaba mal afeitado según la usanza de los eclesiásticos, contribuían a la semejanza.

En presencia de su amo, los labios de Goros eran más limpios que si los hubiese purificado el ascua encendida del profeta; bien se guardaría de repetir la menor de sus desvergüenzas y pullas. Y no influía en este modo de proceder el miedo a ser reprendido o despedido, sino un respeto misterioso que le infundía el rostro del cura de Ulloa: le cortaba —decía él— la palabra en la boca. Era un rostro mortificado, de esos que se ven en pinturas viejas, donde la sangre ha desaparecido y la carne se ha fundido, ahondándose las concavidades todas, yéndose los ojos, al parecer, en busca del cerebro y sumiéndose la boca que remata en dos líneas severas, jamás modificadas por la sonrisa. Goros abrigaba la convicción de que su amo era un santo y a ratos un simple. Algunos hábitos y prácticas del cura le infundían temor vago; porque Goros era supersticioso, y a pesar de sus irreverentes bravatas, tenía miedo cerval a los muertos y a los aparecidos. ¡Qué manía la del señor abad, de pasarse horas y horas en el cementerio, y volver de allí con los ojos más hundidos y la boca más contraída que nunca!

Al salir el abad para su misa, solían pasar entre amo y criado diálogos por el estilo del siguiente:

—Señor, ¿y ha de volver pronto para el chocolate? —preguntaba Goros partiendo astillas de leña menuda contra el hueso de la tibia derecha— (es de advertir que el fámulo tenía carne de perro). ¿Parará mucho en el camposanto hoy?

Un levísimo matiz sonrosado aparecía en los desecados pómulos del cura, que contestaba haciéndose el distraído:

—Tú prepara el chocolate... y si se enfría... lo arrimas un poquito a la lumbre.

—Se echará de *pierda*[274] —contestaba Goros que solía tratar con notable desenfado a la lengua castellana.

—No, hombre, siempre está bueno a cualquier hora.

---

[274] *echarse de pierda:* solecismo del personaje por «echarse a perder».

No se atrevía el criado a porfiar. Aquella suavidad y mansedumbre le imponían silencio y obediencia, mejor que ningún regaño. Batía su chocolate con resignación y aguardaba.

También por las tardes solía el cura entretenerse más de la cuenta en el dichoso cementerio, y Goros, después de la puesta del sol, no dejaba de recelar que le sucediese algo; no sabía explicar qué, pues ningún riesgo concreto había en el breve camino de la iglesia a la rectoral. La inquietud le obligaba a situarse de centinela junto a la puerta del huerto por donde solía entrar su amo. Allí se lo encontraron las dos visitas inesperadas que fueron a turbar el sosiego de la vida ascética del abad de Ulloa.

La montañesa y su tío pusieron el pie en el huerto del cura cuando ya el sol declinaba. Una gran melancolía inundaba el huerto, cuya puerta abrió Goros de par en par, deshaciéndose en muestras de cortesía debidas a la presencia de Gabriel, pues a Manolita no era novedad verla por allí de tarde en tarde, y se la recibía como niña a quien el cura había tenido mil veces en brazos de chiquita, pero las trazas del comandante impusieron respeto al tosco fámulo.

—De contadito llega el señor *abade*[275] —murmuraba éste—. Entren, pasen, siéntense... ¿Ven? Ya viene por allá...

Sobre la zona encendida del poniente, en el camino hondo, vieron tío y sobrina moverse y aproximarse una figura negra, y conforme se aproximaba, distinguía Gabriel sus contornos angulosos, acusados por la raída sotanuela, y su cabeza pálida, exangüe, en que dibujaban dos agujeros de sombra las concavidades de los ojos.

—¡Don Julián, don Julián! —gritó Manuela.

El cura apretó el paso, y al tenerlo cerca, Gabriel reparó atónito en el carácter de su fisonomía, en el rostro demacrado, tan semejante a esas caras de frailes penitentes que surgen de un fondo de betún sobre las paredes de refectorios y sacristías antiguas; en los ojos cavos, de párpado delgadísimo, que dejaba transparentar el globo de la órbita; en el pliegue de la boca, semejante a un candado que cerrase las puertas del

---

[275] *de contado,* gall.: enseguida; *abade,* gall.: párroco.

alma. No parecía muy viejo el cura de Ulloa; pero se veía en él la anulación del cuerpo. En aquella espléndida tarde de verano, impregnada de calor, de vida, de fecundidad y regocijo, Gabriel sintió, al ver al abad, repentino frío en la espalda, y el recuerdo de su hermana muerta cayó sobre él como el velo negro sobre la cabeza del sentenciado.

Adelantóse, no obstante, y con el mayor respeto tomó la mano del abad y aplicó a ella los labios. De puro sorprendido, no retiró la diestra Julián; pero a sus macerados pómulos afluyó un poco de sangre, y balbuceó, clavando los ojos en tierra:

—Señor..., señor...

—Para servir a usted, Gabriel Pardo de la Lage, el hermano de Marcelina...

La ola de sangre subió a la frente del cura, bajó a las orejas, al cogote y pescuezo; un temblor agitó la cabeza y la mano que el artillero no había soltado aún. De repente, el cura se echó hacia atrás, desprendió la mano, y la llevó a la frente, al mismo tiempo que se apoyaba en la tapia del huerto. Ya se acercaba el artillero para sostenerle; pero recobrando su continente absorto y como fantasmagórico, al cual contribuían los ojos siempre bajos, el abad murmuró:

—Por muchos años... Servidor de usted... Sea usted muy bien venido... Pase, suba; en la sala estará más cómodo que aquí.

—¿Yo no soy nadie, don Julián? —preguntó Manuela ofendida de que el cura no hubiese contestado a su saludo.

—¿Qué tal, Manolita? —exclamó Julián, y alzando los ojos, miró a la niña con indulgencia, aunque sin calor. Pero fue obra de un minuto. La cortina de los párpados volvió a caer, y el cura echó a andar, señalando a sus visitas el camino de la sala. Gabriel protestó: prefería quedarse en el huerto; y se sentaron en un banco de piedra, frente a unas coles. La conversación languidecía. El cura preguntaba acerca del viaje y del vuelco, y después de oída la respuesta, transcurría un minuto de silencio. No sabía el artillero qué decir; todo cuanto hablaba, y hasta el sonido de su voz, le parecía extraño y fuera de sazón, y sentía ese recelo, esa cautela y esa especie de sordina en el acento, en los movimientos y hasta en la mirada que procuran adoptar los profanos cuando visitan. ¡Extraña sensación! Nada de cuanto diga yo —pensaba Gabriel— puede interesar a este santo; estamos en dos mundos diferentes: a él le parece extraño mi lenguaje, y no me entiende; y lo que es yo, tampoco le entiendo a él. ¡Un creyente a puño cerrado! —y miraba con atención el rostro ascético y los ojos bajos—. Un hombre que tiene fe... ¿Qué le importa lo que a mí me preocupa? ¿Cómo haré para marcharme pronto, sin que parezca descortesía?

Su sobrina le dio el pretexto. Era tarde; había que estar en los Pazos para la cena. Y se despidieron, siempre con la misma amabilidad triste y forzada por parte del abad, y el mismo inexplicable recelo por la de Gabriel. Caminaron en silencio al salir de la rectoral: parecía que algo les pesaba sobre el corazón. Al acercarse a los Pazos, oyeron el alegre vocerío de segadores y segadoras, y Gabriel, divisando a su cuñado que presidía la faena, tomó hacia el campo donde segaban. Sobre el fondo oscuro de la tierra vio blanquear las camisas y sayas, las fajas rojas y los pañuelos azules de labriegos y labriegas; contra un matorral descansaba un jarro de barro, y la cuadrilla, entonando su inevitable «¡ay...lé lé!», se daba prisa a atar los haces, sirviéndose de las rodillas para apretar la mies. El olor embriagador de los tallos cortados embalsamaba el aire, y el artillero sintió una ráfaga de alegría y contempló embelesado el cuadro.

Mientras tanto, Manolita, andando despacio y pensativa, tomaba el senderito que conducía a la linde del bosque. Parecía, por su frecuente volver la cabeza hacia todos lados, como si buscase o aguardase impaciente alguna cosa. Atravesó el soto; una neblina ligera, producida por el gran calor de todo el día, se alzaba del suelo, y los dardos de oro del sol no atravesaban ya el follaje. Al salir de la espesura, un hombre se irguió de repente ante la montañesa. El chillido que acudía a la garganta de Manuela se convirtió en risa alegre, conociendo a Perucho; mas la risa se apagó al ver la cara demudada del muchacho, sus ojos que despedían fuego, su actitud de dolor sombrío, nueva en él. Manuela le miró ansiosa, y el mancebo, después de considerarla fijamente algunos segundos, le volvió la espalda, encogiéndose de hombros. La niña sintió en el corazón dolor agudo.

—¡Pedro! —gritó. Muy rara vez le había llamado así.

Él se alejaba despacio. De repente dio la vuelta, y corriendo, tomó en sus brazos a la montañesa, la alzó del suelo con ímpetu sobrehumano, y la estrujó contra su cuerpo, oprimiéndole las costillas e interceptándole la respiración. Y pegando la boca a su oreja, tartamudeó:

—Mañana sales conmigo, conmigo nada más.

La niña jadeaba con dulcísima fatiga, y la voz de Perucho, sonando en el hueco de su oído, le parecía sorda y atronadora como el ruido del Avieiro al saltar en las rocas. Un frío sutil corría por sus venas, y una felicidad sin nombre ni medida la agobiaba. Con la cabeza dijo que sí.

—¿Conmigo? ¿Todo el día? ¿Me das palabra?

—Sí —balbució ella, incapaz de articular otra frase.

—Pues a las seis sales por el corral. Allí estoy yo esperando. ¡Adiós!

Perdiendo casi el sentido, Manuela notó que de nuevo la estrechaban, y luego la dejaban suavemente en tierra. Abrió los ojos a tiempo que Perucho corría ya en dirección de los Pazos[276].

---

[276] Harry L. Kirby, Jr., «Pardo Bazán's Use of the *Cantar de los cantares* in *La madre Naturaleza*», *Hispania*, 61 (1978), págs. 905-911, ha indicado que la acción final de este capítulo, con la aparición súbita de Perucho, así como los episodios iniciales del que sigue, adaptan el *Cantar de los cantares* que la autora conoció en versión de Fray Luis, texto que se citará más adelante. Como modelo de este episodio, Kirby cita el siguiente texto del *Cantar:* «La sazón es fresca y el campo está hermoso: todas las cosas favorecen tu venida y ayudan a nuestro amor, y parece que la Naturaleza nos adereza y adorna el aposento [...] Voz de mi amado se oye, veislo, viene atravesando por los montes y saltando por los collados [...] Hablado ha mi amado, díjome: levántate, amiga mía, galana mía, y vente [...] Ya ves, pasó la lluvia y el invierno fuese. Los capullos de las flores demuestran en nuestra tierra, el tiempo de la poda es venido, es oída la voz de la tórtola en nuestro campo, la higuera brota sus higos y las pequeñas uvas dan olor; por ende levántate, amiga mía, hermosa mía, y ven» (Kirby, art. cit., pág. 907). Este texto es evocado por don Gabriel unos capítulos más adelante.

XIX

Se vistió la montañesa su ropa de diario, falda y chaqueta de lanilla a cuadros blancos y negros; y apenas había tenido tiempo más que para frotarse apresuradamente el rostro con la toalla y atusarse el pelo ante un espejo todo estrellado por la alteración del azogue, cuando, oyendo dar las seis en el asmático reloj del comedor, salió de su cuarto andando de puntillas y bajó la escalera que comunicaba con la cocina, en aquel momento solitaria. Deslizóse por el corredor de las bodegas, que conducía a las elegantes habitaciones de la familia del Gallo; y apenas dio tres pasos por él, una mano musculosa, aunque rehenchida y juvenil, asió la suya, y se sintió arrastrada, en medio de la oscuridad, hacia la puerta. Salieron de los Pazos, y, con deleite inexplicable, bebieron juntos la primer onda de fresco[277] matutino.

Aunque el sol calentaba ya, aún se veía, sobre el azul turquesa del cielo, al parecer lavado y reavivado por el copioso *orvallo*[278] nocturno, la faz casi borrada de la luna, semejante a la huella que sobre una superficie de cristal azul deja un dedo impregnado de polvillo de plata.

Sin decirse palabra, asidos de la mano, caminando unidos con andar ajustado y rápido, siguieron la linde de los trigos segados ya, humedeciéndose los pies al hollar la hierba y el ta-

[277] Todas las ediciones dicen «fresco», aunque el sentido parecería exigir el sustantivo «frescor». No obstante, la autora sustantiva el adjetivo, siguiendo la costumbre habitual en castellano en expresiones como «tomar uno el fresco».

[278] *orvallo*, gall.: llovizna.

piz de manzanillas todas empapadas de helado rocío, próximo a convertirse en escarcha. Cosa de un cuarto de hora andarían así, ascendiendo hacia la falda del monte, donde empezaban a escalonarse los paredones para el cultivo de las vides; y Perucho, en vez de aflojar el paso, lo apretaba más. A pesar de su ligereza de cabrita montés, Manuela mostró querer detenerse un instante.

—Anda, mujer, anda —dijo él imperiosamente.

—Hombre, ya ando, pero déjame tomar aliento. ¿Qué discurso[279] es éste de ir como locos?

—Es que no quiero que se despierten tu padre y el forastero, y te echen de menos, y te envíen a buscar.

—¡El forastero! A tales horas dormirá como un santo. Buenos son esos señores del pueblo para madrugar. No sé cómo no crían lana en el cuerpo.

—Bien, bien, yo me entiendo y bailo solo. Desviémonos de casa lo más que podamos, y ya descansaremos después.

Al salir de la breve zona fértil y risueña del valle, empezaba el paisaje a hacerse melancólico y abrupto. Abajo quedaban los maizales, los centenos y trigales a medio segar, los Pazos con su gran huerto, su vasto soto, sus terrenos de labradío, sus praderías; y el sendero, escabroso, interrumpido muchas veces por peñascales, caracoleaba entre viñedos colgados, por decirlo así, en el declive de la montaña. En otras ocasiones, al trepar por aquel sendero, la pareja se entretenía de mil modos: ya picando las moras maduras; ya tirando de los pámpanos de la vid, por gusto de probar su elástica resistencia y de descubrir entre el pomposo follaje el racimo de agraz en el cual empieza a asomar el ligero tono carminoso, parecido al rosado de una mejilla; ya bombardeando a pedradas los matorrales para espantar a los estorninos; ya rebuscando unas fresas chiquitas, purpúreas, fragantes, que se dan entre las viñas y son conocidas en el país por *amores*[280]. Hoy, con la pri-

---

[279] *discurso:* usado aquí en el sentido arcaico de «carrera», «curso» o «camino» que se hace al andar.

[280] Aunque la autora indica que se trata de fresas pequeñas, Varela Iglesias indica que el vocablo nombra en gallego lo que en castellano se llama «mora», esto es, el fruto de la morera.

sa que llevaba Perucho, no les tentaba la golosina. El mancebo subía por la recia cuesta con el sombrero echado atrás, la frente sudorosa, el rostro hecho una brasa (pues el sol se desembozaba y picaba de firme), y sosteniendo a Manuela por la cintura, o, mejor dicho, empujándola para que anduviese más veloz. Al llegar a lo alto, cerca ya de la casa de la Sabia, la niña se detuvo.

—¿Qué te pasa?

—No puedo más..., ahogo... ¡Rabio de sed!

—¿Sed? Allá arriba beberemos, en el arroyo.

—Tú por fuerza chocheaste. ¿Adónde señalas? ¿Al Pico Medelo? ¿A los Castros?

—Pues vaya una cosa para asustarse. Ya tenemos ido más lejos.

—Si no bebo pronto, rabio como un can. No ves que con la prisa salí de casa en ayunas.

—Bueno, pues a ver si la señora María nos da una *cunca*[281] de leche. Pero despáchala luego[282], ¿estás? No te entretengas en conversación.

Ligera otra vez como una corza, a la idea de beber y refrescarse, cruzó Manuela bajo el emparrado, y empujó la cancilla de la puerta de la Sabia. La horrible vieja ya había dejado su camastro; pero sin duda por acabar de levantarse, o a causa del calor, estaba sin pañuelo ni justillo, en camisa, con sólo un refajo de burdo picote, ribeteado de rojo: los copos de sus greñas aborrascadas le cubrían en parte el negro pescuezo, sin ocultar la monstruosa papera.

—¡Leche! Dios la dé —contestó la sibila mirando de reojo a los dos muchachos. Todas las vacas enfermas; una recién operada, ya sabían los señoritos; ni tanto así de hierba con qué mantenerlas; la fuente sequita y el prado que daba ganas de llorar. ¡Leche! Que le pidiesen oro, que le pidiesen plata fina; pero leche...

Y ya Manuela, desalentada por las exageraciones de la bruja, iba a conformarse con un poco de agua y suero, que la hechicera aseguraba ser regalo de un yerno suyo. Pero Perucho

---

[281] *cunca,* gall.: cuenco.

[282] *luego:* arcaísmo por «aprisa».

le arrancó de las manos el cuenco de barro lleno de aquella insípida mixtura.

—Pareces tonta. ¿Que no hay leche? Vamos a ver ahora mismo si la hay o no la hay.

Vertió el líquido que llenaba el cuenco, y se metió por el establo medio atropellando a la vieja que se le atravesaba delante. ¡No haber leche! ¡No haber leche para él, para el nieto de Primitivo Suárez, para el hijo de la Sabel, la que había estado más de diez años haciendo el caldo gordo y enriqueciendo a aquel atajo de pillos de casa de la Sabia![283]. Hasta piezas de loza estaba viendo en el vasar que conocía porque en algún tiempo guarnecieron la cocina de los Pazos. ¡Tenía gracia, hombre, no haber leche! ¡Condenada bruja! Perucho se sentía animado de esa cólera que nos inflama cuando llegamos a la edad adulta contra las personas que hemos tenido que soportar, siéndonos muy antipáticas, en nuestra niñez. Determinado iba, si las vacas no tenían leche, a sangrarlas. Encendió un fósforo y alumbró las profundidades de la cueva: lo primero con que tropezaron sus ojos fue con unas ubres turgentes, unos pezones sonrosados, lubrificados por la linfa que rezumaba de la odre demasiado repleta. Arrimó el cuenco, echó mano, calentó con dos o tres fricciones o golpecitos..., ¡Santo Dios! ¡Qué chorro grueso, perfumado, mantecoso! ¡Qué bien soltaba la blanda teta su río de néctar, y qué calientes gotas salpicaban los párpados y labios de Perucho al ordeñar! ¡Qué espuma cándida la que se formaba en la cima del cuenco, re-

[283] Resulta interesante observar que aparecen en boca del nieto de Primitivo Suárez algunas frases que más tarde pronunciará el Cara de Plata valleinclaniano que aparece en la serie *La guerra carlista.* Estructuralmente, por otra parte, contrasta aquí la mezquindad de la Sabia al compararla con la generosa molinera que apareció pocos capítulos más arriba. Si, por un lado, doña Emilia destaca la generosidad popular en el caso de la molinera, con una visión del pueblo que procede sin duda de una ética romántica, por otro se destaca también la mezquindad miserable de otros personajes, con una visión distinta, cuyo origen habría que rastrear en las teorías biológicas del Naturalismo, y que en la autora gallega concluye en ocasiones por manifestarse como auténtico desdén hacia las pretensiones sociales de las clases más bajas. Sobre la visión del pueblo por doña Emilia, *vid.* David Henn, *Early Pardo Bazán,* págs. 23-26.

bosando en burbujas que, al evaporarse, dejaban un arabesco, una blanca orla de randas[284] sobre el barro! Loco de gozo, Perucho acarició el grueso cuello de la vaca, salió con su tazón lleno, y se lo metió a Manuela en la boca.

—¿Que no había leche, eh, señora María de los demonios? —gritó—. ¿Que no había leche? Para mí lo hay todo, ¿me entiende usted? ¡Caracoles! ¡Como vuelva a mentir! ¡Por embustera le ha de dar el enemigo muchos tizonazos allá en sus calderas!

Manuela, retozándole la risa, bebía aquella gloria de leche, aquella sangre blanca, que traía en su temperatura la vida del animal, el calor orgánico a ningún otro comparable. Perucho la miraba beber con orgullo y ufanía, satisfecho de sí mismo, mientras la vieja, dejándose caer sobre el *tallo*[285], fijaba en la niña su mirada siniestra al través de sus cejas hirsutas: beberle la leche de su vaca era como chuparle a ella por la sangría el propio licor de sus venas.

—Aun parece que nos la está echando en cara, ¿eh, Sabia?

—Que les aproveche bien —murmuró entre dientes la sibila, con el mismo tono con que diría «rejalgar se te vuelva».

—Vaya, pues ya que nos convida tan atenta y de tan buen corazón, aguarde, aguarde.

Y Perucho llegóse al armario misterioso de la bruja, abriólo de par en par, y de entre cucuruchos de papel de estraza, frascos harto sospechosos, cabos de cera y naipes que ya tenían encima más de su peso de mugre, tomó un tanque de hojalata, entró de nuevo en el establo, y salió a poco rato con el tanque colmado de leche. Manuela podía beberse otra *cunca,* y a

---

[284] *randa:* guarnición de encaje con que se adorna el borde de los vestidos; su uso aquí para describir la espuma formada por la leche es metafórico.

[285] *tallo* o *talho,* gall.: equivalente fonético de la palabra castellana «tajo» (tronco donde se parte leña), aunque el vocablo gallego nombra una banqueta pequeña, rústica, que en el folclore popular sirve para presentar a las ancianas junto al fuego como sugiere el refrán: *En maio ainda a vella queima o tallo* [En mayo aún la vieja se sienta en el tallo junto a la lumbre]; más adelante es mencionado como el asiento favorito de la mujer, «hecho de un fragmento de roble». Con anterioridad, sin embargo, en el episodio en que don Gabriel y Manuela visitan el molino, se ha usado la palabra *tallo* como tronco de leña; con este mismo sentido volverá a aparecer capítulos más adelante.

él también era justo que, por el trabajo de ordeñar, le tocase algo. Fue un golpe mortal para la hechichera. Al pronto se arrimó a la puerta con los brazos alzados al cielo, gimiendo y rogando al señorito que por Dios, *por quien tenía en el otro mundo*, no le secase la *vaquiña*, que de esta hecha se le moría, y el *cucho*[286] también; y como Perucho respondiese con la más mofadora carcajada, se contó perdida ya, y se dejó caer en su asiento favorito, hecho de un fragmento de tronco de roble, volviendo la espalda por no ver desaparecer el contenido del tanque. La niña montañesa hizo dos o tres remilgos antes de reincidir; pero así que llegó el cuenco a los labios, con indecible y goloso deleite lo apuró enterito, y aún se relamió al verle el fondo. Perucho dio fin al tanque, que llevaría tal vez cuenco y medio; y acercándose a la bruja, le descargó una palmada en el hombro.

—Vaya, señora María, abur. Tan amigos, ¿eh? No hay que enfadarse. Más que le bebimos ahora de leche tiene usted bebido de vino en la cocinita de los Pazos. ¿Ya se le fue de la memoria? Y si me llevo este pedazo de brona —y enseñaba un zoquete que había sacado de la artesa— bastantes ferrados[287] de maíz se ha comido usted allá a cuenta del padrino... ¡Conservarse![288].

Salieron rápidamente, sin oír el amenazador que rezongaba entre dientes la infernal bruja, ocupada sin duda en echarles cuantas maldiciones, plagas, conjuros y *paulinas*[289] contenía su repertorio. A pocos pasos de la casa rompieron a reír mirándose.

—¿Eh? ¿Qué tal sabía la leche?

---

[286] *cucho:* probablemente se trata de una voz regional para «jato» o «ternero».

[287] *ferrado,* en Castilla *herrada,* es un cubo hecho de tablillas de madera en posición vertical; estas tablillas están sujetas con dos grandes aros de hierro, como en una cubeta, siendo aproximadamente el doble de ancho en la boca que en la base. Por extensión, y ése es el caso en el texto, se denomina en Galicia *ferrados,* y en Castilla la Vieja *herrada* a una medida de capacidad tomada con dicho balde.

[288] Forma popular del imperativo, usada aquí con sarcasmo, *¡a conservarse!*

[289] *paulinas:* literalmente, carta de excomunión, aunque aquí significa maldición, expresión ofensiva.

—Sabía a poco.

—¡Mujer! Dijéraslo, y te ordeño la otra vaca. La grandísima tal y cual de la vieja tiene dos paridas, con leche así, que les revienta por la teta, y nos quería dejar rabiar de sed.

—No, bien bastó lo que hiciste. Nos queda echando plagas. Hoy nos maldice todo el santo día. ¿Será cierto eso de que estas mujeres hacen mal de ojo cuando les da la gana? ¿Y de que maldicen a la gente y la gente se muere pronto?[290].

—¡Mal de ojo! ¡Morirse! —y el estudiante se rió—. No, tontiña. Esas son mamarrachadas; bueno que las crea mi madre; ¿pero quién da crédito a tal cosa?

—Pues a mí poca gracia me hace que me maldiga un espantajo así. De seguro que esta noche sueño con ella. ¡Qué horrorosa está con el bocio! ¿De qué se cogerán estos bocios, tú, Perucho?

—Dicen que de beber el agua que corre a la sombra del nogal o de la higuera[291].

---

[290] Se sugiere aquí, al hablar del mal de ojo, un elemento misterioso que es expresamente antinaturalista, y que habrá de recurrir más tarde, enunciado por Perucho, en el capítulo XXVII. Carlos Feal Deibe ha estudiado este tipo de antinaturalismo en *Los Pazos de Ulloa; vid.* «Naturalismo y antinaturalismo en *Los Pazos de Ulloa*», *Bulletin of Hispanic Studies*, 48, 4 (1971), págs. 314-327.

[291] El bocio tiene su origen en la falta de yodo en la alimentación. Era una enfermedad habitual en las zonas montañosas (Perú, Nepal y el Tíbet), siendo, en España, hasta fecha relativamente reciente, una enfermedad endémica en Las Hurdes. No obstante, como en el caso de la «bizma» aplicada por el algebrista en los primeros capítulos *(vid.* nota 43), téngase en cuenta que la autora está más interesada en el valor simbólico que en la exactitud científica; la mención del agua que corre bajo la higuera o el nogal, si bien es inexacta científicamente, tiene la función novelesca de añadir misterio. Puede también ocurrir que la autora esté refiriendo una superstición arraigada tanto en Galicia como en el resto de la Península según la cual la sombra del nogal es particularmente nociva. Esta creencia persiste hasta el siglo XX en las aldeas españolas, y tenemos de ello testimonio escrito: llegados los integrantes de las Misiones Pedagógicas de la Segunda República a la aldea de Manzanera (Teruel), en 1933, invitaron a sus habitantes a acercarse a su teatro, montado al aire libre a la sombra de unos nogales; y escribe el autor del informe: «Los hombres que vienen con las caballerías arrancan algunas ramas de nogal y las arrojan al sol, para conjurar el maleficio de la sombra de estos árboles. En toda esta región oímos que la sombra del nogal es mala», *Patronato de Misiones Pedagógicas. Septiembre de 1931-Diciembre de 1933* (Madrid, [S. Aguirre, impresor], 1934), pág. 58.

—¡Ay! Dios me libre de catarla en jamás.

Caminaban charlando, con tanta alegría como los mirlos, gorriones, jilgueros, pardillos y demás aves, no muy pintadas pero asaz parleras, que en setos, viñedos y árboles cantaban sus trovas a la radiante mañana. La leche bebida parecía habérseles subido a la cabeza, según iban de alborotados y regocijados, y el cuerpo un poco magro de Manuela competía en agilidad con el robusto y bien modelado de Perucho. Echaban paso largo por las veredas anchas y practicables; y por las trochas difíciles subían corriendo, disputándose la prez de llegar más pronto a la meta señalada de antemano: un árbol, una piedra, un otero. De cuando en cuando se volvía Perucho y miraba hacia atrás.

—Ya no se ven los Pazos —exclamaba con satisfacción, como si perder de vista la casa solariega fuese el objeto único de carrera tan desatinada.

¡Qué se habían de ver los Pazos! Ni por pienso. Es de advertir que Perucho no había tomado el camino del crucero, aquel camino para él de recordación tan trágica, sino echado por la parte opuesta, hacia sitios mucho menos frecuentados; la dirección de Naya. Entraba a la sazón en los montes que forman la hoz al través de la cual va cautivo, espumante y mugidor, el río Avieiro. Daba gusto pisar aquel terreno montuoso, tan seco, tan liso, y hollar el tapiz de flores de brezo, de tierno tojo inofensivo aún, los setos de madroñeros floridos, las matas de retama amarguísima, las orquídeas finas, con olor a almendra, toda la seca y enjuta y balsámica flora montés, que convida al cuerpo a tenderse y le brinda un colchón higiénico, tibio del calor solar, aromoso, regalado, incomparable. De trecho en trecho, algún pino ofrecía fresca sombra, ambiente resinoso, quitasol que susurraba al menos soplo de viento. Manuela sintió que le pesaban los párpados, y que el cuerpo se le enlanguidecía. ¡La maldita leche!

—¡Qué calor! —balbució—. De buena gana me tumbaba ahí, debajo de ese pino.

Perucho dudó un instante; luego, como si se le ocurriese una objeción, pero no quisiese expresarla, respondió:

—Ahí no. Yo te diré en dónde hemos de sentarnos.

La montañesa obedeció sin replicar. Desde tiempo inmemorial, desde que ella andaba aún a gatas, Perucho dirigía el paseo, la zarandeaba a su gusto, la llevaba aquí y acullá, era el encargado de saber dónde se encontraban nidos, frutos, sitios bonitos, hacia qué lado convenía dirigir el merodeo. Rara vez intentó sublevarse Manuela y apropiarse la dirección del grupo, y las contadas tentativas de independencia no produjeron más resultado que demostrar la indiscutible superioridad y maestría de su amigo. En el invierno, mientras Perucho se secaba en Orense, Manuela, instantáneamente y como por arte maravilloso, aprendía a manejarse solita, y se encontraba de improviso profesora en topografía, conocedora de todos los caminos, rincones y andurriales del valle; pero esto duraba hasta el regreso de Perucho: volvía él, y la montañesa olvidaba su ciencia y volvía a descansar en su compañero, pasiva y gozosa.

Seguían caminando, apartándose gran trecho de los Pazos y descendiendo la corriente del río Aveiro por vereditas incultas, aquí encontrando un pinar, allá un grupo de carrascas verdinegras, más adelante un roble ufano de su robustez y de su hercúleo tronco, y siempre matorrales de madroño y retama, por entre los cuales no el pie del hombre, sino la naturaleza misma había abierto senderos, análogos a tortuosas calles de parque inglés. La luz del sol, que ya tocaba al cenit, lo enrubiaba todo; encendía con tonos áureos la grama seca; daba color de ágata a las simientes de la retama; hacía transparentes como farolillos de papel de seda carmesí las flores del brezo; convertía en follaje de raso recortado los brotes tiernos de las carrascas; calentaba con matices de venturina[292] las hojas del pino; prestaba a la bellota verde el pulimento del jade; y en las alas vibrátiles de las mariposas monteses —esas mariposas tan distintas de las que se ven en terreno cultivado, esas mariposas que tienen colores de madera y hoja seca—, y en los carapachos de los escarabajos, y en la negra coraza y curnos de las *vacas louras*[293], encendía tintas vivas, reflejos metáli-

---

[292] *venturina:* cuarzo amarillo y resplandeciente.

[293] *vacas louras:* se refiere a un tipo de escarabajo *(Pseudolucanus capreolus)* de color negro y fuertes mandíbulas dispuestas a modo de cuernos *(i.e.,* los «curnos» antes mencionados).

cos, esmaltes de oro, brillo negro de tallado azabache. La intensidad del calor arrancaba a los pinos todos sus olores de resina, a las plantas sus balsámicas exhalaciones; y entre el sol que le requemaba la sangre y el vaho que se elevaba de la ebullición de la tierra, y la leche que le aletargaba el cerebro, Manuela sentía como un comienzo de embriaguez, el estado inicial de la borrachera alcohólica, que pareciendo excitación no es en realidad sino sopor; el estado en que las manos resbalan sobre el objeto que quieren asir, en que los movimientos del cuerpo no obedecen a la voluntad, en que nos sentamos sin pesar sobre la silla y nos levantamos y andamos sin estribar en el suelo, porque el sentimiento de la gravedad se ha amortiguado mucho, y nuestras percepciones son vagas y turbias, y parece que ha desaparecido la resistencia de los medios, la densidad de la materia, la dureza de las esquinas y ángulos, y que los objetos en derredor se han vuelto fluidos, y nuestro cuerpo también, y más que nada nuestro pensamiento.

No es desagradable el estado, al contrario, y la plétora de vida que produce se revelaba en el rostro de Manuela: sus ojos brillaban y su boca sonreía sin interrupción. La niña no preguntaba ya cosa alguna a su compañero; andaba, andaba tan ligera como se anda en sueños, sin sombra de cansancio, aunque apoyándose en Perucho y arrimándose a su cuerpo con instintiva ternura. Allá en la pequeña ladera del monte divisó la espadaña del campanario de Naya, que conocía, y le ocurrió pensar en el cura que podría darles un buen almuerzo de huevos y fruta a la sombra de la fresca parra que entolda la rectoral; mas sin duda no era éste el propósito de Perucho, pues tomó otra dirección, volviendo la espalda al campanario y hundiéndose en una trocha que serpeaba entre pinos, y a cuyos lados se alzaban peñascos enormes, calvos y blancos por la cima, jaspeados de liquen y musgo por la base. Manuela se detuvo un momento; respiró; sus potencias se despejaron un poco al benéfico influjo de la temperatura menos ardorosa; miró en derredor para saber dónde estaba. El Avieiro corría allá abajo, rumoroso y profundo, no muy distante.

Por aquella parte se ensanchaba la hoz, hacíase muy suave, casi insensible, el declive de las montañas, y el río, en vez de rodar encajonado, sujeto, con torsión colérica de serpiente cautiva, se extendía cada vez más ancho, bello y sosegado, ostentando la hermosura y gala soberana de los ríos gallegos, la margen florida, el pradillo rodeado de juncos, salces y olmos, la placa de agua serena que los refleja bañando sus raíces, el caprichoso remanso en que el agua muere más mansa, más sesga, con claridades misteriosas de cristal de roca ahumado; la frieira[294], la gran cueva a la sombra del enorme peñasco, en que la sabrosa trucha busca la capa de agua densa y no escandecida[295] por el sol; el cañaveral que nace dentro de la misma corriente, el molino, la presa, toda la graciosa ornamentación fluvial de un río de cauce hondo, de país húmedo, que recuerda ideas gentílicas, las urnas, las náyades, concepción clásica y encantadora del río como divinidad.

La humedad que siempre sube de los ríos y la frescura de la vegetación, despabilaron más y más a la niña.

—Ya sé adónde vamos —exclamó—: a las Poldras[296]. ¿Y después de pasado el Avieiro, adónde? Me lo dices, ¿o está de Dios que no lo he de saber?

—Calla. Ya verás.

—Yo pensé que íbamos a Naya.

—¿Para qué? ¿Para encontrarnos con el cura y que nos llevase por fuerza a comer consigo?

—Pero... es que... comer, de todas maneras hay que comer en casa; y ya debe de ser tarde, tarde... No puedo tal día como hoy faltar de la mesa...

—A ver si te callas, tonta. ¡Eh, cuidado con caerte de hocicos por la rama del pino! Yo iré delante. La mano... ¡Así!

Con efecto, en las púas secas del pino los pies resbalaban como si el terreno estuviese untado de jabón.

---

294 *frieira:* esta palabra, que la autora explica inmediatamente, puede tener el mismo origen que la palabra castellana *fresquedal,* aunque ésta nombra una porción de monte húmeda y fresca, mientras que en el texto se refiere a una madriguera bajo el agua, al abrigo del sol.

295 *escandecida,* gall.: caldeada.

296 *Poldras,* término gallego, más tarde explicado como *pasaderas* y, también, *poldras* (usado como sustantivo y con minúscula). En todos los casos se trata de piedras que se ponen para pasar el río; en este caso se escriben con mayúscula con lo que la denominación tiene valor toponímico.

XX

Patinando sobre aquellas púas endiabladas, se deslizaron y corrieron hasta un grupo de salces inclinado hacia el borde del Avieiro. Oíase el murmurio musical del agua, y el ambiente, tan abrasador arriba, allí era casi benigno. Cruzaron por entre los salces desviando la maleza tupida de los renuevos, y vieron tenderse ante sus ojos toda la anchura del río, que allí era mucha, cortándola a modo de irregular calzada las pasaderas o *poldras*.

En torno y por cima de las anchas losas oscuras, desgastadas y pulidas como piedras de chispa por la incesante y envolvedora caricia de la corriente, el río se destrenzaba en madejas de verdoso cristal, se aplanaba en delgadas láminas, bebidas por el ardor del sol apenas hacían brillar la bruñida superficie. Para una persona poco acostumbrada a tales aventuras, no dejaba de ofrecer peligro el paso de las *poldras*. Sobre que se movían y danzaban al menor contacto, no eran menos resbaladizas que la rama del pino. Nada más fácil allí que tomarse un baño involuntario.

—¿Hemos de pasarlas? —preguntó la montañesa, con una sonrisa que significaba «a ver cuándo determinas que paremos en alguna parte».

—Las pasamos —ordenó Perucho con el tono mandón y despótico que había adoptado desde por la mañana.

Manuela tendió la vista alrededor, y eligiendo un sitio favorable, la sombra de un árbol, se dejó caer en un ribacillo, y resignadamente comenzó a desabrocharse las botas. Ni un segundo tardó Perucho en hincársele de rodillas delante.

—Yo te descalzo, yo. Como cuando eras una *cativa,* ¿te acuerdas? Un tapón así, y yo te descalzaba y vestía, y hasta te tengo peinado mil veces[297].

Medio riendo, medio enfadándose, la muchacha no retiró el pie de las manos de su amigo. Éste hacía ya saltar uno tras otro los botoncitos de la botina de casimir, mal hecha, muy redonda de punta contra todas las leyes de moda. Tiró después delicadamente, con un pellizco fino, del talón de la media de algodón, y la media bajó; arrollóla en el tobillo, y con un nuevo tirón dejó el pie desnudo. Sus palmas se distrajeron y embelesaron en acariciar aquel pie, que le recordaba la patita rosada y regordeta de la nené a quien tanto había traído en brazos. Era un pie de montañesa que se calza siempre y que tiene en las venas sangre patricia; no muy grande, algo encallecido por la planta, pero arqueado de empeine, con venillas azules, suave de talón y calcañar, redondo de tobillo, blanco de cutis, con los dedos rosados o más bien rojizos de la presión de la bota, y un poco montado el segundo sobre el gordo. El pie transpiraba, por haber andado mucho y aprisa.

—Enfríate un poco —murmuró el mancebo—. No puedes meter el pie en el agua estando así; te va a dar un mal.

—Que me haces cosquillas —exclamaba ella con nerviosa risa tratando de esconder el pie bajo las enaguas—. Suelta, o te arrimo un cachete que te ha de saber a gloria.

—Déjame verlo. ¡Qué bonito es! Lo tienes más blanco que la cara, Manola. Pero mucho más blanco.

—¡Vaya un milagro! Como que la cara va por ahí destapadita papando soles y lluvias. ¡Pasmón![298]. ¿Es la primera vez que ves un pie en tu vida? ¡Soltando!

---

[297] Harry L. Kirby, «Pardo Bazán's Use...», ed. cit., pág. 908, sugiere el verso 4 del capítulo V del *Cantar de los cantares* como modelo de este episodio. Dice el verso: «Lavé mis pies: ¿cómo los ensuciaré?»; también, el verso con que comienza el capítulo VIII del poema bíblico: «¡Cuán lindos son tus pasos en el tu calzado, hija del príncipe!» (pág. 908).

[298] *pasmón:* pasmado, alelado; como ocurriera con otras expresiones similares, aquí no se usa con un sentido peyorativo, sino que tiene valor afectivo *(vid.* nota 5).

Soltó el que tenía asido, pero fue para descalzar el otro con el mismo cariño y religiosa devoción, y abarcar ambos con una mano, uniéndolos por la planta.

—Que me aprietas..., que me rompes un dedo... ¡Bruto!

—¡Ay!, perdón —murmuró él— y bajándose, halagó con el rostro, sin besarlos, los pies desnudos. La montañesa se incorporó pegando un brinco, y echó a correr, y sentó la planta descalza en la primer pasadera. Su amigo le gritó:

—Chica, aguárdate. Déjame recoger las medias y las botas. Allá voy a darte la mano. Vas a caerte de cabeza en el río. ¡Loca de atar!

Con saltos ligeros, volviendo la cabeza a cada brinco lo mismo que los pájaros, Manuela salvaba ya las *poldras*, eligiendo diestramente el trecho seco a fin de caer en él. Dos o tres veces estuvo a punto de dar la zambullida, y la daría de fijo a no ser tan grande su agilidad: saltaba largo, y era su ligereza la ligereza del ave, de la golondrina que vuela rasando el agua. Remangaba las faldas al brincar, y su pierna, no torneada aún, pero de una magrez llena, donde las redondeces futuras apuntaban ya, tenía, al herirla el sol, la firmeza y granillo algo duro de una pierna acabada de esculpir en mármol y no pulimentada aún.

Casi había alcanzado la otra orilla, cuando Perucho voló tras ella. El muchacho, calzado con duros zapatos de doble suela, desdeñaba descalzarse, habiéndose contentado con remangar los pantalones.

La chiquilla comprendió que llevaba ventaja a su compañero, y excitada por el juego, quiso hacerle correr un poco. Como una saeta se emboscó entre los árboles de la orilla, y desapareció en la espesura dándose traza para que Perucho no supiese dónde se había metido. Pero al muchacho le asustó aquella pequeña contrariedad como si realmente su amiga se le perdiese de vista, y gritó llamándola con oprimido corazón y angustiada voz; tan angustiada, que Manuela salió al punto de los matorrales, renunciando a continuar el juego.

—¿Qué te pasa? —dijo riéndose al ver el semblante demudado de Perucho.

—¿Qué? Que no me hagas judiadas. Vamos juntos, ¿entiendes? Tú no te apartes de mí. ¿Dónde estabas? No, no sirve esconderse.

—Pues cálzame —exclamó ella sentándose en un peñasco.

La calzó enjugándole antes los pies húmedos con la falda de su americana, y bromeando ya sobre el enfado y el susto del escondite.

—Y ahora... —murmuró la niña mientras él lidiaba con un botón empeñado en resbalarse del ojal— ¿adónde vamos? ¿Seguimos como locos?

—Ahora..., ahora ven conmigo. Ya pararemos, mujer.

Echaron monte arriba, alejándose de la refrigerante atmósfera del río. Aquella montaña era más áspera aún, y en su suelo dominaban las carrascas y las encinas, que daban alguna sombra; pero siendo muy agria la subida, en los puntos descubiertos quemaba el sol de un modo insufrible. Manuela jadeaba siguiendo a Perucho, que parecía llevar un objeto determinado, pues miraba a un lado y a otro para orientarse. Al fin, divisó una encina vieja, un tronco perforado y hueco donde aún gallardeaba algún ramaje verde en lugar de la copa desmochada; dio un grito de júbilo, metió la cabeza dentro con precaución, luego la mano, armada de una navaja, luego el brazo todo..., y al cabo de unos cuantos minutos de manipulación misteriosa, sacó en triunfo algo, algo que hizo exhalar a la montañesa clamor alegre.

¡Un panal soberbio de miel rubia, pura y balsámica, de aquella miel natural, un millón de veces más sabrosa que la de colmena, como si el insecto, libre ciudadano de su inocente república, ajena al protectorado del hombre, libase un néctar más puro en los cálices de las flores, un polen más fecundo en sus estambres, elaborase un propóleos más adherente para afianzar la celdilla, y emplease procedimientos de destilación más delicados para melificar la esencia de las plantas, el jugo precioso recogido aquí y acullá, en el prado, en la vega, en el castañar, en el monte!

Manuela chillaba, reía de placer.

—Pero tú mucho discurres. Pero, ¿de dónde sacaste eso? Pero tú creo que echas las cartas como la Sabia. ¿Quién te contó que ahí había miel?

—¡Boba! ¡Gran milagro! Supe que unos hombres de las Poldras pillaron en este sitio un enjambre. Pregunté si habían registrado el nido de la miel y contestaron que no, que ellos sólo andaban muertos y penados por las abejas, para llevarlas al colmenar. Yo dije, ¡tate!, pues los panales han de estar allí, en un árbol hueco. Ya ves cómo acerté. ¿Qué tal el panalito? ¡Pecan los ojos en mirarlo!

—¿Y si estuviesen en el tronco las abejas, ahora que andan tan furiosas con la borrachera de la flor del castaño? Te comían vivo.

—¡Bah! Yo sé la maña para que no piquen. Hay que meter poco ruido, moverse despacio y bajarse al suelo cuando le sienten a uno.

—¡A comer, a comer la miel! —gritó la montañesa palmoteando—. Ven, aquí hay una sombra, ¡una sombra que da la hora!

Era la sombra la de una encina cuyas ramas formaban pabellón, y que caía sobre un ribazo todo estrellado de flores monteses, donde crecía el tojo o escajo tan nuevo y tierno, que sus pinchos no lastimaban. Además parecía como si la mano del hombre hubiese labrado allí esmeradamente un asiento, a la altura exigida por la comodidad. Perucho sacó su navaja, y del bolsillo del chaquetón hizo surgir el pedazo de brona tomado contra la voluntad de su dueña la Sabia. Partiólo en dos mitades desiguales, dando la mayor a su compañera; y el panal de miel se sometió al mismo reparto. Sentada ya, tranquila, descansando de la larga caminata y del calor sufrido, con esa sensación de bienestar físico que produce el reposo después de un violento esfuerzo muscular, y la pregustación de un manjar delicioso, virgen, fresco, sano, que hace fluir de la boca el humor de la saliva, Manuela, antes de hincar el diente en la miel puesta sobre el zoquete de pan, tocó en el hombro a su compañero:

—Mira, en comiéndola nos largamos, y vuelta a casita, ¿eh? Ya me parece que dieron las doce en el campanario de Naya. Sabe Dios a qué hora llegaremos allá, y lo que andarán preguntando por nosotros.

Él le echó el brazo al cuello, y con los dedos le daba golpecitos en la garganta.

—Hoy no se vuelve —murmuró casi a su oído.

Pegó un respingo la muchacha.

—¿Tú loqueas? Si fuese en otro tiempo, bien, nadie se

amoscaría; pero, ¿ahora que está el tío Gabriel? Se armaría un ruido endemoniado por toda la casa.

Perucho le tiró de la trenza.

—Hoy no se vuelve. No me repliques, que no puede ser. Hoy no se vuelve. ¿Sabes por qué? Por lo mismo, por eso, porque está tu tío, tu caballero de tío. Calla, calla, *vidiña.* Si quieres volver, vuélvete tú sola, muy enhorabuena; yo me quedo aquí. Yo no voy más a los Pazos.

—A mí se me figura que tú chocheaste. Lo que a ti se te ocurre, no se le ocurre ni al mismo Pateta[299]. ¡No volver a los Pazos! Pues apenas se alborotaría aquello todo.

—¿Y qué nos importa, di? —murmuró el mancebo con ardorosa voz—. Tú eres muy mala, Manola. Sí, señor, muy mala; tú no me quieres a mí así, a este modo que yo te quiero. ¡Qué me has de querer! Ni siquiera sabes lo que es cariño... de éste. ¿Lo entiendes? Pues no lo sabes. Vamos, yo no digo que tú no me quieras una miajita; si me muriese, llorarías, ¡quién lo duda! Llorarías una semana, un mes, y te acordarías de mí un año, y soñarías conmigo por las noches, y después..., te casarías con el tío Gabriel, y se acabó, se acabó Perucho.

Su voz temblaba, enronquecida por la pasión.

—¡Qué cosas dices! ¡Con el tío Gabriel! —exclamó la montañesa dilatando las pupilas de asombro y limpiándose distraídamente con el pañuelo la boca untada de pegajosa miel.

—O con otro del pueblo, otro señor elegante y de fachenda, así por el estilo. ¡Malacaste![300]. Oye tú: aquí en la aldea no se hace uno cargo de ciertas cosas. Pero allá en el pueblo, los estudiantes..., unos con otros..., nos abrimos los ojos..., nos despabilamos..., ¿estás? Allá, cuando me preguntaban los compañeros que si tenía novia y que por qué no tomaba una en Orense, atiende, atiende, les dije así «Tengo mi novia, ya se ve que la tengo, y es más bonita que todas las vuestras, y se llama Manuela, Manuela Ulloa». Y ellos a decir «¿Quién? ¿La hija del marqués?». «La misma que viste y calza. Decid ahora

[299] *Pateta:* popularmente, el Diablo.

[300] *malacaste,* gall.: expresión eufemística para maldecir.

que no es bonita, morrales»[301]. Y ellos con muchísima guasa me saltan: «En la vida la vimos, pero esa no es para ti, páparo[302]. Esa es para un señor, porque es una señorita, hija de otro señor también, y tú eres hijo de una infeliz paisana, ¿eh? Date tono, date tono.» Le santigüé las narices al que me lo cantó, pero me quedé pensando que lo acertaba. ¿Entiendes? Y tanta rabia me entró, que me eché a llorar como si fuese yo el que hubiese atrapado los soplamocos. Mira si sería verdad que a... aún... aún...

Manuela, que chupaba muy risueña el panal, alzó la vista y notó que su amigo tenía como una niebla ante aquellas hermosas pupilas azul celeste. En lo más profundo de su vanidad de hembra, quizás a medio dedo de las telillas del corazón, sintió algo, una punzada tan dulce, tan sabrosa..., más que la propia miel que paladeaba. Volvió la cabeza, recostóla en el hombro de su amigo.

—¿Quién te manda llorimiquear[303] ni apurarte? —pronunció enfáticamente.

—Porque tenían razón —tartamudeó él.

—No señor. Yo te quiero a ti, ya se sabe. Mas que fueses hijo del verdugo. Valientes tontos, y tú más tonto por hacerles caso.

—Bien —murmuró él—; me quieres, corriente, estamos en eso; pero es allá un modo de querer que... Yo me entiendo. Es un querer, así... porque... porque uno se crió desde pequeñito junto con el otro, sin apartarse, y tienes costumbre de verme, como quien dice..., y..., y... Yo te voy a aclarar cómo me quieres, y si acierto, me lo confiesas. ¿Eh? ¿Me lo confiesas?

—Hombre —clamó ella con la boca atarugada de brona—, siquiera das tiempo a uno para tragar el bocado y contestar. Conformes; te lo confesaré. ¡Falta saber qué es lo que he de con-fe-sáaaar!

—Tú me quieres... como quieren las hermanas a los hermanos. ¿Eh? ¿Acerté?

---

301 *morrales:* zoquetes, brutos.

302 *páparo*, gall.: paleto.

303 *llorimiquear*, castellanización del gallego *chorimicar:* llorar sin ganas.

—Mira tú. ¡Verdad! Si yo siempre pensé de chiquilla que lo eras, no entiendo por qué —aquí la montañesa dio indicios de quedarse pensativa, con la brona afianzada en los dedos, sin llevarla a la boca—. Y yo no sé qué más hermanos hemos de ser. Siempre juntos, siempre, desde que yo era así (bajó la mano indicando una estatura inverosímil, menor que la de ningún recién nacido). Aún hay hermanos que no se crían tan juntos como nosotros.

Perucho permaneció silencioso, con el pan caído a su lado sobre la hierba, una rodilla en el aire, que sostenía con las manos enclavijadas, y mirando hacia el horizonte.

—¿Qué te pasa? ¿Por qué pones esa cara de bobo?

—Eso ya lo sabía yo —exclamó él desesperado, descargándose de golpe una puñada en el muslo—. ¿Ves? ¿Ves cómo tenían razón los de Orense? Lo que tú me quieres a mí... es... así..., por eso, porque desde chiquillos andamos juntitos y, a menos que fueses una loba, no me habías de tener aborrecimiento. ¡Pues andando! Siga la música. Y que se lo lleven a uno los diablos.

Encaróse violentamente con la niña, y tomándole las muñecas, se las apretó con toda su alma y todo su vigor montañés. Ella dio un chillido.

—Yo te quiero a ti de otra manera, muy diferente. Te quiero como a las novias, con amor, con amor (vociferó esta palabra). Si se calla uno más de cuatro veces, es por miramientos y consideraciones y embelecos. Que se vayan a paseo todos ellos juntos. Aguantar que a uno no le quieran, ya es martirio bastante; pero ver que viene otro y con sus manos lavadas le escamotea la novia, le roba todo... Eso ya pasa de raya. No tengo paciencia para sufrirlo ni para verlo. No, y no, y no lo veré, me iré, me iré, aunque sea a la isla de Cuba.

Manuela oyó todo esto derramándose en risa, porque el enfado de su amigo le gustaba; y sobre todo, encantábale la idea de calmarlo con unas cuantas frases cariñosas, que sin esfuerzo, antes muy a gusto suyo, le salían del corazón.

—Lo dicho: a ti hoy picóte[304] una avispa o un alacrán en el monte. Yo quisiera saber de dónde sacas tanto disparate.

[304] *picóte*, gall.: el pronombre sigue la sintaxis gallega, «te picó».

¿Quién te viene a quitar la novia, ni quién me coge a mí, ni me lleva, ni todas esas barbaridades que sueñas tú?

—El tío Gabriel te quiere; está enamorado de ti. Ha venido a casarse contigo. No me lo niegues.

—Vaya, lo dicho.

Manuela se tocó la frente con el dedo y meneó la cabeza.

—No, no me llames loco; porque me parece que haces risa de mí o que me quieres engañar. Dime sólo una cosa. ¿Te gusta tu tío Gabriel?

—¿Gustar? ¿Qué se yo lo que es *gustar,* como tú dices? El tío Gabriel me parece muy bueno, muy listo, y un señor así, no sé cómo te diga, muy fino, y que sabe mucho de muchísimas cosas. Un señor diferente de los de por acá, de Ramón Limioso, del sobrino del cura de Boán, Javier, de los de Valeiro..., de todos.

—Ya lo ves —exclamó con aflicción el mancebo—; ya lo estás viendo. Tu tío..., ¡te gusta!

—Pues sí; claro que me gusta. ¡No tiene por qué no gustarme!

Las correctas líneas del rostro de Perucho se crisparon. Las raras veces que tal sucedía, palidecían sus mejillas un poco, dilatábansele las fosas nasales, se oscurecían y centelleaban sus ojos de zafiro, poníase más guapo que nunca, y era notable su parecido con las estampas de la Biblia que representan al ángel exterminador o a los vengadores arcángeles que se hospedaron en casa de Lot el patriarca. Manuela lo contemplaba con placer, a hurtadillas; y de pronto, pasándole suavemente una mano por detrás de la cabeza y atrayéndolo a sí, murmuró:

—Tú me gustas más, queridiño.

—A ver, dilo otra vez.

—Te lo daré por escrito —hizo ademán de escribir en el suelo con el dedo, y deletreó: Me-gus-tas-más.

—Manola, vidiña. A mí, ¿me quieres más a mí?

—Más, más.

—¿Te casarás conmigo?

—Contigo.

—¿Conmigo? ¿Aunque tú seas señorita y yo..., un labrador?

—Aunque fueses el último pobre de la parroquia. Yo no soy tampoco una señorita... como las demás. Soy una montañesa, criada entre las vacas. Estaría yo bonita allá en pueblos de no sé. Más señorito pareces tú que yo.

—Y si tu padre...

Manuela miró al suelo; su boca se contrajo por espacio de un segundo. Luego suspiró levemente:

—Para el caso que me hace papá. Yo no sé de qué le sirvo. ¡Bah! Desde pequeñita sólo tú hiciste caso de mí, y me cumpliste los caprichos y me mimaste. Cuando necesitaba dos cuartos, ¿te acuerdas?, me los prestabas o me los regalabas. Tú me traías los juguetes y las rosquillas de la feria. En el invierno, cuando te vas, parece que se me va lo mejor que tengo y me quedo sin sombra.

—¡Qué gusto! —exclamó él, y con ímpetu irresistible se levantó, le apoyó las manos en los hombros, y la zarandeó como se zarandea al árbol para que suelte el fruto. Luego se le hincó de rodillas delante, sin el menor propósito de galantería.

—Manola, *ruliña*[305], dame palabra de que nos hemos de casar tan pronto podamos. ¿Me la das, mujer?

—Doy, hombre, doy.

—Y de que hasta la tarde no volvemos a los Pazos.

—¡Uy! Reñirán, se enfadarán, armarán un Cristo.

—Que lo armen. Que riñan. Hoy el día es nuestro. Que nos busquen en la montaña. Aquí corre fresco, da gusto estar. ¿No comiste bastante? ¿Tienes hambre? Ahí va el pan, y más miel.

—¿Y qué vamos a hacer aquí todo el día de Dios? —preguntó ella risueña y gozosa, como si la pregunta estuviese contestada de antemano.

—Andar juntos —respondió él decisivamente—. Y subir a los Castros. Desde aquí todavía estamos cerca de Naya.

---

[305] *ruliña*, gall.: diminutivo de *rula*, tórtola; se usa como expresión de cariño referido a una niña o mujer.

XXI

Para subir a los Castros, había que dejar a un lado el monte y el encinar, torcer a la izquierda, y penetrar en uno de esos caminos hondos, característicos de Galicia, sepultados entre dos heredades altas, y cubiertos por el pabellón de maleza que crece en sus bordes: caminos generalmente difíciles, porque la llanta del carro los surca de profundas zanjas, de indelebles arrugas; porque a ellos ha arrojado el labrador todos los guijarros con que la reja del arado o la pala tropezó en las heredades limítrofes; porque allí se detiene y se encharca el agua y se forma el barro; los peores caminos del mundo en suma, y sin embargo encantadores, poéticos, abrigados en invierno porque almacenan el calor solar, y protegidos del calor en verano por la sombra de las plantas que se cruzan cerrándolos como tupido mosquitero; encantadores porque están llenos de blancuras verdosas de saúco, palideces rosadas de flor de zarza, elegancias airosas de digital[306], enredadas cabelleras de madreselva que vierten fragancia, cuentas de coral de fresilla, negruras apetitosas de mora madura, plumas finas de helecho, revoloteos y píos y caricias de pájaros, serpenteos perezosos de orugas, escapes de lagartos, contradanzas de mariposas, encajes de telarañas sujetos con broches de rocío, y desmelenaduras fantásticas de rojas *barbas de capuchino*[307], que allí, colga-

[306] *digital:* planta de flores pendientes en forma de dedal, color rojo.

[307] *barbas de capuchino* o *capuchina:* planta trepadora, originaria de Perú, de flores rojo anaranjado.

das entre zarzas y matorrales, parecen *ex-votos* de faunos que inmolaron su pelaje rudo al capricho de una ninfa. Y aquel camino en que penetró la pareja montañesa añadía a estos méritos, comunes a todas las *corredoiras*, un misterio especial, debido a que era muy poco frecuentado de carros y de labriegos, y conservaba todo el mullido suave de su hierba virgen, que literalmente era un tapiz verde clarísimo, salpicado de esas orquídeas color entre lila y rosa que asoman fuera de tierra sólo los pétalos, sin hoja verde alguna; y como además era estrecho, y muy hondo, la vegetación de sus bordes, viciosa y lozana como ninguna, se había unido, y sólo a duras penas se filtraba de la bóveda una misteriosa y vaga claridad, una luz disuelta en oro y pasada al través de una cortina de tafetán verde.

Quien estuviese hecho a conocer estos caminos hondos, y el país gallego en general, no se admiraría de las particularidades que presentaba aquella corredoira, así en su virginidad y misterio como en ser más honda que ninguna y en estar trazada con extraña regularidad, como obra donde no sólo se descubría la mano del hombre, sino una mano ducha y hábil, que da a sus obras proporción y simetría. El nombre de *Los Castros* que lleva el lugar le explicaría bien, si antes no se lo dijese su pericia, por qué estaba allí aquella zanja abierta como por la pala del ingeniero militar de hoy, que ciertamente no la abriría más perfecta.

Dos eran los Castros: Castro Pequeño y Castro Mayor, y se elevaban en doble colina escalonada, facilitando la ascensión del uno al otro la trinchera, aunque también haciéndola más larga, pues era preciso seguirla y dar la vuelta a toda la base del Castro Pequeño para intentar la ascensión al grande, muchísimo más elevado y vasto. El estado de conservación de los dos campamentos era tan maravilloso, se veían tan claras las líneas del reducto y el círculo perfecto de la profunda zanja que en torno lo defendía, que aquella fortificación de tierra, levantada probablemente por legionarios romanos anteriores a Cristo, si es que no fue en tiempos aún más remotos trabajo de defensa practicado para sustentar la independencia galaica, aparecía más entero y robusto que las fortalezas, relativamente jóvenes, de la Edad Media. Ni el arado, ni el agua del cielo, habían mordido la esbelta cortadura que a modo de verde culebra se enrosca al pie de los Castros. No; no habían hecho más que vestirla de enredaderas, de zarzales, de plantas y hierbas lozanísimas; y allí donde el soldado rompió el terruño para prevenir el ataque del enemigo, se embosca hoy la ágil sabandija, y teje sus gasas el pardo arañón campesino.

Subió lentamente la pareja, no apremiada ya por la angustia de hallarse cerca de sitio habitado que desde por la mañana impulsaba a Perucho a desviarse del caserón. Iban los dos montañeses radiantes de alegría, con el desahogo de la confesión y las promesas anteriores. Parecíales que sin más que trocar aquellas cuatro frases, se les había quitado de delante un estorbo grandísimo, y ensanchádoseles el corazón, y arreglado todo el porvenir a gusto y voluntad suya. En especial el galán no cabía en sí de gozo y orgullo, y sostenía a Manuela y la empujaba por la cintura con la tierna autoridad del que cuida y atiende a una cosa absolutamente propia. Tranquilo y sosegado, hablaba de las cosas acostumbradas y se entregaba a las ocupaciones y a las investigaciones habituales en la pareja. Aquella *corredoira* de los Castros, en las actuales circunstancias, era para él un descubrimiento. ¡Qué filón! Olvidados de todo el mundo, amontonábanse allá tesoros que no habían de desdeñar nuestros exploradores. Hacia la parte que forma la solana de la colina, las moras se hallaban ya en estado de perfecta madurez, y millares de dulces bolitas negras acribillaban el verde oscuro de los zarzales. En los sitios de más sombra y humedad, las perfumadas fresillas o *amores*[308] abundaban, y las delataba su aroma. Nidos, era una bendición de Dios los que aquella maleza cobijaba. Porque, desnuda de arbolado la cima de los Castros desde cerca de veinte siglos que sin duda sus árboles habían sido cortados para levantar empalizadas, las aves no tenían más refugio que la zanja misteriosa, donde les sobraba pasto de insectos y caudal de hierbas secas y plantas filamentosas para tejer la cuna de su prole. Así es

[308] *amores*, castellanización del gallego «amora»; es decir, mora, fruto de la morera.

que tras cada matorral un poco tupido, en cada rinconada favorable, se descubrían redondas y breves camas, unas con huevos, cuatro o seis perlitas verdosas, otras con la cría, medio ciega, vestida de plumón amarillento. Y al entreabrir Manuela el ramaje para sorprender el secreto nupcial, no sólo volaba el pájaro palpitante de terror, sino que se oía corretear despavorida a la lagartija, y el gusano se detenía paralizado de miedo, enroscándose al borde de una hoja con sus innumerables patitas rudimentarias[309].

En la exploración y saqueo de la zanja gastarían más de hora y media los fugitivos. En la falda remangada de Manuela se amontonaban moras, fresas, frambuesas, mezcladas y revueltas con alguna flor que Perucho le había echado allí como por broma. Manuela prefería coger los frutos, y su amigo era siempre el encargado de obsequiarla con las orquídeas aromosas o con las largas ramas de madreselva. Andando, andando, la carga de fresas desaparecía y el delantal se aligeraba: picaban por turno los dos enamorados, y al llegar a la cima del Castro Pequeño, la merienda de fruta silvestre había pasado a los estómagos.

La cima del Castro Pequeño, donde empezaba a asomar el tierno maíz, era una meseta circular, perfectamente nivelada, como picadero gigantesco donde podían maniobrar todos los jinetes de la orden ecuestre. Las necesidades del cultivo habían abierto senderitos entre heredad y heredad, y a no ser por ellos, el Castro Pequeño sería raso como la palma de la mano. Desde su altura se divisaba una hermosa extensión de tierra, y seguíase el curso del Avieiro, distinguiéndose claramente y como próximas, pero a vista de pájaro, las poldras, con el penachillo de espuma que a cada losa ponía el remolino y el batir colérico de la corriente. Ni un árbol, ni una mata alta en aquella gran planicie del Castro, que rasa, monda, lisa

[309] Como en el capítulo I, cuando la pareja encuentra refugio en la cueva de la cantera abandonada, que va siendo progresivamente invadida de vegetación, también la Naturaleza vuelve a invadir los Castros; y, como entonces, reaparecen aquí las dos constantes de la novela: el amor y la muerte, cuyos secretos descubre Manuela al entreabrir el ramaje.

e igual, parecería recién abandonada por sus belicosos inquilinos de otros días, a no verse en su terreno los golpes del azadón y a no cubrirla, como velo uniforme, las tiernas plantas del maíz nuevo.

Mas no era allí todavía donde Perucho y Manuela se creían dueños del campo y situados a su gusto para reposar un poco después de tanto correr. Aspiraban a subir al Castro Mayor, ascensión difícil para otros, porque la trinchera, menos honda allí, dejaba de ser *corredoira* y estaba literalmente obstruida por los tojos recios, feroces y altísimos. Casi impracticable hacían la subida sus ramas entretejidas y espinosas. Perucho, con sus pantalones de paño fuerte, podría arriesgarse llevando en brazos a Manuela; pero era el trayecto del rodeo de la zanja larguísimo, y a pesar del vigor del rapaz, bien podría cansarse antes de recorrer el hemiciclo que conducía a la entrada del Castro. Tendió la vista, y sus ojos linces de montañés distinguieron al punto un senderito casi invisible, en el cual no cabía el pie de un hombre, y que serpeaba atrevidamente por el talud más vertical de la base del Castro, yendo a parar en el matorral que guarnecía la cúspide.

—¡El camino del zorro! —exclamó Perucho, señalando a su compañera, allá en lo alto, la boca de la madriguera, que se entreparecía oculta por las zarzas y escajos—. Por ahí vamos a subir nosotros, que si no es el cuento de nunca acabar y de quedarse sin carne en las pantorrillas.

Para llevar a cabo la difícil hazaña, yendo el montañés delante y colocando el pie en las levísimas desigualdades que daban señal del paso del zorro cuando subía y bajaba a su oculto asilo, Manuela, que seguía a Perucho, se le cogía no de la mano, pero de los faldones de la americana, y a veces del paño del pantalón. El apuro fue grande en algunos puntos del trayecto, y grandes también las risas con que celebraron lo crítico de la situación aquella. Perucho se asía con las uñas a la tierra, a las plantas, a todo cuanto podía servirle de asidero, y al avanzar el pie hincaba la punta de golpe en la montaña, para dejar hecho sitio al pie de la niña. Al fin, sudorosos, encarnados y alegres, llegaron a la última etapa de la jornada, y agarrándose a unos menudos pinos que crecían desplomados sobre el talud, saltaron triunfantes dentro del Castro Mayor.

La impresión que producía este segundo reducto fortificado era harto diferente de la del primero. En éste el cultivo suavizaba el aspecto militar, y el alegre y fresco verdor del maíz no permitía que acudiesen al ánimo ideas de antiguas batallas, de sangre y defensas heroicas; sobre la honda trinchera había tendido la naturaleza velo de florida vegetación, y las huellas de la vida humana, de la actividad rústica, el manto amigo de la agricultura, daban al viejo anfiteatro aspecto risueño y apacible. En el Castro Mayor, al contrario, se advertía cierta salvaje grandeza y desolación trágica, muy en armonía con su destino y su puesto en la historia. Era aún, después de veinte siglos, el sitio de las defensas heroicas, de las resistencias supremas; el sitio donde, rotas ya las empalizadas, invadido el Castro de abajo, se refugiaría la destrozada legión, llevándose sus muertos y sus heridos para darles, a falta de honrosa pira, túmulo en aquella elevada cumbre, y resuelta a vender caras las vidas a la hueste cántabro-galaica. La vegetación, los brezos altísimos y tostados por el sol, las carrascas, los tojos, todo adquiría allí entonación rojiza, despertando la idea de un rocío de sangre que los hubiese bañado. A trechos, rompían la lisura del inmenso circuito pequeñísimas eminencias, donde las plantas eran más lozanas todavía, y que a juzgar por su hechura cónica serían acaso túmulos. ¿Quién sabe si un investigador, un arqueólogo, un curioso, cavando en aquel suelo vestido de plantas monteses y de ruda y selvática flora, descubriría ánforas, monedas, hierros de lanza, huesos humanos?

La soledad era absoluta en aquel lugar elevado y casi inaccesible; el cielo parecía a la vez muy alto y muy próximo, y como nada limitaba la vista, horizonte inmenso lo rodeaba por todas partes, resultando el firmamento verdadera bóveda de azul infinito y profundo, que encerraba a manera de fanal el inmenso anfiteatro. Las lejanías, más bajas que el Castro, se perdían gradualmente en tales tintas rosadas y cenicientas, que formaban la ilusión de un lago, o del mar, cuya extensión se divisase lejos, muy lejos. Parecía que el Castro fuese una isla, suspendida sobre un océano de vapores. La calma y el silencio rayaban en fantásticos: allí no había pájaros, sea porque sólo un árbol —un viejo roble, digno de ser contemporáneo de los druidas— se alzaba en la gigantesca plataforma, como respetado por la pala de los soldados que habían nivelado el monte para fortificarlo, sea porque la altura, gravedad y solemnidad misteriosa de aquel sitio intimidase a las aves. Una liebre, galopando entre los brezos, fue el único ser viviente que encontraron los fugitivos.

Divirtiéronse estos durante un buen rato en otear todo el país circunvecino, que desde la estratégica altura se dominaba completamente. El caserío de Naya se les presentaba a sus pies como esparcida bandada de palomas; más lejos las poldras y el río espejeaban al sol; eran un hilo verdoso, roto a trechos por blancos espumarajos; y allá remoto, remoto, se hundía el valle de los Pazos, donde la casa solariega era un punto rojo, el color de sus tejas. Manuela mostró una especie de terror a esta vista.

—¡Madre mía del Corpiño, qué lejos estamos de la casa!

Perucho la tranquilizó riendo.

—No, mujer. Parece así porque la vemos de alto. Vaya que de poco te pasmas. ¿No tienes voluntad de descansar? ¿No te pide el cuerpo sentarte?

—Hombre, me dan ganas de hacerte no sé qué. Hace mil años te dije que me cansaba, y ahora sales... Yo ya estaba aguardando a ver si querías que me cayese muerta. ¡Y con este calor! Aquí tan siquiera corre un poquito de aire.

—Pues ven.

Acercáronse al roble, cuyo ramaje horizontal y follaje oscurísimo formaban bóveda casi impenetrable a los rayos del sol[310]. Aquel natural pabellón no se estaba quieto, sino que la purísima y oxigenada brisa montañesa lo hacía palpitar blandamente, como la vela del bote, obligando a sus recortadas

---

[310] Nótese el paralelo con la imagen aparecida en el capítulo I, cuando Perucho y Manuela se refugian bajo un castaño para resguardarse de la tormenta, un árbol que, a semejanza del presente, viene a simbolizar el árbol de la vida dando cobijo a los dos hermanos: «Bajo un árbol se refugió la pareja. Era el árbol protector magnífico castaño, de majestuosa y vasta copa, abierta con pompa casi arquitectural sobre el ancha y firme columna del tronco, que parecía lanzarse arrogantemente hacia las desatadas nubes: árbol patriarcal» (cap. I).

hojas a que se acariciasen y exhalasen un murmullo como de seda arrugada. Al pie del roble, el humus de las hojas y la sombra proyectada por las ramas habían contribuido a la formación de un pequeño ribazo, resto acaso de uno de aquellos túmulos, así como el duro y vigoroso roble habría chupado acaso la sustancia de sus raíces en las vísceras del guerrero acribillado de heridas y enterrado allí en épocas lejanas.

—Ahí tienes un sitio precioso —dijo Perucho.

Dejóse caer la montañesa, recostada más que sentada, en el tentador ribazo.

—La hierba está blandita y huele bien —exclamó la niña. No hay tojos. ¡Qué ricura!

—¿A ver? —murmuró él, y desplomóse a su vez en el ribazo, riendo y apoyándose en las palmas de las manos.

—¡Vaya! Ni un tojo para un remedio. ¡Y qué sombra de gloria! ¡Ay, gracias a Dios! Estaba muerta. Mira cómo sudo —añadió cogiendo la mano del montañés y acercándola a su nuca húmeda.

—¿Quieres escotar[311] un cachito de siesta? —preguntó el mozo, mirándola con ternura—. Aquí hay un sitio que ni de encargo. Si hasta parece que la tierra hace figura de almohada. Yo te echaré la chaqueta para que acuestes la cabeza.

—Y tú, ¿qué haces ínterin yo duermo? ¿Papas moscas?

—Duermo también a tu ladito. Como marido y mujer. ¿No te gusta? Sí tal, sí tal.

Quitóse el chaquetón, y extendiólo con precauciones minuciosas, de modo que la cabeza de Manuela quedase cómodamente reclinada en el cojín que formaba una manga bien envuelta con el cuerpo. Enseguida se tendió al lado de la montañesa, poniéndose bajo la nuca su hongo gris, para no coger una tortícolis. La hierba del ribazo era en efecto olorosa, espesa, fina, menuda, y entretejida como la lana de una alfombra de precio. Al lado de la cabeza de Manuela crecía una gran mata de biznaga[312], cuyos airosos tallos prolongados y blancas umbelas de flores menuditas con la punta roja en me-

---

[311] *escotar*, gall.: echar un sueño.

[312] *biznaga:* planta menuda, de tallo desnudo y flores blancas.

dio, parecían, al destacarse sobre el fondo azul del horizonte, una transparente obra de hábil pintor. Por efecto de la posición, le parecían a la montañesa altísimas aquellas biznagas; más altas que los montes que se perdían en los tonos vagos y vaporosos del horizonte lejano. Así se lo dijo a su compañero. Éste respondió a la observación con una sonrisa cariñosa, y dijo:

—Levanta un poco el cuerpo. Te pasaré el brazo así por debajo.

Hízolo y quedaron careados. La claridad solar, que pugnaba por atravesar el follaje de la encina, les derramaba en las pupilas un centelleo de pajuelas de oro; en los ojos negros de Manuela se convertían en reflejos de ágata, y en los azules de Perucho tenían el colorido de la gota de vino blanco expuesta a la luz. Complacíase la viva claridad en descubrir, jugando, los más mínimos pormenores de aquellos rostros juveniles: doraba la pelusa de las mejillas; arrojaba una sombra rosada, con venillas rojas, en el tabique de la nariz, en el velo del paladar, que se divisaba por entre los dientes nacarados y entreabiertos, y en el hueco de las orejas; daba tonos azulados al pelo negrísimo de la niña, e irisaba los rizos de Perucho, que se encendían y parecían una aureola, con visos como de venturina.

Manuela alargó la mano, la hundió entre las sortijas de su amigo, y las deshizo y alborotó con placer inexplicable. Aquella cabellera magnífica, tan artísticamente colocada por la naturaleza, tan rica de tono que estaba pidiendo a voces la paleta de un pintor italiano para copiarla, era una de las cosas que más contribuían a mantener la admiración y el culto que desde la infancia tributaba a su compañero. Si hermoso era a la vista el pelo de Perucho, no menos dulce al tacto. ¡Con qué elástica suavidad se enroscaban de suyo los bucles alrededor del dedo! ¡Cómo se deshacían y partían cada uno en innumerables anillos, ligeros y gallardos, y cómo volvían luego a unirse en grueso y pesado tirabuzón, el bucle estatuario, la cifra de la gracia espiral! ¡Con qué indisciplina encantadora se esparcían por la frente o se agrupaban en la cima de la cabeza, haciéndola semejante a las testas marmóreas de los dioses griegos! Claro está que Manuela no se daba cuenta del carácter clásico de las perfecciones de su amigo, mas no por eso le gustaba menos juguetear con la rizada melena.

Pedro la dejaba a su disposición, cerrando los ojos y sintiendo un bienestar infinito e indecible. La cortedad penosa experimentada el día en que se habían refugiado en la cantera, se había disipado con la conversación explícita de amor, las trocadas promesas, el desahogo de la explicación mutua; y el montañés ni pedía ni soñaba dicha mayor que la de estar allí solos, próximos, seguros el uno del otro, a razonable distancia de todo lo que fuese gente, habitación, obstáculos, mundo en suma; allí, en el desierto de la isla del Castro, donde Perucho quisiera quedarse hasta la consumación de los siglos, con Manuela nada más. Ni el pensamiento de otras venturas le cruzaba por las mientes, y aunque la respiración de Manuela le calentaba el rostro y su mano le desordenaba y acariciaba el pelo, no hervía con ímpetu su sangre moza; sólo parecía correr con mayor regularidad por las venas. Tan feliz se encontraba, que olvidaba el transcurso del tiempo y lo que pudiesen regañarles al volver al caserón, sumido en una de esas distracciones profundas propias de los momentos culminantes de la existencia, que rompen la tiranía del pasado, anulan la memoria, suprimen la preocupación del porvenir, y dejan sólo el momento presente con su solemnidad, su intensidad, su peso decisivo en la balanza de nuestro destino.

De vez en cuando, a un leve estremecimiento del follaje charolado del roble, a una caricia más viva, más nerviosa y eléctrica de los dedos de Manuela, Pedro entreabría los párpados, y su mirada clara y azul se cruzaba con la de aquellas pupilas negras, quebradas y enlanguidecidas a la sazón, que lo devoraban. Dos o tres veces retrocedió el montañés, sintiendo en la conciencia una especie de punzada, un misterioso aviso, que al cabo, no en balde tenía cuatro o seis años más que su compañera, y algo que en rigor podía llamarse conocimiento; y otras tantas la niña volvió a acercársele, confiada y arrulladora, redoblando los halagos a los suaves rizos y a las redondas mejillas, donde no apuntaba aún ni sombra de barba. Al fin, sin saber cómo, sin estudio, sin premeditación, tan impensadamente como se encuentran las mariposas en la atmósfera primaveral, los rostros se unieron y los labios se juntaron con débil suspiro, mezclándose en los dos alientos el aroma fragante de las frambuesas y fresillas, y residuos del sabor delicioso del panal de miel[313].

---

[313] Cúmplese así el «experimento» que propone la novela: una pareja moza, puesta en medio de Naturaleza, sin ninguna sujección moral, acabará sucumbiendo al instinto; esto es, acabará cayendo «sin estudio, sin premeditación, tan impensadamente» como les ocurre al resto de los seres vivos. Por otra parte, resuenan nuevamenté, en esta escena climática, ecos del *Cantar de los cantares.* Concretamente se evoca el verso 11 del capítulo IV: «Panal destilan tus labios, Esposa; miel y leche están en tu lengua, y el olor de tus arreos es como el olor del Líbano.» También, verso 17, capítulo V: «Su palabra, dulzuras; y, todo él, deseos. Tal es el mi Amado, y tal es el mi querido, hijas de Jerusalén.»

XXII

Según suele suceder cuando el calor desazona el cuerpo y acontecimientos importantes ocurridos durante el día perturban el espíritu, Gabriel Pardo había pasado la noche en vigilia casi completa. Lo bueno fue que se acostara creyendo tener mucho sueño; pesábanle la cabeza y los párpados, y experimentó gran alivio al desnudarse, estirarse en las frescas sábanas de lino y sentir en las mejillas el contacto de la tersa almohada. Resuelto a consagrar diez minutos a pensamientos agradables antes de rendirse a la soñolencia que notaba, se colocó bien del lado derecho, no sin apagar la luz y dejar sobre una silla, al alcance de la mano (pues en los Pazos sólo conocía el lujo de las mesas de noche el Gallo, que se había traído de Orense uno de los más feos ejemplares de la especie, con su tableta de mármol y demás requilorios) la fosforera, la petaca y el pañuelo.

Gozó de quietud y reposo los primeros instantes, dedicados a recordar incidentes de la jornada, dichos de Manuela, observaciones referentes a ella que conservaba apuntadas en la memoria, movimientos, actitudes y otras menudencias por el estilo. En la oscuridad, paseando la palma de la mano sobre el embozo de la sábana, pensaba el comandante:

—La chiquilla posee un fondo sorprendente de rectitud; además tiene, como su madre, tierno el corazón y las entrañas humanas[314]; es fácil, es casi elemental el método para hacerse

[314] Estos comentarios sirven de contrapunto a lo ocurrido en el capítulo anterior, y preparan la tesis final: en efecto, Manuela tiene buen fondo natural,

querer de ella: no hay más que aparecer muy cariñoso, interesarse por la pobrecita, lo cual la coge de nuevas, porque se ha criado en completo abandono, gracias a mi bendito cuñado y a sus líos e historias. Tenemos aquí lo que se llama un *naife*[315], o sea un diamante en bruto, y ¿quién sabe si vale más así? Se me figura que me hace doble gracia de esta manera; que sí, señor. ¡Ah! Sencillez, carácter primitivo y campestre, comercio exclusivo con la madre naturaleza, su única maestra y su única protectora. Cargue el diablo con todo eso que está uno harto de ver por ahí: muñecas emperejiladas y vestidas según las cursilerías de *La Moda Elegante*[316], juguetes automáticos que tocan la *Rapsodia Húngara*[317] entreverada de pifias. Luego dicen que tiene mucha ejecución... ¡Ejecución! ¡Qué más ejecución que la que hacen ellas del arte! Muñecas que todas ríen como por resorte, que andan igual que si les tirasen de un hilito, que para fingirse cándidas ponen cara de tontas en las zarzuelas donde hay frases de doble sentido, que van a misa por rutina y por ver al novio, y a paseo para que rabie la amiguita si tienen gala que estrenar. Muñecas a quienes les han enseñado que es punto de honra no enterrarse con palma[318], y cargan con el primer marido que les sale, y después[319]...

---

pero eso no basta, ha de decir el cura de Ulloa. Por eso, quienes la dejaron criarse «en completo abandono» son indudablemente más culpables que ella; pero Manuela no está libre de culpa.

315 *naife:* excelente, voz que procede del árabe «nâcib», esto es, diamante de calidad superior.

316 Revista que se publicó durante la Restauración, destinada al público femenino, y cuyo capítulo más imporante era la sección de modas. Incluía con frecuencia, folletines. *Vid.*, sobre este tipo de publicaciones y sobre su importancia para la novela del momento, el estudio de Alica G. Andreu, *Galdós y la literatura popular* (Madrid, SGEL, 1982).

317 Composiciones del músico austríaco Franz Listz; don Gabriel se refiere aquí a la pseudoformación recibida por las mujeres de la época, que incluía lecciones elementales del piano; la autora, según revela en los «Apuntes autobiográficos», renunció a estas clases, prefiriendo un profesor de latín *(vid.* Introducción).

318 *enterrarse con palma:* aquí significa «quedarse soltera»; en propiedad, la expresión significa «morir virgen», y procede de la iconografía cristiana, donde las vírgenes son representadas con un ramo de palma.

319 Resuenan aquí algunos de los temas que preocuparon a los higienistas desde comienzos de la década de 1880. En *El niño, apuntes científicos* (Madrid,

Aquí se agolparon a la memoria de Gabriel los recuerdos, y varias gallardas siluetas de pecadoras cruzaron por entre las tinieblas del dormitorio.

—¡Qué antipática me es —prosiguió Gabriel haciendo calendarios— la mentira, la convención social! Convengamos en que hace falta, bueno. ¿Cómo se sostendría sin ella este edificio caduco, apuntalado por unas partes, carcomido por otras, remendado aquí y recompuesto acullá? ¿Esta sociedad que parece un monumento mal restaurado, donde se amontonan hibridaciones de todos los estilos y mescolanzas de todos los órdenes: aquí una portada románica, luego un frontón dórico, después una techumbre de hierro a la moderna? Aquí se tropieza usted con una preocupación procedente de Chindasvinto; más allá una idea general que difundió algún apólogo traído del Oriente por un cortesano de..., ¡sabe Dios!, de un califa cualquiera o del rey que rabió por gachas; y otra que ya se remontará a los iberos primitivos; y otra que la esparció ayer el estúpido artículo de fondo de un periódico político. Y ajústese usted a ésta, y a aquélla, y a la otra, y a la de más allá. Verdad es que todo hace falta para reprimir la bestialidad humana. A no ser por eso..., ¡crac![320].

Encontrando caliente ya el lado a que se había tendido,

Imp. de La Correspondencia de España, 1883 [1.ª ed., 1880]), el doctor Manuel Tolosa Latour clama contra la tendencia común en la época de hacer pasar a las jóvenes por una etapa de «adquisición de difíciles inutilidades» (pág. 17), concluyendo más adelante: «Es preciso convenir en que el prurito de hacer señoritas simpáticas mata siempre en germen muchas buenas madres» (pág. 18). También indica la tendencia social de buscar uniones por dinero, logrando así «matrimonios inverosímiles» en los que priva «el tanto por ciento [que] tiene actualmente un lugar más o menos grande» en el ánimo de los contrayentes (pág. 28); y criticando los matrimonios por receta: «esos enlaces aconsejados, no sabemos con qué derecho, por algunos, con objeto de curar enfermedades como el histerismo» (pág. 36). Doña Emilia ya se había ocupado de este tema en *Un viaje de novios.*

[320] En un monólogo inconexo en apariencia, y supuestamente ajeno al argumento principal, don Gabriel anticipa la misma idea que ha de sugerir más tarde don Julián: la sociedad necesita convenciones, que están históricamente condicionadas; de lo contrario, aquélla no podría subsistir. Inmediatamente, en el párrafo que sigue, don Gabriel ofrece la antítesis: la Naturaleza sigue su curso, sin que la sociedad pueda sofrenarla, pues «la evolución es fatal».

volvióse Gabriel del opuesto; y sin duda este cambio le sugirió ideas revolucionarias, porque pensó:

—¡Valiente estafermo está la sociedad actual! Aunque la volasen con dinamita...

Pero el rincón frío y agradable que halló hubo de inspirarle doctrinas conservadoras, y murmuró metiendo el brazo bajo la almohada, postura que era en él habitual:

—Paciencia, Gabriel. Ningún hombre es tiempo; al tiempo corresponde esa obra histórica, si es que algún día ha de realizarse y no estamos sentenciados a rodar siempre el mismo peñasco, nosotros y los que vengan detrás. Calculemos que todo se lo lleva Pateta; ¿y qué ponemos allí, en el sitio de lo que desbaratamos? Verdad que si reparásemos en pelillos, no habría adelanto ni progreso desde que el mundo es mundo. No habría evolución. ¿O sí la habría, qué diablo? La evolución es fatal, y no está en nuestra mano precipitarla ni estorbarla. ¿Puedo yo impedir que ahora se cumplan perfectamente en mi cuerpo leyes fisiológicas y biológicas? ¡Cáspita, estoy hecho un pedante; si me oyesen en el Círculo! Me llamarían chiflado otra vez. Bueno; en resumen; la niña es una perla sin engarce..., y yo debo tratar de dormirme.

Dejóse oír en este momento la estridente trompetilla de un cínife, que guiado por el instinto venía, sonando su guerrera tocata, a caer sobre la víctima, suponiéndola aletargada e inerme.

—La evolución sin lucha... Sin lucha, es una utopía. Quizás la lucha misma, el combate de todos contra todos, es la única clave del misterio. Lo que dice muy bien Darwin en[321]...

---

[321] En *El origen de las especies* (1859). Esta obra de Charles Robert Darwin (1809-1882) fue traducida al castellano por el hermano de Clarín, y el darwinismo fue, en España, objeto de vivas polémicas, entreveradas con la cuestión del Naturalismo novelesco. Sobre este tema, Diego Núñez Ruiz escribe: «Declarar "bestias" o "bestialistas" a Darwin y sus partidarios, y "absurdo", "necedad", "despropósito", "patraña", etc. al darwinismo, estaban a la orden del día. No faltarán tampoco personajes de nuestras letras, como la condesa de Pardo Bazán, que, no pudiendo resistir la tentación de hablar de un asunto tan candente, va a despachar la cuestión con la frase de que "el darwinismo será todo lo que se quiera, menos sencillo y accesible al entendimiento"», *El darwinismo en España* (Madrid, Castalia, 1977), págs. 28-29.

El cínife, elevando su clarín bélico a las más altas notas, descendía raudamente sobre el pensador, a quien creía dormido. Gabriel sintió un roce suave en la mejilla; luego le clavaron como una punta de aguja, candente y finísima. Aunque empapado en ideas raras, semibudistas, acerca del deber que tiene el hombre de no hacer sufrir al más pequeño avechucho el más insignificante dolor, Gabriel, después de diez segundos de astuta inmovilidad, alzó quedamente la mano, se descargó un lapo bien calculado, con alevosía y ensañamiento, en el carrillo, y despachurró al músico chupón.

Como si la leve sajadura del bisturí del insecto le hubiese inoculado a Gabriel algún amoroso filtro, dio al punto vuelta hacia el mismo lado que acababa de dejar, y empezaron a fatigarle mil tiernos pensamientos relativos a su sobrina.

—¿Me querrá algún día, de verdad, con toda su alma? Si la saco de este purgatorio, si le hago conocer la vida de las gentes racionales, si le enseño a gustar de la música y de las artes, si la restituyo a su verdadera clase social, al gobierno soberano de su casa, que hoy rige una fregona, y además le ofrezco muchísimo cariño, mucha amabilidad, para que no se haga cargo ella de la diferencia de edades, que la hay, que la hay, no vale decir que no, y menuda. Si juego con ella como con una chiquilla, si le otorgo mi confianza, como a una compañera... Me..., me querrá del modo que... La sentiré palpitar..., así..., azorada..., turbada..., embriagada..., con esa mezcla de vergüenza y transporte que... ¡Cosa más dulce!

Aquí los recuerdos acudieron en tropel a la imaginación del artillero, escudándose traidoramente con la oscuridad y el absoluto silencio que había seguido a la muerte del cínife. Gabriel se volvió dos o tres veces de babor a estribor en la cama, al mismo tiempo que se le incrustaba en la mente esta idea desconsoladora:

—Adiós. Me he despabilado. Ya no pego ojo en toda la noche.

Trató de poner coto a la desenfrenada fantasía. —A dormir, a dormir —dijo casi en alto, con la resolución más firme. Eligió postura nueva; apretó los párpados; se sepultó más en la almohada, y aunque sintiendo dentro el mosconeo confuso de sus cavilaciones, procuró fijarse en un solo pensamiento, porque sabía que así como la contemplación invariable de un punto brillante produce el hipnotismo, la fijeza de una idea calma y adormece.

Pronto se le apaciguó la efervescencia mental; pero en cambio, cuanto más se sosegaba la tempestad de las ideas, más se le iban afinando y complicando las percepciones de tres sentidos corporales: el oído, el olfato y el tacto. ¡El oído sobre todo! Era cosa asombrosa la de ruidos microscópicos que empezaron a destacarse del aparente silencio: carcomas que roían el entarimado de la cama; sutiles trotadas de ratones allá muy alto, sobre las vigas del techo; chasquidos de la madera de los muebles; orfeones enteros de mosquitos; solos de bajo de moscones; y por último, hondo rumor, como de resaca, de las propias arterias de Gabriel; del torrente circulatorio en las válvulas del corazón; de las sienes, de los pulsos. Al olfato llegaba el olor de resina seca del antiguo barniz del lecho; el vaho animal del plumoncillo de la almohada; el vago aroma de lejía y el sano tufo de plancha de las sábanas; el rastro que en la atmósfera había quedado al extinguirse la última centella del pábilo de la vela; y un perfume general de campo, de mentas, de mies segada, de brona caliente, un olor a montañesa joven, que lejos de ser sedante para Gabriel, le atirantaba más los nervios. El tacto... ¿Quién no conoce esa desazón de la epidermis, primero imperceptible cosquilleo superficial, luego sensación insoportable de que nos corren por encima mil insectos, y advertimos el roce de sus dentadas patitas y de su cuerpo menudísimo, al cual el nuestro sirve de hipódromo? Para producir esta molestia feroz sobra en verano la inflamación de la sangre que el calor ocasiona; si a ella se añaden las travesuras de algún parásito real y efectivo, de las cuales no preserva a veces ni la mayor pulcritud y aseo, es cosa de volverse loco.

Parece que en la oscuridad y quietud de la cama se centuplican las incomodidades, y todo se abulta y transforma. A Gabriel le sucedía así. El roer de la polilla ya le parecía el de una rata gigantesca; y las corridas de las ratas, cargas de caballería a galope tendido. Los concertantes de mosquitos eran coros humanos, de esos en que toma parte una gran masa coral; los chasquidos del maderamen, crujir formidable de techo que se desploma; su propia respiración, el movimiento de enorme fuelle de fragua; y el curso de su sangre, impetuosa carrera de torrente aprisionado entre dos montañas, o ímpetu atronador de huracán encajonado en algún ventisquero de los Alpes. Los olores también por su persistencia en seguir flotando en la atmósfera, llegaban a pasar de la nariz a las últimas celdillas cerebrales, ocasionando mareo indecible y ganas de estornudar, y verdadera inquietud nerviosa. Las carreras de la piel y la fermentación de la sangre crecían, y no pensaba Gabriel sino que un ejército de pulgas caninas y chinches sanguinarias le andaba recorriendo, con la mayor desvergüenza, el cuerpo todo. Notaba además una sensación rara, muy propia del insomnio; y era que unas veces se le figuraba ser muy chiquirritito, y otras inmenso, hasta el punto de no caber en el espacio; y correlativamente con estas singulares imaginaciones, notaba que los objetos, ya se le venían encima, ya se retiraban a distancias tan inverosímiles que era imposible alcanzarlos. Le parecía haberse vuelto de goma elástica, y que una mano negra, sin consistencia ni forma, como el espacio hacia el cual miraba con los ojos muy abiertos, le encogía o le estiraba a su sabor. Y en aquel mismo espacio tenebroso empezaba la vista a distinguir claridades y luces espectrales, unas azules y como fosfóricas, otras amarillas o más bien color de azufre, que partiendo de un núcleo central brillante, se extendían, trémulas y vibradoras, y formaban poco a poco un nimbo violáceo, que irradiaba y se extinguía y volvía a irradiar y a extinguirse, a semejanza de esas ruedas llamadas *cromátropas* con que remata el espectáculo de los cuadros disolventes[322].

---

[322] Se refiere a las diferentes manifestaciones del proceso de cromatografía, esto es, el número de métodos diferentes usados en química y biología para separar e identificar, mediante disolución, mezclas de compuestos químicos. El proceso de disolución se mueve pasando de una fase estacionaria a una móvil y, más tarde, nuevamente a otra estacionaria; este proceso repetido permite separar los distintos componentes. Aunque hoy ya se entiende que el color no es parte esencial en el proceso de detección, en el XIX, debido a limitaciones de equipo y tecnología, el procedimiento estaba aún sujeto a este proceso de discriminación y resultaba preciso detectar los componentes mediante las variaciones del color. Partiendo de este modelo científico, Pardo Bazán habla de

—Esto ya no se puede aguantar —exclamó Gabriel en alta y colérica voz; y saltando furioso de la cama o más bien del potro del martirio, echó mano a la caja de los fósforos y encendió la vela. El aposento quedó débilmente iluminado, con claridad triste, y el insomne experimentó, al arder la luz, la impresión desapacible de un hombre a quien despiertan al coger el primer sueño: parecíale antes estar completamente desvelado, excitadísimo, y ahora, la lumbre de la bujía, el movimiento de saltar de la cama, le revelaban que, al contrario, se encontraba medio adormecido, y a dos dedos de quedarse traspuesto. No obstante, apenas se echó otra vez y apoyó el rostro en la almohada sin apagar la luz y con un cigarrillo recién encendido en el canto de la boca, de nuevo se halló perfectamente despabilado y en disposición de lavarse, ponerse el frac e irse a un baile, o salir para una cazata. Y claro está que los ruidos habían cesado, los olores también, y la picazón de la epidermis desaparecido por completo, no sintiendo Gabriel en ella sino bienestar, sin que ronchas ni otros indicios delatasen el paso de la cohorte enemiga.

Lo que sintió a poco rato fue amargura y constricción en el paladar; sed ardiente.

—¿Qué demonios voy a beber ahora? —pensó—. Aquí no se acostumbra dejar chisme, botellita, ni cosa que lo valga.

«ruedas cromátropas» (de cromos, 'color', y trepo, 'volver') para describir los distintos cambios en el color de luminosidades imaginadas por don Gabriel en la oscuridad de su cuarto; el episodio, que insiste una vez más en la fuerza imaginativa de este personaje, conecta con el capítulo VIII, donde don Gabriel escruta las «remotas y negras profundidades» de la noche para ver en ellas, desfilando como en una proyección de linterna mágica, importantes episodios de su vida que le llegan inicialmente como «una nube confusa, blanquecina primero, rojiza después», para acabar iluminándose posteriormente. Pero, si entonces el motivo elaborado era el del espejo y la lámpara, en este capítulo la contemplación se torna más confusa: don Gabriel, a diferencia de lo ocurrido en el capítulo VIII, deja aquí dormir a la razón, despertándose su fantasía, como en el afamado capricho de Goya. Don Gabriel acaba con esta «locura» tratando de volver en razón; de ahí el valor simbólico del comienzo del párrafo siguiente: el personaje se levanta y enciende la vela, lo cual recuerda lo ocurrido en el capítulo VIII donde la criada trae la lámpara. Este episodio, además, guarda cierta semejanza con otro posterior, en el que don Gabriel observa fuegos fatuos en el cementerio de Ulloa.

Levantóse y se dirigió al lavabo, resuelto a refrigerarse, en la última extremidad, con agua de la jarra; pero la había gastado toda en sus abluciones matinales, y como en las aldeas no se sospecha ni remotamente que un hombre, después del refinamiento de lavarse bien por la mañana, pueda incurrir en el inaudito sibaritismo de volver a chapotear otra vez por la tarde o la noche, no es costumbre renovar la provisión. De mal humor con este incidente regresó Gabriel al lecho; la saliva le sabía a acíbar, el cuerpo le parecía que se lo habían puesto a secar en un horno, tal era la calentura que empezaba a abrasarle.

—¡Noche toledana! —exclamó al tenderse, no debajo, sino encima ya de las sábanas—. Daría cinco duros por un vaso de agua. ¡Mal tratan al rey don Pedro, en la torre de Argelez![323] —añadió riéndose a pesar suyo de las contrariedades mínimas que le traían a mal traer desde hacía algunas horas—. Dudo que pueda ya dormir en todo lo que falta de noche.

Recordó que sobre una mesa tenía algunos libros de aquellos rancios y mohosos encontrados en la biblioteca del caserón. Levantóse y tomó uno de ellos, el que estaba encima, *Los Nombres de Cristo*. Al abrirlo y descifrar la portada, lo soltó murmurando:

—¡Filosofías a estas horas! ¿A ver el otro?

El otro era una edición de Salamanca de 1798, *Traducción literal y declaración del libro de los Cantares de Salomón*. Al lado de la portada se veía, en un grabado en madera, la faz pensativa y melancólica, la espaciosa y abovedada frente del Maestro León; debajo un emblema, un árbol con el hacha al pie y la leyenda siguiente: *ab ipso ferro*[324]. La polilla se había ensañado en el volumen, recortando caprichosos calados al través de las hojas.

---

[323] Se trata de dos octosílabos: «Mal tratan al rey don Pedro / en la torre de Argelez.» Lamento no haber podido localizar su origen. Tratándose de un romance, puede proceder de alguna leyenda romántica; o puede ser un romance histórico del catálogo de Durán, recordado aquí por el personaje con humor.

[324] *ab ipso ferro:* del mismo hierro; emblema de Fray Luis, que indica que el mismo hierro que corta, al podar, sirve para hacer rebrotar la vieja planta con fuerza renovada.

—Aquí tiene usted un libro curioso, el que le costó la cárcel a su autor —pensó el comandante—. Veremos si a mí me trae el sueño.

Echado ya y vuelto hacia la luz, abrió con interés el delgado volumen. Lo primero que le llamó la atención, en la primera hoja, fueron algunos garrapatos informes, que delataban la mano de un niño, y el nombre de *Pedro* escrito con enormes y dificultosas letrazas. Gabriel comenzó la lectura. A los pocos minutos, el interés de lo que iba leyendo le hizo insensiblemente olvidar la sed y el desasosiego nervioso; funcionó con gran actividad su imaginación y se tranquilizó su cuerpo. De dos cosas estaba pasmado el comandante, y al paso que iba leyendo, se las comunicaba a sí mismo en interior monólogo.

—¡Demonio, qué retebién escribía el fraile! Tienen razón en decir que estos moldes se han perdido. ¡Zape, zape! Y no se mordía la lengua... Vaya unos comentarios, vaya unos escolios y aclaraciones, ¡como si la cosa de por sí no estuviese bastante clara ya! ¡Mire usted que estas metafísicas acerca del beso! No, y es que ningún poeta ni ningún escritor de ahora discurriría explicación más bonita: está oliendo a Platón desde cien leguas. ¡Qué lindo! Este deseo de cobrar cada uno que ama su alma, que siente serle robada por el otro, e irla a buscar en la boca y en el aliento ajeno, para restituirse de ella o acabar de entregarla toda. ¡Mire usted que es bonito, y endiablado, y poético, y todo lo demás que usted quiera! Ah..., pues no digo nada los detalles de... ¡Santo Dios, santo fuerte! No, lo que es este libro... Luego se andan escandalizando de cualquier cosa que hoy se escriba, que ninguna tiene ni este fuego, ni esta fuerza, ni esta hermosura, ni esta..., ¡acción comunicativa! ¡Pero qué hermosura tan grande, qué lenguaje y..., qué diabluras para libro piadoso!

Se hundió completamente en la lectura, embelesado, con el alma y los sentidos pendientes del admirable cuanto breve poema. Una aspiración profana a la dicha amorosa llenaba todo su ser, y creía oír de los puros labios de la montañesita aquellas embriagadoras palabras: «No me mires, que soy algo morena, que miróme el sol: los hijos de mi madre porfiaron contra mí, pusiéronme por guarda de viñas: la mi viña no guardé...»[325]. Acabóse el libro antes que las ganas de leer, y el artillero apagó de un rápido soplo la luz, quedándose embelesado en dulces representaciones y en proyectos sabrosos. La sed se le había calmado del todo; la fantasía, aunque excitada por la lectura, cayó en esas vaguedades precursoras del descanso; las ideas perdieron su enlace y continuidad, se deslizaron, se hicieron flotantes e inconsistentes como el humo; Gabriel vio viñas y prados, campos de mies opulenta, un mar de mies que no concluía nunca; su sobrina le guiaba al través de él, diciéndole mil ternezas en bíblico estilo y en primorosa lengua castellana; el cura de Ulloa estaba allí, no austero y triste, sino paternal y venerable, con un jarro de agua fresca en la mano... Gabriel pegaba la boca al jarro, bebía, bebía... ¡Qué agua tan delgada, tan refrigerante y deliciosa!

Oyóse la clara y atrevida voz del gallo; un reflejo blanquecino penetró por las rendijas de las ventanas. El comandante Pardo dormía a pierna suelta.

---

[325] Véase aquí, una vez más, la huella de la ironía narrativa. La acción de este capítulo es cronológicamente anterior a la de los capítulos que preceden; pero se nos cuenta después precisamente para subrayar la ironía susodicha. El coronel aspira a la tranquilidad hogareña, como ya se nos había dicho en el capítulo X, estando don Gabriel en casa de Juncal y viendo la apacible vida matrimonial de éste. La lectura de Fray Luis aumenta su deseo. Pero el personaje anticipa la realización de dicha aspiración de la forma más quijotesca. Y, lo mismo que don Quijote entabla en ocasiones diálogos ficticios con los personajes de sus novelas de caballerías, don Gabriel entabla aquí un diálogo imaginario con la Manuela que su fantasía ha producido en virtud de modelos literarios. Irónicamente, la supuesta Galatea de este Pigmalión gallego ha sido también lectora del libro. Y lo ha leído, asimismo, Perucho, como se dijo al comienzo, en el capítulo IV: «Siempre, siempre andábamos juntos —dice Perucho—. ¡Qué vida tan buena! Y bien aprendíamos reunidos, más de lo que aprendo ahora en clase. ¡Apenas tenemos leído libros de la estantería! ¿Te acuerdas cuando te enseñé las letras por uno que tiene estampas?» A lo que contesta Manuela: «Pero de la mitad nos quedábamos a oscuras. De muchos sólo mirábamos las estampitas, *aquellos monigotes tan descarados.*» Los dos hermanos, además, han sucumbido a su deseo según quedó descrito en un texto lleno de reminiscencias del *Cantar de los cantares;* y la primera lectura que hace don Gabriel, pocos párrafos más arriba, en los que se habla del beso como comunicación anterior a la consumación amorosa, parecen eco de lo que ocurriera al final del capítulo anterior.

XXIII

Se despertó muy tarde, rendido de su lucha con el insomnio. Cuando la cocinera, mocita frescachona, rubia, de buenas carnes —que desde la mudanza de estado de Sabel desempeñaba el negociado de los pucheros—, le subió el chocolate a petición suya, eran cerca de las nueve y media: hora extraordinaria para los Pazos, donde todo el mundo madrugaba siguiendo el ejemplo del amo, a quien antes despertaban con la aurora sus aficiones de cazador y ahora su consagración a las faenas agrícolas.

Los pensamientos de Gabriel al dejar las ociosas plumas, desayunarse y asearse, fueron sobremanera halagüeños. Su sobrina le esperaría ya, y en tan amable compañía prometíase otra jornada como la de la víspera, otro viaje de exploración por los alrededores de los Pazos y, al mismo tiempo, por los repliegues de un corazón candoroso, tierno y franco, donde el artillero quería penetrar a toda costa. Y no sólo por inclinación, sino por deber, fundiéndose en su deseo los más egoístas y los más nobles sentimientos del alma, que eso suele ser, bien mirado, el amor. Gabriel se atusó y acicaló lo mejor posible, y se peinó de manera que el pelo le adornase con mediana gracia la cabeza (aunque sin recurrir a artificios de tocador, indignos de tan varonil y discreta persona), y aguardó, con ansiedad natural y disculpable, los golpecitos en la puerta. Corrió tiempo. Nada. Impaciente ya, midió repetidas veces el aposento, lo recorrió y examinó todo, abrió la ventana, asomóse a ella, miró el paisaje, notó que el día era canicular y la temperatura senegaliana, espantó con el pañuelo las impertinentes moscas que venían a posársele críticamente en el hueco de las orejas o en la comisura de los labios, donde más podían fastidiarle, sonrió ante las ingenuas pinturas del biombo, intentó coger un libro, miró el reloj... Nada. La incertidumbre le freía la sangre. Se determinó a salir, buscando el camino de la habitación de su cuñado. Recorrió salones, más o menos destartalados, y durante la caminata observó algún hermoso bargueño[326] con incrustaciones, de esos que hoy se pagan y estiman tanto, abandonado y estropeándose en un rincón, algún cuadro al óleo, cuyo asunto era imposible adivinar, de tal modo se habían ennegrecido los betunes y las tierras, y tan resquebrajado se hallaba por falta de barniz; vio, en suma, indicios de lo que pudo ser en otro tiempo aquella señorial morada, que inspiraba a Gabriel dilatadas tesis de filosofía histórica. Sólo que entonces no estaba el horno para pasteles. ¿Dónde se habría metido todo el mundo? Porque tampoco el hidalgo de Ulloa parecía por ninguna parte. En su habitación sólo encontró Gabriel a la vieja perra de caza, tendida bajo el rayo de sol que de una ventana caía. Al ruido de los pasos del artillero, la perra entreabrió un ojo sin alzar el hocico que recostaba en las patas de delante; y azotó el suelo con el muñón del rabo, como dando los buenos días.

En vista de que la casa parecía un palacio encantado o abandonado por sus moradores, Gabriel bajó a la cocina, donde halló a la nueva hermosa fregatriz ocupada en la labor de un picadillo. Con tanta energía meneaba la medialuna[327] sobre la tabla de picar, que la había excavado por el centro, y es seguro que en albondiguillas o *chulas*[328] se tragarían los señores, a vuelta de pocos años, un castaño o roble enterito. Cuando Gabriel preguntó por el hidalgo, la moza dio paz a la medialuna y le miró, abriendo la boca de un palmo.

---

[326] *bargueño:* mueble de madera con cajoncitos e incrustaciones o labores de taracea, al estilo de los que se construían en Bargas (Toledo).

[327] *medialuna:* cuchillo usado para desjarretar.

[328] *chulas,* gall.: especie de torta de harina de maíz, centeno o trigo, de forma aplastada, que se amasa con agua o con huevo y leche, y que se fríe en la sartén. Puede llevar un picadillo de carne o pescado y se le suele añadir azúcar o especias.

—Le[329] está en la era, ¡con los que majan! —exclamó al fin asombrada de la pregunta.

No comprendía Gabriel el asombro de la chica, ni toda la importancia de la gran faena de la maja, esa faena en que se asocian el cielo y la estación estival al trabajo del hombre, esa faena que no puede realizarse sino en el corazón del año, en mitad de la canícula, en los brevísimos días, que en Galicia apenas llegarán a ocho, cuando el agricultor, pasándose el revés de la mano por la empapada frente y respirando fuerte, exclama:

—¡Qué día de maja nos manda hoy Dios!

A la entrada de la era de los Pazos, el comandante se paró sorprendido por el cuadro, para él novísimo, que se le ofrecía. No era posible imaginarlo más animado, más bucólico, más digno de un pintor colorista, alumno de la naturaleza y fiel a la realidad, enemigo de afeminaciones de dibujo y falsas luces cernidas por cortinas de taller. No siendo de piedra la era, habíanla barnizado con una costra espesa de boñiga de vaca, a fin de que el *fruto* no se confundiese entre la arena y el polvo, y rodeádola de sábanas sostenidas por cuerdas, con objeto de que el mismo grano no rebasase del circuito donde se majaba. Las *camadas de pan*[330], ópimas, gruesas, mullidas, se tendían sobre el espacio cuadrilongo, en correcta formación: y los membrudos gañanes, remangados, en dos hileras situadas frente a frente, aporreaban con sus pértigas, a compás, la extendida mies, haciendo saltar las perlas de oro del trigo, impacientes ya por salirse, con el menor pretexto, del estuche bruñido que las contiene. El sol, implacable, metálico, se bebía el sudor de los trabajadores apenas brotaba de los dilatados poros; y sin embargo, la faena seguía y seguía, que para sostener el esfuerzo allí estaban, entre camada y camada, los jarros de vino corriendo de mano en mano. Las jornaleras, vestidas con sayas angostas de zaraza[331] desteñida, que les señalan los

[329] Una vez más, aparece el pronombre de solidaridad habitual en gallego; *vid.* Rodrigo Valera Cabezas («Galeguismos», pág. 116).

[330] *camadas de pan:* se refiere aquí a las parvas de centeno; con toda probabilidad debido a un error, la autora habla poco más adelante del trigo; hasta aquí ha estado hablando de la cosecha de centeno, anterior a la del trigo.

[331] *zaraza:* tela de algodón fino, con colores.

recios muslos, sacuden la paja, la colocan en rimeros grandes, preparan la camada nueva, y entre tanto el hombre, de pie, apoyado en el mallo[332], ebrio de sol, despechugado, con la camisa de estopa pegada al cuerpo, despacha aprisa el *espeque*[333] o cigarro, y ya se escupe en la palma de las manos para volver a blandir el instrumento cuando suene la hora del combate. ¡Hora terrible, en que se gastan energía y vigor suficientes para vivir un mes! La luz deslumbra y ciega; el ambiente es de boca de horno; no corre ni el soplo de aire suficiente a inclinar el tallo de la más endeble gramínea; las hojas de las higueras que rodean la era de los Pazos permanecen inmóviles, como recortadas en hoja de lata, y los verdes higos, tiesos, a modo de pencas de metal; a veces un pajarillo cae al suelo agonizando de sofoco, con el pico desesperadamente abierto y la pluma erizada; en el lindero más cercano, la víbora saca su cabeza chata, enciende su ojillo de azabache, resbala sobre la hierba escandecida, y los abejorros, aturdidos, no aciertan a salir del cáliz de flor en que hundieron la trompa. ¡Y en el desmayo general de la naturaleza, que desfallece y expira de calor, sólo el hombre reconoce su condición servil y cumple el precepto del Génesis, azotando la mies que le ha de dar sustento![334].

Gabriel, en cuya presencia nadie reparaba, porque el interés de la faena absorbía a todos, permanecía a la entrada de la era, protegido por la sombra del hórreo, y deteniéndose en ir a saludar a su cuñado; verdad que éste tenía el rostro más ceñudo y avinagrado que de costumbre, leyéndose en él cierta sombría preocupación, debida a circunstancias que merecen referirse.

---

[332] *mallo*, gall.: pértiga usada para moler y desgranar las parvas.

[333] *espeque:* literalmente significa palanca de madera, pero aquí parece referirse, con tono humorístico, a un cigarro o tagarnina de forma redonda o cuadrada, así denominado por semejar una estaca.

[334] Reaparece aquí el tema mencionado al comienzo sobre la condición específica del hombre que, a diferencia de las bestias, es capaz de controlar su destino y, por ello, se distingue de las otras criaturas de la Naturaleza; la alusión al Génesis tiene que ver, obviamente, con el mandato divino según el cual el hombre ha de ganarse el pan con el sudor de su frente.

Todos los años, al abrirse la maja, acostumbraba el señor de Ulloa sacudir la primer camada, demostrando así a sus gañanes que si no ganaba el mismo jornal que ellos, no era por falta de aptitud. Cuando el descendiente de aquellos Moscosos que habían lidiado calzando espuela de oro en los días, azarosos para el país gallego, del reinado de Urraca y Alfonso de Aragón; de aquellos Moscosos que se distinguieron entre los paladines portugueses en la ardiente África; de aquellos Moscosos que hasta mediados del siglo XIX conservaron en el límite de sus dominios erectos los maderos de la horca, como protesta muda contra la supresión de los derechos señoriales; de aquellos Moscosos, en fin, de aquellos Moscosos de Ulloa, que si no en caudal, en sangre azul podían competir con lo más añejo y calificado de la infanzonía española, cuando el descendiente, digo, de tan claro linaje empuñaba el *mallo* y a la voz de a la una..., a las dos..., a las tres..., se santiguaba, lo vibraba en el aire y lo derrumbaba sobre la espiga, corría entre los *malladores* halagüeño murmullo, que crecía a medida que el señor, con compás admirable y pulso de atleta, reiteraba los golpes, sin cejar un punto, poniendo la ceniza en la frente al más alentado de sus mozos. Su abierta camisa descubría el esternón bien desarrollado, blanco, saliente, que con el trajín de la labor iba sonrosándose como el cutis de una doncella a quien agita la danza: sus mangas vueltas por más arriba del codo permitían ver las montañuelas de carne que el ejercicio alzaba y deprimía en los robustos brazos. Y así que terminaba el vapuleo por no quedar ni sombra de grano en la espiga tendida, y don Pedro, sudoroso, humeante, pero con la respiración igual y desahogada, se quedaba apoyado en su *mallo* y gritaba con firme voz «¡Ea! ¡Day[335] un jarro de vino, retaco![336]. ¡Los majadores tenemos que mojar la palabra!», ya no era murmullo, sino tempestad atronadora de plácemes, de alabanzas, de requiebros si así puede decirse, dirigidos a lo que más admira el labriego en las personas nacidas en esfera superior: la fuerza física. Don Pedro sonreía, guiñaba el ojo, dejaba escurrir suavemente el *mallo* sobre la paja, se atizaba el ja-

[335] *day*, gall.: forma del imperativo de segunda persona; dad, dadme.
[336] *retaco:* eufemismo por exclamación malsonante.

rro de una sentada no sin decir antes «hasta verte, Jesús mío»[337], y consumada esta segunda hazaña, que no se celebraba menos que la primera, echábase la chaqueta por los hombros, se encasquetaba el sombrero, y sentado en las gavillas de mies, fumaba como los otros trabajadores, pero con placer sereno e íntimo orgullo.

Este año observaban atónitos los gañanes que el marqués no seguía la ya inveterada costumbre. Sentado estaba allí lo mismo que siempre; ¿cómo sería no coger el mallo? Hasta parece que no se le alegraba la cara viendo aquella gloria de Dios de los haces[338], nunca más lucidos ni de más limpia espiga, y aquel sol hecho de encargo para desprender el fruto, y aquel mar de oro donde los mallos, al precipitarse, producían un ruido apagado, mate y sedoso que regocijaba el corazón. Lejos de manifestar el contento de otras veces, hasta se podía jurar que el hidalgo de Ulloa había exhalado media docena de suspiros. De tiempo en tiempo cruzaba las manos y se tentaba los brazos, y fruncía el entrecejo, como el que no sabe a qué santo encomendarse. De repente Gabriel, desde su atalaya, vio que el marqués se levantaba resuelto, se despojaba de la americana a toda prisa, se remangaba...

—¿Qué barbaridad irá a hacer éste? —pensó Pardo.

Se admiró más al verle asir la pértiga, colocarse en fila y zurrar valerosamente la mies. El señor de Ulloa, en los primeros momentos, demostró todo el esfuerzo y brío acostumbrados; pero a los pocos golpes, empezó a sentir lo que tanto temía,

---

[337] «Hasta verte de nuevo, Jesús mío» o «Hasta más verte, Jesús mío»: frase humorística con que se acompaña la acción de apurar la bebida de un recipiente; deriva de la antigua costumbre de estampar la cifra de Jesucristo en el fondo de los tazones.

[338] La comparación del pan o, por extensión, de la mies, con la cara de Dios es habitual en el lenguaje popular, una imagen cuyo origen ha de buscarsa con toda probabilidad en la Eucaristía. Aparece ocasionalmente esta metáfora en la literatura, como recuerda Lázaro de Tormes en el Tratado II, cuando el cerrajero prueba a abrir el arca de pan del clérigo de Maqueda: «Comenzó a probar el angélico calderero una y otra de un gran sartal que dellas traía, y yo ayudalle con mis flacas oraciones. Cuando no me cato, veo en figura de panes, como dicen, la cara de Dios dentro del arcaz» (*Lazarillo de Tormes,* ed. de Francisco Rico, Madrid, Cátedra, 1987), págs. 55-56; en nota 49 (cit., pág. 56), Rico da ejemplos adicionales de este uso en literatura.

lo que desde por la mañana le nublaba la frente: la respiración se le acortaba, el brazo se resistía a levantar el instrumento, las carnes se le volvían algodón y se le doblaban las rodillas. Exclamó con angustia «¡Alto, rapaces!», y los diecinueve mallos de la cuadrilla permanecieron suspensos en el aire como si fuesen uno solo, mientras los gañanes miraban al señor con muda lástima y en un silencio tal, que pudiera oírse el vuelo de una mosca. Al fin dejó don Pedro caer la pértiga, se llevó ambas manos a la frente húmeda, y a vueltas de congojoso sobrealiento, murmuró:

—Rapaces... Ya pasé de mozo. No sirvo... No darme el jarro[339].

Cuchichearon los gañanes; algunos sacudieron la cabeza entre burlones y compasivos, no sabiendo si era prudente tomar el caso a risa o dolerse mucho de él. Don Pedro, desplomado en los haces, se enjugaba el sudor con un pañuelo amarillo; sus labios temblaban, su rostro estaba demudado, y un dolor real, acerbo y hosco, se pintaba en él. Parecía como si el fracaso de su intento le echase de golpe diez años encima. Sus arrugas, su pelo gris, todas las señales de vejez se hacían más visibles. Y con los ojos cerrados, cubiertos por el pañuelo, la

---

[339] *no darme,* gall.: forma del imperativo negativo; «no me deis». Existen, en la novela española del XIX, una serie de escenas emblemáticas de poderoso valor novelesco. Algunas son profundamente patéticas, como el momento en que Pablo Penáguilas reconoce a Nela mediante el tacto, una vez que ha recuperado la vista, en *Marianela;* otras son magníficas escenas pictóricas, como la presentación de Fortunata sorbiendo un huevo en la primera parte de *Fortunata y Jacinta;* otras, en fin, de gran fuerza cómica, como el momento en que Francisco Torquemada se empeña en forzar su caridad a Isidora y al pintor tísico Martín, para salvar a su hijo, el primer Valentín, en *Torquemada en la hoguera.* De ninguna de ellas desmerece ésta, en la que el brutal señor de Ulloa de *Los Pazos de Ulloa* adquiere mayor fuerza novelesca apareciendo vencido por los años, y contempla la derrota de su fuerza física ante el público silencioso de los gañanes. Escena de gran brío novelesco, viene a corroborar una vez más el talento novelesco de la autora gallega, que sigue en esto las normas del mejor arte del XIX. Ya Flaubert indicaba, en carta a Louise Colet, que en la derrota individual se encontraba el mejor tema que la realidad ofrecía a la novela: «el burdel [...] el hospital [...] son poesías del mismo orden [...] ¿dónde se halla más visible lo verdadero si no, que en estas bellas exposiciones de la miseria humana?», Gustave Flaubert, *Correspondance de Flaubert. Étude et répertoire critique* (Columbus, Ohio Univ. Press, 1968), pág. 754, traducción mía.

otra mano caída, la espalda encorvada y la cabeza temblorosa, el marqués se veía ya inútil para todo, baldado, preso en una silla, tendido después en la caja, entre cuatro cirios, en la pobre iglesia de Ulloa, o pudriéndose en el cementerio, donde hacía tiempo le aguardaba su mujer.

Así se estuvo unos cuantos minutos, sin que los gañanes se atreviesen a continuar la tarea, ni casi a chistar. Un rumor profundo, contenido, salió de la multitud cuando don Pedro, levantándose impetuosamente, listo como un muchacho y con un semblante bien distinto, alegre y satisfecho, llamó con imperio al Gallo, que, ojo avizor, muy currutaco de traje, muy digno de apostura, asistía a la faena.

—¡Ángel! ¡Ángel!

—Señor...

—Busca al *señorito* Perucho. Tráelo volando aquí. De mi parte, ¡que venga a majar[340] la camada!

Jamás impensado reconocimiento de príncipe heredero produjo en corte alguna tan extraordinaria impresión como aquellas explícitas y graves palabras del marqués de Ulloa. Inequívoca era la actitud; claro el sentido de la orden; elocuente hasta no más el hecho; y si alguna duda les pudiese quedar a los maliciosos y a los murmuradores de aldea acerca del hijo de Sabel, ¿qué pedían para convencerse? Llamarle a que majase la camada en lugar del hidalgo era lo mismo que decirle ya sin rodeos ni tapujos «Ulloa eres, y Ulloa quien te engendró».

Todos miraron al Gallo, a ver qué gesto ponía. Nunca el semblante patilludo del rústico buen mozo y su engallada apostura expresaron mayor majestad y convencimiento de la alta importancia de su misión en la señorial morada de los Pazos. Se enderezó más, brilló su redonda pupila, y respondió con tono victorioso:

—Se hará conforme al gusto de Usía.

Salir el Gallo por un lado y entrar Gabriel por otro, fue simultáneo. Acercóse a su cuñado, y hechos los saludos de ordenanza, sentóse en los haces, y pidió noticias de su sobrina.

---

[340] *majar*, gall.; *majar la camada:* trillar, triturar la mies a fin de que las espigas suelten el grano; la trilla se hace golpeando la camada con el mallo.

—¿Quién sabe de ella? —respondió el padre—. Andará por ahí. ¿Has visto la maja? —añadió revelando sumo interés en la pregunta.

—Sí, te he visto hecho un valiente.

—¿A mí? ¡A mí me viste acabado, *derreado!*[341]. Ya no sirve uno sino para echar al montón del abono. A cada cerdo le llega su San Martín... Ya verás a Perucho majar la camada, que será la gloria del mundo. Ey, Ángel... ¿Viene o no viene? ¿Qué..., no está?

—Dice que no..., que salió trempanito con Manola. Que no voltaron aún.

—¡Por vida de...! ¡Mal rayo!

Volvió a encapotarse el rostro y a anudarse de veras el ceño del hidalgo de Ulloa.

---

[341] *derreado,* gall.: derrengado, exhausto; temáticamente, este episodio guarda parecido con lo descrito en la nota 202.

XXIV

Comieron solos los dos cuñados. Al sentarse a la mesa, Gabriel manifestó extrañeza grande por la ausencia de Manola, y don Pedro preguntó a los criados si los *rapaces* no parecían; la repuesta negativa no le despejó el severo entrecejo. Érale difícil al hidalgo conservar muchas horas seguidas la afable disposición de los primeros momentos de hospitalidad; no sabía ejercitar la simpática virtud de la eutrapelia[342], que en resumen es cortesía y buena crianza, y al poco tiempo de tratar a una persona, se creía autorizado para obligarla a que le sufriese su mal humor, así como a imponerle su jovialidad, cuando estaba alegre, que no era cosa que ocurriese todos los días. Por su parte Gabriel, aunque siempre atento y sin prescindir de sus corteses maneras, también se mantenía serio, como hombre que tiene algo grave en qué pensar.

Sus porqués y cavilaciones salieron a relucir a la hora del café, cuando ya la moza en pernetas y el tagarote del criado no tenían necesidad de entrar en el comedor. Hacíase el café allí mismo, en la mesa; lo preparaba don Pedro, único modo de que saliese a su gusto, en una maquinilla de hojalata toda desestañada, derrotadísima, con lágrimas de estaño colgando a lo largo de su cilindro superior; artefacto casi inservible, pero irreemplazable para don Pedro, habituado a semejante chisme y persuadido de que en una cafetera nueva no le saldría bien la operación. Se filtraba el café lentamente, gota a

[342] *eutrapelia:* virtud de gozar de los placeres moderadamente.

gota, y en realidad resultaba fuerte, oscuro, aromático, exquisito. El marqués de Ulloa era inteligente en la materia; porque merece notarse que aquel burdo hidalgote, ajeno no sólo a la idea de lo que espiritualmente embellece y poetiza, sino de lo que hace materialmente grata la existencia, tenía en dos o tres ramos afinadísimo el sentido y el conocimiento, hasta rayar en sibarita: nadie como él distinguía un legítimo habano de primera, de las imitaciones más o menos hábiles; nadie entendía mejor el intríngulis del café; nadie conocía tan perfectamente dos o tres clases de licores y vinos; y así como entendía fallaba, y que no le viniesen con cigarros del estanco ni con Jerez de marcas inferiores. Ni él mismo podía decir dónde había adquirido esta ciencia: acaso le venía de casta, como al gitano ser chalán y al árabe apreciar armas y caballos.

Mientras se destilaba el rico néctar, Gabriel, sin acritud ni severidad, antes con cierta blandura encaminada a hacerse los lares propicios, dijo a su cuñado:

—Oye tú, ¿no le habrá sucedido a Manuela cosa mala? ¿Estás seguro?

—Va con Perucho —respondió lacónicamente el marqués, dando vuelta a la llave, y acercando a la villa[343] la taza de Gabriel, donde cayó un chorro negro, que despedía balsámicos efluvios.

—Perucho... —murmuró Gabriel Pardo como si se le atragantase el nombre—, Perucho es un muchacho de muy poca edad.

—Poca edad... ¡Quién me diera en la suya! —exclamó el hidalgo, respirando por la herida de su decadencia física—. ¡A esa edad, que le echen a uno encima disgustos y leguas de mal camino! A esa edad, salía yo para el monte a las cuatro de la mañana, que aún no se veía luz; y me estaba allí a pie firme hasta las ocho de la noche, que volvía para casa con el morral atacado[344] de perdices. Y desde las cuatro de la madrugada hasta las ocho de la noche llevaba aguantada toda la lluvia, que se me había secado encima del cuerpo, y todo el sol, que

---

343 *villa,* gall.: caño con llave por donde sale un líquido.
344 *atacado,* andalucismo: vestido, es decir, repleto.

maldito si le hacía yo más caso que a este café que bebo ahora, y todo el frío, y todas las brétemas[345], y los orvallos, y el pedrisco, y los demonios que me lleven. A veces no me contentaba con las horas del día, ¡buena gana de contentarme! ¡Cuántas noches de invierno tengo salido a las liebres, que andaban pastando en las viñas! Allí, con el tío Gabriel, tu tocayo, los dos escondiditos tras de un pino, tendidos boca abajo, con un papel tapando la boca de la carabina para que las condenadas no olfateasen la pólvora. ¿Quieres más azúcar? No. ¡Lo que es del tiempo de Perucho, que me diesen a mí caza que matar y monte por donde andar y una empanada que comer y un jarro de mosto, que me sabía todo a gloria! Ahora..., ¡se acabó! Ya no está uno de recibo más que para sentarse en una silla..., o para que le tiren al basurero.

—Pues yo —declaró Gabriel, bebiendo aprisa el último sorbo del café— no estoy tan tranquilo como tú: a los enamorados (y aquí se sonrió) algunas impaciencias hay que perdonarnos. Si sabes poco más o menos hacia qué parte suele ir tu hija, me lo dices y salgo allá.

—¿Y quién es capaz de saberlo? Como son locos, si les dio la gana de no parar hasta el Pico Medelo, allá se plantificaron. Tú bien conoces que tanto pudieron echar para Poniente como para Levante.

Gabriel Pardo se mordió el bigote estrujándolo con el pulgar contra los labios. Cualquier cristiano se da a Barrabás con semejantes respuestas en boca de un padre. Miró el artillero en derredor suyo, y al ver que no andaba por allí nadie, ni Sabel, ni la cocinera, estuvo a punto de vaciar el saco. Pero al fin el comedor era un sitio abierto, podía entrar gente de un momento a otro, y lo que a él se le asomaba a la lengua era para dicho privadamente. Siguió preguntando de un modo indirecto.

—Y..., ¿acostumbra Manuela salir así muchas mañanas, y no volver a la hora de la comida?

—Pocas... ¡Hombre!, ¿ha de vivir ella en el monte como vivía yo? No se le ocurre a nadie eso. Pero a veces, en tiempo

---

[345] *brétemas,* gall.: aire frío de la mañana.

de verano (ya se sabe) y estando Perucho, les ha sucedido cogerles lejos un chubasco, o una tormenta, y entonces, ¿sabes qué hacen? Se meten a comer en casa del cura de Naya, o del pobre de Boán, que en paz descanse, cuando vivía. ¡Cura más templado! Se defendió él solo contra una gavilla de más de veinte ladrones, que al fin me lo despacharon para el otro mundo; pero antes despachó él a uno de los galopines, y malhirió a media docena. ¡Era más perro!

—Hoy, ni llueve, ni hay señales de borrasca —insistió con firmeza Gabriel—. Manuela no se habrá ido a comer a casa de nadie.

—Eso es verdad, pero los chiquillos, viendo que ayer no pudieron andar juntos, tal día como hoy se habrán querido desquitar tomándolo por suyo todo.

El artillero sintió algo molesto, agudo y frío en el corazón; algo que era inquietud, pena y susto a la vez. Dominando su turbación involuntaria, dijo en voz reposada y entera:

—Yo, en tu caso, no lo consentiría. Parece mal que una señorita de los años de Manuela ande por los montes sin más compañía que un mocito poco mayor. Es inconveniente por todos estilos, y hasta es exponerla, con este sol de justicia, a que coja un tabardillo pintado[346].

No obstante la moderación con que hablaba Gabriel, fuese por estar el hidalgo en punto de caramelo o porque le moviese una secreta antipatía contra su cuñado, lo cierto es que exclamó casi a gritos, con bronca descortesía y despreciativo acento:

—¡Allá en los pueblos se educa a las muchachas de un modo y por aquí las educamos de otro! Allá queréis unas mojigatas, unas *mírame y no me toques*, que estén siempre haciendo remilgos, que no sirvan para nada, que se pongan a morir en cuanto mueven un pie de aquí a la escalera de la cocina, y luego mucho de sí señor, de gran virtud y gran aquél, y luego sabe Dios lo que hay por dentro, que detrás de la cruz anda

[346] *tabardillo pintado:* tifus exantemático, infección tífica, epidémica, generalmente transmitida por el piojo, caracterizada por manchas punteadas en la piel.

el diablo, y las que parecen unas santas..., más vale callar. Y luego, al primer hijo, se emplastan, se acoquinan, y luego, revientan, ¡revientan de puro maulas!

Escuchaba Gabriel trémulo y bajando los ojos. Se sentía palidecer de ira; notaba y reprimía el temblor de sus labios, la llama que se le asomaba a las pupilas, y el impulso de sus nervios que le crispaban los puños. Un fuerte dolor en el epigastrio, el síntoma indudable de la cólera rugiente, le decía que si aguardaba dos minutos más, no seguiría oyendo injuriar la memoria de su hermana sin cometer un disparate gordo. Tendió la mano derecha, y sin mirar al marqués, alcanzó un vaso lleno de agua y lo apuró de un trago. Con la frescura del líquido, la voluntad vino en su ayuda: se incorporó, y dando la vuelta a la mesa, se llegó a don Pedro con la sonrisa en los labios, y le puso las manos en los hombros, no sin visible sorpresa del hidalgo.

—Si no fueses todavía más bárbaro que malo (y empleaba el tono humorístico que había usado ya para pedirle a Manuela), lograrías sacarme de mis casillas, y que me volviese tan incapaz y tan desatinado como tú. La suerte que te conozco, y te tomo a beneficio de inventario, ¿has oído? Puedes echar por esa boca sapos y culebras: por un oído me entran y por otro me salen. No tienes ni pizca de trastienda, y no eres tú el que has de excitarme a mí y hacerme saltar. Eso quisieras. ¿Cargarme yo? Si me das lástima, fantasmón; si esta mañana no pudiste levantar el palitroque aquel para tundir el trigo. No cierres los puños, que no te hago maldito el caso; además, que no puedo reñir contigo: somos yerno y suegro, como quien dice padre e hijo; y ya que tú no cuidas, como debieras, de mi futura esposa, yo voy a buscarla, ¿entiendes tú?, y a fe de Gabriel Pardo de la Lage, ¡te juro que no volverá a suceder que ande por los montes sin que se sepa su paradero!

XXV[347]

Si vale decir verdad, cuando salió del caserón solariego como alma que lleva el diablo, por no oír la retahíla de palabrotas y berridos con que don Pedro contestó a su arenga, no sabía el comandante ni hacia dónde dirigirse ni a qué santo encomendarse para cumplir el programa de encontrar a su sobrina. La hora era además tan cruel y el calor tan intolerable, que sólo estando a mal con la vida podía nadie echarse a andar por los senderos calcinados. Estarían cayendo las dos de la tarde, el momento en que los habitantes así racionales como irracionales de los Pazos se aprestaban a gozar las delicias de la siesta[348], tendiéndose cuál panza arriba, cuál de costado para roncar; despatarrados los gañanes sobre los haces de paja, y estirados en completa inmovilidad los perros, sacudiendo solamente una oreja cuando se les posaba encima importuna mosca.

Por vivo que fuese el celo de Gabriel, comprendió la locura de salir a descubierta en momentos semejantes, e instintiva-

[347] A diferencia de los otros capítulos de la novela, este tiene una estructura fragmentaria, que la autora subraya al separar gráficamente los distintos párrafos. Don Gabriel, confuso e incapaz de salir en busca de su sobrina por no saber guiarse en la agreste geografía del Pazo, da rienda suelta a su imaginación, espoleada por sus sospechas y dudas. La estructura gráfica del capítulo realza esta confusión del personaje. El procedimiento, aquí en germen, se generalizará en la novela del siglo XX, comenzando en las novelas de William Faulkner *(As I Lie Dying, Absalom! Absalom!)* y llegando finalmente a obras tan prodigiosas como *Pedro Páramo* de Juan Rulfo.

[348] Momento que coincide en el tiempo con el final del capítulo XXI, cuando Perucho y Manuela «escotan un cachito de siesta», y sucumben a la fuerza del instinto.

mente buscó una sombra donde guarecerse y consultar consigo mismo. Dio consigo en la linde del soto, al pie de un castaño, si no de los más altos, de los más acopados y frondosos, sobre cuyas flores caídas, que mullían dobladamente el tapiz de manzanilla y grama, encontró buen recostadero.

....

—No hay remedio —comenzó a devanar Gabriel—. Yo corto por lo sano. El animal de mi cuñado, tengo que reconocerlo, no ve esto que veo yo. Es que si lo viese y viéndolo lo consintiese..., nada, cuatro tiros.

....

—Y yo, ¿qué veo, en resumen? ¿Tiene fundamento, tiene cuerpo, tiene base esta idea? ¡No, y renó! Aquí no hay más que una cuestión de conveniencias desatendidas; impremeditaciones e ignorancias de una montañesilla inexperta; bárbara indiferencia, atroz descuido de un hombre zafio y adocenado; fatalidades de educación, de medio ambiente.

....

—No puede negarse que mi venida aquí ha sido providencial. El abandono en que está la niña, hija de mi pobre Nucha, clama al cielo. Debí enterarme antes, mucho antes. He dejado pasar años sin tomarme la molestia... Bien, yo no podía tampoco suponer... ¡Qué calor! Comprendo a los japoneses...

....

Suspiró y cortó una rama de castaño para abanicarse con ella. Lo que le sofocaba era, más que la temperatura, la reacción del reciente acceso de cólera. El café que acababa de paladear le había dejado en la lengua un amargor agradable, y le producía ese ligero eretismo cerebral tan propicio a la creación artística y a la fácil emisión de la palabra. La naturaleza desfallecía, y el rumoroso silencio del bosque, el ronco quejido de la presa, la fragancia de las flores del castaño, ayudaban a exaltar la fantasía de Gabriel, muy inclinada, como sabemos, a echarse por esos trigos[349].

....

—¿Por qué causa tal impresión la naturaleza? Yo lo había leído en libros, pero me costaba mis trabajos creerlo. Esto de que, porque uno vea cuatro montañas y media docena de nubes, se ponga a meditar sobre orígenes, causas, el ser, la esencia, la fatalidad, y otras cien mil cosazas que carecen de solución. ¡Empeñarnos en que la naturaleza tiene voces, y voces que dicen algo misterioso y grande! ¡Ay, a esto sí que se le puede llamar chifladura! ¡Voces... Voces! ¡Unas voces que están hablando hace miles y miles de años, y a cada cual le dicen su cosa diferente! Deduzco que ellas no dicen maldita la cosa, y que nosotros las interpretamos a nuestra manera. Lo que pasa con las campanas: enseguida cantan lo que a uno se le antoja. Las voces están dentro. A mi cuñado le suena la naturaleza así: «¡Buen día de maja!» Y al creyente le murmura que hay Dios...

....

—¿Que no existe el mundo exterior; que lo creamos nosotros? ¡Puf! Idealismo trascendental. Váyase a paseo este afán de escudriñar el fondo de todas las cosas.

....

Un saltón verde, muy zanquilargo, vino a posarse en la mano del pensador. Gabriel le cogió por las zancas traseras y le sujetó algún tiempo, divirtiéndose en ver la fuerza que hacía para soltarse. Al fin aflojó, y el bicho se puso en cobro pegando un brinco fenomenal.

....

[349] *echarse por los trigos:* andar descarriada, sin control.

—Y a Manuela, ¿qué le dirá la señora naturaleza, la única mamá que ha conocido?

....

En la memoria de Gabriel, como en placa fonográfica[350], empezaron a revivir fragmentos de la lectura de la noche anterior, sólo que encontrándoles un sentido y dándoles un alcance nuevo de respuesta a la última pregunta.

....

—«La sazón es fresca y el campo está hermoso: todas las cosas favorecen a tu venida y ayudan a nuestro amor, y parece que la naturaleza nos adereza y adorna el aposento. Voz de mi amado se oye: veislo, viene atravesando por los montes y saltando por los collados. La izquierda suya debajo de mi cabeza, y su derecha me abrazará. Hablado ha mi amado, y díjome: "Levántate, amiga mía, galana mía, y vente. Ya ves, pasó la lluvia y el invierno fuese. Los capullos de las flores se demuestran en nuestra tierra, el tiempo de la poda es venido, oída es la voz de la tórtola en nuestro campo: la higuera brota sus higos, y las pequeñas uvas dan olor: por ende levántate, amiga mía, hermosa mía y ven"»[351].

....

—Según los garrapatos que he visto en la edición, Manuela y su..., ¡lo que sea!, aprendieron a leer por ese libro. Tiene algo de simbólico. La más negra no es el texto, sino los comentarios. Cuidado con aquello que dice de que el jugar a es-

---

[350] En 1877, el inventor estadounidense Thomas Alva Edison (1847-1931) presentó en la oficina de patentes de los Estados Unidos el primer fonógrafo o máquina parlante, que consistía en un cilindro cubierto de calamina y se accionaba mediante una manivela. El fonógrafo con motor, un perfeccionamiento del anterior, fue desarrollado por el mismo Edison en 1887. Debía de ser desconocido este último para la autora, que se refiere sin duda al modelo manual.

[351] *Vid., supra,* nota 276 y, para lo que sigue, 297.

conderse burlando es regalo y juego graciosísimo del amor. Sí, que no sabrían ellos solos retozar entre los árboles. Pues, ¿y el enseñarles a que se fijen y reparen en los arrullos de las palomas y en los amoríos de los avechuchos?

....

—Lo más tremendo es la manía de llamarla *hermana.* «Robaste mi corazón, hermana mía, esposa, robaste mi corazón con uno de los tus ojos en un sartal de tu cuello. Panal que destila tus labios, esposa, miel y leche está en tu lengua; y el olor de tus vestidos, como el olor del incienso. Huerto cerrado, hermana mía, esposa.»

....

—Este lenguaje oriental...

....

—«¿Quién te me dará como hermano que mamase los pechos de mi madre? Hallarteía[352] fuera, besaríate, y ya nadie me despreciaría.»

....

—Con permiso de Fray Luis de León: lo que es sus comentarios a este pasaje, son una confusión lastimosa entre el amor y la fraternidad. No me negará nadie que es bonita escuela para las señoritas lo que dice a propósito de los amores desiguales. Cosa más disolvente que estos místicos y contempladores, ¡y el pasaje está más claro que el agua!

—«Porque se ha de entender que entre dos personas (aunque las demás calidades o que se adquieren por ejercicio o que vienen por caso de fortuna o que se nace con ellas) pue-

[352] *hallarteía:* te hallaría; arcaísmo habitual en lenguaje bíblico para el condicional.

de haber y hay grandes y notables diferencias; pero unidas en caso de amor y voluntad, porque ésta es señora y libre así como en todo es libre y señora; así todos en ella son iguales, sin conocer ventaja del uno al otro, por diferentes estados y condiciones que sean.»

....

—¡Caracoles con Fray Luis![353].

....

—Quieto, Gabriel, que estás discurriendo como un quídam[354], sin asomo de cultura, como si toda tu vida no te hubieses esforzado en ser racional, racional. Si tu sobrina ha leído eso, sería de niña, cuando deletreaba; y a fuerza de ser clásico y castizo y repulido, ni lo entendió entonces, ni lo entendería ahora. Esta lectura te hace efecto y te da en qué pensar a ti, por lo mismo que estás muy civilizado y muy saturado de libros y muy harto de meterte en honduras. Lo que es a ellos... No has de ser majadero por empeñarte en ser sagaz.

....

—Se me figura que la naturaleza se encara conmigo y me dice: Necio, pon a una pareja linda, salida apenas de la adolescencia, sola, sin protección, sin enseñanza, vagando libremente, como Adán y Eva en los días paradisíacos, por el seno

[353] Hay en Fray Luis un entendimiento del amor como criterio igualador entre los amantes, con el que no simpatiza doña Emilia, cuyas ideas al respecto son mucho más convencionales. Resuenan estas ideas en don Gabriel, que teme la posible unión de Perucho, que es un bastardo y por tanto su extracción social es inferior, y Manuela, la legítima hija del marqués de Ulloa. Ya Perucho, cuando refiere a Manuela en el capítulo XX los comentarios que le fueron señalados por algunos de sus compañeros de estudios en el instituto de Orense, anticipa este mismo escrúpulo de don Gabriel.

[354] *quídam:* sujeto despreciable, de poco valer, cuyo nombre se ignora.

de un valle amenísimo, en la estación apasionada del año, entre flores que huelen bien, y alfombras de mullida hierba capaces de tentar a un santo. ¿Qué barrera, qué valla los divide? Una enteramente ilusoria, ideal, valla que mis leyes, únicas a que ellos se sujetan, no reconocen, pues yo jamás he vedado a dos pájaros nacidos en el mismo nido que aniden juntos a su vez en la primavera próxima. Y yo, única, madre y doctora de esa pareja, soy su cómplice también, porque la palabra que les susurro y el himno que les canto son la verdadera palabra y el himno verdadero, y en esa palabra sola me cifro, y por esa palabra me conservo, y esa palabra es la clave de la creación, y yo la repito sin cesar, pues todo es en mí canto epitalámico, y para entenderlo, simple, ¿qué falta hacen libros ni filosofías?

....

—Pero es cosa que eriza los pelos. La hija de mi hermana, la esperanza de mi corazón, caída en ese abismo. ¡Qué monstruosidad horrible! Y no hay duda. Soy un idiota en no haberlo comprendido desde luego. Presentimiento sí que lo tenía. Algo me dio el corazón ya en casa de Máximo Juncal. ¡Ay, Nucha, pobre mamita, y qué bien hiciste en morirte! Todo el día solos, campando por su respeto a una o dos leguas de la casa. ¿Qué hacen a estas horas? ¿En qué clase de juego entretienen la siesta? De seguro...

....

—Maldito yo por no venir antes. Aunque sabe Dios desde cuándo. ¿Y qué hago ahora aquí, cavilando y lamentándome? Tocan a moverse, a buscarla, ¡voto a sanes!, y a deshacer este enredo horrible, y a sacarla de la abyección, y a cortar de raíz...

....

—¿Hacia dónde tomarían?

XXVI

Siguió el primer sendero que encontró, porque tan probable era que hubiesen pasado por aquél como por otro. Caminaba sin fijarse en el paisaje, ni formar idea de si se alejaba mucho de los Pazos; y sus ojos, devorando el horizonte, trataban de descubrir un campanario, el de Naya. ¿No había dicho el señor de Ulloa que a Naya solían ir?

Cruzó prados humedecidos por el riego, y heredades acabadas de segar la víspera; se metió por entre viñedos; saltó vallados; atravesó huertos con frutales y costeó eras donde resonaba el cadencioso golpe del *mallo;* en suma, gastó con la actividad y el movimiento su impaciencia torturadora, que le encendía la sangre y le ponía los nervios como cuerdas de guitarra. El ejercicio le hizo provecho; andando y andando, empezó a sentirse con la cabeza más despejada y el corazón más tranquilo.

Contribuía a ello el acercarse ya el instante de calma suprema, la hora religiosa, el anochecer. De la sombra que iba envolviendo el suelo emergían las copas de los árboles, coronadas aún por una pirámide de claridad; al oeste, los arreboles se extendían en franjas inflamadas como el cráter de un volcán: el contraste del incendio, pues hasta forma de llamas tenían las nubes, hacía verdear el azul celeste, y unas cuantas nubecillas, dispersas hacia el poniente, parecían gigantescas rosas y bolas de oro desparramadas por el cielo. Una puesta de sol inverosímil, de esas que dejan quedar mal a los pintores cuando se les mete en la cabeza copiarlas. Sobre el grupo de árboles más abandonados ya de la luz diurna, se desplegaba, a manera de leve cortinilla plomiza, el humo que despedía la chimenea de una cabaña; y de las hondonadas, donde se conservaba archivado el enervante calor de todo el día, se alzaban compactas huestes de mosquitos.

De pronto levantó Gabriel la cabeza. Un tañido lento y lejano, una gota, por decirlo así, de música apacible, resignada, admirablemente poética en semejante lugar, sobre todo por lo bien que se armonizaba con los *saudosos* «ay... lé... lé...» que segadoras y majadores entonaban desde los campos y las eras, se dejó oír repetidas veces, a intervalos iguales. El comandante se paró, y una especie de escalofrío recorrió su cuerpo. Se le arrasaron en lágrimas los ojos, lágrimas de esas que no corren, que vuelven al punto a sumirse. ¡Cuántas veces había oído hablar de la poesía del Ángelus! Y sin conocerla, se la imaginaba desflorada por tanta rima de coplero chirle, por tanto artículo sentimental. Fue esto mismo lo que aumentó la fuerza de la impresión, e hizo más inefable el misterioso tañido.

—El que discurrió este toque de campana a estas horas era un artista de primer orden. ¡Cáspita! ¿Hacia dónde ha sonado? ¿Estaré, sin saberlo, cerca de Naya? No puede ser. He comprendido que Naya se encuentra a la subida del monte, y hace un cuarto de hora lo menos que bajo al valle. ¡Hola! ¡Si el campanario se ve asomar por allí! ¡Qué bajito! Es el de Ulloa, no me cabe duda.

Ya todo era cuesta abajo, y Gabriel la descendió con bastante ligereza, sólo que el caminillo daba mil vueltas y revueltas, y el comandante no se atrevía a atajar, temeroso de perderse. Caía la noche con sosegada majestad; las luces de Bengala del poniente se extinguían, y detrás del lucero salía una cohorte innumerable de estrellas. No distinguió Gabriel la iglesia hasta estar tocándola casi, y no fue milagro, porque la parroquial de Ulloa cada día se iba sepultando más en la tragona tierra, que se la comía y envolvía por todos lados, dejando apenas sobresalir, como mástil de buque náufrago, la espadaña y el remate del crucero del atrio[355]. La puerta del vallado

---

[355] La imagen de la iglesia de Ulloa siendo devorada por la montaña viene a simbolizar el escepticismo de los nuevos tiempos y la pérdida de las creencias religiosas ancestrales entre los lugareños. El símbolo fue primero usado por Victor Hugo en *Notre Dame de Paris,* y recurre en distintas ocasiones en la novela española del XIX, como ejemplifica, entre otros, el capítulo I de *La Regenta.*

que rodeaba a éste bien fácilmente se podía saltar, sin más que levantar algo las piernas; pero Gabriel Pardo no había entrado en el atrio por el gusto de entrar, sino por acercarse a *algo* que él sabía estar allí, y que le pesaba con remordimiento profundo no haber visitado antes, desde el momento mismo de su arribo a los Pazos.

Cosa de broma saltar la cerca del atrio; mas no así penetrar en el cementerio de Ulloa. Parecía como si se hubiese defendido su acceso con esmero especial, nada común en las aldeas, donde los camposantos suelen andar mal preservados de la contingencia, remotísima en verdad, de una profanación. El muro que lo rodeaba era alto, bien recebado, y en el caballete se incrustaban recios cascotes de botella; la verja de la cancilla, sobre la cual se gallardeaba la copa de un corpulento olivo, se componía de maderos fuertes, recién pintados, terminados en unos pinchos de hierro. Asegurábanla sólida cerradura y grueso cerrojo.

Gabriel comprendió que además de la cancilla debía existir una puerta que comunicase directamente con el atrio, y no se engañó; sólo que era de dos hojas, y no menos sólida y maciza en su género que la cancilla. No se podía intentar abrirla; por fuerza, sería un acto irrespetuoso; en cuanto a llamar al sacristán, ni pensarlo; de fijo que después de sonar las oraciones, se habría retirado a su casa, dejando solos a los muertos[356] y a la pobrecilla iglesia.

Intentó al menos el comandante distinguir, al través de la verja, la traza del cementerio, acostumbrando la vista a las tinieblas de la estrellada noche. Después de mirar fijamente y largo rato, adquirieron algún relieve las formas confusas. El cementerio parecía muy bien cuidado: las cruces, no derren-

---

[356] Resuena aquí la Rima LXXIII de Gustavo Adolfo Bécquer, y en concreto la meditación contenida en el estribillo: «¡Dios mío, qué solos / se quedan los muertos!», repetida en la lamentación de los dos versos finales: «¡a dejar tan tristes, tan solos los muertos!». Es precisamente este tono meditativo el que anticipa las reflexiones de don Gabriel sobre su hermana fallecida; poco antes el personaje ha sentido el remordimiento de haber tenido abandonada la tumba: se nos dice que siente «remordimiento profundo [por] no haber visitado antes, desde el momento mismo de su arribo a los Pazos» la tumba de su hermana.

gadas como suelen andar en sitios tales, sino derechas y puestas con simetría y decoro; la vegetación y los arbustos ostentando el no sé qué de los jardines, la gentil lozanía de la planta regada y dirigida por mano cariñosa. Sobre el fondo sombrío del follaje se destacaban irregulares manchones claros, que debían ser flores. Flores eran, y ya los ojos de Gabriel, familiarizados con la oscuridad, podían hasta darles su nombre proprio: las manchas redondas, hortensias; las largas, varas de azucenas blanquísimas. Lograba también, sin esfuerzo, contar los senderitos abiertos entre las cruces, y los montecillos que éstas coronaban.

A su izquierda distinguió claramente una especie de nicho abultado, con pretensiones de mausoleo, y sobre cuya blancura se perfilaban, a modo de columnas de mármol negro, los troncos de dos cipreses muy tiernos aún, recién plantados sin duda. La mirada se le quedó fija en el mezquino monumento. Era *allí.* Se agarró con ambas manos a la verja, quedándose abismado en la contemplación que producen los objetos en los cuales, como en cifra, vemos representado nuestro destino. ¡Allí, allí estaba el cariño santo[357] de su vida, la que al cabo de tantos años, desde el fondo de la tumba, le había atraído a aquel ignorado valle!

En el espíritu de Gabriel batallaban siempre dos tendencias opuestas: la de su imaginación propensa a caldearse y deducir de cada objeto o de cada suceso todo el elemento poético que pueda encerrar, y la de su entendimiento a analizar y calar a fondo todo ese mundo fantástico, destruyéndolo con implacable lucidez. Ante la cancilla de aquel cementerio de aldea, triunfaba momentáneamente la imaginación; de buen grado ofrecía treguas el entendimiento, y todo lo que en lugares semejantes evocan, sueñan y forjan los creyentes y los medro-

---

[357] Se trata del «cariño santo», a diferencia del amor incestuoso entre Perucho y Manuela, porque en aquél no hay sombra de sensualidad *(vid., supra,* nota 128). A pesar de que don Gabriel lamenta la tardanza en ir a ver la tumba de su hermana, este episodio aparece aquí, y no antes, por obvias necesidades estructurales, ya que sirve de contrapunto a las relaciones consumadas entre los hermanastros. Permite, además, acercarnos una vez más al párroco, don Julián, que ha de ser el portavoz de la tesis de la espiritualidad.

sos, los nerviosos y los alucinados, tuvo el comandante Pardo la dicha suprema de evocarlo, soñarlo y forjarlo por espacio de unos cuantos minutos. Apariciones, aspectos fantasmagóricos, formas que puede tomar el ser querido que ya no pertenece a este mundo para presentarse a los que todavía permanecen en él, y esa sensación indefinible de la presencia de un muerto, ese soplo sutil de lo invisible e impalpable, que cuaja la sangre e interrumpe los latidos del corazón. Cuando se produce este género de exaltación, nadie la saborea con más extraño placer que los espíritus fuertes, los incrédulos: es el gozo de la mujer estéril que se siente madre; ¡es un deleite parecido al que causa la lectura de una novela de visiones y espectros a las altas horas de la noche, en la solitaria alcoba, con la persuasión de que no hay palabra de verdad en todo ello, y a la vez con involuntario recelo de mirar hacia los rincones adonde no llega la luz de la lámpara, por si allí está acechando la *cosa sin nombre,* el elemento sobrenatural que teme y anhela nuestro espíritu, ansioso de romper la pesada envoltura material y el insufrible encadenamiento lógico de las realidades!

Las flores de hortensia eran manos pálidas que hacían señas a Gabriel; las azucenas, flotantes pedazos de sudario; los cipreses, figuras humanas vestidas de negro, que inmóviles defendían el acceso del lugar donde reposaba Nucha. Y allá, del fondo del mausoleo, ¡qué ilusión esta tan viva, tan fuerte, tan invencible!, sale un murmullo humilde y quejoso, como de rezo, un suspiro lento y arrancado de las entrañas. ¿Es posible que el oído sea juguete de semejantes alucinaciones? No hay duda, otro suspiro tristísimo, tan claro, que un estremecimiento recorre las vértebras del comandante.

Estas treguas del entendimiento duran poco, y en el cerebro de Gabriel, que no poseía la frescura plástica de la ignorancia y de la juventud, la razón recobró al punto sus fueros. En un segundo, el apacible cementerio perdió su prestigio todo: lo vio lindo y alegre, como debía de ser a la luz solar. De su hermana, lo que estaba allí era el polvo, residuos orgánicos. ¡Materia! Y trató de figurarse cómo estaría aquella materia inerte, qué aspecto tendrían, entre las podridas tablas del ataúd y la húmeda frialdad del nicho, los huesecillos de aquellos brazos tan amantes, en que se había reclinado de niño. Se le oprimió el corazón: por instinto alzó la frente y miró al cielo.

—Si hay inmortalidad, ahí estará la pobre; en alguna de esas estrellas tan hermosas.

El firmamento parecía vestido de gala, como para rechazar toda idea de muerte y podredumbre, y confirmar las de inmortalidad y gloria. Compensando la falta de la luna que no asomaría hasta mucho más tarde, los astros resplandecían con tal magnificencia, que inducían a creer si toda la pedrería celestial acababa de salir del taller del joyero divino. Más que azul, semejaba negra la bóveda; las constelaciones la rasgaban con rúbricas de luz; algunos luceros titilaban vivos y próximos, otros se perdían en la insondable profundidad; la vía láctea derramaba un mar de cristalina leche, y Sirio, el gran brillante solitario, centelleaba más espléndido que nunca.

También el suelo estaba de fiesta. La incomparable serenidad de la noche le envolvía en un hálito de amor; las sombras eran densas y vagas a la vez; los horizontes lejanos se disfumaban en azuladas nieblas; a pesar de la mucha calma no había silencio, sino murmullos imperceptibles, estremecimientos cariñosos, ráfagas de placer y vida; la savia antes de parar su curso y retroceder al corazón de los árboles, aprovechaba aquel minuto de plenitud del verano para saturar por completo el organismo vegetal, y lo que eran acres aromas en el monte, en el valle atmósfera verdaderamente embalsamada. La iluminación de la noche nupcial, los farolillos venecianos de las bodas, los suministraban las luciérnagas, insectos en quienes arde visiblemente el fuego amoroso.

No podía Gabriel confundir el verdoso y fosforescente reflejo de los gusanos con la pequeña llama azul que se alzó de las profundidades del cementerio, y que revoloteando suavemente le pasó a dos dedos del rostro. Bien conoció el fuego fatuo, arrancado por el calor a aquel sitio bajo y húmedo y relleno de cadáveres humanos. Con todo, sintió que otra vez se le exaltaba la fantasía, y pegó el rostro a la verja escudriñando con avidez el interior del camposanto, por si tras el fuego surgía alguna forma blanca, ni más ni menos que en *Roberto el*

Diablo[358]. Y en efecto... ¡Chifladura, ilusión de óptica! Calle... Pues no, que bien claro lo está viendo. Algo se alza detrás del nicho, junto a los cipreses. Algo que se inclina, vuelve a alzarse, se mueve. ¡Una forma humana! ¡Un hombre!

Sólo tiene tiempo el artillero para adosarse al muro, al amparo de la sombra que proyecta el olivo. Rechina el cerrojo, gira la llave, se abre la verja, y sale la persona que momentos antes rezaba al pie del mausoleo de Nucha. El rezador nocturno cierra cuidadosamente la verja, hace por última vez la señal de la cruz volviéndose hacia el cementerio, y pasa rozando con Gabriel y sin verle, con la cabeza baja, cabeza blanquecina y cuerpo encorvado y humilde.

—¡El cura de Ulloa!

Se quedó Gabriel algún rato como si fuese hecho de piedra, sin darse cuenta del porqué semejante persona, en tal sitio y entregada a tal ocupación, le parecía la clave de algún misterio, uno de esos cabos sueltos de la madeja del pasado, que guían para descubrir historias viejas que nos importan o que despiertan novelesco interés.

—¡Ahí están los suspiros y los rezos que yo oía! —pensó, encogiéndose de hombros—. Si no acierta a salir ahora este buen señor, yo tendría una cosa rara que contar, y creería honradamente en una pamplina... inexplicable. ¡Ea, me he lucido con mi excursión! De Manuela, ni rastro. Verdad es que he visitado a la pobre *mamita*. ¡Adiós, adiós! (Volviéndose hacia la verja.) Y en realidad la caminata me ha calmado. Se me figura que esta tarde pensé mil delirios y ofendí mortalmente con la imaginación a mi sobrina. ¿Cómo ha de estar profanada, depravada, una niña que tiene aquel aire franco y sencillo y honesto a la vez, el aire y los ojos de su madre? Sé sincero, Gabriel, contigo mismo. (Deteniéndose y mirando a las estre-

---

[358] *Roberto il Diavolo,* ópera de Giacomo Meyerbeer (1791-1864) escrita conjuntamente con Scribe, en francés, y estrenada en 1831; fue la primera gran ópera romántica, con situaciones teatrales más logradas que las antes intentadas por Cherubini o el mismo Rossini. En una reseña de 1858, Pedro A. de Alarcón la describe como «el *spartitto* más colosal que conocemos», refiriendo además el extraordinario efecto que produjo en el público madrileño; P. A. de Alarcón, *Juicios literarios y artísticos* (Madrid, Imp. Pérez Dubrul, 1883), páginas 265-271.

llas.) Lo que te sucedió, que te encelaste, porque estás interesado por la muchacha. Pues amigo, eso no vale. ¿A qué viniste aquí? ¿A salvarla, verdad? Entonces, piensa en ella sobre todo. A un lado egoísmos; si no te quiere, que no te quiera; mírala como la debió haber mirado su padre. A pedirle mañana una entrevista; a hablarle como nadie la ha hablado nunca a la criatura infeliz. Lo que tú has estado pensando allí al pie del castaño es una monstruosidad; pero con todo, bueno es prevenir hasta el que a otros se les ocurra la misma sospecha atroz. A ti, al hermano de su madre, corresponde de derecho el intervenir. Y caiga quien caiga, y así sea preciso prender fuego a los Pazos y llevarte a la muchacha en el arzón de la silla. Digo, no; esto de raptos es niñería romántica. Pero es decir, que tengas ánimo y que no se te ponga por delante ni el Sursumcorda[359], ¡qué diablos! Y cuidadito cómo le hablas a la montañesa. No hay que abrirle los ojos, ni lastimarla, que después de todo, reparo deberías tener en tocarla siquiera con el aliento, y morirte deberías de vergüenza por las cosas que se te han ocurrido. ¡Pobre chiquilla! *(Pausa.)* ¡Qué noche tan hermosa! ¿Iré camino de los Pazos o lo estaré desandando? Por allí suena la presa del molino. De noche se oye muy bien. Parece el sollozo de una persona inconsolable. Sí, hacia esa parte están los Pazos; en llegando al molino, ya los veo.

El sollozo del agua le guió a una *corredoira*, no tan honda ni tan cubierta de vegetación como la de los Castros, pero perfumada y misteriosa cual ninguna deja de serlo en el verano, y alumbrada a la sazón por la luz suave y espectral de las luciolas[360], que a centenares se escondían en las zarzas o se perseguían arrastrándose por la hierba. Tan lindo aspecto daban a las plantas las linternas de aquellos bichejos, que el artillero, al salir del túnel, se detuvo y miró hacia atrás, para gozar del fantástico espectáculo. Una línea fría le cruzó el rostro: era un tenuísimo hilo de la Virgen, y Gabriel alzó la vista hacia el matorral, queriendo adivinar de dónde salía la sutil hebra. Cuando bajó los ojos, se le figuró que al otro extremo

---

[359] *Sursumcorda o sursuncorda:* expresión que se usa para aludir a un personaje supuesto, anónimo, de aparente gran importancia.

[360] *luciola,* gall.: luciérnaga.

del túnel se movía un bulto confuso y grande. El pálido resplandor de los gusanos, semejante al destello de una sarta de aguamarinas y perlas, no le consintió al pronto discernir si eran bueyes o personas, y cuántas, lo que se iba aproximando en silencio. Gabriel, sin reflexionar, se emboscó tras las plantas, con el corazón en prensa; si alguien le hubiese preguntado entonces «¿Por qué te escondes y por qué te azoras así?», no le sería posible dar contestación satisfactoria. El bulto se acercó... Era doble: se componía de dos cuerpos tan pegados el uno al otro como la goma al árbol; no hablaban; ¿para qué? Él la sostenía por la cintura, y ella se recostaba en su hombro y le pasaba el brazo izquierdo alrededor del cuello. Marchaban con el paso elástico y perezoso a la vez, propio de la juventud y de la dicha avara, que regatea los minutos.

Hacía ya algunos[361] que había desaparecido la enamorada pareja, y todavía estaba el artillero quieto, con los puños y los labios apretados, los ojos abiertos de par en par, el cuerpo tembloroso, los pies clavados en tierra como si se los remachasen, fulminado en suma por la última visión de aquella noche de verano. Al fin su pecho se dilató, como para respirar; estiró los brazos; descargó una patada en el suelo; y mandando enhoramala sus filosofías, su pulcritud de lenguaje y de educación, su cultura y su firmeza, arrojó, como arroja el caño de sangre la arteria cortada, una interjección obscena y vulgarísima, y añadió sordamente:

—¡Qué vergüenza! ¡Qué barbaridad!

[361] Falta la palabra «minutos» en todas las ediciones, palabra que ha de sobreentenderse en este lugar, y que no se repite pues se ha mencionado al final del párrafo anterior. No se trata de una errata sino de una elipsis similar a la que, en el *Quijote*, lleva al narrador a comenzar un capítulo con la expresión elíptica «La del alba sería», en donde hay que sobreentender la palabra «hora» con que ha acabado el capítulo anterior.

XXVII

No vayan ustedes[362] a figurarse que desde el entronizamiento del Gallo y sus útiles reformas encaminadas a acrecentar el decoro y representación de los Pazos, o al menos de la mayordomía, se hubiese suprimido el tertulión de la cocina por las noches. Suprimir, no; depurar, es otra cosa. La autoridad del buen ex-gaitero se empleaba en alejar mañosa o explícitamente de allí a la gentuza, como las nietas de la Sabia y otras *lambonas*[363] que sólo andaban tras la intriga y a la socaliña del pedazo de pan hoy y mañana del de cerdo, si a mano viene. Para semejantes brujas, chismosas y zurcidoras de voluntades, desde el primer día significó el Gallo con toda su autoridad de sultán y marido, la orden de expulsión; ¡si conocería él el paño! Y Sabel, aunque muy dada a comadrear, hubo de conformarse, como se conformaría a andar a cuatro patas, si tales fuesen los deseos del insigne rey del corral.

Escogido ya el número de tertulianos, se redujo a los notables de Ulloa y Naya, al pedáneo[364], a los labriegos cabezas de familia y colonos de los Pazos, al criado del cura, al sacristán,

---

362 Referencia directa a los lectores: autora y lectores conectan en el texto gracias al narrador implícito que, en este caso, presume cierto conocimiento de la historia por parte de los lectores. Así, indica que la tertulia existente en *Los Pazos de Ulloa* se continúa, informando al lector de que, a pesar de que no se ha hecho mención de ella todavía, no quiere esto decir que no tuviera su importancia. Reaparece aquí, pues, debido a su pertinencia estructural.

363 *lambonas* [gall. *lamboas]:* chuponas, tragonas.

364 *pedáneo:* oficial auxiliar de la administración o de la justicia, que entiende de las causas pequeñas.

al peón caminero, y demás personas de suposición que por allí podían encontrarse; de suerte que varió muchísimo el carácter de aquel sarao, y no se parecía en lo más mínimo a lo que fue en otros días, bajo la dominación de Primitivo *el Terrible*. Antaño, predominando el sexo femenino, se pagaba tributo muy crecido a la superstición: se refería el paso de *la Compaña*[365] con su procesión de luces; se contaban las tribulaciones de la mocita a quien le había dado *sombra de gato negro* o atacádola el *ramo cativo*[366]; se ofrecían recetas y medicinas para todos los males; se gastaba una noche en comentar el robo de una gallina o el feliz alumbramiento de una vaca; un viejo chusco refería cuentos, y las mozas, en ratos de buen humor, se tiroteaban a coplas, improvisándolas nuevas cuando se les acababan las antiguas. Toda esta diversión populachera era incompatible con los adelantos de la civilización que pretendía introducir allí el Gallo. Bajo su influjo, la tertulia, compuesta de sesudos y doctos varones, se convirtió en una especie de ateneo o academia, donde se ventilaban diariamente cuestiones arduas más o menos enlazadas con las ciencias políticas y morales. El Gallo se encargaba de la lectura de periódicos, que realizaba con aquel garabato y chiste que sabemos; y excusado me parece advertir lo bien informado que quedaba el público, y las exactísimas nociones que adquiría sobre cuanto Dios crió. Así es que el debate era de lo más luminoso, y mal año para los gobernantes y repúblicos que no viniesen allí a ver resueltos por encanto los problemas que tanto les dan en qué entender. Había en la asamblea especialistas, profundo cada cual en la materia a que consagraba sus desvelos: Goros, el criado del cura de Ulloa, se dedicaba a la controversia teológica y a la exégesis religiosa, soltando cada herejía que temblaba el misterio; el señor pedáneo tenía a su cargo la política interior, cortaba sayos y daba atinadísimos

---

[365] *paso de la Compaña:* en la superstición gallega, paso de las ánimas.

[366] Con la expresión «ramo» se expresa en castellano una enfermedad incipiente —p. ej., ramo de perlesía—; con el adjetivo «cativo» se expresa en la novela la infancia *(vid., supra,* nota 239); pero la expresión «ramo cativo» también parece aplicarse en la novela a los posesos o afectados de algún mal misterioso.

consejos a Castelar y a Sagasta, hablaba de ellos como si fuesen sus compinches, y vaticinaba cuanto infaliblemente iba a producirse en el seno del gabinete; un labriego machucho, el tío Pepe de Naya, antes encargado del ramo de chascarrillos, corría ahora con el de hacienda, y exponía las más atrevidas teorías de los socialistas y comunistas revolucionarios, sin necesidad de haber leído a Proudhon[367] ni cosa que lo valga; y el atador de Boán, cuando llamado por deberes profesionales o alumbrado más de la cuenta se veía obligado a pasar la noche en Ulloa, dedicábase a la propaganda filosófica, y ponía cátedra de panteísmo, explicando cómo los hombres y las lechugas son una sola esencia en diferentes posiciones..., o para decirlo en sus propias palabras, «lo mismito, carraspo, perdonando vusté»[368].

Uno de los mayores placeres de aquel senado campesino era confundir y aturdir con su ciencia a los ignorantuelos, a los criados de escalera abajo, o sea de establo y labranza, haciéndoles preguntas capciosas y divirtiéndose en acrecentar su estupidez, cosa bastante difícil. A veces llamaban al pastor, aquel rapazuco escrofuloso que padeció persecución bajo Primitivo y era ahora un tagarote medio idiota; y excitando su vanidad (que todos la tienen) le hacían soltar peregrinos despropósitos. Generalmente lo examinaban de teología.

—Quitaday[369], marrano, que tan siquiera sabes quién es Dios.

---

[367] Pierre Joseph Proudhon (1809-1865), moralista e ideólogo de nacionalidad francesa, una de las mayores figuras —junto con Fourier y Louis Blanc— del llamado socialismo utópico. Su hipótesis de renovación social y progreso, que buscaba acabar con el capitalismo financiero y, en cambio, consolidar el capitalismo productivo a base de reforzar las asociaciones de productores-patronos (expuesta por Proudhon en *Filosofía de la miseria),* fue duramente atacada por Karl Marx en el primer libro importante de éste, titulado *Miseria de la filosofía* (1847).

[368] El «ateneo» del pazo ofrece una versión cómica del debate entre naturaleza y moral que tendrá más tarde su correspondiente serio en el diálogo entre don Julián y don Gabriel.

[369] *Quitaday:* quita de ahí. Doña Emilia, como todos los realistas, busca la reproducción de la palabra hablada en los diálogos, e incluso la palabra hablada transparece en la narración mediante el uso del estilo indirecto libre *(vid.* Introducción).

—Sé, sé —contestaba muy ufano el mozo rascándose la oreja.

—Pues gomítalo.

—Es un ángel rebelde, que por su...

Coro de risotadas, de exclamaciones y de aplausos.

—A ver —exclamaba Goros—; ¿para qué es el Sacramento del Orden?

—Si me pergunta de cosas de allá de Madrí, yo mal le puedo dar sastifación.

—Soó..., ¡mulo! El Sacramento del Orden (abre el ojo) es para..., ¡criar hijos para el cielo!

—Bien, ya estamos en eso —contestaba muy serio el gañán, entre la algazara y regocijo del ateneo de Ulloa.

Con intermedios de este jaez se amenizaban las discusiones formales. Es de saber que en tiempo de verano, y más si el calor arreciaba, y con doble motivo si era en días de maja y siega, el ateneo trasladaba el local de sus sesiones de la cocina a la parte del huerto lindante con la era: colocábanse allí bancos, *tallos,* cestas volcadas panza arriba, y sin derrochar más candela que la que los astros o la luna ofrecían gratuitamente, gozando el fresco y oyendo en la era el canticio y el bailoteo de segadoras y majadores, departían sabrosamente, echaban yescas[370] para el cigarro, y la conversación giraba sobre temas de actualidad, agrícolas y rurales.

En mitad de una acalorada discusión sobre la calidad del trigo cayó allí Gabriel Pardo, que regresaba de su tremendo viaje a través del valle de Ulloa. Por fortuna, la luz estelar, con ser tan viva y refulgente, no bastaba a descubrir al pronto lo descompuesto de su semblante; pero bien se podía notar lo ronco de la voz en que exclamó, encarándose con el primer ateneísta que le salió al paso:

—¿Dónde está Perucho?

El Gallo se levantó obsequiosamente, y con sonrisa afable y la frase más selecta que pudo encontrar, respondió lo que sigue:

---

[370] *echar yescas:* prender algo muy seco, por ejemplo, paja o una mecha de algodón, con eslabón y pedernal.

—Señor don Gabriel, no le saberé decir con eusautitú. Quizásmente que aún no tendrá voltado, en atención a que no se ha visto por aquí su comparecencia...

—¡Falso! Es usted un embustero —gritó brutalmente el comandante, ciego de dolor y necesitado, con necesidad física, de desahogar en alguien y de hacer daño, de pegar fuego a los Pazos, si pudiese. —¡Ea! —añadió—, a decirme dónde está su hijo de usted o lo que sea. ¡Aquí no vale encubrir!

¡Quién viera al rey del corral erguirse sobre sus espolones, enderezar la cresta, estirar el cuello, y exhalar este sonoro quiquiriquí!:

—Adispensando las barbas honradas de usté, señorito don Gabriel, esas son palabras muy mayores y mi caballerosidá y mi dicencia, es un decir, no me premiten...

—¡Eh! ¿Quién le cuenta a usted nada? ¿Qué se me importa por usted? —vociferó Gabriel nuevamente—. A quien necesito es a Perucho. Llámenle ustedes, pero en seguida.

—Ha de estar en la era —indicó tímidamente el pastor.

Gabriel no quiso oír más, y desapareció como un rehilete en dirección de la era. Encontróla brillante, concurridísima. Una tanda de mozas y mozos bailaba el *contrapás*[371], al son de la pandereta y la flauta; la tañedora de pandero cantaba esta copla:

> *A lua vay encuberta...*
> *a min pouco se me dá:*
> *a lua que a min m' alumbra*
> *dentro de meu peito está*[372].

---

[371] *contrapás:* contradanza, figura de baile que hacen varias parejas a un mismo tiempo.

[372] Hermosa canción romántica en la que el enamorado o la enamorada que habla da cuenta del ardor que en él o ella produce el amor (la luz del pecho: *a lua qu'alumbra dentro de meu peito)* a pesar de la tiniebla en que se encuentra: «La luna está escondida... / a mí poco me importa: / la luna que a mí me alumbra / dentro de mi pecho está»; se trata de un poema popular gallego; *vid.* Carmen Martín Gaite y A. Ruiz Tarazona (eds.), *Ocho siglos de poesía gallega. Antología bilingüe* (Madrid, Alianza, 1972), págs. 186-197.

Oíala como en sueños el comandante, detenido a la entrada y presa entonces de un paroxismo de ira que le hacía temblar como la vara verde. «Calma, sosiego, voy a echarlo todo a perder», decía consigo mismo; y al par que veía claramente su razón la necesidad de tener aplomo y presencia de ánimo, aquella parte de nosotros mismos que debiera llamarse la *insurgente,* le tenía entre sus uñas de fierecilla desencadenada, y le soplaba al oído «Qué gusto coger un palo, entrar en la era, deslomar a estacazos a todo el mundo, arrimar un fósforo a las medas, armar el revólver, y en un santiamén, pun, pun, a éste quiero, a éste no quiero».

A su izquierda divisó un grupo, compuesto de Sabel y de varias comadres del vecindario: y delante, en pie, algo ensimismado, a Perucho en persona. Gabriel se le acercó, hasta ponerle la mano en el hombro; y al «tenemos que hablar» del comandante, estremecióse el montañés, pero respondió con súbita firmeza:

—Cuando usted guste.

—Ahora mismo.

—Bueno, ya voy.

Echó delante el mozo, y siguióle Pardo, sin añadir palabra. Alejándose de la gente, atravesaron el huerto, entraron en el corredor, llegaron a la cocina, donde la fregatriz revolvía en la sartén, con cuchara de palo, algo que olía a fritanga apetitosa; y el montañés, sin detenerse, tomó una candileja de petróleo encendida, y guió a las habitaciones de la familia del Gallo, entre las cuales se contaba cierta salita, orgullo y prez del mayordomo, porque en seis leguas a la redonda, sin exceptuar las casas majas de Cebre, no la había mejor puesta, ni más conforme a las exigencias del gusto moderno, sin que le faltase siquiera —¡lujo inaudito, refinamiento increíble!— un entredós en vez de consola; un entredós de imitación de palo santo[373], con magníficos adornos de un metal que sin pizca de vergüenza remedaba el bronce. Frente a este mueble, en que

[373] *palo santo:* madera del guayaco, también llamado *palo de rosa* (por su color rosáceo, que se conoce asimismo como color «rosa palo»), *palo de las Indias, palo del Brasil* y *palo de Fernambuco;* el armario, o entredós, está hecho por tanto de madera rosada.

el Gallo tenía puesto su corazón, un soberbio diván de repis[374] amarillo canario convidaba al reposo, y Perucho, dejando la candileja sobre el entredós, hizo seña al comandante de que podía sentarse si gustaba, al mismo tiempo que se le plantaba enfrente, con la cabeza erguida, resuelto el ademán, algo pálidas, contra lo acostumbrado, las mejillas, y pronunciando en tono que a Gabriel le sonó provocativo:

—Usted dirá, señor de Pardo. ¿Qué se le ofrece?

El comandante midió de alto a bajo al bastardo, frunciendo la boca, con el gesto de desprecio más claro y más enérgico que pudo; acercóse luego a la puerta, y dio vuelta a la llave, que halló puesta por dentro; y volviéndose hacia el montañés, le escupió al rostro estas frases:

—¡Se me ofrece decirte que eres un pillastre y un ladrón, y que voy a darte tu merecido, canalla! ¡A ti y a la perra que te parió! ¡Mamarracho indecente!

Lo raro era que Gabriel oía sus propias palabras como si las dijese otra persona; y allá en el fondo de su ser, las comentaba una voz, susurrando «Es demasiado, ese hombre habla como un loco». Y no podía, no podía sujetar la lengua, ni refrenar la indignación frenética.

Por lo que hace a Perucho, oyendo aquellas cláusulas que abofeteaban, saltó lo mismo que si le hincasen en la carne un alfiler candente; desvió y echó atrás los codos, cerró los puños, y sacó el pecho, como para arrojarse sobre Gabriel. El furor ennegrecía sus pupilas azules, y daba a sus facciones correctas y bien delineadas la ceñuda severidad de un rostro de Apolo flechero.

—No, no me tutee usted —balbuceó reprimiéndose todavía—, no me tutee ni me insulte, porque tan cierto como que Dios está en el cielo y nos oye...

—¿Qué harás, bergante?

—Lo va usted a saber ahora mismo —gritó el montañés, cuyos ojos eran dos llamas oscuras en una máscara trágica de alabastro. Un segundo duró para Gabriel la visión de aquel rostro admirable, porque instantáneamente sintió que dos ba-

---

374 *repis:* tela de seda o lana, fuerte y bien tejida, que se usa en tapicería.

rras de hierro flexibles y calientes se le adaptaban al cuerpo, prensándole las costillas hasta quitarle la respiración. Intentó defenderse lo mejor posible, tenía los brazos en alto y libres y podía herir a su contrario en el rostro, arañarle, tirarle del pelo; pero aun en tan crítica situación, comprendió lo femenil y bajo de resistir así, y, ¡extraña cosa!, al verse cogido en la formidable tenaza, preso, subyugado, vencido por el mismo a quien venía a confudir y humillar, su ciega y furiosa ira y el hervor animal e instintivo de su sangre se calmaron como por obra de un conjuro, y hasta le pareció que experimentaba simpatía por el brioso mozo. Todo fue como un relámpago, porque el achuchón crecía, y el ahogo también, y el montañés tenía a su rival a dos dedos del suelo, aprestándose a ponerle en el pecho la rodilla. Intentó Gabriel un esfuerzo para rehacerse y librarse, pero Perucho apretó más, y mal lo hubiera pasado su enemigo, a no ser por una casual circunstancia. La butaca contra la cual estaba acorralado el comandante era nada menos que una mecedora, mueble que hacía la felicidad del Gallo, por lo mismo que nadie de su familia ni de seis leguas en contorno acertaba a sentarse en ella sino después de reiterados ensayos, continuas lecciones y fracasos serios. Al peso de los dos combatientes, la mecedora cedió con movimiento de báscula, y el grupo vino a tierra, haciendo la dichosa mecedora el oficio de Beltrán Claquin en la noche de Montiel[375], pues Perucho, que estaba encima, se halló debajo, y Gabriel, sin más auxilio que el de su propio peso y corpulencia, con la rapidez de movimientos que dicta el instinto de conservación, le sujetó y contuvo, teniéndole cogidas las muñecas e hincándole la rodilla en el estómago.

—¡Máteme, ya que puede! —tartamudeaba el montañés—. Máteme o suélteme, para que yo... le... ahog...

---

[375] Beltrán Duguesclin, el Príncipe Negro, mercenario francés al servicio de Enrique de Trastámara en la guerra que éste mantuvo contra su hermanastro el rey Pedro I. Se refiere la autora al momento en que, habiendo surgido un duelo entre los dos hermanastros, y estando vencido Enrique por la superioridad física del rey, el mercenario francés se apresuró a ayudar a su señor, quien aprovechó la ocasión para dar muerte a su hermanastro. El nombre equivocado que usa la autora —*i.e.*, Beltrán Claquin (o Glaquin)— procede del romance «Los dos hermanos», del Duque de Rivas.

El aliento se le acababa, porque el cuerpo de su adversario, gravitando sobre su pecho, le impedía respirar. Terminó la frase con un ¡zzz! cada vez más fatigoso, vio en el espacio unas lucecitas amarillentas y moradas, luego sintió un bienestar inexplicable, y oyó una voz que decía:

—Pues anda, levántate y ahógame. ¿No puedes? La mano.

Se levantó sostenido por Gabriel, tambaleándose; dio dos o tres pasos sin objeto; se pasó la diestra por los ojos, y miró al artillero fijamente; y como viese en su rostro una tranquilidad muy distinta de la furia de antes, la tuvo por señal de mofa, cerró otra vez los puños, y bajando la cabeza como el novillo cuando embiste, se precipitó. Gabriel adelantó las manos para parar el golpe, con calma desdeñosa; entonces, el montañés se contuvo, dejó caer los brazos, dio media vuelta, y encogiéndose de hombros, exclamó:

—Yo no pego a quien no me resiste. ¿Somos aquí chiquillos? ¿Estamos jugando, o qué?

Callaba Gabriel y reflexionaba, sintiéndose ya, con íntima satisfacción, dueño de sí y capaz de regir sus acciones. «Seamos francos, pensaba; me he comportado como un bruto; he hablado como un demente. A bien que en mí son momentáneas las excitaciones; que si me durase como me da, yo me dejaría atrás a todos los salvajes. Un poco de juicio, señor de Pardo. Pero ahora se me figura que ya lo tengo de sobra.»

—Oiga usted... —dijo a Perucho, tosiendo para afianzar la voz—. Le he maltratado a usted hace un instante; hice mal, y lo reconozco. Es decir: no me faltan motivos de hablarle a usted con toda la dureza posible; pero con razones, no con injurias. Debí empezar por ahí.

—Los motivos que usted tiene, ya los sé yo. Demasiado que los sé.

—Se equivoca usted. Hágame el obsequio de sentarse; ya ve que no le tuteo, ni le ofendo en lo más mínimo. Pero tenemos que hablar largamente y ajustar cuentas, de las cuales no he de perdonarle a usted un céntimo si sale alcanzado. Vuelvo a rogarle que se siente.

Perucho se dejó caer en el sofá con hosco ademán, arreglándose maquinalmente el cuello y la corbata, que ya no tenía muy en orden antes y que con la refriega se habían insubordinado por completo. Ocupó Gabriel la mecedora de enfrente, y empezó a mecerse con movimiento automático. Arreglaba un discurso; pero lo que salió fue un trabucazo.

—¿Usted sabe de quién es hijo? (al preguntarlo se encaró con Perucho).

—¿Y a qué viene eso? —contestó el mozo—. ¿No está usted cansado de conocer a mis padres? Déjeme usted en paz.

—¿Y siendo sus padres de usted..., un mayordomo y una criada..., cómo se ha atrevido usted..., a poner los ojos en mi sobrina? ¿Cómo se ha atrevido usted... (ensordeciendo la voz, que vibraba de enojo aún) a levantarse hasta dónde usted no puede ni debe subir? ¡Sólo un hombre vil (acercándose al montañés) se aprovecha del descuido y de la confianza ajena para... apoderarse de... una señorita... y... abusar de ella, cuando come el pan de su casa!

Perucho contenía los bramidos que se le venían a la laringe, y oía royéndose la uña del pulgar con tal ensañamiento, que ya brotaba sangre. Al fin pudo formar voz humana en la garganta.

—Quien..., quien abusa es usted, señor de Pardo... Sí, señor, abusa usted de mi posición, de verme un infeliz, un hijo de pobres, un desdichado que no se puede reponer contra usted como corresponde. Pero me repondré, caramba si me repondré, que tampoco no es uno ningún sapo, para dejarse patear sin volverse a quien lo patea. Y nos veremos las caras donde usted guste, que aunque me ve sin pelo en ella, soy hombre para cualquier hombre, y a mí no me espantan palabras ni obras. Y si a obras vamos, si se trata de romperse el alma por Manuela, porque usted la quiere para sí y ha venido a hacerle los cocos, ¡mejor, mejor! Nos la rompemos, y en paz. También le puedo contar algunas cositas que le lleguen adentro, para que tenga más modo otra vez. Que yo como el pan de esta casa; que Manuela es mi señorita, y que tumba y que dale. De eso de comer el pan, podíamos hablar mucho; porque, según le oí a mi madre, más dinero le debía a mi abuelo la casa de los Pazos que mi abuelo a ella. De ser Manola mi señorita, cierto que ella es hija de un señor, pero maldito si se conoció nunca que lo fuese. Desde chiquillos andamos juntos, sin diferencias de clases ni de señoríos; y nadie nos recordó nuestra condición desigual, hasta que cayó aquí, llovido del cielo, el señor don Gabriel Pardo de la Lage. Manola, ahí donde usted la ve, no tuvo en toda su vida nadie que la quisiese más que yo, yo (y se golpeaba el fornido pecho), nadie que se acordase de ella, no señor, ni su padre, ¿usted lo oye?, ni su padre. Yo, desde que levantaba del suelo tanto como una berza, la enseñé a andar, cargué con ella en brazos, para que no se mojase los pies cuando llovía, le di las sopas, le guardé el sueño, y le discurrí los juguetes y las diversiones. Yo le enseñé lo poco que sabe de leer y escribir, que si no, ahora estaría firmando con una cruz. Yo la defendí una vez de un perro de rabia. ¿Sabe usted lo que es un perro de rabia? ¡No, que en los pueblos eso no se ve nunca! Pues al perro, con aquellos ojos encarnizados y aquel hocico baboso, lo maté yo, pero no de lejos, sino desde cerquita, así, echándome a él, machacándole la cabeza con una piedra grande, mientras la chiquilla lloraba muerta de miedo. ¡Si no estoy yo allí, a tales horas Manola es ánima del purgatorio! En el brazo y en la pierna me mordió el perro, y gracias que la ropa era fuerte, y allí se quedó la baba. Otra vez la cogí a la orillita de un barranco, que si me descuido, al Avieiro se me larga. Yo me quemé la mano en el horno por sacarle una bolla caliente, que se la había antojado, ¿ve usted?, aquí anda todavía la señal. Y yo por ella me echaría de cabeza al río, y me dejaría arrancar las tiras del pellejo. Ni ella tiene sino a mí, ni yo sino a ella. ¿Que es usted su tío? ¿Y qué? ¿Se ha acordado usted de ella hasta la presente? ¡Buena gana! Andaba usted por esos mundos, muy bien divertido y recreado. Yo con ella, con ella siempre, ¡hasta morir! Me quiere, la quiero, y ni usted ni veinte como usted, ¡ni el mismo Dios del cielo que bajase con toda la corte celestial!, me la quitan. ¡Así me valga Cristo, y antes yo ciegue que verla casada con usted![376].

El montañés hablaba con presteza, accionando mucho, como escupiendo palabras y pensamientos que desde muy

---

[376] Como se anticipara en el capítulo VIII, se enfrentan aquí el amor natural, representado por Perucho, y el amor sancionado institucionalmente, que encarna Gabriel. En este texto Perucho hace valer su derecho al amor de Manuela en virtud de la pasión; esta pasión tendrá importancia en el desenlace.

atrás le rebosaban del corazón. Su gallarda persona y su acción fogosa y expresiva parecían no caber en la ridícula sala, bien como el gran actor no encuentra espacio en un escenario estrecho, y a cada molinete de su fuerte brazo se hallaban en inminente peligro los cromos, las cajas de cartón, las orquestas de perritos y gatitos de loza, las figuras de yeso teñidas con purpurina imitando bronce, todas las simplezas importadas por el Gallo de sus excursiones orensanas, pues tan adelantado estaba el buen sultán en la ciencia suntuaria de nuestra época, que hasta cultivaba el *bibelot.* Gabriel oía, mostrando un rostro apenado, perplejo y meditabundo; a veces cruzaban por él vislumbres de compasión; otras, aquella pasión tan juvenil y fresca, tan vigorosamente expresada, le removía como remueve la escena de un drama magnífico; y su boca se crispaba de terror, lo mismo que si el conflicto, tan grave ya, creciese en proporciones y rayase en horrenda e invencible catástrofe; viendo callado al artillero, Perucho se persuadió de que lo convencía, y continuó con más calor aún:

—Si Manola es rica, sepan que yo no quiero sus riquezas, y que me futro[377] y me refutro en ellas. Que el padrino gaste su dinero en lo que se le antoje; que lo gaste en cohetes, o lo dé a los pobres de la parroquia. Dios se lo pague por la carrera que me está dando, pero con carrera o sin ella, yo ganaré para mí y para mi mujer. Manola se crió como la hija de un labriego; no necesita lujos ni sedas; yo, menos todavía. Mi madre no es pobre miserable: heredó del abuelo un pasar, y me dará. Y si no me da, tal día hizo un año. Con cuatro paredes y unas tejas, allá en el monte, frente a las Poldras, vivimos como unos reyes, sin acordarnos del mundo y sus engañifas. Casualmente lo único para que sirvo yo es para arar y sachar; los estudios me revientan; paisano nací y paisano he de morir, con la tierra pegada a las manos. Una casita y una heredad y una pareja de bueyes con que labrarla, no hemos de ser tan infelices que eso nos falte, y en teniendo eso, que se ría el mundo de mí, que yo me reiré del mundo, y estaré como en el cielo, y Manola también, mientras que con usted rabiaría y

---

377 *me futro,* gall.: eufemismo que aquí parece equivaler a «me cisco».

se condenaría, porque no le quiere, no le quiere y no le quiere.

Acabar su peroración el montañés y sentirse Gabriel Pardo definitivamente vencido y arrastrado por la corriente de simpatía que empezaba a ablandarle desde que había jadeado entre los brazos fuertes del mozo, fueron cosas simultáneas. Obedeciendo a impulso irresistible, tendió la mano para darle una palmada en el hombro; hízose atrás Perucho, tomando por nueva hostilidad lo que no era sino halago.

—¡No ponerse en guardia, amigo, que no hay de qué! —exclamó el artillero, cuya noble fisonomía respiraba ya concordia y bondad al par que dolor y pena—. Tan no hay de qué, que se va usted a pasmar. Déme usted esa mano, y perdóneme todo cuanto le he dicho al entrar aquí. He procedido con injusticia, con barbarie y con grosería; pero si usted supiese cómo me estaba doliendo el alma, y cómo me duele aún. No conserve usted nada contra mí: déme la mano.

Los ojos azules le miraron con desconfianza, y Perucho retiró el brazo.

—Mucho estimo eso que usted dice ahora, pero mejor fuera no venirse con esos desprecios de antes. Nadie tiene cara de corcho, y la vergüenza es de todo el mundo.

—Usted lleva razón, pero yo la he perdido media hora de este aciago día. Motivo me ha sobrado para ello. ¡Dígame usted, por lo que más quiera! Por..., por mi sobrina. Déme usted su palabra de que hará lo que voy a rogarle.

—No señor, no; yo no prometo nada tocante a Manola. ¿Y a qué viene mentir? Mejor es desengañarle. Lo mismo da que lo prometa que que no lo prometa. Ahora prometería, pongo por caso, no arrimarme a ella en jamás, y de contado[378] me volvería a pegar a sus faldas. Imposibles no se han de pedir a nadie.

—No es eso. ¡Si usted no me oye...!

—¿No es nada de dejar a Manoliña?

—No. Es que me prometa usted que de lo que vamos a hablar no dirá usted palabra a nadie, ¡a nadie de este mundo!

---

[378] *de contado,* castellanización del gallego «de contadiño» (en breve, enseguida).

—Corriente. Si no es más que eso...

—No más.

—Pues venga.

—No —replicó Gabriel bajando la voz—. Aquí no. Acompáñeme usted a mi cuarto. Tengo excelente oído, y juraría que anda gente en el corredor.

XXVIII

Como saliesen un poco más aprisa de lo justo, abriendo con ímpetu la puerta, estuvieron a punto de aplastar entre hoja y pared la nariz del Gallo, el cual, sin género de duda, atisbaba. Al impensado portazo, lejos de enfadarse, sonrió con dignidad y afabilidad, murmurando no sé qué fórmulas de cortesía: su gran civilización le obligaba a mostrarse atento con las personas que visitaban su domicilio. Pero Gabriel y Perucho cruzaron por delante de él como sombras chinescas, y no le hicieron maldito el caso. Lo cual, unido a otros singulares incidentes, la ira de Gabriel, su afán por encontrar a Perucho, lo extraño de la entrevista, la encerrona, le puso en alarma y despertó su aguda suspicacia labriega. Rascóse primero detrás de la oreja, luego al través de las patillas, y estas operaciones le ayudaron eficazmente a deliberar y a dar desde luego no muy lejos del hito.

Al entrar Perucho y Gabriel en la habitación de éste, se encontraron a oscuras: el montañés rascó un fósforo contra el pantalón, y encendió la bujía; el artillero acudió a echar la llave, prevención contra importunos y curiosos. Para mayor seguridad, acercóse a la ventana, bastante desviada de la puerta. Ninguno de los dos pensó en sentarse. Recostado en la pared, con la izquierda metida en el seno, al modo de los oradores cuando reposan, el brazo derecho caído a lo largo del muslo, una pierna extendida y firme y otra cruzada y apoyada en la punta del pie, Perucho aguardaba, animoso y resuelto, como el que no ha de transigir ni renunciar por más que hagan y digan. Con las manos en los bolsillos de la cazadora, la cabeza caída sobre el pecho, y meneándola un poco de arriba abajo, los labios plegados, arrugada la frente, Gabriel Pardo se paseaba indeciso, tres pasitos arriba, tres abajo. Al fin hizo un movimiento de hombros como diciendo «pecho al agua» y, súbitamente, se enderezó, encaróse con el montañés y articuló lo que sigue:

—Vamos claros. ¿Usted sabe o no sabe que es hermano de Manuela?

Si asestó la puñalada contando con los efectos de su rapidez, no le salió el cálculo fallido. El montañés abrió los brazos, la boca, los ojos, todas las puertas por donde puede entrar el estupor y el espanto; enarcó las cejas, ensanchó la nariz..., fue, por breves momentos, una estatua clásica; el escultor que allí se encontrase lamentaría, de fijo, que estuviese vestido el modelo. Y sin lanzar la exclamación que ya se asomaba a los labios, poco a poco mudó de aspecto, se hizo atrás, bajó los ojos, y se vio claramente en su fisonomía el paso del tropel de ideas que se agolpan de improviso a un cerebro, la asociación de reminiscencias que, unidas de súbito en luminoso haz, extirpan una ignorancia inveterada; la revelación, en suma, la tremenda revelación, la que el enamorado, el esposo, el creyente, el padre convencido de la virtud de la adorada hija, se resisten, se niegan a recibir, hasta que les cae encima, contundente, brutal y mortífera, como un mazazo en el cráneo.

—¡No! —balbuceó en ronca voz—. No, Jesús, Señor, no, no puede ser. Usted, vamos a ver, ¿ha venido aquí para volverme loco? ¿Eh? Pues, ¡diviértase en otra cosa! Yo no quiero loquear. ¡No se divierta conmigo! Jesús, ¡ay, Dios!

Llevóse ambas manos a los rizos, y los mesó con repentino frenesí, con uno de esos ademanes primitivos que suele tener la mujer del pueblo a vista del cuerpo muerto de su hijo. Al mismo tiempo quebrantaba un gemido doloroso entre los apretados dientes. Rehaciéndose a poco, se cruzó de brazos y anduvo hacia Gabriel, retándole.

—Mire usted, a mí no me venga usted con trapisondas. Usted ha entrado aquí traído por el diablo, para engañarme y engañar a todo el mundo. Eso es mentira, mentira, mentira, aunque lo jure el Espíritu Santo. Malas lenguas, lenguas de escorpión inventaron esa maldad, porque..., porque nací sirviendo mi madre en esta casa. Pero no puede ser. ¡Madre mía del Corpiño! No puede ser... ¡No puede ser! ¡Por el alma de quien tiene en el otro mundo, señor de Pardo, no me mate, confiéseme que mintió para quitarme a Manola!

Gabriel se acercó al bastardo de Ulloa y logró apoyarle la mano en el hombro; después le miró de hito en hito, poniendo en los ojos y en la expresión de la cara el alma desnuda.

—La mitad de mi vida daría yo —dijo con inmensa nobleza— por tener la seguridad de que en sus venas de usted no corre una gota de la sangre de Moscoso. Créame. ¿No me cree? Sí, lo estoy viendo; me cree usted. Pues escuche; si usted fuese hijo del mayordomo de los Pazos, yo, Gabriel Pardo de la Lage, que soy, ¡qué diablos!, ¡un hombre de bien!, me comprometía a casarlo a usted con mi sobrina. Porque he visto lo que usted la quiere, y porque..., porque sería lo mejor para todos. ¿Cree usted esto que le aseguro?

Sin fuerzas para contestar, el montañés hizo con la cabeza una señal de aquiescencia. Gabriel prosiguió:

—No solamente mi cuñado le tiene a usted por hijo suyo, sino que le quiere entrañablemente, todo cuanto él es capaz de querer; más que a Manuela, ¡cien veces más!, y hoy, si se descuida, delante de todos los majadores le llama a usted..., lo que usted es. Su propósito es reconocerle, y después de reconocido, dejarle de sus bienes lo más que pueda. Su padrastro de usted lo sabe; su madre, ¡figúrese usted!, y, ¡es inconcebible que no haya llegado a conocimiento de usted jamás!

—Me lo tienen dicho, me lo tienen dicho las mujeres en la feria y los estudiantes en Orense. Pero pensé que era guasa, por reírse de mí, y porque el... padrino... me daba carrera. ¡Estuve ciego, ciego! ¡Ay, Dios mío, qué desdicha, qué desdicha tan grande! ¡Lo que me sucede, lo que me sucede! ¡Pobre, infeliz Manola!

Gimió esto cubriendo y abofeteando a la vez el rostro con las palmas; y a pasos inciertos, como los que se dan en el primer período de la embriaguez, se dejó caer de bruces, borracho de dolor, sobre la cama de Gabriel Pardo, cuya colcha mordió revolcando en ella la cara. Gabriel acudió y le obligó a levantarse, luchando a brazo partido con aquella desesperación juvenil que no quería consuelo.

—Vamos, serénese usted. ¿Qué hace usted, qué remedia con ponerse así? Serenidad, un poco de reflexión. Venga usted, criatura, venga a sentarse en el sofá. Calma, calma. Con esos extremos lo echa usted más a perder. Venga usted. Respire un poco.

En el sofá, donde le sentó medio por fuerza, Perucho volvió a dejar caer la cabeza sobre los brazos, y a esconder la cara, con el mismo movimiento de fiera montés herida, que sólo aspira a agonizar sola y oculta. Balanceaba el cuello, como los niños obstinados en una perrera nerviosa, que ya les tiene incapaces de ver, de oír, ni de atender a las caricias que les hacen.

—Sosiéguese usted —repetía el artillero—. ¿Quiere usted un sorbo de agua? Ea, ánimo, ¡qué vergüenza! Sea usted hombre.

Se volvió rugiendo.

—Soy hombre, aunque parezco chiquillo. Hombre para cualquiera, ¡repuño! Pero soy el hombre más infeliz, más infeliz que hay bajo la capa del cielo, y un infame, sí, un infame, el infame de los infames. Hoy mismo, hoy —y se retorcía las manos— he perdido a..., a una santa de Dios, a Manola, *malpocado*[379]. Debían quemarme como la Inquisición a las brujas. Que no quemase a la condenada que nos echó esta mañana la paulina... y nos hizo mal de ojo, ¡por fuerza! Maldito de mí, maldito. Pero qué más casti...

Al desventurado se le rompió la voz en un sollozo, y dejándose ir al empuje del dolor, se recostó en el pecho de Gabriel Pardo, abriendo camino al llanto impetuoso, el llanto de las primeras penas graves de la vida, lágrimas de que tan avaros son después los ojos, y que torciendo su cauce, van a caer, vueltas gotas de hiel, sobre el corazón. Movido de infinita piedad, Gabriel instintivamente le alisó los bucles de crespa seda. Así los dos, remedaban el tierno grupo de la última cena de Jesús; y en aquel hermoso rostro, cercado de rizos castaño

---

[379] *malpocado*, gall.: malparado, desventurado.

oscuro, un pintor encontraría acabado modelo para la cabeza del discípulo amado[380].

—Que llore, que llore. Le conviene.

Casi agotado el llanto, agitaba los labios y la barbilla del montañés temblor nervioso, y un ¡ay! entrecortado y plañidero, del todo infantil, infundía a Gabriel tentaciones de estrecharle y acariciarle como a un niño pequeño. Perucho se levantó con ímpetu, y se metió los puños en los ojos para secar el llanto, dominando el hipo del sollozo con ancha aspiración de aire. Pardo le cogió, le sujetó, temeroso de algún acceso de rabia.

—No se asuste. Déjeme. ¿Por qué me sujeta? Me deje[381], digo. ¡También es fuerte cosa! ¡Le matan a uno, y luego ni le dejan menearse!

—¿Es que quiere usted matar por su parte a Manuela? ¿Eh? ¿Se trata de eso? Le leo a usted en la cara, ¡y le sujeto para que no dé la última mano al asunto! Cuidado me llamo. ¡Manuela no ha de saber ni esto! ¿Eh, no se hace usted cargo de que tengo razón?

—Sí, sí señor, razón en todo. Que no lo sepa, no. ¡Así no se la llevarán los demonios como a mí!

---

[380] A lo largo de toda la novela, la descripción de Perucho, el «mancebo», ha buscado resonancias clásicas: rostro clásico, perfil mediterráneo, modelo digno de pintor italiano, etc. Aquí, dicho modelo se remite directamente a una situación plástica convencional: La última Cena. Mariano Baquero Goyanes definía este procedimiento de descripción plástica, que consiste en referir el personaje o la situación a un cuadro, como «descripción con resonancia artística» *(La novela naturalista,* ed. cit., págs. 49-55). Baquero indica que estas descripciones inciden siempre en el tópico, tanto en la Pardo Bazán, como en los otros autores de la época: Juan Valera *(Juanita la Larga),* Alarcón *(El escándalo, La Pródiga).* No obstante, téngase en cuenta que el tópico tenía una función diferente —y no necesariamente negativa— en el XIX, pues evoca en la mente del lector un modelo reconocible y llama la atención sobre el carácter artístico del discurso literario. En suma, la referencia a un modelo permite poner lo narrado en relación de paralelo con el horizonte de imágenes artísticas que forman parte del código personal del lector, y con ello se acentúa el carácter ficticio de la novela, que pone así de manifiesto su carácter de elaboración ficticia, de representación artística.

[381] *me deje:* nueva forma coloquial del imperativo indirecto; «que me deje», «le digo que me deje»; la construcción es habitual en el gallego.

—No se entregue usted a la desesperación. La desgracia que aflige a usted, ¡que nos aflige a todos!, es enorme, pero todavía hay algo que, bien mirado, le puede a usted servir de consuelo.
—¿Algo? ¿Qué algo? —preguntó con ansia el mozo, agarrándose al clavo ardiendo de la esperanza.
—Que no hay por parte de usted tal infamia, sino impremeditación, locura, desatino, ¡infamia no! Usted tiene el alma derecha; aquí lo que está torcido son los acontecimientos, y la intención de ciertas gentes. Otros son los criminales; usted sólo ha delinquido porque la sangre moza... En fin, al caso. (Queriendo estrecharle afectuosamente la mano; pero el montañés la retira con violencia.) Sí, comprendo que no le soy a usted demasiado simpático; en cambio usted a mí me ha interesado por completo. Acepte usted ahora mis consejos; demasiado conoce que me animan buenas intenciones. ¡Ea, valor! A lo hecho pecho; no hay poder que deshaga lo que ya ha sucedido; a remediar en lo posible el daño. A eso estamos y eso es lo único que importa. ¡Escuche, hombre! Usted se tiene que marchar inmediatamente de esta casa, y no volver en mucho tiempo, al menos mientras que Manuela no..., no cambie de situación, o... ¡En fin, mucho tiempo! A estudiar a Barcelona o a Madrid. Yo le proporcionaré a usted fondos, colocación... Todo cuanto le haga falta.
Un quejido de agonía alzó el pecho del montañés.
—Reflexione usted bien, mire la cuestión por todos sus aspectos: hay que marcharse.
—¿No volveré ya en mi vida a ver a Manuela? —lloró el mozo, cayendo en el sofá e hincándose las uñas en la cabeza—. Pues entonces, al Avieiro, que es bien hondo. Así como así tendré mi merecido.
—Vamos, ¡que estoy apelando a su razón de usted! No me responda con delirios. ¿No ha dicho usted allá cuando empezamos a reñir (Gabriel se sonrió) que Dios está en el cielo y nos oye? ¿Cree usted lo que dijo? ¿Lo cree?
—¿Soy algún perro para no creer en Dios?
—Pues, si hay Dios, y si usted cree en él, ¡mire que le está ofendiendo!

Perucho asió de una muñeca a Gabriel, y se la oprimió con toda su fuerza, que no era poca; y acercándole mucho la cara, arrojó:

—Pues si no hubiese Dios, ¡lo que es a Manola..., soltar no la suelto![382].

Buena pieza se quedó el comandante Pardo sin saber qué contestar, dominado, vencido. En la encarnizada batalla llevaba, desde el principio, la peor parte; y lo extraño es que la derrota moral que sufría, conocida de él solamente, le ocasionaba íntimo placer, y le apegaba cada vez más al antes detestado bastardo de Ulloa.

Viendo callado a Gabriel, Perucho alentó un poco, y en tono de súplica humilde, murmuró:

—Me iré, me iré, haré cuanto me manden, y si quieren, me meteré en el Seminario de Santiago y seré cura, cualquier cosa, pero respóndame, señor, dígame la verdad. ¿Se va usted a casar con Manola cuando..., después que... falte yo?

Gabriel alzó la vista y le miró cara a cara. Tardó bastante, bastante en responder: sus ojos brillaron, adquirió su fisonomía aquella expresión elevada y generosa que era su única hermosura, y respondió serenamente:

—Yo no le he de salvar a usted mintiéndole. Hoy más que nunca estoy dispuesto a casarme con mi sobrina. No rechine usted los dientes, no se enfurezca, por todos los santos, ¡oiga, oiga! Cuando ella, por su voluntad, sin imposiciones de ningún género, porque me cobre cariño o porque necesite mi

---

382 Aparece aquí enunciada, por boca de Perucho, la fuerza del amor, que la cultura y, en concreto, la moral o la religión pueden sofrenar, pero no acallar. La cultura, la moral, la religión les separan a pesar de sentir la atracción natural. Este tema reaparece en el desenlace de la novela. Por lo que se refiere a la interpretación de la obra, estas palabras de Perucho contradicen la hipótesis de Maurice Hemingway respecto a la «inconsciencia moral» de los protagonistas *(vid.* Introducción, nota 49). No hay tal inconsciencia, que chocaría con el Naturalismo «cristiano» de la autora; el mismo Perucho manifiesta aquí la firmeza de sus creencias, que le distinguen de los animales (cfr. «¿Soy algún perro para no creer en Dios?»). Ha habido falta o, como indicara don Gabriel de Pardo, «locura, desatino», todo ello producto del error; sobre esto se ha de basar más tarde don Julián al hablar de la «culpa» de los protagonistas.

protección en cualquier terreno y por cualquier causa, se resuelva a casarse conmigo, yo estoy aquí; cuanto soy y valgo, de ella es. Pero jamás, ¡jamás!, si ella no quiere. Y ella no querrá —fíese usted en mí, que tengo experiencia— ni en mucho tiempo, ni tal vez en su vida. Es aún más montañesa y más porfiada que usted. Sobre todo, ¡como no le hemos de soltar el tiro de decirle lo que hay de por medio! Eso sí, usted tiene el deber de procurar, ¡con resolución!, ¡con heroísmo!, que ella le olvide, que ella no piense en usted sino como se piensa en el compañero querido de la niñez. ¡Nada más! Usted se va, usted le escribe algo al principio, cariñosamente, pero con cariño fraternal. Luego escasean las cartas. Luego cesan. Luego..., tiene usted novia, ¡novia!, y ella lo averigua. Si es verdad que usted quiere a Manuela, usted hará todo eso, ¡y mucho más!

El montañés tenía los párpados entornados, la mirada vagabunda por los rincones del aposento, repasando, probablemente sin verlas, las molduras barrocas de la cama, las pinturas del biombo, los remates de época del Imperio que lucía el vetusto sofá. Cuando acabó de hablar Gabriel, sus pupilas destellaron, hizo con la mano derecha ese movimiento de sube y baja que dice clarísimamente «Plazo..., espera...», y se dirigió a la puerta. Pero Gabriel saltó y se interpuso, estorbándole la salida.

—No se pasa (en tono más cariñoso y festivo que otra cosa).

—Haga usted favor. Si por lo visto usted está para bromas, yo no, y sentiría cometer una barbaridad.

—En serio (con mucha energía), no le dejo a usted pasar sin que me diga adónde. De evitarle la barbaridad se trata.

—Bueno, pues sépalo; tanto me da que lo sepa, y si le parece mal... (gesto grosero). No me da la gana de creer, por su honrada palabra de usted, que Manola y yo... En fin, usted quiere a Manola, yo le estorbo; le viene de perillas que me largue; y como no soy ningún páparo, ¿eh?, no me mete usted el dedo en la boca. Voy a la fuente limpia a saber la verdad, ¡la verdad!

—¿Cómo, cómo?, ¿a quién se la va usted a preguntar? ¡Cuidado, a mi sobrina nada!

—¿Eh? ¿Si pensará usted que ha de tener más miramientos que yo con Manola? ¡Repuño, que ya me cargó a mí esto! La verdad se la voy a sacar de las mismísimas entrañas a don Pedro Moscoso, y apartarse, ¡y dejarme de una vez!

Ciñó los brazos al cuerpo del artillero, y de un empujón lo lanzó a dos varas de distancia. Luego se precipitó hacia fuera.

XXIX

Muchas veces bajaba el marqués de Ulloa a la científica tertulia de su cocina, sobre todo en invierno, cuando los vastos salones estaban convertidos en una nevera, y el *lar* con su alegre chisporroteo convidaba a acurrucarse en el banquillo del rincón y dormitar al arrullo de las discusiones. En verano, y habiendo labores agrícolas emprendidas, prefería don Pedro el corro al aire libre de los jornaleros y jornaleras, donde se comentaban verbosamente los mínimos incidentes del día, el peso y el color de la espiga, el grueso de la paja. Y en todas estaciones, podía asegurarse que el hidalgo, a las diez y media, estaba retirado ya en su dormitorio.

No lo había escogido como necio: era una habitación contigua al archivo, y aunque no de las mayores de la casa, abrigada del frío y del calor por lo grueso de las paredes. Parecía un nido de urraca, tal revoltillo de cachivaches había en ella. Olía allí a perro de caza, y a ese otro tufillo llamado de *hombre,* siendo cosa segura que no lo despide ningún hombre aseado, y sí el tabaco frío, la ropa mal cuidada y el sudor rancio. Escopetas, morrales, polainas raídas, sombreros de distintas formas y materias, bastones, garrotes, cachiporras, calabazas, frascos de pólvora, mugrientos collares de cascabeles, espigas enormes de maíz, conservadas por su tamaño, chaquetones de somonte[383], pantalones con perneras de cuero, yacían amontonados por los rincones, cubiertos con una

[383] *paño de somonte:* tela burda.

capa de polvo, sobre la cual era dable, no sólo escribir con el dedo, sino hasta grabar en hueco con buen realce. Único mueble serio de la habitación era la cama, de testero salomónico y fondo de red, y la vasta mesa-escritorio, forrada por delante de un cuero de Córdoba que lucía los encantadores tonos pasados y mates del oro, la plata, los rojos y azules que suelen prevalecer en tan hermoso producto de la industria nacional. En el centro, sobre un medallón de damasco carmesí rodeado de orlas de oro, estaba pintado el montés blasón de los Moscosos, las cabezas de lobo, el pino y la puente. Al hidalgo le servía la mesa para toda clase de menesteres y usos. Allí picaba tabaco y liaba cigarrillos; allí amontonaba su escasa correspondencia, haciendo oficio de prensapapeles una pistola de arzón inservible; allí tenía libros de cuentas que no consultaba jamás, así como mazos de plumas de ganso y otras de acero comidas de orín, al lado de una resma de papel sucio por las orillas ya, aunque su virginidad estuviese intacta; allí rodaba la cajita de píldoras contra el estreñimiento y el cajón de ricos habanos, el rollo de bramante y la navaja mohosa; y cuando venía el tiempo de las perdices y don Pedro intentaba reverdecer sus lauros cinegéticos, allí se cargaban a mano los cartuchos y allí se limpiaban y atersaban a fuerza de gamuza y aceite las mortíferas armas.

Mientras Gabriel y Perucho discutían cosas harto graves en la estancia próxima, el hidalgo, recogido ya a la suya, entreteníase en contar las rayitas que durante la jornada había hecho en una caña con el cortaplumas. Cada rayita representaba una gavilla de trigo, y con este procedimiento sabía a punto fijo la cantidad de gavillas majadas. Abierta estaba la ventana, a causa del mucho calor, y por ella entraban las falenas enamoradas de la luz a girar dementes sobre el tubo del quinqué: alguna vez un murciélago negro y fatídico venía, revoloteando torpemente, a caer sobre la mesa o a batir contra un rincón del cuarto. En el cielo asomaba ya la luna, triste e indiferente.

La puerta se abrió con fragor y estruendo; el hidalgo soltó su caña y miró. Casi en el mismo instante se deslizaba en el corredor una sombra, un hombre que no hacía ruido al andar, por la plausible razón de que llevaba los pies descalzos. Una de las cosas mejor montadas en las aldeas —con mayor perfección que en los palacios, o con mayor descaro por lo menos— es el espionaje, y difícilmente hará un señor que vive rodeado de labriegos cosa que ellos no olfateen y atisben, siempre que el atisbarla convenga a sus miras o importe a su curiosidad. Este dato se refiere sobre todo al campesino de Galicia. Bajo el aspecto soñoliento y las trazas cariñosas y humildes del aldeano gallego, se esconde una trastienda, una penetración y una diplomacia incomparables, pudiéndose decir de él que siente crecer la hierba y corta un pelo en el aire, si no tan aprisa, quizás con mayor destreza que el gitano más ladino. A la perspicacia une la tenacidad y la paciencia; y si tuviese también la energía y el arranque, de cierto no habría raza como ésta en el mundo[384]. En suma, lo que el gallego se empeña en saber, lo rastrea mejor que el zorro rastrea el ave descarriada. Primero se dejaría nuestro Gallo arrancar la cresta y la cola, que no ir a pegar el oído a la puerta de los señores aquella noche memorable. Resignándose a la ignominia de la descalcez, rondó el cuarto del comandante; pero, ¡oh dolor!, nada se oía: el salón era extenso, y Gabriel precavido en cerrar y situarse. Ahora la cosa mudaba de aspecto: el dormitorio del marqués era chico, y allí sí que no se diría palabra que se le escapase al Gallo.

Una sola inquietud; ¿no saldría el comandante a cogerle con las manos en la masa? Se arrimó a la puerta de Gabriel y le oyó pasear arriba y abajo, con paso acelerado, indicio de agitación.

—¡No sale! —dedujo el sultán—, ¡aguarda ahí por el otro!

Así era en efecto. Gabriel no quería meter la mano entre la cuña y madera, y esperaba impaciente, pero esperaba.

—Mis atribuciones no llegan a tanto —decía para sí—: allá se las hayan padre e hijo. Que se desengañe, que se convenza. Ya veremos después.

Tranquilo por esa parte el sultán, volvió al observatorio. Algo le estorbaba una vieja mampara, que reforzando la puerta, apagaba el ruido de las voces. Con todo, las más altas le lle-

---

[384] Sobre las teorías raciales de doña Emilia, *vid.* Brian J. Dendle, «The Racial Theories of Emilia Pardo Bazán», *Hispanic Review,* 38 (1970), págs. 17-31.

gaban bien distintas, y él no necesitaba otra cosa para coger el hilo del diálogo.

Acalorado, muy acalorado, Perucho preguntaba y el señor de Ulloa daba explicaciones en tono brusco, a manera de persona que confirma una verdad sabida y conocida hace tiempo. ¡Calle!, aquí empieza el asombro del Gallo, el mocoso del rapaz, en vez de alegrarse, se pone como un potro bravo. ¡Un genio tan *maíno*[385] como gasta siempre, y ahora qué *fantesía!* ¡Dios nos libre! Está diciéndole trescientas al señor. Si éste lo toma por malas, se va a armar la de *saquinte*... Le echa en cara que no lo reconoció desde pequeñito... ¡Se insolenta! Hoy hay aquí un terremoto. El señor..., no se oye cuasimente..., de indinado que está, parece que le sale la voz de dentro de una olla... ¿Y el rapaz? Ese berra[386] bien..., ¡ay lo que está diciendo! Que se va y que se va y que se va de esta casa arrenegada. Que se larga aunque tenga que pedir limosna por el mundo adelante. Que más que se esté muriendo el señor y lo llame para cerrarle los ojos, no viene, sino que lo amarren con cordeles y lo traigan así codo con codo atado. Que se cisca en lo que le deje por testamento, y que no quiere de él ni la hostia. Ojo..., habla el señor. ¡No se oye miga!, todo lo entrapalla[387] con toser y con la rabia que tiene. ¡El rapaz! Que bueno, que si le mandan la Guardia Civil para traerlo acá de pareja en pareja, que vendrá a la fuerza pero que se ahorcará con la faja o se tirará al Avieiro. Que de lo que gane trabajando le ha de enviar el dinero que gastó con él, y que después no le debe nada, y ya lo puede aborrecer a su gusto. Ahora el señor alborota. Que no lo tiente, que conforme lo hizo también lo deshace, que le tira a la cabeza un demonio. Que maldito y condenado sea. ¡Arre!

Esta última exclamación la lanzó para sí el Gallo, porque estuvo a punto de ser aplastado segunda vez por la puerta, que el montañés empujó furioso para salir, al mismo tiempo que voceaba, volviendo el rostro hacia el interior del cuarto:

---

[385] *maíno,* gall.: suave, tranquilo.

[386] *berra,* gall.: berrea, grita.

[387] *entrapallar,* gall.: confundir, *i.e.,* la voz se le confunde con la tos y no se le oye.

—Pues con más motivo le maldigo yo, y maldito sea por toda la eternidad, amén. ¡Que no esté yo solo en el infierno!

Tan aturdido y ebrio salía, que ni reparó en la presencia de una persona arrimada a la puerta. Corriendo se volvió a la habitación del comandante, entró en ella... Bien quisiera continuar sus investigaciones el sultán, pero ni el rumor más mínimo llegó a sus oídos: si se hablaba allí, debía ser en voz muy queda, lo mismo que cuando se confiesan las gentes.

XXX

¡Bueno venía *El Motín* aquella mañana; bueno, bueno! La caricatura, de las más chistosas; como que representaba a *don Antonio*[388] con una lira, coronado de rosas y rodeado de angelitos; y luego, en la sección de sueltos picantes, ¡cada hazaña de los *parroquidermos y clericerontes!* Aquello sí que era ponerles las peras a cuarto. ¡Habráse visto sinvergüenzas! ¡Pues apenas andarían ellos desbocados si no hubiese un *Motín* encargado de velar por la moral pública y delatar inexorablemente todas las picardigüelas de la gente negra![389]. ¡Si con *Motín* y todo...!

Juncal se regodeaba, partiéndose de risa o pegando en la mesa puñetazos de indignación, según lo requería el caso; pero tan divertido y absorto en la lectura, que no hizo caso del perrillo acostado a sus pies cuando ladró anunciando que venía alguien. En efecto entró Catuxa, frescachona y vertiendo satisfacción al preguntar a su marido:

—¿Que no ciertas quién tay viene?[390].

---

[388] Don Antonio Cánovas del Castillo (1828-1897), artífice de la Restauración borbónica de 1874, jefe de gobierno y jefe del partido conservador. Fue Cánovas quien redactó el llamado «Manifiesto de Sandhurst» con el que Alfonso XII proclamó la síntesis entre tradición y progreso que caracterizaría a su reinado. Fue asesinado en el balneario de Santa Águeda (Guipúzcoa) el 8 de agosto de 1897.

[389] *gente negra:* gente de sotana, clérigos.

[390] La autora, lo mismo que da autenticidad en la representación del color, la da en la representación del lenguaje de Catuxa, en el que se mezclan el gallego y el castellano. Quiere decir, obviamente, «¿A que no aciertas quién te viene ahí?».

Caricaturas políticas del periódico *El Motín.*

El alborozo de su mujer era inequívoco; el médico de Cebre cayó en la cuenta al punto, y saltó en la silla dando a *El Motín* un papirotazo solemne y exclamando:

—¿Don Gabriel Pardo?

—¡El mismo!

—Mujer, ¡y no lo haces subir! Anda, despabílate ya. No, voy yo también. ¡Qué mómara![391]. ¡Menéate!

—Si todavía no llegó a casa, ¡polvorín! Vilo[392] desde el patio; viene de a caballo. ¡Y corre como un loco! ¡Parece que viene a apagar un fuego!

Máximo, sin querer oír más, bajó a paso de carga la escalera, salió al patio, y como la llave del portón acostumbraba hacerse de pencas para girar, la emprendió a puñadas con la cerradura; a bien que la médica le sacó del paso, que si no, de puro querer abrir pronto, no abre ni en un siglo. Y cuando la cabalgadura cubierta de sudor se detuvo y fue a apearse el comandante, Juncal no se dio por contento sino recibiéndole en sus brazos. Hubo exclamaciones, afectuosas palmadicas en los hombros, carcajadas de gozo de Catuxa; y antes de preguntarse por la salud, ni de entrar bajo techado, ya se le habían ofrecido al huésped toda clase de manjares y bebidas, insistiendo en saber qué tomaría, hasta no dejarle respirar. La respuesta de Pardo le llenó a la amable médica las medidas del deseo:

—De buena gana tomaré chocolate, Catalina, si no le sirve de molestia. Ahora recuerdo que he salido de los Pazos en ayunas.

Solos ya, sentáronse en el banco de piedra, y Gabriel dijo al médico que le miraba embelesado de gratitud y regocijo:

—No me agradezca usted la visita; vengo a reclamar sus servicios profesionales.

—¿Se le ha puesto peor el brazo? ¡Ya lo decía yo! Con estas idas y venidas... No, y está usted algo... desmejorado, va-

---

[391] *mómara,* gall.: gigante, figura de cabezudo que sale en las fiestas populares.

[392] *vilo,* gall.: el pronombre enclítico no sigue la forma castellana, sino la que es habitual en la sintaxis gallega; «lo vi».

mos; el semblante..., y eso que viene sofocado... Mucha prisa trajo, ¡caramba!

—¡Bastante me acuerdo yo de mi brazo! Si usted no lo mienta ahora... ¡Hay en los Pazos gente enferma!

—¿En los Pazos? ¡Eso es lo peor! Pero ya sabe que yo, desde las elecciones...

—Déjeme usted de elecciones; usted se viene conmigo.

—Con usted, al fin del mundo; sólo que si luego creen que me meto donde no me llaman...

—Pierda usted cuidado.

—¿Y quien está malo? ¿Es el marqués?

—Y su hija.

—¿Los dos?

Gabriel dijo que sí con la cabeza, y se quedó unos instantes pensativo, acariciándose la barba. Realmente estaba pálido, ojeroso, abatido; pero le quedaba el aire de viril resolución que tan simpático le hacía.

—Oiga usted, Juncal. ¿Puedo contar con usted? ¿Haría usted por mí algo que le pidiese? ¡No es cosa muy difícil!

—¡Don Gabriel! Me está usted faltando. ¡Voto al chápiro...! ¡Por usted...! ¿Quiere... que organice un comité conservador en Cebre?

—¡En política estaba yo pensando...! Lo primero es..., no decirle nada a Catalina. Que sepa que va usted a los Pazos, bien; que va usted por la enfermedad de mi cuñado, corriente. Pero de la de mi sobrina, ni esto. ¿Conformes?

—Hasta la pared de enfrente.

—Además, que nos marchemos cuanto antes.

—¿Y el chocolate?

—Pretexto para quitarnos de encima a la pobre Catalina. No haga usted caso. Diga que es urgente echar a andar, y que en vez de chocolate, me contento con... cualquier cosa bebida... ¿Leche, supongamos?

—Bueno..., pero en mientras que arrean la yegua, también está el chocolate listo.

—¡Se lo suplico, arréela usted al vuelo!

No bien acabó de manifestar este deseo, estaba el médico en la cuadra, dando al rapazuelo que curaba de su hacanea las necesarias órdenes. A los tres minutos volvía junto a Gabriel.

—Perdone, ya me doy prisa; pero es que no me ha dicho qué casta de mal es la que anda por los Pazos, y no sé qué he de llevar de medicamentos, instrumentos...

—Manuela sufre, desde ayer por la tarde, fuertes accesos nerviosos... Pero muy fuertes... Convulsiones, lloreras, soponcios.... Desvaría un poco..., yo creo que hay delirio.

—¡Bien! Mal conocido, herencia materna... Bromuro de potasio. Por suerte lo tengo recién preparadito. ¿Y el... marqués?

—Ese no me parece que tenga cosa de cuidado. Ahogos, la sangre arrebatada a la cabeza...

—¡Bah, bah! Coser y cantar. Me llevo la lanceta, y le doy cuerda para un año. Le han acostumbrado desde muchacho a la sangría, y aunque yo las proscribo severamente, uniendo mi humilde opinión a la de los más ilustrados facultativos de Francia y Alemania, en este caso particular, me declaro empírico. El hábito es...

—¡Por Dios! Despachemos —exclamó Gabriel, que parecía también necesitar bromuro, según la agitación, no por reprimida menos honda, que se observaba en su rostro y movimientos. Conviene decir, en abono de la excelente voluntad de Juncal, que para ninguna de sus correrías médicas se preparó más brevemente que para aquélla. Ni tampoco, desde que el mundo es mundo, se ha sorbido más aprisa ni de peores ganas una taza de chocolate que la presentada por Catuxa a Pardo..., y cuidado que venía para abrir el apetito a un difunto, por lo espumosa y aromática.

—¡Tan siquiera un bizcochito, señor! —suplicaba Catuxa—. Mire que están fresquitos de ahora, que cantan en los dientes. ¿Y el esponjado? ¡Ay, que el agua sola mata a un cristiano! Señor, ¿y las tostadas?

—Cállate la boca ya —gritó Juncal severamente—; cuando hay apuro, hay apuro. El marqués de Ulloa se encuentra mal, y vamos allá a escape.

Cosa de un kilómetro se habrían desviado de Cebre, cuando don Gabriel, ladeándose en la silla, preguntó a Juncal:

—¿Dice usted que es herencia materna lo de mi sobrina?

—Sí señor, ¡en mi desautorizada opinión al menos! La pobre doña Marcelina, que en gloria esté —masculló con gran compunción el impío clerófobo— era nerviosísima y algo débil, y aunque la señorita Manuela salió más robusta y se crió de otra manera muy distinta, en su edad es la cosa más fácil. Habrá tenido cualquier rabieta... Pero no pase susto, que ese no es mal de cuidado.

Enmudeció el artillero, y por algunos minutos no se oyó más que el trote de las dos yeguas sobre la carretera polvorosa. Gabriel callaba reflexionando, con la quijada metida en el pecho; de aquellas reflexiones salió para volverse a Juncal y decirle[393] con tono suplicante y persuasivo:

—Amigo Máximo, en esta ocasión espero de usted mucho... Espero que me pruebe que efectivamente he encontrado aquí lo que tan rara vez se tropieza uno por el mundo adelante: un amigo verdadero, de corazón.

—¡Señor de Pardo! —exclamó el médico, a quien semejantes palabras cogían por su lado flaco— ¡Bien puede usted estar satisfecho, aunque la cosa no lo merece, de que ni a mi padre le tuve más respeto, ni a mis hermanos los quise más que a usted! Desde que le vi me entró una simpatía de repente..., vamos, una cosa particular, que los diablos lleven si la sé explicar yo mismo. A mi señora se lo tengo dicho: mira, chica, si te da la ocurrencia de ponerte un día muy mala y quieres médico, que no sea el mismo día que me necesite don Gabriel ¿Y luego, qué pensaba? Pero si no me pide otra cosa de más importancia que darle bromuro a la sobrina, para eso, maldito si...

—Las circunstancias —dijo Gabriel titubeando aún— son tales, que yo necesito creer a pie juntillas lo que usted me asegura para no perder el tino y desorientarme completamente. Voy a hablarle a usted con franqueza, como hablaría yo también a mi hermano.

—¿Pongo la yegua al paso? La de usted no lo sentirá —preguntó Juncal, que oía con toda su alma.

—Sí, conviene salir cuanto antes del atolladero, y que nos entendamos los dos.

---

[393] En todas las ediciones publicadas en vida de la autora se lee «salió volverse a Juncal y decirle con tono...». Se trata sin duda de errata, faltando la preposición «para», que añado yo; también podía leerse con gerundio «salió volviéndose [...] y diciéndole».

—Hable con descanso, que así me arrodillasen para fusilarme, de mi boca no saldría una palabra.

—Eso quiero: cautela y secreto absoluto por parte de usted. Mi infeliz sobrina está desde ayer tarde en un estado de exaltación alarmantísimo. Yo creo que su razón se oscurece algunas veces. Y entonces grita, llora, habla, desbarra, dice enormidades que..., que nadie debe oír, ¿lo entiende usted?, ¡si no personas que antes se dejen arrancar la lengua que repetirlas!

Juncal sacudió la cabeza gravemente, murmurando:

—¡Entendido!

—Los accesos —prosiguió el artillero— le dan con bastante intervalo, y del uno al otro se queda como postrada y sin fuerzas. Ayer ha tenido dos, uno a las cinco de la tarde y otro a las diez de la noche; dormitó unas horas, y a las tres de la madrugada, el acceso más fuerte, acompañado de una copiosa hemorragia por las narices; a las siete, se repitió la función, sin hemorragia; y así que la dejé algo tranquila, suponiendo que tendríamos al menos tres o cuatro horas de plazo, me vine reventando la yegua, y así que acabe la explicación la volveré a reventar, para llegar antes de que el acceso se produzca. ¿Qué opina usted? ¿Le dará antes de mi vuelta?

—Señor don Gabriel, esperanza en Dios. Es probable que no le dé. Según lo que usted me va contando, la neurosis de la señorita tiene carácter epiléptico, y hay un poco de tendencia al desvarío. Bien, ya puede hablar, que es como si se lo dijese a un agujero abierto en la pared. Y... ¿usted no sospecha algo de las causas de este mal tan repentino?

Enderezóse Gabriel en la silla, como afianzándose en una resolución inevitable.

—Sin que yo se lo dijese, en cuanto llegue usted a los Pazos se enterará de que allí han ocurrido ayer y anteayer sucesos gravísimos... Basta para imponerle a usted el primero que encuentre, el mozo de cuadra que recoja la yegua. Anteayer, de noche, mi cuñado sostuvo un altercado terrible con... ese muchacho que pasaba por hijo de los mayordomos...

—Bien, bien. Ya estamos al cabo —indicó Juncal guiñando el ojo—. Pero, ¡qué milagro enfadarse con él! ¡Si lo quería por los quereres!

—Mucho le quiere, en efecto; ¿de qué está malo hoy, sino

del berrinche? Pues..., a consecuencia de la escena espantosa que se armó entre los dos, el muchacho, que es testarudo y resuelto, arregló ayer mañana su maletilla de estudiante, y ni visto ni oído... A pie se largó..., y hasta la fecha no se ha vuelto a saber de él.

Al ir narrando, fijábase don Gabriel en la expresión del rostro de Juncal. Aunque éste procuraba no dejar salir a él más pensamientos que los que no mortificasen ni alarmasen al artillero, no podía ocultar la luz que iba penetrando en su cerebro y que no tardaría en ser completa. La prueba es que exclamó como involuntariamente:

—¡Ah..., ya!

—Sí —añadió Pardo con resignación—: desde que Manuela supo la marcha de su... amigo...

—¿Y quién se la contó? ¿A que se lo encajaron de golpe y porrazo, con todas las exageraciones?

—¡Lo mismito que usted lo piensa! La mayordoma...

—Que es una vaca...

—Se fue a abrazar con ella, llorando a gritos...

—A berridos, que es como lloran semejantes bestias...

—Y le dijo que Perucho no volvía más; que se había marchado decidido a embarcarse para América, y que iba tan desesperado, que era fácil que le diese por tomar arsénico...

—*Séneca,* que le llaman así.

—En fin, le dijo... ¿Hace falta más explicación?

—¡Qué lástima de albarda, Dios me lo perdone, para esa pollina vieja! Bueno, señor de Pardo; no añada más, no se moleste, sosiéguese; ya estamos enterados de lo que conviene ahora. Tranquilizarle a la niña el pensamiento, ¡todo lo posible...!

—Y en especial...

—¡Basta, basta! En especial, silencio, y que los curiosos se queden a la puerta. La curiosidad[394], para la ropa blanca. Fíese en mí. ¿Al trote?

—Al galope, que es cuesta arriba.

Arrancaron las dos yeguas alzando una polvareda infernal.

---

[394] *curiosidad:* juego de palabras con los dos sentidos de este vocablo, que vale como «deseo de averiguar algo» y como «limpieza».

XXXI

El sol había salido, y también el cura de Ulloa a celebrar el santo sacrificio de la misa. Goros, medio en cuclillas ante la piedra del hogar, con las manos fuertemente hincadas en las caderas, el cuerpo inclinado hacia delante, los carrillos inflados y la boca haciendo embudo, soplaba el fuego, al cual tenía aplicado un fósforo. Y a decir verdad, no se necesitaba tanto aparato para que ardiesen cuatro ramas bien secas.

Ladró el mastín en el patio, pero con ese tono falsamente irritado que indica que el vigilante conoce muy bien a la persona que llega, y ladra por llenar una fórmula. En efecto, cansado está el *Fiel* de contar en el número de sus conocidos al madrugador visitante. Como que, siendo aquel todavía cachorro, éste se había encargado de la cruenta operación de cercenarle la punta del rabo y la extremidad de las orejas.

Venía el atador de Boán con el estómago ayuno de bebida, pues acababa de dejar la camada de paja fresca con que aquella noche le había obsequiado el pedáneo; y si esta narración ha de ser del todo verídica y puntual, conviene advertir que llevaba el propósito de matar el gusanillo en la cocina del cura. Lo cual prueba que el señor Antón no estaba muy al tanto de las costumbres severas y espartanas del incomparable Goros, incapaz de tener, como otros muchos de su clase, el frasquete del aguardiente de caña oculto en algún rincón. Es más: ni siquiera por cortesía ofreció un tentempié, un taco de pan y algo de comida de la víspera, y se contentó con responder secamente «Felices nos los dé Dios» al saludo del algebrista. La razón de esta sequedad era una razón profunda, seria y digna del temple del alma de Goros. Allá en su conciencia de creyente a marchamartillo y de persona bien informada en lo que respecta al dogma, Goros tenía al señor Antón por un endemoniado hereje, acusándole de que, merced al trato con las bestias, no diferenciaba a un cristiano de un animal, ni siquiera de una hortaliza, y que para él era *lo mismo una ristra de ajos,* con perdón, que el alma de una persona humana[395]. En las discusiones del ateneo de los Pazos, Goros tenía siempre pedida la palabra en contra, así que el algebrista se descolgaba con una de sus atrocidades, allí estaba el criado del cura hecho martillo de herejes, confutando las proposiciones panteísticas que el alcohol y el atavismo ponían en los sumidos labios del componedor de Boán.

—¿Vienes a ver a los animales? —preguntóle aquella mañana desapaciblemente—. Están bien lucidos. San Antón por delante[396]. No tienen falta médico.

—Vengo a me sentar[397], que el cuerpo del hombre no es de madera, y a las veces cánsase también.

—Bueno, ahí está el banco.

—¡Quién como tú! —suspiró el algebrista, quitándose el sombrero de copa alta y poniéndolo entre las rodillas—. ¡Hecho un canónigo, carraspo! Así te engordan los cachetes, que pareces fuera el alma el marrano del pedáneo cuando lo van a matar.

—Sí, sí, vente con endrómenas... Si hablases de otros criados de otros curas diferentes, de todos los más que hay por el mundo adelante, que revientan de gordos y de ricos..., a cuen-

---

[395] He aquí la antítesis al naturalismo en su versión cómica, representada por Goros. En el capítulo II *(vid.* nota 30), el algebrista había indicado que, «salvo el alma», no se diferencian las personas de las bestias. Goros expone la antítesis de esta opinión. Ambos, por otra parte, atienden al «ateneo» del pazo, con lo que forman, como se dijo entonces, el contrapunto cómico de lo que han de debatir en serio Julián y Gabriel poco más tarde. El tono cómico de este enfrentamiento resulta visible poco después, cuando el algebrista compara a Goros con un «marrano».

[396] Nótese la broma, sin duda intencional. San Antón Taumaturgo es el patrono de los animales, y su autoridad invoca Goros como componedor; el señor Antón es, en cambio, el componedor positivo, real.

[397] *a me sentar,* gall.: el pronombre enclítico precede al nombre como es habitual en gallego.

ta de que los malpocados de los feligreses... Pero este mi señor, que antes de la hora de la muerte ya ha entrado de patas en la gloria, nunca tiene sino necesidades y pobrezas; y si el criado fuese como los vagos a la chupandina del jarro y del pisquis de caña..., ¡ya le quiero yo un recadito!

—¡Mal hablado! Aun siquiera una gota te pedí.

—Buena falta hace que me la pidas. Conozco yo las itenciones de la gente...

Echóse a reír el algebrista, pues no era él hombre que se formalizase por tan poco. De oírse llamar borrachón y pellejo estaba harto, y esas menudencias no lastimaban su dignidad. Al contrario, dábanle pretexto para explayarse en sus favoritas y perniciosas filosofías.

—Bueno, carraspo, bueno; el hombre tampoco es de palo y ha de tener sus aficiones, quiérese decir, sus perfirencias. Y, si no, ¿para qué venimos a este mundo recondenado? A la presente estamos aquí platicando los dos; pues cata que sale una mosca verde del estiércol y te pica..., el *caruncho*[398] sea contigo, y acabóse; ya puede el señor cura plantarse aquellos riquilorios negros con la cinta dorada. Que pasa un can con la lengua de fuera, un suponer, y te da una dentada..., pues como no te acudan con el hierro ardiente, o no te pongan la cabeza de un conejo en vez de la tuya, que dice que es ahora la última moda de Francia para la rabia[399]...

—Vaya a contar mentiras al infierno —exclamó Goros furioso, destrozando en menudos fragmentos una onza de chocolate, pues el agua hervía ya en la chocolatera—. No sé cómo Dios no manda un rayo que te parta, cuando dices esos pecados de confundirnos con las bestias, ¡Jesús mil veces!

—¡Si ya anda en los papeles! A fe de Antón, carraspo, que no te miento.

—Los papeles son la perdición de hoy en día. Los que escriben los papeles, más malvados aún que las amas de los clérigos.

---

[398] *caruncho,* gall.: carbunclo

[399] *Vid.* nota 245.

—Asosiégate, hombre, que tú no has de arreglar el mundo, ni yo tampoco. Lo que se quiere decir es que para cuatro días que tenemos de vida, no debe un hombre privarse de lo que le gusta, en no haciendo daño a sus desemejantes.

—Como los cerdos, con perdón, ¿eh? —vociferó Goros en el colmo de la indignación, mientras buscaba por la espetera el molinillo—. ¿Como los marranos? Comer, dormir, castizar[400], ¿y luego a podrirse en tierra? Calle, calle, que hasta parece que se me revuelve el estómago.

Lo que se revolvía era el chocolate, bajo el vertiginoso girar del molinillo en la chocolatera. El cura de Ulloa padecía debilidad, y necesitaba que en el mismo momento de llegar de la iglesia le metiesen en la boca su chocolate, fuese en el estado que fuese; por lo cual Goros acostumbraba tenerlo listo con anticipación, y el señor cura tomarlo detestable.

—Yo no sé qué diferentes son de los marranos los hombres, carraspo —blasfemó el algebrista—. Tras de lo mismo andan; el comer, el beber, las mozas... Al fin, de una masa somos todos.

—¡No sé cómo Dios aguanta a este empío en el mundo!

—¿Y yo qué mal le hago a Dios, por si es caso? ¡De quien se ríe Dios es de los bobos que están ayunando y con flatos y pasando mala vida! ¿Para quién hizo Dios, vamos a ver, responde, cristiano, para quién hizo Dios las cosas buenas, el vino, y más la comida, y más las muchachas de salero? ¿Las hizo Dios, sí o no? Pues si las hizo, no será para que nadie las escupa. Y si alguien las escupe, se ríe Dios de él, ¡carraspo y carraspiche!

—Si le oye mi señor, le echa con cajas destempladas de la cocina.

—¿No va en[401] los Pazos el señor abad? —preguntó el algebrista, mudando de tono, y como quien pregunta algo serio.

—¿En los Pazos? No, va en misa.

—Pues dice que lo van a llamar de los Pazos.

—¡Milagro! ¿Para qué será?

---

[400] *castizar,* gall.: cubrir el puerco a la hembra.

[401] *va en,* gall.: repite la sintaxis gallega para la expresión de lugar; «estar».

—Para echarle los desconjuros y los arpejes a la señorita Manola, que tiene el *ramo cativo*, y para darle la esterminación a don Pedro, que está en los últimos.

—¿Quién le dijo todo eso?

—El estanquero de Naya. Allá estive de noche.

—Pues es una mentirería descarada. Ayer noche fui a los Pazos a ver qué sucedía. También me lo encargó el señor abad. Y ni la señorita Manola está endemoniada, ni el marqués tan malo.

—El haber hay en la casa un rebumbio de dos mil júncaras. ¿Hay o no?

—Rebumbio lo hay, eso es como el Evangelio; pero eusageran, que no es tanto.

—¿Y será mentira también el cuento de lo que pasó con el Perucho, el hijo de la Sabel? Por Naya anda el cuento más corrido, que no sé.

—Largó de casa, y no se sabe a derechas el motivo. Ese es el caso.

La fisonomía del algebrista, truhanesca y socarrona como ella sola, se contrajo y arrugó con el más malicioso gesto posible.

—El motivo... Endrómenas[402], carraspo... Unos dicen de una manera, otros de la otra, y tú vete a saber la verdá...

—La verdá sólo Dios —sentenció Goros.

—O el diaño, que inda[403] es más listo. Pues, señor, que dicen unos que la señorita tuvo un disgusto grandísimo con el padre, a que había de echar de casa al Perucho, y que hasta que lo echó no paró. Otros que ese señor que está ahí..., ¡ese de los cuatro ojos!

—Ya sé. El hermano de la difunta señora.

—Que fue quien porfió por echar a Perucho, porque quiere casarse con la señorita..., y así supo que don Pedro le dejaba cuartos por testamento, amenazó a Perucho de matarlo y por poco lo mata..., hasta que se tuvo que largar con viento

---

[402] «Endrómenas», es decir, según lo dicho en los primeros cuatro capítulos, la ley de la Naturaleza.

[403] *inda, ainda*, gall.: todavía.

fresco. Que otros... (aquí el guiño se hizo más malicioso) que si andaban, si no andaban, si el Perucho y la Manola y el otro y todos... ¡El diablo y más su madre! El cuento es que juraban que el señor no salía de ésta..., que estaba gunizando..., y que tenían llamado al médico de Cebre, aquel con quien riñeran por mor de las eleuciones...

Goros sacó en esto la chocolatera del fuego, porque ya había dado los dos hervores de rúbrica; y meneando la cabeza con aire filosófico, pronunció:

—Ni por ser rico..., ni por ser señor..., ni por poca edá..., ni por sabiduría... Cuando llega la de pagar la gabela de las enfermedades y de las desgracias y de la muerte negra[404]...

El algebrista callaba, como el que no tiene ganas de armar disputa otra vez, y picaba con la uña, de una gruesa tagarnina, cantidad bastante para liar un papelito. Así que lo hubo liado, se encasquetó la monumental chistera, y acercándose al fogón, murmuró con tonillo insinuante:

—¿Con que no das ni una pinga?[405].

—No gasto —respondió el criado del cura áspera y lacónicamente.

—Da entonces lumbre para el cigarro, que no te arruinará, cutre, sarnoso.

Goros le alargó el tizón, y el componedor, con un cigarrillo en el canto de la boca, salió rezongando un «¡Conservarse!».

Creyóse el perro en el compromiso de soltar un ladrido de alarma al ver salir al señor Antón; mas de allí a dos minutos, rompió a ladrar con verdadero frenesí, con ese bronco ladrido, casi trágico, que es aviso y reto a la vez. Goros se lanzó fuera y se halló, a la puerta del patio, con el señor de los *cuatro ojos*.

---

[404] Aquí es Goros quien enuncia esta *Danza de la muerte*, que cierra estructuralmente la enunciada por la Sabia en el capítulo III *(vid.* nota 42).

[405] *pinga*, gall.: gota.

XXXII

—¿El señor cura? ¿Está en casa?

—¡Ay señor! Va en la misa, ya hace un bocadito[406] que salió.

—¿Tardará mucho?

—¿Quién es capaz de saberlo? La misa se despabila pronto; solamente que después, si le da la gana de ir a rezar al camposanto, lo mismo puede tardar media hora que una. Si quiere, voy a buscarlo en un istante.

—Nada de eso. Déjele usted que rece. No tengo prisa; esperaré.

—¡Quieto, can! ¡Quieto, arrenegado! Pase, entre, haga el favor de subir.

Pasábase por la cocina para llegar a la sala del cura, sala que hacía oficio de comedor, y se reducía a cuatro paredes enyesadas, una mesa vieja con tapete de hule, una Virgen del Carmen de bulto, encerrada en su urna de cristal y caoba, y puesta sobre una cómoda asaz ventruda y apolillada, y media docena de sillas de Vitoria. Goros se deshacía buscando y ofreciendo la menos desvencijada y vieja.

—Gracias, estoy muy bien —afirmó el artillero después de tomar asiento—; no deje usted sus quehaceres, amigo; váyase a trabajar.

La verdad es que deseaba estar solo, como todos los que lidian con preocupaciones muy serias. Pesado silencio llenaba

[406] *bocadito*, gall.: adverbio de tiempo que indica «período breve de tiempo».

la salita, y lo interrumpía sólo el zumbido de un moscardón, que se aporreaba la cabeza contra los vidrios de la ventana[407]. Gabriel Pardo acercó su silla a la mesa, y apoyando en ésta los codos, dejó caer sobre las palmas de las manos la frente, experimentando algún consuelo al oprimirse los párpados y las sienes doloridas. Ni él mismo sabía por qué, después de dos o tres días de febril actividad, de lucha encarnizada con una situación espantosa, le entraba ahora tan inmenso desaliento, tales ganas de echarlo todo a rodar, meterse en un coche y volverse a Santiago, a Madrid...

Tres noches llevaba sin dormir y tres días sin comer casi, y tal vez por culpa de la vigilia y abstinencia le parecía en aquel instante que su cerebro estaba reblandecido, y que sus ideas eran como esos círculos que hace en el agua la piedra arrojadiza; no tenían consistencia alguna. A fuerza de encontrarse frente a frente, de lidiar cuerpo a cuerpo con uno de los problemas más tremendos que pueden acongojar a la razón humana, ya había perdido la brújula, y el desbarajuste de su criterio le amedrentaba[408].

—Vamos a ver (y era la centésima vez que repetía aquel soliloquio mental). Aquí se han tronzado moralmente dos existencias; se les ha estropeado la vida a dos seres en la flor de la edad. Los dos se causan horror a sí mismos; los dos se creen reos de un crimen, de un pecado espantoso; y los dos, bien lo

---

[407] Podría pensarse que se trata aquí de un detalle realista sin implicaciones en la narración, lo que Barthes denomina «el efecto de realidad». Pero no es así. La imagen del moscardón, golpeando contra la transparencia del cristal para salir al aire puro y a la libertad que ve fuera de la estancia, sirve como magnífico contrapunto metafórico del artillero, que se devana los sesos para elucidar lo que, como él mismo ha de reconocer, está claro como el agua para los más simples. Este contrapunto metafórico confirma una vez más el genio artístico de doña Emilia, que refracta el tema en una imagen para no dar opiniones dogmáticas sobre el mismo, dejando al personaje, y un incidente que ocurre junto a él, llegar a las conclusiones del mismo.

[408] Una vez más se subraya la falta de asimiento moral en el ideario del artillero. Él mismo, en el capítulo VII, había dado cuenta de esta situación. No obstante, hay aquí indicios de la existencia de cierto residuo moral en su actitud, hasta tal punto que, al tener que enfrentarse «con uno de los problemas más tremendos que pueden acongojar a la razón humana», siente vértigo ante su propia falta de criterio.

veo, seguirán queriéndose largo tiempo aún. ¿Son delincuentes en rigor? Por de pronto, que no lo sabían: pero supongamos que lo supiesen, y así y todo... No, dentro de la ley natural, eso no es crimen, ni lo ha sido nunca. Si en los tiempos primitivos, de una sola pareja se formó la raza humana, ¿cómo diantres se pobló el mundo sino con eso? ¡Ea, se acabó; está visto que yo no tengo lo que llaman por ahí sentido moral! ¡A fuerza de lecturas, de estudiar y de ejercitar la razón, me he acostumbrado a ver el pro y el contra de todas las cosas! ¡Me he lucido! Lo que la humanidad encuentra claro como el agua, lo que un niño puede resolver con las nociones aprendidas en la escuela, a mí me parece hondísimo e insoluble. Sólo en el primer momento, guiado por mi instinto, procedo con lógica; así cuando quería matar a Perucho; entonces era yo un hombre resuelto, no un divagador miserable; pero, ¿cuánto me dura a mí esa fuerza, esa convicción? Diez minutos; el tiempo que tardo en echarme a filosofar sobre el asunto y empezar con porqués, con atenuaciones, indulgencias y tolerancias. ¡El cáncer que me roe a mí es la indulgencia, la indulgencia! ¿Me casaría yo, aunque fuese lícito, con una de mis hermanas? No, y estoy disculpando el incesto. Como aquella vez que encontré mil excusas a la cobardía del famoso Zaldívar, el que se guardó varios bofetones y no quiso batirse, ¡y luego tuve que echármelas yo de matón para que no se figurasen que defendía causa propia! Aún me río... ¡Cómo me puse cuando el otro botarate de Morón me dijo con mucha soflama que era cómodo tener ciertas teorías a mano! Aún se deben acordar en el café de la que allí se armó... ¡Ay, y qué cansado estoy de estas dislocaciones de la razón, de este afán de comprenderlo y explicarlo todo! La calamidad de nuestro siglo. Quisiera tener el cerebro virgen, ¡qué hermosura! ¡Pensar y sentir como yo mismo; con energía, con espontaneidad, equivocándome o disparatando, pero por mi cuenta! Ese montañés me ha inspirado simpatía, cariño, envidia, admiración. Él se cree el hombre más infeliz de la tierra, y yo me trocaría por él ahora mismo. ¡Con qué sinceridad y entereza siente, piensa y quiere! Vamos, que ya daría yo algo por poder decir con aquella voz, aquel tono y aquella energía «¿Soy algún perro para no creer en Dios?».

Gabriel se oprimió más las sienes. El moscardón seguía zumbando y golpeándose, incansable en su empeño de romper un vidrio con la cabeza para salir al aire y a la libertad que desde fuera le estaban convidando. Levantóse Pardo, deseoso de librarse, con la acción, de la tortura de aquellas cavilaciones estériles y mareantes. Púsose a pasear de arriba abajo por la sala, escuchando el crujido de sus botas nuevas, unas botas de becerro blanco encargadas para la expedición al valle de Ulloa. Se paró ante la urna de la Virgen del Carmen, y la miró atentamente, reparando en su corona, en la inocente travesura de los ojos del niño, en la forma del escapulario... ¡De veras que ya iba tardando el cura! Sentía Gabriel esa necesidad de movimiento que entretiene la impaciencia. Salió a la cocina, donde Goros mondaba patatas; y abriendo la petaca, le ofreció cordialmente un cigarro. El criado del cura se puso de pie, sonrió complacientemente y se rascó el cogote detrás de la oreja, ademán favorito del gallego cuando delibera para entre sí. Gabriel adivinó.

—¿No fuma usted?

—No señor, no gasto, hase de decir la verdad. Dios se lo pague y la Virgen Santísima y de hoy en un año me dé otro.

—¡Pues si no le he dado a usted ninguno!

—La entención es lo que se estima, señor. No se le va el tiempo; con su permiso, cumple avisar al señor abad.

—No, hombre; si ya no es posible que tarde mucho. Tiene el abad una casita muy mona... ¿Produce mucho el huerto?

—No señor, apenas nada... ¿Quiere molestarse en ver cuatro coles?

—Si usted no tiene ocupación precisa...

—Jesús, señor. Venga por aquí. (Goros tomó la delantera.) Esto es una poquita cosa que yo la trabajo cuando tengo vagar. (Encogiéndose de hombros con aire resignado.) Porque el señor abad..., ¡mi alma como la suya!, no mete un triste jornalero, y yo a veces me levanto antes de ser día, y con un farol en la mano voy cuidando... Y todo me lo come el verme...

Obligaba la cortesía a Gabriel a fijarse en un repollo comido de orugas, un tomate que rojeaba, un pavío chiquito, enfermo de un flujo de goma, y un peral muy cargado ya. Luego entraron en la corraliza donde se ofrecía a los ojos un cuadro de familia interesante. Era una marrana soberbia en medio de su ventregada de guarros, los más rosados y lucios que pueden verse. La madre vino a frotarse cariñosamente contra Goros; pero al ver a Gabriel gruñó con recelo y echó al trote, seguida de sus críos, hacia la pocilga. Goros la llamó con cariñosos apelativos, diminutivos y onomatopeyas, para sosegarla.

—Quina, quiniña..., cuch, cuch, cuch...

—¡Qué grande es y qué hermosa! —observó Gabriel para lisonjear la vanidad de Goros.

—Es muy hermosísima, sí señor; y eso que está chupada de criar. Cuando se cebe tendrá, con perdón, unas carnes y unos tocinos... como los del Arcipreste de Boán. ¿Le conoce, señorito? —exclamó el criado, que ya estaba rabiando por vaciar el saco de las chanzas irreverentes.

—Algo —repondió Gabriel sonriendo.

—¿Y no le parece, dispensando usté, que se la podíamos enviar de ama? —añadió Goros señalando a la puerca[409]. Como Gabriel no celebró mucho el chiste, Goros mudó de estilo.

—¿Ve los que tiene? —dijo enseñando los cochinillos—. Pues a todos los ha criado... Es el segundo año que cría... Aquel ya es hijo suyo —añadió mostrando en un rincón de la corraliza un cerdazo corpulento, pero con un aire hosco y feroz que recordaba al jabalí montés—. Matamos el cerdo viejo por Todos los Santos, y quedó ese para padre[410].

---

[409] En la novela se producen interesantes semejanzas entre los personajes, compensadas por contrastes que los singularizan. Don Gabriel y don Julián se asemejan por tener ambos educación superior a la de los demás personajes, pero se distinguen entre sí por sus distintas creencias; Juncal y Goros, como muestra este episodio, se asemejan en sus chistes contra el clero y tienen funciones estructuralmente paralelas, pero se distinguen asimismo por sus creencias; el algebrista y Juncal se asemejan en la práctica médica y en las creencias materialistas, aunque pertenecen a distintos órdenes; el algebrista y Goros se separan en sus creencias, aunque los dos aportan un tono cómico.

[410] Nótese el contrapunto del incesto sancionado en la naturaleza domesticada por el hombre. Acto seguido aparece la paloma, símbolo del amor, anticipo de la conversación entre el cura de Ulloa y Gabriel sobre el amor entre hermanos.

Mientras Gabriel consideraba a aquel Edipo de la raza porcuna, un gracioso animal vino a enredársele entre los pies: era una paloma calzuda, moñuda, de cuello tornasolado donde reverberaban los más lindos colores; giraba arrullando, y su ronquera era honda, triste y voluptuosa a la vez. Gabriel se inclinó hacia ella, y el ave, sin asustarse mucho, se limitó a desviarse unos cuantos pasos de sus patitas rosadas.

—¿Hay palomar? —preguntó Pardo.

—No señor... (El criado estregó el pulgar contra el índice, como indicando que no sobraba dinero para meterse en aventuras.) Pero el señor abad..., como Dios lo dio tan blando de corazón..., y como las palomas le gustan..., mantiene a las de todos los palomares de por ahí, y siempre tenemos la casa llena de estas bribonas. Siquiera sacamos un par de pichones para asarlos; aquí no vienen sino a llenar el papo y marcharse. ¡Largo, galopinas! —añadió dirigiéndose a varias que desde el tejado descendían a la corraliza volando corto—. ¡Ay señor! —añadió el criado tristemente—: es mucho gusto servir a un santo..., ¡pero también..., los trabajos que se pasan para ir viviendo acaban con uno! Aquí no se cobran derechos..., aquí los feligreses se ríen del señor, y no traen ni huevos, ni gallinas, ni fruta, ni nada... Aquí la fiesta del Patrón, como si no la hubiera... Aquí se guarda el tocino y la carne para los enfermos de la parroquia, y nosotros pasamos con berzas y unto.

Latió el perro de alegría; abrióse la puerta del patio que comunicaba con la corraliza, y apareció el cura flaco, sumido de carnes, encorvado, canoso, de ojos azules muy apagados, vestido con una sotanuela color de ala de mosca, pero limpia. Gabriel se descubrió, se adelantó, y antes de saludarle inclinóse y le estampó un gran beso en la mano.

XXXIII

Para hablar a su gusto y sin temor de que ningún oído indiscreto sorprendiese la conversación, se encerraron en el dormitorio del cura, que parecía celda. Como no había más que una silla, Gabriel se sentó en el poyo de la ventana. Y charló, charló, desahogando su corazón y aliviando su cabeza con el relato circunstanciado de toda la tragedia ocurrida en la casa señorial. El cura le oía sin levantar los ojos del suelo, con las manos puestas en las rodillas, cogiéndose a veces la barba como para reflexionar, y a veces moviendo los labios lo mismo que si hablase, pero sin pronunciar palabra ninguna. De tiempo en tiempo carraspeaba para afianzar la voz, costumbre de todos los que han ejercitado el confesonario, y hacía una pregunta, contrayendo la boca al decir las cosas graves. Gabriel respondía clara, explícita, llanamente: jamás recordaba haber tenido tal satisfacción y tan provechoso desahogo en confiarse y desnudarse el alma.

—¿Y dice usted —interrogó el cura— que ese desdichado está ya bien lejos de aquí? La separación es lo primero que importa.

—Sí, padre. Yo le proporcioné dinero; yo le consolé lo mejor que supe; yo le acompañé hasta la diligencia, y le di carta para una persona de Madrid que inmediatamente que llegue le colocará de dependiente en una tienda. Le conviene trabajar, para que se le quiten de la cabeza las cavilaciones. Y no tenga usted miedo, que no le dejaré de la mano. Me considero obligado a eso y, además, ¡me ha dado tanta lástima! Le aseguro a usted que iba cobrándole cariño.

—¿Y usted, no sospecha con qué objeto quiere verme la señorita Manuela?

—Quiere confesarse, o cosa semejante; quiere... ¿Qué ha de querer la pobrecilla? Imagínese usted. Consejo, luz; ¡que la ayuden a salir del pozo en que cayó hace cuatro días! El mal ha cedido; bien lo decía el médico de Cebre, que el daño físico era poca cosa y fácilmente se vencería. Ya no hay convulsiones, ni querer batir con la cabeza contra la pared, ni aquello de llamar a gritos a Perucho y acusarse en voz alta de los más horribles delitos. Figúrese usted que hasta dijo que ella había matado a su madre. Así es que la tuvimos secuestrada, sin permitir que en el cuarto entrase nadie, ¡y ojalá hubiésemos empezado por ahí, desde que Perucho se marchó! Entonces no le hubieran contado... ¿No le parece a usted una fatalidad que supiese el parentesco que la une a aquel infeliz? Han cargado su conciencia de negras sombras; la han torturado con remordimientos que pudieron ahorrársele del todo, ¡la han colocado a dos dedos de la locura!

—Me parece que no está usted en lo cierto, señor don Gabriel —respondió lentamente el cura de Ulloa—. Si la niña ignorase que hay entre ella y el hijo de Sabel un obstáculo eterno e invencible, le seguiría amando y no veríamos nunca extinguida la pasión incestuosa. Estas desgracias tan terribles provienen cabalmente de no haberle abierto los ojos a tiempo: ¡tremenda responsabilidad para los que estaban obligados a velar por ella! Dios se lo perdone en su infinita misericordia.

—Me coge de lleno esa responsabilidad, padre. Yo debí venir antes a conocer a la hija de mi pobre hermana, a saber cómo vivía, cómo la educaban. Nada de eso hice, y será un remordimiento que me ha de durar tanto como la vida. Y usted, usted que es un santo...

—Señor de Pardo, no me abochorne. Soy el último y el más miserable pecador.

—Bien, pues usted..., ¡que es un malvado! —exclamó sonriendo cariñosamente el artillero—, ¿no tuvo ocasión de insinuarle..., no se confesaba la niña con usted?

—Algún año por el Precepto... Confesiones a escape, en que no es posible echarle la sonda a un alma y ver lo que tiene dentro. Todo lo han descuidado en esa pobrecita, hasta los deberes religiosos, y si hay en ella bondad y honradez...

—¡Ya lo creo que la hay! —protestó Gabriel con viveza.

—Será por virtud natural y por misericordia de Dios. Nada le han enseñado; la han dejado vivir entregada a sí misma, por montes y breñas como los salvajes. Ha caído muy hondo; pero ¿cómo no había de caer? ¡Al borde del abismo la empujaban!

—¿Cómo es que no la veía usted más a menudo? ¿Usted que tanto quiso a su madre?

La fisonomía del cura se animó y alteró un tanto. Gabriel le había observado desde un principio, y notado que el cura de Ulloa ahora como en la primer entrevista, parecía llevar sobre las facciones una máscara, una especie de barniz de impasibilidad, austeridad y desasimiento, que le daba gran semejanza con algunas pinturas de santos contemplativos que andan por las sacristías. La expresión se había recogido al interior, por decirlo así, los ojos, muy sumidos bajo el convexo párpado, miraban positivamente para dentro. Eran sus trazas como de hombre que huye de la vida de relación y se concentra en su pensamiento, procurando envolverse en una especie de mística indiferencia por las cosas exteriores, que no es egoísmo porque no impide la continua disposición del ánimo al bien, sino que parece coraza que protege a un corazón excesivamente blando contra roces y heridas. La forma cristiana de la impasibilidad estoica. Pero ante la directa pregunta de Gabriel, quebrantóse la tranquilidad del cura: un leve matiz rojo le tiñó las mejillas, y brillaron sus apagados ojos. No debía de ser tan flemático, en el fondo, el bueno del abad.

—No señor —pronunció más aprisa y en tono algo agitado—. Le hablaré a usted con franqueza absoluta, por ser usted quien es y por el caso extraordinario en que estamos. Hace muchos años que yo no frecuento la casa de los Pazos, en que tuve la honra de ser capellán, parte por el carácter de su señor hermano político de usted (todos tenemos nuestros defectos, nuestras rarezas), parte porque me traían aquellas paredes recuerdos..., bastante tristes. De esto no necesitamos hablar más. Respecto a la niña, mire usted. Cuando era pequeñita, puede decirse que recién nacida, le tenía yo cobrado un cariño, un cariño que no sé: muy grande podrá ser el amor de los padres para sus hijos, pero lo que es el que yo tenía al angelito de Dios, es una cosa que no se puede explicar con palabras. Como luego me fui de aquí y tardé bastante tiempo en volver (hasta que me presentaron para este curato), pude meditar y considerar las cosas de otro modo, con más calma; y entonces evité ver mucho a la niña, por no poner el corazón en cosas del mundo y en las criaturas, que de ahí vienen amarguras sin cuento y tribulaciones muy grandes del espíritu. El que se casa, bien está y justo es que quiera a sus hijos sobre todas las cosas, después de Dios; pero el sacerdote, y en especial el párroco, ha de ser padre de todas sus ovejas, pues tal es su oficio, y no amar mucho en particular a nadie, para poder amar a todos, y amarlos no en sí, sino en Cristo, que es el modo derecho. Así he creído que debía hacer, señor de Pardo. En cuanto al motivo, no pienso haber errado; pero, a poder prever los acontecimientos y el peligro de la niña, debí proceder de otro modo. Yo, que estaba cerca, soy muchísimo más delincuente y reo de descuido que usted que estaba lejísimos y no podía razonablemente suponer que corriese Manuela ningún riesgo teniendo al lado a su padre.

—Pues ahora —exclamó Gabriel— se me figura que nada remediamos con andar volviendo la vista atrás y lamentar lo ocurrido. El lance es espantoso; a hacerle cara, y a reparar en lo posible (hablo por mí) el delito de que somos reos. Yo tengo aquí en esta mano la reparación. Lo que necesita ahora mi sobrina es rehabilitarse a sus propios ojos; es volver a estimarse a sí misma; es reconciliarse con su propia conciencia. Es muy joven, muy inexperta, muy sencilla, ya por efecto de su carácter, ya de sus hábitos; y cree haber cometido uno de esos crímenes horribles que la hacen acreedora a que caiga sobre su cabeza el fuego del cielo, que abrasó a los habitantes de las cinco ciudades aquellas. Cuando no se ha vivido, señor cura, no es posible tener idea exacta de la magnitud y trascendencia de nuestros actos, ni del grado de responsabilidad que nos toca en ellos; así es que la pobre chica, no le quiero a usted decir ni cómo se trata a sí misma, ni las cosas que se llama, ni las culpas que se echa, ni las atrocidades que ensarta sobre el tema de que se quiere morir, de que no estará tranquila hasta que le canten el responso, y otras mil cosas análogas. Desde que ha pasado el acceso nervioso, permanece calladita y vuelta de cara a la pared, y sólo se le saca de cuando en cuando un «¡Ay Jesús, ay Jesús, yo me quiero confesar!», pero, en resumidas cuentas, el estado de ánimo entonces y ahora es el mismo, y aquí no hay más que una solución: tranquilizar, calmar, restaurar ese espíritu. Yo lo he intentado por todos los medios; pero a mí no me oye ni me atiende, mientras que a usted le llama. Su sagrado prestigio de usted lo puede todo en esta ocasión.

—Cuanto de mí dependa...

—Y de mí; ¿no ha entendido usted aún? Lo diré más claro. Hágale usted comprender que nada ha perdido, que no está ni infamada ni maldita, una vez que su tío, persona decente por los cuatro costados, la pide por mujer, la quiere con todo su corazón, y está dispuesto a ser para ella cuanto le negó la suerte hasta el día: padre, madre, hermano, protector, esposo amantísimo, que con todos estos cariños diferentes la sabré querer yo.

Reinó en la celdita prolongado silencio. El cura recobraba su expresión tranquila; reflexionaba. Por último, interrogó:

—¿Usted se casaría con ella, sin reparar...?

—Sin reparar en lo sucedido.

—Y nunca...

—Y nunca se lo había de traer a la memoria.

—Según eso, ¿está usted... prendado de su sobrina?

—No señor. Prendado, no, según suele entenderse esa palabra. La quiero; y además pago una deuda.

—No desmiente usted la buena sangre, señor don Gabriel. Alguien le estará a usted dando las gracias y pidiendo por usted desde el cielo.

—No —respondió Gabriel levantándose—, si aquí quien ha de hacer el milagro es usted. Mi destino y el de Manuela están en sus manos.

—En las de Dios —respondió fervorosamente el cura de Ulloa. Dicho esto, se levantó, volvió la vista hacia una detestable litografía del Corazón de Jesús, que tenía colgada a la cabecera de la cama, y movió los labios aprisa; aquello sí era rezar.

XXXIV

A tiempo que el párroco de Ulloa cruzaba, sereno en apariencia, aquellos salones tan poblados para él de memorias y de diabólicas insidias y asechanzas contra su reposo, Juncal salía del cuarto de la enferma. A la pregunta ansiosa de Gabriel, el médico dio respuesta sumamente satisfactoria:

—Mejor, mucho mejor. Se ha comido la patita de la gallina, toda entera. Se bebió un vaso de tostado.

—¿Por su voluntad?

—No; tuve que rogarle mucho, pero después se veía que lo despachaba sin repugnancia. A esa edad, la naturaleza ayuda. Señor abad; ¡felices!

—Igualmente, don Máximo. ¿De manera que no hay inconveniente en entrar junto a ella?

—Al contrario, tiene afán por verle a usted.

—Pues señores..., hasta luego.

Así que el cura desapareció tras la puerta del cuarto, Juncal enganchó el brazo derecho en el del comandante, y le llevó hacia el claustro, diciendo afectuosamente:

—Véngase, véngase a tomar un poco el aire; usted va a salir de esta batalla con una enfermedad. Duerme y come tan poco como la enferma, y eso no puede ser. A ella la sostuvo hasta hoy la excitación nerviosa; usted está en diferente caso.

—Bch... ¿Cómo sigue don Pedro? No voy allá porque se pone hecho un lobo cuando me ve. ¡La manía de que yo he venido a traer la desgracia a esta casa!

—Mire, seguir no le sigue peor; mañana o pasado se levantará, y parecerá muy fuerte; pero..., confieso que me ha dado un chasco. Físicamente (consiste en la diferencia de edades) le ha hecho la cosa más eco que a la muchacha. Ha sido un golpe terrible. Y que nada; que no se acostumbra a que el chico se haya marchado. Hasta los jabalíes del monte quieren a sus cachorros; esto lo prueba.

—Bonita está esta casa. Dígole a usted, Máximo, que arde en un candil. No hablemos de Manuela; pero entre don Pedro que aúlla, y las gentes de abajo, que me arman cada gazapera y cada red... Porque ahora sus baterías se dirigen a que don Pedro reconozca... Piensan que va a liárselas, y..., a lo que estamos, tuerta.

—Bueno es que usted se impuso desde el primer instante. Si no, ¿quién pararía aquí?

—Me impuse; no quiero que molesten a un enfermo; pero lo del reconocimiento lo considero muy justo. Si ese cernícalo me quisiese oír, se lo aconsejaría. ¡Cuántos daños se hubieran evitado, con hacerlo al tiempo debido!

Juncal inclinó la cabeza en señal de asentimiento, y los dos amigos siguieron paseando por el claustro, o mejor dicho por la solana, sostenida en pilastras de piedra, con el escudo de Moscoso, que formaba el cuerpo superior del claustro. El liquen, a la luz del sol, estriaba de oro la piedra; y bajo los aleros del tejado se oía el pitío alborotador de las golondrinas, que desmintiendo la popular creencia de que sólo anidan en casas donde reinan paz y ventura, entraban y salían en sus nidos, con vuelo airoso.

—Don Gabriel, usted está alterado —exclamó el médico notando la irregularidad del andar y los movimientos del comandante. Todo el cuerpo de Gabriel, en efecto, vibraba como una caldera de vapor a tensión muy alta—. ¿No se lo dije, que acabaría usted por ponerse más malo que su sobrina?

—No es eso, no es eso —exclamó con vehemencia el comandante, soltando el brazo de su amigo y reclinándose en una de las pilastras—. Es..., que ahora, en este mismo instante, se decide el destino de mi vida y el de Manuela. El cura de Ulloa lleva un encargo mío...

—¡Mi madre querida! —exclamó con cómico terror Juncal, agarrándose con las manos la cabeza—. ¡Ha puesto usted su destino en manos de un clericeronte! ¡Estamos frescos! Ay, don Gabriel, de aquí va a salir una *falcatrúa*[411]. Verá, verá, verá.

—¡Hombre! —repuso Gabriel sin poder evitar la risa—. Yo pensé que hacía usted una excepción honrosísima en favor del cura de Ulloa.

—Entendámonos, entendámonos... Hasta cierto punto nada más. ¡El clérigo siempre es clérigo! Donde él pone la mano, todo lo deja llevado de Judas. ¿Usted piensa que a mí me hizo gracia el que la chica llamase por él y quisiera verlo a toda costa? ¡Mal síntoma, síntoma funesto! Yo a sanarla, y el clérigo..., ¡ya lo verá usted!, a enfermarla otra vez, y de más cuidado que la primera. Mucho será que hoy no tengamos la convulsión y la llorerita... ¡Mecachis en los que vienen ahí a alborotar a la gente!

—Vamos, Máximo, tolerancia, tolerancia. ¿De modo que si usted pudiese, al cura de Ulloa me lo metía en el buque con los demás, y con los demás me lo enviaba a tierra de salvajes?

—¡Pues claro, señor! ¿No hace falta un apóstol para convertir a los infieles? Pues así habría un apóstol entre muchos pillos. Y nos quedaríamos libres por acá de apóstoles, porque nosotros ya estamos convertidos hace rato.

En tomando la ampolleta Juncal sobre esta cuestión, no era fácil atajarle; y como Gabriel se reía a veces de sus extravagantes dichos, el médico sacaba todo su repertorio. Mientras el comandante apuraba el cigarro, el médico refería la vida y milagros de todos los abades del contorno, más o menos recargada de arabescos y viñetas.

—El de Boán, a ése ya lo habían despachado por bueno; lo atacaron veinte facinerosos en su casa, y les probó que servía mejor que ellos para el oficio: si se descuidan me los escabecha a todos. Mire qué mansedumbre evangélica. El de Naya no me la da a mí con su carita complaciente; debe de ser un pillo redomado: más amigo de diversión y *gaudeamus*... Si le estuviesen dando la consagración de obispo y oyese que al lado se iban a disparar unos cohetes y a hinchar un globo, tira

[411] *falcatrúa*, gall.: trampa.

con la mitra y echa mano al tizón. El arcipreste de Loiro, dicen que se come él solo un capón cebado y que le chorrea la grasa de la enjundia por el queso[412] abajo, hasta el ombligo. ¡Pues no digo nada del nuevo que nos han mandado a Cebre! Más bruto no le hace Dios aunque se empeñe, y tiene pretensiones de orador sagrado, porque en Santiago le dieron una faena de cavador[413]; en un mismo día predicó por la mañana el sermón del Encuentro, al aire libre, y por la tarde el de la Agonía: total, cuatro horas de echar el pulmón, y de hacer chacota de él los estudiantes. Y lo más célebre fue que en el sermón del Encuentro llevaba una pelliz, eso sí, muy planchada y muy rizadita; y cuando para enternecer al público hizo ademán de abrazar a la Virgen para consolarla de la ausencia de su hijo, los estudiantes gritaban: ¡Ay mi pelliz! Así que se enteró el Arzobispo, dicen que le pasó recado de que no predicase más. Aquí, cuando echa la plática aturde la iglesia. Según dicen; que yo, ya imaginará usted que no asisto a semejante iniquidad. Usted está distraído, vamos; no le cuento a usted más cuentos de esa gente.

—No, cuente usted; así entretengo un poco la ansiedad inevitable. Porque sepa usted que a mí lo único que me saca de quicio y me desata los nervios es la expectación y la incertidumbre. Para las desgracias verdaderas, para los males ya conocidos, creo que no me falta resistencia; y eso que no la doy de estoico.

Siguió Juncal refiriendo cuentos de curas; pero como todo se agota, la conversación iba languideciendo mucho. Gabriel, de cuando en cuando, entraba en el salón, recorría dos o tres habitaciones, y salía siempre diciendo:

—¡Nada, nada. La cosa va larga!

—Ya verá usted —respondía Juncal— cómo el bueno del cura le mete escrúpulos en la cabeza a la señorita.

---

[412] *queso,* gall.: barbilla.

[413] *cavador:* tanto en gallego como en castellano, es el sepulturero; probablemente aquí menciona el oficio religioso de un funeral, por lo que el arcipreste predica el sermón de la Agonía.

XXXV

—Queda muy sosegada, y en un estado de ánimo bastante bueno. Mañana, Dios mediante, recibirá al Señor —respondió el cura de Ulloa, fijando los ojos en un nudo de la madera del piso, pues aquella habitación de Gabriel Pardo era la misma, la de su hermana, y tender la vista alrededor una prueba muy fuerte para el espíritu del párroco.

—¿Y...?

—Todo se lo he expuesto y se lo he manifestado de la mejor manera posible y apoyándolo con cuantas razones me sugirió mi pobre inteligencia. Le he dicho que usted le dispensaba una honra y le daba una prueba de afecto grandísima, elevándola al puesto de esposa suya, después de que...

—¡Ay, Dios mío! —exclamó Gabriel tristemente—. Si se lo ha presentado usted como un favor, de fijo que se ha resentido su orgullo, y por altivez, por delicadeza, habrá sido capaz de negarse.

—No señor, no.

—¿Ha dicho que sí?, ¿ha dicho que sí? —preguntó Gabriel afanosamente.

—Se ha negado.

—¡Ya!

—Pero por otras causas, que usted y yo estamos en el caso de respetar.

—¿Otras causas?

—Manuela se encuentra sinceramente arrepentida. La desventura, el golpe que ha recibido le han abierto mucho los ojos del alma. No desea más que expiar y llorar su culpa.

—¡Su culpa! —exclamó Gabriel, con acento de protesta—. ¡Su culpa, pobre criatura abandonada, sin consejo, sin cariño de nadie! ¡Don Julián, don Julián! Ocasiones hay en que yo me condeno a mí mismo por mi detestable propensión a la indulgencia; porque creo que se me han roto todos los resortes morales; pero ahora, ¡quisiera tener en esta mano todo el perdón y todo el amor del mundo para derramarlo sobre la cabeza de mi sobrina! ¡Ella es inocente; otros, otros somos los culpables!

—Otros —replicó con mansa firmeza el cura— son acaso más culpables que ella; pero ella tampoco es inocente, señor de Pardo. Ella lo comprende y lo reconoce, y desea, así que su padre se ponga bueno, retirarse a un convento de Santiago.

—¡Monja! —exclamó Pardo—. ¡Monja! ¡Quiere ser monja!

—Por ahora, no señor. La vocación no viene en un día, y yo siempre le daría el consejo de que desconfiase de una vocación repentina, dictada por sinsabores o desengaños del mundo. Lo que Manuela quiere es retiro y descanso que le cure las heridas y sitio en qué hacer penitencia de su pecado. Yo le he hablado de bodas, de esposo y de alegría; me ha respondido celda y llanto. En mí no estaba desviarla de ese propósito, desde que me lo manifestó. No me lo permitía mi oficio a aquella cabecera.

Gabriel se acercó al cura de Ulloa, y tomándole con agitación las manos:

—Sí, padre —exclamó—; sí, sí, usted es el único que podía apartarla de ese triste cautiverio en que va a caer voluntariamente. Entrará allí ahora, porque cree, porque piensa que se le ha acabado el mundo y que ha delinquido atrozmente; porque tiene vergüenza y dolor, porque no sabe lo que le pasa. Después de entrar allí, lo que sucede; ya no se atreverá a salir, y se creerá en el compromiso de tomar el hábito, y lo tomará, y sufrirá, y vivirá mártir, y acaso morirá desesperada. Don Julián, ¡usted que tanto ha querido a su madre...!

Pardo sintió temblar en la suya la mano del cura de Ulloa, y creyó que el argumento había hecho fuerza. En efecto, el cura se levantó, y como si despertase de un sueño, abrió sus ojos siempre entornados y los paseó por los muebles, por la habitación, los clavó en la ventana. Y con expresión de angustia, con acento hondo y muy distinto de la voz sorda y tranquila que tenía siempre, gritó:

—¡Ojalá que su madre hubiera entrado en el convento también! Dios llama a la hija. ¡Que vaya! ¡Que vaya! Virgen Santísima, ¡ampárala, recíbela, sosténla, quítala del mundo!

Por primera vez sintió el comandante un impulso de ira contra aquel hombre que poseía a sus ojos la aureola y el prestigio del santo, o —para emplear con más exactitud el lenguaje interno de Gabriel— del hombre honrado que ajusta a sus convicciones su vida, y no tiene para sus semejantes sino ternura y caridad. Rebosando enojo, le apostrofó rudamente:

—¡Don Julián, permítame usted que le diga que eso es un enorme desacierto! Manuela puede ser en el mundo feliz, buena y honrada, y es un horror que vaya a sacrificarse, a enterrarse y a consumirse entre cuatro paredes, sin chispa de devoción ni de humor para ello, ¿por qué? Por una desdicha que ha tenido, por una falta que todo disculpa, cuyo alcance ella no ha podido comprender, y cuya raíz y origen están, al fin y al cabo, en lo más sagrado y respetable que existe... ¡en la naturaleza!

—Señor de Pardo —respondió el cura, que ya había recobrado su apacibilidad de costumbre—, lo que la naturaleza yerra, lo enmienda la gracia; y el advenimiento de Cristo y los méritos de su sangre preciosa fueron cabalmente para eso; para remediar la falta de nuestros primeros padres y sanar a la naturaleza enferma. La ley de naturaleza, aislada, sola, invóquenla las bestias: nosotros invocamos otra más alta. Para eso somos hombres, hijos de Dios y redimidos por él. Dejemos esto; yo desearía que usted no se quedase con el recelo de que he influido directamente en el ánimo de la señorita. Vaya usted junto a ella, pregúntele, ínstele, haga usted su oficio, que la Virgen Santísima no ha de descuidarse en hacer el suyo. Yo me vuelvo a mi casa, si no tiene usted nada que mandar a este humilde servidor y capellán.

—Voy junto a mi sobrina ahora mismo —respondió Gabriel retando al cura con su decisión y con su cólera.

XXXVI

Entró medio a tientas, porque el cuarto estaba casi a oscuras, a causa de que la jaqueca de la niña no le consentía ver luz. No tardaron sin embargo las pupilas de Gabriel en acostumbrarse a aquella penumbra lo bastante para distinguir, en el fondo del cuarto, la blancura de las sábanas y la cabeza de Manuela sobre el marco de su negrísimo pelo. Al acercarse el comandante, levantóse Juncal y se retiró discretamente. La montañesa yacía inmóvil, con los ojos cerrados, y de la cama se alzaba ese olor especial que los enfermeros llaman olor a calentura, y que se nota por más ligera que sea la fiebre.

A la cabecera de la cama estaba vacante la silla que el médico había dejado; pero Gabriel la separó, e hincando una rodilla en tierra, puso la mano derecha sobre el embozo de la sábana.

—Manuela —cuchicheó.

La enferma abrió los ojos, sin responder.

—¿Qué tal te encuentras?

—Muy bien, algo cansada.

—¿Te incomodo?

—No señor. Siéntese, por Dios.

—Quiero estar así. ¿Me das la mano?

Sacó Manuela su mano morena, ardiente, abrasada, y la entregó como se la pedían. Gabriel la tomó y la rozó suavemente con los labios. La niña hizo un movimiento para retirarla. Gabriel silabeó en tono suplicante:

—No, hija mía, déjamela. Oye, Manuela. ¿Te molesta oír hablar?

—Bajito, no.
—¿Y podrás responderme?
Inclinó la cabeza, diciendo que sí.
—Manuela, ¿te ha dicho algo de mí el señor cura?
—Ya sé los favores que le merezco —articuló la montañesa.
—Ninguno. Ese es el error. ¡Favor! No disparates. Mira en qué postura estoy. Pues figúrate que en esa misma te lo pedía, ¿entiendes? Como favor para mí, para mí. Vivo muy solo en el mundo; no tengo a nadie, a nadie; y me hacías falta, y me darías la vida. Pero ya no se trata de eso. De otra cosa más pequeñita y más fácil. Anda, monina, no me lo niegues. ¿Verdad que no? Si es facilísimo; si no te cuesta trabajo ninguno. Que no pienses en rejas ni en conventos; ¡mira qué poco, y qué sencillo! Te quedas aquí, al lado de tu padre. Yo también me quedo. Si estás triste, te acompaño; si enferma, te cuido; verás cómo discurrimos maneras de distraerte. Y de aquello que te pedí primero, no se habla nada. Nada. Te lo juro por la memoria de tu pobre mamá: ¿a que así me crees?
Manuela no abrió los labios. Con el balanceo suave de su cabecita pálida y porfiada, daba el *no* más redondo del mundo.
—¿No quieres? ¿Que no? ¿Qué te diré, qué te haré para convencerte y traerte a buenas? Terquita de mi alma, ¡pobrecita! Respóndeme con la boca, dime, ¿qué hago, cómo te conquisto? Pídeme tú algo..., muy grande..., ¡muy atroz! Verás cómo soy mejor que tú, cómo te doy gusto. Te me has vuelto muy mala.
Los lánguidos ojos de la montañesa resplandecieron un instante, entre el oscuro cerco que los rodeaba; alzó un poco la cabeza; apretó la mano de su tío, y dejó salir con afán:
—¿De veras me hará lo que yo le pida?
—Oro molido que fuese, monina. Di, di.
—¿Me da palabra?
—De honor, de caballero, de todo lo que exijas. ¿Qué es ello? Salga.
—Que se vaya por Dios, que se vaya a Madrid corriendo..., antes que aquel que está allí solito..., ¡y desesperado!, se desespere de vez, y..., y...
No pudo proseguir: las lágrimas, de pronto, le nublaron las pupilas y le trabaron la voz en la garganta.

Aquel que ve el interior de los corazones sabe que Gabriel Pardo recibió el golpe como honrado y valiente, presentando el pecho y con animoso espíritu. Allá en el fondo, muy en el fondo de su conciencia, se alzó una voz que gritaba:

—Cura de Ulloa, ni tú ni yo; tú un iluso y yo un necio. Quien nos vence a los dos es... el rey... ¡No, el tirano del mundo![414].

—Así se hará, hija mía —dijo en alta voz—. ¿Quieres que me marche hoy mismo?

—Pudiendo ser..., ¡Dios se lo pague! Atienda, escuche... —silabeó acercando tanto su boca al oído de Gabriel, que éste sentía en la mejilla un aliento enfermizo y volcánico—. Haga usted para que no se desconsuele mucho..., y dígale que así que yo esté en el convento, él vuelve aquí, y mi padre queda satisfecho, y todos bien, todos bien.

—Adiós —respondió lacónicamente el artillero, que se levantó del suelo, se inclinó sobre la montañesa y le dio un beso a bulto, hacia la sien.

Quiso ir a pie hasta Cebre, y Juncal, por supuesto, se empeñó en acompañarle. En lo alto de la cuesta, donde se domina a vista de pájaro el valle de los Pazos, se volvió, y estuvo buen trecho con los brazos cruzados, la vista clavada en el tejado de la solariega huronera, en el estanque del huerto que destella-

---

[414] En el capítulo XXVIII, Perucho mismo había anticipado este triunfo del amor y la pasión natural cuando, respondiendo a Gabriel, le dice: «Pues si no hubiese Dios, ¡lo que es a Manola..., soltar no la suelto!» *(vid.* nota 382). En el desenlace, sin embargo, ambos personajes se someten a las leyes morales. Por la respuesta que don Gabriel recibe de su sobrina, cree éste que vence secreta e íntimamente el amor, resultando vencidos por tanto su racionalismo y el espiritualismo del cura de Ulloa; queda, en fin, todo sometido al «tirano del mundo». Esto es tan sólo en apariencia cierto, pues vence en realidad la propuesta del cura de Ulloa: Manuela se somete a la religión, entrando en un convento a expiar su culpa y renunciando al matrimonio con su tío. Resume este desenlace la tesis del Naturalismo cristiano de doña Emilia, según la cual los impulsos naturales han de ser sofrenados con la educación y el vigor moral. Las palabras finales de don Gabriel no encierran la tesis de la novela, que ha sido expresada con anterioridad por don Julián *(i.e.,* la ley de la Naturaleza invóquenla sólo las bestias), sino que vienen a constatar que la Naturaleza, en efecto, permanece impasible al drama vivido por los personajes; el marco del comienzo se repite al final para resaltar esta imagen de impasibilidad que don Gabriel formula al nombrar a la Naturaleza-madrastra, la otra polaridad presente en la novela.

ba fuego a los últimos rayos del sol, en los lejanos picos y azuladas crestas que servían de corona al valle. Estas contemplaciones paran, y debiera callarse por sabido, en un suspiro muy hondo. Pardo llenó este requisito, y acordándose de todo lo que había venido a buscar allí diez días antes, pensó, con humorística tristeza:

—Otro caballo muerto.

Aquella tarde, el gran ardor de la canícula daba señales de aplacarse ya, y eran preludio y esperanza de frescura y acaso de agua las nubes redondas y los finos rabos de gallo que salpicaban caprichosamente el cielo. Una brisa fresca, vivaracha, que columpiaba partículas de humedad, hacía palpitar el follaje. A lo lejos chirriaban los carros cargados de mies, y las ranas y los grillos empezaban a elevar su sinfonía vespertina, saludando a la lluvia y al viento antes de que hiciesen su aparición triunfal y refrigerasen la tostada campiña. Todo era vida, vida indiferente, rítmica y serena.

Gabriel Pardo se volvió hacia los Pazos por última vez, y sepultó la mirada en el valle, con una extraña mezcla de atracción y rencor, mientras pensaba:

—Naturaleza, te llaman madre... Más bien deberían llamarte madrastra.

Colección Letras Hispánicas

Últimos títulos publicados

453 *Obra completa,* Juan Boscán.
Edición de Carlos Clavería.
454 *Poesía,* José Agustín Goytisolo.
Edición de Carme Riera (2.ª ed.).
456 *Generaciones y semblanzas,* Fernán Pérez de Guzmán.
Edición de José Antonio Barrio Sánchez.
457 *Los heraldos negros,* César Vallejo.
Edición de René de Costa.
458 *Diálogo de Mercurio y Carón,* Alfonso Valdés.
Edición de Rosa Navarro.
459 *La bodega,* Vicente Blasco Ibáñez.
Edición de Francisco Caudet.
462 *La madre naturaleza,* Emilia Pardo Bazán.
Edición de Ignacio Javier López.
463 *Retornos de lo vivo lejano. Ora maritima,* Rafael Alberti.
Edición de Gregorio Torres Nebrera.
465 *El maleficio de la mariposa,* Federico García Lorca.
Edición de Piero Menarini.
466 *Cuentos,* Julio Ramón Ribeyro.
Edición de Mª. Teresa Pérez Rodríguez.
470 *Mare nostrum,* Vicente Blasco Ibáñez.
Edición de Mª. José Navarro Mateo.
484 *La voluntad de vivir,* Vicente Blasco Ibáñez.
Edición de Facundo Tomás.
496 *La maja desnuda,* Vicente Blasco Ibáñez.
Edición de Facundo Tomás.
500 *Antología Cátedra de Poesía de las Letras Hispánicas.*
Selección e introducción de José Francisco Ruiz Casanova (2.ª ed.).

De próxima aparición

Paz en la guerra, Miguel de Unamuno.
Edición de Francisco Caudet.

Colección Letras Hispánicas

[illegible]

[illegible]